ESCHATOLOGIE IM ALTEN TESTAMENT

WEGE DER FORSCHUNG

BAND CDLXXX

1978

WISSENSCHAFTLICHE BUCHGESELLSCHAFT

DARMSTADT

ESCHATOLOGIE
IM ALTEN TESTAMENT

Herausgegeben von

HORST DIETRICH PREUSS

1978

WISSENSCHAFTLICHE BUCHGESELLSCHAFT

DARMSTADT

CIP-Kurztitelaufnahme der Deutschen Bibliothek

Eschatologie im Alten Testament / hrsg. von
Horst Dietrich Preuß. — Darmstadt: Wissenschaft-
liche Buchgesellschaft, 1978.
  (Wege der Forschung; Bd. 480)
  ISBN 3-534-07036-4

NE: Preuß, Horst Dietrich [Hrsg.]

 Bestellnummer 7036-4

© 1978 by Wissenschaftliche Buchgesellschaft, Darmstadt
Satz: Maschinensetzerei Janß, Pfungstadt
Druck und Einband: Wissenschaftliche Buchgesellschaft, Darmstadt
Printed in Germany
Schrift: Linotype Garamond, 9/11

ISBN 3-534-07036-4

INHALT

Inhalt VII

EINLEITUNG

Von Horst Dietrich Preuss

„Leider muß heute wohl jeder, der auf dem Felde wissenschaft-
lich-theologischer Erörterungen mit dem Begriff 'Eschatologie'
arbeitet, erklären, was er darunter versteht und wie er diesen
Begriff im Gefüge seines wissenschaftlichen Systems funktionieren
lassen will."[1]

Dergleichen Feststellungen sind kein Einzelfall und als Stoß-
seufzer nicht selten. Der vorliegende Band mit seinen Beiträgen aus
der Forschung zur Eschatologie des Alten Testaments von 1929
bis 1974 (die Bibliographie führt auch ältere sowie neuere Arbeiten
auf) kann nicht die Absicht haben, den Gebrauch des Begriffs
'Eschatologie' zu normieren — selbst nicht auf dem Gebiet alttestamentlicher Wissenschaft. Er möchte aber versuchen zu erreichen,
daß mehr als bisher die Forschungsbeiträge anderer zur Kenntnis
genommen und verarbeitet werden und daß außerdem vielleicht
angesichts des Chors der unterschiedlichen Stimmen eigene Voraussetzungen stärker hinterfragt auf ihren Gesamtstellenwert untersucht werden, so daß von dort aus eine Klärung möglich wird.

Hilfe dazu und auch eine gewisse Hinführung möchten die folgenden knappen Hinweise auf die gegenwärtige Problemlage bieten.

---

[1] S. Wagner, BiOr 28, 1971, 79—81 in einer Rez. des Werkes von
H.-P. Müller; Zitat a. a. O., S. 79.

In den folgenden Anmerkungen werden nur die Werke mit genauen
bibliographischen Angaben zitiert, die nicht in der beigegebenen Bibliographie aufgeführt sind. Nennungen von bzw. Zitierungen aus dort aufgeführten Arbeiten erfolgen nur mit Verfasserangabe und — wenn
nötig — Kurztitel oder Jahreszahl.

Für Hilfe bei den Korrekturen und der Erstellung der Register danke
ich Frau Vikarin Jutta Hausmann.

I. Zur Forschungsgeschichte

Wer die heutige Diskussionslage zum Thema 'Eschatologie' innerhalb alttestamentlicher Forschung verstehen will, muß aus mehreren
Gründen bei der Situation einsetzen, die durch die Arbeiten von
E. Reuß, K. H. Graf, A. Kuenen und vor allem J. Wellhausen
bestimmt war. Einmal schufen diese Forscher wesentliche Grundlagen heutiger Fragestellungen, und ferner sind sie — vor allem in
der Gestalt der Werke Wellhausens — heute wiederum oder noch
aktuell, da damals gestellte Fragen und damals gegebene Antworten
wieder ihre Vertreter finden.

Nach der Abwertung prophetischer Voraussagen durch A. Kuenen
und seinem (oft zu) genauen Aufweis ihrer Nichterfüllungen, war
es bei J. Wellhausen vor allem die Gerichtspredigt der vorexilischen
Propheten (vgl. ähnlich heute etwa Fohrer), die sich einsichtig
machen und historisch wie psychologisch ableiten ließ. Zukunftshoffnungen auf Heil jedoch wurden für exilisch-nachexilische Zusätze gehalten, da sie z. B. erst nach dem Gericht des Exils verstehbar seien. Eschatologie gar geht nach Wellhausen dann von
unerfüllten Weissagungen aus und prolongiert den noch nicht
eingelösten Wechsel auf einen späteren Termin. Texte mit eschatologischen Themen werden daher nicht nur für meist nachexilisch
gehalten, sondern auch literarkritisch wie theologisch abgewertet,[2]
wogegen 1913 schon W. Baumgartner kritisch Stellung bezog.

Der Versuch eines Gegenschlages gegen die Schule Wellhausens
aus den Reihen der sog. religionsgeschichtlichen Schule durch
H. Gunkel[3] und H. Greßmann[4] hatte nur begrenzte Wirksamkeit,
da deren eigene Thesen sich bald als Konstruktionen erwiesen, so-

---

[2] Vgl. dazu J. Wellhausen, Israelitische und jüdische Geschichte, Berlin
⁹1958, 195—199, auch 148 und 150; ders., Prolegomena zur Geschichte
Israels, Berlin ⁴1895, 425 ff.; ders., Grundrisse zum Alten Testament
(hrsg. R. Smend), München 1965 (TB 27), 97—102. — Zur weiteren
Orientierung über die jeweils genannten Forscher und ihre Arbeiten s.
H.-J. Kraus, Geschichte der historisch-kritischen Erforschung des Alten
Testaments, Neukirchen ²1969.

[3] Schöpfung und Chaos.

[4] Ursprung . . .; Der Messias.

sehr sie auch das Interesse auf die Umwelt Iraels einerseits wie auf
das Sprachmaterial von Mythos und 'Hofstil' anderseits zu lenken
in der Lage waren. Gunkel und Greßmann versuchten die Eschatologie schon als Vorläufer der Prophetie zu erweisen, da deren Material aus einem Unheils- und Heilsschema der Umwelt Israels
stamme, innerhalb des Alten Testaments dann eine umprägende
Entwicklung durchlaufen und Glauben wie Hoffnung Israels zu
allen Zeiten entscheidend mitbestimmt habe.

E. Sellin[5] wollte dagegen die mögliche Frühdatierung des Ursprungs israelitischer Eschatologie zwar festhalten, letztere aber
nicht aus der mythologischen Umwelt Israels, sondern von der
Jahweoffenbarung am Sinai herleiten, bei der Heil und Unheil
zwei Seiten desselben Geschehens gewesen, somit auch derselben
Erwartung geworden seien. Seit dem Sinaigeschehen und durch
dieses erwartete Israel die Theophanie Jahwes zum Antritt seines
Weltregimentes (vgl. später G. Pidoux).

S. Mowinckel[6] war sich mit Sellin zwar prinzipiell in der Ablehnung außerisraelitischen Einflusses einig, argumentierte dann
aber doch mehr von allgemein-menschlichen Erfahrungen her, nach
denen es die Spannungen zwischen kultisch-festlicher Wirklichkeit
und dahinter zurückbleibender Alltagserfahrung waren, welche
Israel den Weg vom Erlebnis zur Hoffnung gehen ließen. Der
kultische Festtag war der Tag Jahwes, der Neujahrstag, der solche
Perspektiven in die Zukunft stets neu eröffnete. Die Ablehnung
der zeitgeschichtlichen und die Hinwendung zu einer kultgeschichtlichen Deutung der Thronbesteigungspsalmen Jahwes, welche eine
eschatologische Deutung als erst nach Deuterojesaja möglich nach
sich zog, sowie das Verständnis des Kultus als rituellem Drama
waren wichtige Nebenvoraussetzungen dieser Ableitung alttestamentlicher Eschatologie, die ähnlich auch von A. J. Wensinck,
H. Schmidt und anderen vertreten wurde. Da es enttäuschte Kult-
teilnehmer jedoch sicherlich nicht nur innerhalb Israels gegeben

---

[5] Prophetismus, 102 ff.

[6] Psalmenstudien II. — Später, z. B. in ›He That Cometh‹, hat
M. 'Eschatologie' auf die Erwartung zweier unterschiedlicher Zeitalter
eingeengt und als nur nachexilisch angesehen.

haben dürfte, konnten Mowinckel und die ihm verbundenen Forscher dann eben doch nicht recht deutlich machen, warum sich nur in
Israel, nicht aber z. B. auch in Ägypten oder Mesopotamien eine
echte Eschatologie herausgebildet hatte.

L. Dürr[7] machte daher erneut den Jahweglauben für die Heraus-
bildung der alttestamentlichen Eschatologie wichtig, engte ihn aber
zu sehr auf den Aspekt des helfenden Gottes ein. Seine Kritik[8] an
Greßmanns These des außerisraelitischen Ursprungs alttestamentlicher Eschatologie war daher von größerer Wirkung.

Ähnlich wie G. Hölscher[9] vertrat auch A. von Gall[10] eine
ausschließlich nachexilische Entstehung alttestamentlich-jüdischer
(Heils-)Eschatologie, wobei letzterer außerdem dem Parsismus entscheidenden Einfluß zuschrieb.

Im Jahre 1929 veröffentlichte dann W. Staerk die Thesen zur
alttestamentlichen Eschatologie, mit denen die Textsammlung
dieses Bandes beginnt. Staerks kritische Hinweise auf außerisraelitische Erlösererwartungen, auf immanent-psychologische Deutungen, wie aber auch auf besondere geschichtliche Erfahrungen
Israels, zeigen genauso wie die eigenen Weiterführungsversuche
innerhalb der Fragenbereiche von innerzeitlich-endzeitlich, zyklisch
oder linear, Geschichtsvollendung oder Abbruch von Geschichte
u. a. m. den Versuch einer Weiterführung der Forschung. Der an-
schließende weitere Verlauf dieser Forschung ist in dem vorliegenden Band in seinen wichtigsten Beiträgen zusammengestellt und in
seinen wichtigsten Problemen weiter zu skizzieren.[11]

II. Zum Begriff 'Eschatologie'

Wenn es auch hoffentlich nicht so ist, daß jeder Alttestamentler
seine eigene Eschatologie konstruiert (Wanke), so ist doch unver-

---

[7] Ursprung und Ausbau . . .

[8] A. a. O., 1 ff.

[9] Ursprünge . . .

[10] Basileia.

[11] Zur Forschungsgeschichte s. den Beitrag von W. Köhler; dann auch
Preuß und Odendaal, 1—58, mit weiterer Literatur.

kennbar, daß 'Eschatologie' ein vieldeutiger Begriff ist. Auch durch genauere begriffliche Untersuchungen — wie etwa der Wendungen 'aḥªrît, 'aḥªrît hajjāmîm, jāmîm bā'îm oder ἔσχατος [12] — kann man der Vieldeutigkeit nicht Herr werden, da sich so unterschiedliche Ergebnisse wie die von Carmignac oder van der Ploeg einstellen können. Ist mit den genannten Begriffen und Wendungen wirklich weder im Alten Testament noch in den Qumrantexten ein „Ende der Tage" angesprochen? Was ist der Unterschied zwischen Weltende und Wissen vom Ende dieser Zeit und von der kurzen Zeitspanne, welche diesem Ende vorausgeht (van der Ploeg)?

Trotz dieser Problematik hat sich innerhalb der heutigen Forschung ein gewisser Konsensus doch insoweit herausgebildet, als fast jedermann versichert, daß 'Eschatologie' im Bereich alttestamentlicher Wissenschaft natürlich nicht wie in der Dogmatik als Lehrstück „De novissimis" oder als System zu verstehen sei, daß man hier keine Lehrsätze bilden und erwarten könne, sondern höchstens Entwicklungslinien (Knight), was aber gleichzeitig wieder dadurch erschwert wird, daß zwischen nichteschatologisch und eschatologisch Übergänge vorhanden sind (Lindblom), die unterschiedlich angesetzt und bewertet werden.

Sollte man daher diesen vieldeutigen und damit sogar gefährlichen Begriff 'Eschatologie' nicht besser ganz vermeiden (Carmignac)? Signalisiert ein Vermeiden des Begriffs aber nicht zugleich eine kritische Einstellung zur Eschatologie überhaupt? Faßt man den Begriff eng und genau, scheint man sich vom biblischen Befund zu entfernen. Faßt man ihn weiter, wird vieles unscharf, beginnt der Streit und die genannten und noch zu nennenden Probleme häufen sich. Will man keine Vorausdefinition geben, sondern dafür lieber von Texten ausgehen, die als eschatologisch redende anerkannt sind (Wanke), entsteht sofort die Rückfrage, wie man denn diese Texte findet und wer sie dann warum als 'eschatologisch' qualifiziert und anerkennt. Sind Zukunftserwartung und Eschatologie nahezu identisch und begrifflich auswechselbar (vgl. etwa bei

[12] Vgl. zu den Begriffen die entsprechenden Artikel im THAT und ThWAT, ferner die Anm. 30 genannte Literatur.

Lohfink)? Sind endzeitlich und innerzeitlich, diesseitig und endgültig Gegensätze?[13]

Bei aller Konfusion der Forschungsresultate und allem Streit der
Gelehrten scheint sich jedoch immer mehr eine Überzeugung als
Gemeingut herauszuschälen: Die Alttestamentler sollten das Wort
'Eschatologie' im Blick auf den alttestamentlichen Textbefund nicht
in einem engeren, sondern eher in einem weiteren Sinne verwenden.
Der mehr engere Gebrauch denkt an das Weltende (Hölscher), an
das Sichablösen von zwei grundsätzlich unterschiedenen Zeitaltern
(Fohrer; der spätere Mowinckel)[14] und möchte den Gebrauch des
Terminus 'Eschatologie' folglich auf Texte und Themen einschrän-
ken, die von einer neuen Welt nach dem Abbruch der jetzigen
reden, von einem kosmisch-dualistischen Umbruch, der ein neues
Zeitalter heraufführt und dieses alte beendet (so zuweilen auch
Lindblom). Es muß dabei aber zuleich konstatiert werden (vgl.
selbst Fohrer), daß es für diesen engeren Gebrauch innerhalb des
Alten Testaments selber nur erste Ansätze gibt und durch den
skizzierten Dualismus eigentlich eher die Apokalyptik gekennzeichnet wird, nicht aber jede Eschatologie.

Der Gebrauch des Wortes 'Eschatologie' in einem weiteren Sinn
hingegen, wie er etwa von Bright, Dingermann, Eifler, Grönbæk,
Lindblom, Lohfink, Pidoux, Preuß und Vriezen befürwortet wird,
hat zwar vielleicht auch Verwirrung gestiftet (Wanke), aber wohl
den Vorteil, daß er größeren Teilen des Alten Testaments gerecht
zu werden vermag, von Entwicklung innerhalb dieser Eschatologie
sprechen kann (siehe unter IV) und dadurch auch zu anderen Wert-
urteilen kommt (vgl. unter VI).

Eschatologie wird hier nicht auf die Lehre von zwei sich ablösenden Zeitaltern eingeengt, da sie u. a. nicht nur Abschluß,
sondern auch Wende mit dem Blick auf das Danach bezeichnet.
Wird hierbei oft der Bruch innerhalb der bisherigen Kontinuität
als für 'Eschatologie' konstitutiv herausgestellt, d. h. die radikale

---

[13] Dazu besonders Vollborn; kritisch zu ihm z. B. auch von Rad, Theol.
II[4], 125 ff.; weiter s. S. 294 f.

[14] Wie Fohrer z. B. auch H. W. Hoffmann, Die Intention der Verkündigung Jesajas, Berlin/New York 1974 (BZAW 136), 119.

Veränderung von Welt, Zeit und Menschheit durch ein neues Eingreifen Gottes, wobei das Neue nicht allein als Fortsetzung des Alten zu verstehen sei, sondern eine Wende, einen neuen Zustand der Dinge heraufführe, ohne jedoch gleich die Vollendung aller Dinge zu sein (Bright; Dingermann; Eifler; Groß; Lindblom; Lohfink; Preuß; von Rad), so lehnt sich diese Füllung des Begriffs weitgehend an Lindblom an, der die Einengung auf das „neue Zeitalter" als zu eng abgelehnt hatte. Er wollte eher von dem ganz Neuen sprechen, das aufleuchtet, ohne dabei nur eine Fortsetzung der Verhältnisse dieser Zeit — sei es innerhalb oder außerhalb der Geschichte! — zu bringen. Schunck kann dann sogar dort von Eschatologie reden, wo unabhängig von Zeitkategorien neues Sein im Sinn eines letzten, endgültigen Seins in den Blick kommt, wo Gott schon jetzt in Gericht und Heil am Menschen handelt, während sonst von künftigem Gotteshandeln zur Umwandlung des Bestehenden gesprochen wird (so z. B. W. Köhler; Schreiner).

Von Abschlußaspekt bzw. Endgültigkeit[15] muß schließlich noch die Rede sein, da (nach Vollborn) Grönbæk und Müller dieses für eine wesentliche Konstituente von Eschatologie halten (vgl. etwas auch bei Preuß), und Müller sogar das Entstehen von Eschatologie überhaupt auf den Dreitakt 'Endgültigkeitshoffnung in direktgegenwärtiger Betroffenheit — Erfahrung ihrer Vorläufigkeit und Aporie — Umschlag in neue Hoffnung auf endgültiges Eingreifen Gottes' zurückführt und Eschatologie als Erfahrung und Hoffnung zukünftiger Endgültigkeit verstanden wissen möchte.[16] Auch Kaiser spricht von Eschatologie als der Erwartung eines den Lauf der Geschichte entscheidend bestimmenden Eingreifens Gottes in der Zukunft, sieht solches Reden allerdings erst — im Gegensatz zu den

[15] Literatur zu den Termini „Endgültigkeit" bzw. „Abschlußaspekt" s. auch auf S. 294; vgl. z. B. Bright, Frost, aber auch schon Staerk („Vollendung").

[16] Zu dem diesem Band beigegebenen Aufsatz von H.-P. Müller vgl. noch dessen Buch ›Ursprünge und Strukturen . . .‹ (besonders dort S. 222 bis 224 die Zusammenfassung; sie konnte leider hier nicht abgedruckt werden). — Inwiefern Müller und Preuß in ihrer Sicht und Wertung von Eschatologie zu grundsätzlich anderen Ergebnissen kommen (so Wanke), ist unerfindlich.

meisten der den weiteren Gebrauch des Begriffs befürwortenden
Forscher — seit Deuterojesaja gegeben.

Schafft somit eine Näherbestimmung des Begriffs 'Eschatologie'
wenig Klarheit, wenn sie auch Trends und manche Übereinstimmungen aufzeigen kann, so spitzt sich alles doch auf die Frage zu,
ob die „volle" Eschatologie, wie sie unzweideutig (wenn auch als
Apokalyptik) im Danielbuch vorliegt, Vorläufer hatte, und wo
diese aufzeigbar sind bzw. beginnen. Kann darüber hinaus von
zwei grundsätzlich nach Ansatz und Art unterschiedenen Hoffnungen auf ein neues Zeitalter gesprochen werden, nämlich von
einer, welche dieses Zeitalter durch den Abbruch des jetzigen, von
einer anderen, die es durch dessen Vollendung heraufgeführt sehen
möchte?[17] Damit aber sind weitere Fragen angeschnitten, wie die
nach dem Ursprung und nach der möglichen Entwicklung alttestamentlicher Eschatologie.

III. Zur Frage des Ursprungs

Die Beantwortung der Frage nach dem Ursprung alttestamentlicher Eschatologie muß beim jetzigen Stand der Forschung von der
Tatsache ausgehen, daß 'Eschatologie' in der Umwelt des frühen
Israel nicht nachweisbar ist, diese Eschatologie somit ein genuin
israelitisches Phänomen zu sein scheint.

Die Thesen (Gunkels und vor allem) Greßmanns über altorientalische Mythen, die Wiederkehr eines Paradieseskönigs oder ein
vorgegebenes Unheil-Heilschema betreffend (mit Bezug zur Präzession der Sonne), sind aufgrund neuerer Forschungen aufzugeben,
ebenso wie der Hinweis auf in der Umwelt Israels belegbare echte
Prophetien.[18] Eschatologie ist weder vor noch neben dem Alten

---

[17] Dazu V. Maag, Malkut JHWH, und ders., Das Gottesverständnis
des Alten Testaments, NThT 21, 1967, 161—207.

[18] Zur Kritik an Gunkel und Greßmann (ähnlich auch Segal, vgl.
S. 297) s. Dürr, 1 ff. — Zu den „Prophetien" in Israels Umwelt s. den
Überblick von F. Nötscher, BZ NF 10, 1966, 161—197; dann die vorsichtigen Erwägungen von S. Herrmann, Heilserwartungen, 16 ff., 46 ff.;
ferner knapp bei Preuß, Jahweglaube, 131 f.

Testament nachweisbar, zumindest nicht vor der nachexilischen Zeit. Der dann zu erkennende Einfluß des Parsismus (von Gall) wurde erst für die sich ausbildende frühjüdische Apokalyptik mitbestimmend, nicht aber für die Entstehung alttestamentlicher Eschatologie überhaupt.[19] Daß man angesichts der Spannungen zwischem kultischem Hocherlebnis und ernüchternder Alltagswirklichkeit den Weg vom Erlebnis zur Hoffnung gegangen sei,[20] ist als nur auf Israel anwendbares Phänomen schwer begreiflich zu machen. Auch ein Hinweis auf soziale Spannungen und Schichtungen innerhalb Israels, welche eschatologische Erwartungen hervorriefen (Eifler), kann nicht erklären, warum dann dergleichen Eschatologien nicht auch in Israels Umwelt angesichts dort gewiß vorhandener ähnlicher Probleme entstehen konnten. Neuere Forschungen zum Zeitverständnis anderer Völker haben darüber hinaus deutlich gemacht, daß 'Eschatologie' und 'Weltende' für wesentliche Religionen der Umwelt des alten Israel keine bestimmenden Kategorien waren.[21]

Sah H.-P. Müller früher (1964) noch die Zeit Davids als Entstehungsgrund für Eschatologie an und wurde (Eichrodt) oder wird (Bright; Lohfink; Zedda) ferner häufig auf das Bundesdenken Israels als Quelle eschatologischer Erwartung verwiesen, da man von diesem Bund her erwartend in die Zukunft blickte und „Bund" sowohl Verheißung wie künftige Verpflichtung aus sich heraussetzte, so sind die Verweise darauf in jüngster Zeit angesichts neuerer Forschungen zum Bundesgedanken zurückgegangen bzw.

---

[19] Zum Einfluß des Parsismus vgl. neben von Gall: Böklen, Kohut; neuer dann F. König; ferner in diesem Bd. den Beitrag von McCullough, schließlich die Gesamtdarstellung von G. Widengren, Die Religionen Irans, Stuttgart 1965.

[20] Zur Kritik an Mowinckel (und damit auch an Wensinck, H. Schmidt u. a.) vgl. besonders Cerny, Coppens, Grönbæk, Vriezen. — Zum Gegeneinander von Kultus und Eschatologie und ihrem unterschiedlichen Gottesbild wie Frömmigkeitsverhalten vgl. F. Hecht, Eschatologie und Ritus.

[21] Vgl. etwa M. H. Fantar, Eschatologie phénicienne-punique, in: Coll. notes et doc. de l'Institut d'Archéologie et d'Arts, Tunis 1970. — J. Assmann, Zeit und Ewigkeit im Alten Ägypten, Heidelberg 1975.

spezieller ausgerichtet worden. Das Alte Testament kennt offensichtlich verschiedene Bundessetzungen (Abrahamberith, Noahberith, Sinaiberith, Davidberith) mit jeweils unterschiedlicher Affinität zur Zukunftshoffnung.

Eschatologie ist im Alten Testament vielmehr eher durch die Eigenart des israelitischen Jahweglaubens entstanden und bestimmt (Bright; Dingermann; Groß; Jepsen; Maag; Preuß; Procksch; Schreiner; etwas auch W. Köhler und Zedda),[22] da Jahwe der Gott ist, welcher sich durchsetzt, von Verheißung zu Erfüllung führt, sowie Geschichte zielgerichtet gestaltet. Wenn schon Staerk darauf verweisen konnte, daß Eschatologie mit geschichtlicher Offenbarungsreligion verbunden sei, so sind diese Hinweise durch Forschungen von Maag ausgebaut, durch Müller mit dem Verweis auf Gottes Kommen und Eingreifen vertieft und mit dem Blick auf Transzendenz und Immanenz sowie die Bedeutsamkeit und Grenze mythischer Rede unterbaut worden, während Preuß die sich zur Eschatologie entwickelnde Zukunftserwartung (vgl. dazu unter IV) und damit die Zukunftsbezogenheit des Jahweglaubens überhaupt als eine von dessen Grundstrukturen zu erweisen sich bemühte.

Genauer wurde dabei von mehreren Seiten dieser Jahweglaube Israels in seiner engen Verbindung zur Geschichte verstehen gelehrt, so daß auch Eschatologie mit Geschichtserleben und (linearem) Geschichtsdenken zusammenhängt (vgl. dazu die bereits oben genannten Namen der Forscher, denen auch von Rad und Zimmerli zugesellt werden können). Als neues und so grundlegendes wie interessantes Thema der Forschung hat sich dabei jetzt die Frage herausgestellt, ob die Zukunftserwartung aus der Gegenwartserfahrung fließt, oder ob es zur Gegenwartskritik angesichts feststehender Zukunfsgewißheit kommt (vgl. W. H. Schmidt, 1973; H.-J. Hermisson). Neben den beiderseitigen theologischen Prämissen allgemeiner Art ist hierbei insonderheit die Wertung eschatologischer Texte des Alten Testaments von Bedeutung, womit man erneut vor den hier zu durchdenkenden Problemen steht.

---

[22] Nennung weiterer Forscher s. u. S. 293 f.

IV. Entwicklung innerhalb alttestamentlicher Eschatologie?

Auch wenn man von der These ausgehen sollte, daß wirkliche Eschatologie sich erst in nachexilischen Texten oder ab Deuterojesaja findet und außerdem die enge Füllung des Begriffs 'Eschatologie' durch die Lehre von den zwei Zeitaltern befürwortet, kommt man nicht an der Frage vorbei, ob diese „volle" Eschatologie etwa des Danielbuchs Vorstufen gehabt habe, ob es Übergangsformen zwischen eschatologisch und nichteschatologisch (Lindblom) oder eine Eschatologie im Entstehen (van der Ploeg) gegeben habe, ob sich damit innerhalb des Alten Testaments nicht ein Gefälle hin zur Enderwartung zeige (Bright; Preuß; Schreiner und andere).

Hier aber gehen nun die Meinungen der Forscher am weitesten auseinander. Daß es auch in vorexilischer Zeit im Glauben Israels Zukunftserwartungen gegeben hat, wird man kaum bestreiten können. Welcher Zusammenhang aber besteht zwischen Zukunftserwartung und Eschatologie? Kann man schon (mit Grönbaek) von vorexilischer Eschatologie sprechen? Was ist dann damit gemeint, und auf welche Texte gründet sich diese Meinung? Der Zusammenhang von Zukunftserwartungen und Eschatologie wird z. B. von Murphy betont, von Dingermann als Strecke ständig wachsender Erwartung, von Groß und Preuß als Prozeß sinnvoller Entfaltung gesehen. Schreiner versucht diese Entwicklung an der semantischen Füllung der Wendung „am Ende der Tage" aufzuzeigen. Sind erst die (jesajanischen?) Texte Jes 7; 9 und 11 eschatologisch, oder ist schon mit Gen 12, 3 und der jahwistischen Verheißung für die Völker der eschatologische Horizont markiert (Lohfink; ähnlich Zedda)?

Es sind besonders häufig römisch-katholische Forscher, die hier gern von Entwicklung hin zur Eschatologie sprechen, diese Entwicklung aber dann zugleich mit der Offenbarungsgeschichte gleichsetzen und somit eine Offenbarungsentwicklung sehen (Groß), wogegen selbst andere römisch-katholische Forscher sich kritisch verwahren, etwa mit der Frage, warum denn dann gerade alle wichtigen frühjüdischen Apokalypsen außerhalb des Kanons verblieben wären (Lohfink). Wird einerseits betont, daß diese Entwicklung aber keineswegs als Spiritualisierung ursprünglich mehr materieller Hoff-

nungen zu sehen sei, vertritt anderseits Grönbæk die These einer
Entwicklung von geschichtlich-diesseitiger vorexilischer zu transzen-
denter nachexilischer Eschatologie (vgl. Schunck).

Ein m. E. hilfreiches Schema zur Kennzeichnung von vier Perioden auf dem Weg der Entwicklung von frühvorexilischer Zukunftserwartung zur nachexilischen Apokalyptik hat Vriezen vorgelegt[23]
und damit zahlreiche Anhänger gefunden (Dingermann; Groß;
Jenni; W. Köhler; Preuß; ähnlich auch Lohfink und Zimmerli).
Eine Entwicklung versucht auch McCullough aufzuzeigen, findet
aber hierbei trotz seiner Behauptung von Eschatologie schon bei den
Propheten des 8. Jahrhunderts den Schwerpunkt seiner Darstellung
erst in nachexilischer Zeit.

Hilfreich auch erscheint eine traditionsgeschichtliche Untersuchung
der Texte, die „Tag Jahwes" oder „Rest" (auch „Messias"; vgl. zu
allem van der Ploeg; Schreiner; Schunck) zum Thema haben. Hierbei wird sich dann auch erweisen müssen, ob wirklich zwischen der
vorexilischen Prophetie mit dem Entweder-Oder ihrer Gerichts-
und Heilspredigt und der exilisch-nachexilischen Prophetie mit ihrer
Verkehrung (so Fohrer) dieses Entweder-Oder in ein Vorher-Nachher ein vollkommener Bruch festzustellen ist (Fohrer; anders Groß;
s. auch die behutsamen Differenzierungen bei Wanke), so daß
möglicherweise das Gottesbild verfälscht wurde.

Schaut man auf wichtige Texte, so ist zuerst wohl Amos wesentlich. Wie ist Amos 5, 18—20 zu verstehen? Was wird hier vorausgesetzt, was angedroht? Sind hier innerzeitliches und endzeitliches
Gericht als Miteinander bezeugt, damit als Eschatologie (Lindblom),
oder geht es um qualitative Eschatologie, welche die Gegenwart als
eschatologische qualifiziert (Ramlot; vgl. H. Graf Reventlow[24])?
Hat man Hemmungen, Hosea insgesamt (mit Buss[25]) als eschatologischen Propheten zu interpretieren, so ist Jesaja zweiter Dis-
kussionsschwerpunkt nach Amos (Groß; Lindblom; Lohfink;

---

[23] Vgl. seinen Beitrag in diesem Bd., S. 122 f. und dazu: ders., Theologie
des A. T. in Grundzügen, 302—322.

[24] Ders., Das Amt des Propheten bei Amos, Göttingen 1962, 109; vgl.
Sekine und auch Schunck.

[25] M. J. Buss, The Prophetic Word of Hosea, Berlin 1969 (BZAW 111),
besonders S. 129 ff.

Stamm; Wildberger), wobei durch die neueren Untersuchungen und Thesen von O. Kaiser, denen die abwägenden Urteile von Hermisson nicht unebenbürtig gegenüberstehen, die Frage nach der Eschatologie des echten Jesaja eher zugunsten einer fortschreitenden eschatologischen Überarbeitung jesajanischer Texte beantwortet und mit dem Hinweis auf die theologisch-eschatologische Bedeutung des redaktionellen Gesamtaufbaus der meisten Prophetenbücher unterstrichen wird. Einzeluntersuchungen von Prophetenbüchern, deren Komposition und Redaktion, wie etwa zu Nahum, Ezechiel und Amos [26], versuchen dies genauer zu unterbauen. Steht hinter einer fortschreitenden Eschatologisierung prophetischer Texte oder hinter der Redaktionsgeschichte der Prophetenbücher (Kaiser [27]) bzw. hinter späterer eschatologischer Neudeutung älterer Prophetenworte (Grech) eine fortschreitende Geschichtserfahrung, welche die Entwicklung der Eschatologie in sich verbirgt oder enthält, — vielleicht sogar als der Versuch glaubensmäßiger Verarbeitung von Enttäuschungen (Fohrer; Kaiser; Müller)? Oder gehört das Warten auf Gott wesensmäßig zum Glauben an ihn?

Diese Fragen ballen sich in der Sicht und Wertung der Botschaft Deuterojesajas. Für ihn wird selbst von kritischeren Forschern die Existenz von 'Eschatologie' zugestanden, da hier durch das Exil das angekündigte Gericht als eingetroffen erlebt war. Zugleich aber wird oft betont, daß es sich bei Dtjes um präsentische Eschatologie des „Jetzt" handele und diese sich in ihren Erwartungen nicht erfüllt habe. Deuterojesaja aber sei es immerhin, dem die Einführung eschatologischer Verkündigung entweder zu danken oder kritisch anzukreiden sei.[28] Zu selten jedoch wird die Frage gestellt,

---

[26] Vgl. H. Schulz, Das Buch Nahum, Berlin/New York 1973 (BZAW 129); H. Simian, Die theologische Nachgeschichte der Prophetie Ezechiels, Würzburg 1974 (fzb 14), z. B. S. 322 f.; K. Koch und Mitarbeiter, Amos. Untersucht mit den Methoden einer strukturalen Formgeschichte, Kevelaer/Neukirchen 1976 (AOAT 30), besonders Teil 2, S. 65 ff., 93 ff.; O. Kaiser, Jesaja 13—39, ATD 18, Göttingen 1973.

[27] Zur Eschatologisierung als Krise des Glaubens vgl. auch O. Kaiser, in: Wissenschaftliche Theologie im Überblick (hrsg. W. Lohff — F. Hahn), Göttingen 1974 (Kleine VR 1402), S. 18.

[28] Kritisch vor allem Fohrer; anders z. B. van der Ploeg. — Zur Ver-

woher denn Dtjes zu dieser Ballung von eschatologisch gewendeten
Traditionen usw. gekommen sei, wenn es vor ihm keine dies vorbereitende Geschichte des Glaubens und Hoffens gegeben habe.

Schunck findet jedenfalls einen Wandel von der vorexilischen zur
nachexilischen Eschatologie, und alle Forscher, die dem Aufgliede-
rungsschema von Vriezen zu folgen geneigt waren oder sind,
werden hier vielleicht in Einzelheiten (Wandel ins Endgeschicht-
liche, damit überhaupt erst in die Dimension der Zeit), nicht aber
grundsätzlich widersprechen. Auch Bertomeu findet bei seinem
Herausarbeitungsversuch einer Gattung „Eschatologie", die durch
bestimmtes Formelgut und geprägte Themenkreise bestimmt sei
(Völker, Feinde, Gericht, neue Ordnung; auch Rest, Tag Jahwes,
kosmische Veränderungen, Weltfriede usw.), für dieselbe frühstens
exilische, meist aber nur nachexilische Texte (Jes 24—27; 34 f.;
65 f.; Ez 38 f.; Joel 3 f.; Mi 4 f.; Sach 14). Nimmt man außerdem
noch für die spätnachexilische Zeit verstärkenden parsistischen Einfluß an und gelangt dann zur Apokalyptik, so stellt sich trotz allem
dort die Frage neu, ob nicht eben diese Apokalyptik sowohl die
Botschaft der Propheten [29] als auch eine Eschatologie zu ihrer Voraussetzung hatte.

Die Gesamterwartung des Alten Testaments bleibt uneingelöst
(Dingermann; Preuß), es bleibt als Buch offen (v. Rad; Zimmerli).
Die bisher so unterschiedlich beantwortete Frage nach den Voraussetzungen und Entwicklungsstufen alttestamentlicher Eschatologie
sollte nicht nur anhand umstrittener Begrifflichkeit, sondern vielleicht durch eine genauere traditionsgeschichtliche Analyse der Bot-

kündigung Deuterojesajas und der Wertung seiner eschatologischen Botschaft vgl. auch H. D. Preuß, Deuterojesaja. Eine Einführung in seine
Botschaft, Neukirchen 1976. — Dtjes ist auch für Lindblom bedeutsam;
vgl. ferner H. Schulz, Eschatologie und Ethik.

[29] Die beginnende alttestamentliche Apokalyptik muß form- und
traditionsgeschichtlich untersucht werden, um die Frage nach ihrer Ableitung aus Prophetie oder (und?) Weisheit beantworten zu können. Erste
kleine Schritte auf diesem Gebiet werden versucht in der Einführung in
die Apokalyptik durch H. D. Preuß, Texte aus dem Danielbuch, in:
Calwer Predigthilfen (hrsg. H. Breit — C. Westermann), Bd. 6, Stuttgart
1971, 231 ff. (mit Lit.).

schaft Deuterojesajas weitergeführt werden, — oder z. B. auch durch eine Untersuchung der nachexilischen Restvorstellung. Die Hoffnung ist wohl nicht unbegründet, daß von dorther auch erhellendes Licht auf Herkunft, Entwicklung und Wertung alttestamentlicher Eschatologie fallen wird.

V. Zum Inhalt alttestamentlicher Eschatologie

Fragt man nach dem Inhalt und d. h. auch nach dem „Material", das in den eschatologischen Texten des Alten Testaments auftaucht, so ergibt sich ein merkwürdiger Tatbestand. So uneinig die Forschung sich in den Bereichen der Begrifflichkeit, des Ursprungs und der Entwicklung sowie Datierung der Eschatologie innerhalb des Alten Testaments ist, so einig ist sie sich auf den ersten Blick in der Heranziehung und Bestimmung des Materials.

Denn da werden von Forschern aller Richtungen stets die gleichen Texte, Motive, Begriffe, Traditionen — oder wie man dies alles auch nennen mag — untersucht, nämlich etwa Tag Jahwes, Rest, 'aḥ⁽ᵃ⁾rît hajjāmîm,[30] Wende der Dinge, messianische Verheißungen, Völker, Völkerwallfahrt, Gericht und Heil, Umkehr, Kommen Gottes[31] usw. Mehr oder weniger umfangreiche Materialsammlungen dieser Art bieten z. B. Bertomeu, Fohrer, Lindblom, Pidoux, Vriezen und Zedda.

An wichtigen Fragen seien herausgegriffen: Ist Eschatologie nur in prophetischen Texten zu suchen? Wie sind Inhalt und Funktion prophetischer Gerichtspredigt zu sehen? Ist das Gericht ein Vernichtungs- oder Läuterungs- bzw. Strafgericht? Welche Funktion haben prophetische Mahnworte,[32] welche das Reden von Umkehr?

---

[30] Zu diesen Wendungen: Carmignac, Kosmala, Schreiner, Staerk und andere; dann auch M. Weinfeld, ZAW 88, 1976, 17—19 und THAT sowie ThWAT.

[31] Zum „Kommen Gottes" vgl. auch H. D. Preuß, ThWAT I, 536—568, besonders 562 ff. mit weiterer Lit. — Eschatologie dagegen als Befreiung von Sünde besonders nach Knight; dort auch über den Zusammenhang von innerzeitlich und endzeitlich, sonst aber stärker spekulativ.

[32] Dazu jetzt — mit sehr pointierter These: Mahnworte benennen nur,

Ist Gericht Durchgang zum Heil (Restgedanke!) oder Alternative dazu? Wird aus dem Nebeneinander von Fluch und Segen (Lohfink) oder dem Entweder-Oder von Gericht und Heil (Fohrer) hier zu Recht oder zu Unrecht ein zeitliches Nacheinander? Welches ist die (mögliche?) Brücke zwischen Gericht und Heil? Welche Rolle spielen die Naherwartung, welche das Problem des Heils auch für die Völker? Ist eschatologische Existenz eine Qualität, die dem einen zukommen kann, dem anderen nicht, so daß es zur gleichen Zeit Menschen gibt, die im Eschaton leben (Rest = Gemeinde des Eschaton), andere hingegen nicht (Schunck)? [33]

Oft und wohl auch mit Recht wird der Zusammenhang zwischen Gottesglauben, Geschichtsverständnis sowie Geschichtserleben und dem Erfahren und Betrachten von Zeit mit der Eschatologie herausgestellt.[34] Geschichte wird im Alten Testament ja auch als von Jahwe gestalteter, zielgerichteter Zusammenhang beschrieben, als Zusammenhang von Verheißung und Erfüllung, von Androhung und Eintreffen des Angedrohten, von Wort und Geschehen. Geschichte aber fragt nach Zukunft, und Weg fragt nach Ziel. So hat die Eschatologie nicht nur eine Geschichte, sondern bleibt stets auch auf sie bezogen, denn sie führt zur Vollendung eines Anfangs, zur Erreichung eines Ziels, wobei dieses Ziel meist als Königsherrschaft Jahwes, als volle Herrschaft Gottes über sein Volk, über die Völker, über die Welt näher bestimmt wird.[35]

Werden dann bei dem Versuch, die Inhalte der eschatologischen Hoffnung auszusagen, ältere Glaubenstraditionen Israels neu interpretiert, werden Entsprechungsmotive (Fohrer) in Motivtransposition (Groß) verwendet, so wird damit wohl weniger der bisherige Heilsgrund negiert,[36] wenn auch die Entsprechung zugleich eine

---

was Israel versäumt hat! —: G. Warmuth, Das Mahnwort, Frankfurt/Main und Bern 1976 (BET 1) mit weiterer Lit.

[33] Vgl. die in Anm. 24 genannte Lit.

[34] Dingermann, Groß, W. Köhler, Maag, Murphy, Preuß, Schunck, Vriezen und viele andere; s. auch unten S. 298 f. mit Lit.

[35] Vgl. etwa Schunck, Schreiner, Staerk, auch Dingermann.

[36] So aber von Rad, Theol. II⁴, 128. — Zur Sache vgl. unten S. 296 mit Lit.

Überbietung des Bisherigen ist, sondern es wird die Kontinuität göttlichen Heilshandelns betont, die Einheit des damals, heute und in Zukunft handelnden, des gegenwärtigen wie kommenden Gottes. Seine Herrschaft wird die endgültige Gegenwart Gottes bei den Seinen bringen,[37] sein Heilshandeln wird zur Vollendung geführt, wobei die Bedeutung und Berechtigung auch mythischer Rede zur Aussage dieser Hoffnung besonders von H.-P. Müller untersucht wurde (vgl. aber auch schon Lindblom; andere Sicht wie Wertung bei Frost).

Aus alledem dürfte deutlich geworden sein, daß Eschatologie im Alten (wie im Neuen) Testament mit dem Gesamtzeugnis verwoben, nicht aber nur Anhängsel oder Zierrat ist (vgl. Knight). Sie gibt davon Kunde, daß der Mensch das Heil letztlich weder schaffen kann noch zu schaffen braucht, daß er des Handelns Gottes wie der Erneuerung seines Menschseins bedarf, durch Gottes künftiges Handeln jedoch zum eigenen Handeln hier und jetzt befreit wird, in der Hoffnung, daß die Zukunft Gottes auch die Zukunft des Menschen sein wird.[38] Mit diesen letzten Sätzen ist die Frage der Wertung der Eschatologie bereits angesprochen.

VI. Zur Wertung alttestamentlicher Eschatologie

Wie eschatologische Texte des Alten Testaments und ihre Botschaft heute in der Forschung gewertet werden, hängt einmal von der jeweiligen Gesamtsicht des Alten Testaments ab. Wo hat es seine „Mitte",[39] wo seinen Höhepunkt oder seine Höhepunkte? Ist die vorexilische Prophetie mit ihrem Entscheidungsruf der Höhepunkt schlechthin (Fohrer)[40] und eschatologische Prophetie als

---

[37] E. Jenni, FS W. Eichrodt, Zürich 1970, 257: so seit Dtjes.

[38] So mit H.-J. Hermisson, EvTh 33, 1973, 75.

[39] Dazu: R. Smend, Die Mitte des Alten Testaments, Zürich 1970 (ThSt 101); G. F. Hasel, The Problem of the Center in the O. T. Theology Debate, ZAW 86, 1974, 65—82 (Lit.!); W. Zimmerli, Zum Problem der „Mitte des Alten Testaments", EvTh 35, 1975, 97—118.

[40] Vgl. auch ders., Theologische Grundstrukturen des Alten Testaments, Berlin/New York 1972.

solche die epigonale Entartung vorexilischer Prophetie?[41] Sieht man
inneralttestamentlich diesen Gegensatz schon nicht so scharf (Wanke),
wie steht es dann aber um die Bedeutung von Enttäuschungserleb-
nissen und um deren Verarbeitung? Ist Eschatologisierung als Krise
des Glaubens zu werten (Kaiser)?[42] In vielem scheint sich hierbei
noch immer das alte Vorurteil durchzuhalten, nach welchem „nachexilisch" zugleich „theologisch minderwertiger" oder zumindest
verdächtig oder negativer zu beurteilen ist als vorexilisches Text-
gut. Hier scheinen neuere Forschungen jedoch eine Verschiebung des
Werturteils wie des Verstehens anzubahnen. Wenn die Erwartung
des Alten Testaments eine insgesamt bisher uneingelöste geblieben
ist, wenn Juden nach wie vor mit und aus der Hoffnung dieses
Buches leben, wenn Christen die Frage nach der Gemeinsamkeit und
den Unterschieden alt- und neutestamentlicher Eschatologie (vgl.
Lohfink) oder jüdischer und christlicher Hoffnung stellen,[43] dann
dürfte das Mühen um die alttestamentliche Eschatologie nicht nur
ein Fragen nach rein Historischem, sondern von bleibender Bedeutung sein.

VII. Fazit?

Der vorliegende Sammelband kann und will nicht erreichen, daß
in Zukunft auf dem Forschungsgebiet „alttestamentliche Eschatologie" Einigkeit möglich wird. Er möchte aber helfen zu vermeiden,
daß aneinander vorbeigefragt und argumentiert wird, daß „Lehren
der Geschichte" verachtet werden. Wenn die Forschung z. B. darin
doch immer mehr einig zu werden scheint, daß die Wurzeln alttestamentlicher Eschatologie nicht in der Umwelt Israels, wohl auch
nicht in seinem Kult zu suchen sind, werden andere Fragen bevorzugt behandelt werden können: Wie steht es um die prophetische
Predigt von Gericht und Heil, um deren Begrifflichkeit, deren

[41] Grundsätzlich anders: Groß, Müller, Preuß, Zimmerli und andere;
modifizierend: Wanke.

[42] S. unten S. 444 ff. und oben Anm. 27.

[43] Dazu: Jüdische Hoffnungskraft und christlicher Glaube (hrsg.
W. Strolz), Freiburg 1971; Sch. Ben-Chorin, Hoffnungskraft und Glaube
im Judentum und biblischer Prophetie, EvTh 33, 1973, 103—112.

Intention und Traditionen? Einzelforschungen redaktionsgeschichtlicher Art an Prophetenbüchern wie genauere Erforschung der nachexilischen Zeit und ihrer theologischen Eigenart sind erforderlich. Da jedoch die alttestamentliche Eschatologie mit dem Alten Testament insgesamt verzahnt und somit nicht isoliert verhandelbar ist, damit auch mit dem, was wir „Theologie des Alten Testaments" nennen, zusammengehört, wird es auf die Reflektion eines doppelten Ineinanders und Miteinanders ankommen: Literarkritik und Redaktionskritik hängen zusammen wie auch Einzelforschung und Gesamtverständnis.[44] Das Aufdecken von Schichten und Bearbeitungen bewirkt nicht nur ein neues Gesamtverständnis etwa des Jesajabuchs, sondern es wird auch umgekehrt durch eine bestimmte Sicht und Wertung der Religionsgeschichte Israels hervorgerufen, durch theologische Grundsatzentscheidungen mit- oder gar vorwegbestimmt. Wenn aufgrund des hier gesammelten Forschungsmaterials heutige Alttestamentler dazu motiviert werden, ihre eigene Methodik kritisch neu auf deren Voraussetzungen zu befragen und wenn dadurch das Gespräch in neue Richtungen und in neuer Offenheit in Gang kommt, ist ein nicht unwesentlicher Zweck dieses Bandes erreicht.

---

[44] Vgl. dazu die aufschlußreiche Studie von L. Markert — G. Wanke, Die Propheteninterpretation, KuD 22, 1976, 191—220.

ALTTESTAMENTLICHE ESCHATOLOGIE*

Von Willy Staerk

1. Alle Versuche, die eschatologische Glaubenshoffnung des A. T. immanent-psychologisch aus dem postulierten Entwicklungsgang der atl. Religion oder aus besonderen geschichtlichen Erfahrungen Israels in einer bestimmten Zeit zu erklären, beruhen auf der Verkennung des Wesens der prophetischen Offenbarungsreligion als Glaube an die zur Vollendung kommende Herrschaft Gottes. Sie ist von Gott gewirkte Neuschöpfung der altorientalischen mythischen Erlösererwartung.

2. Die atl. Eschatologie ist in der synthetischen Einheit von Schöpfungs- und Erlösungsglauben begründet. Sie ist die Glaubensaussage, die von der Wiederherstellung der durch die Sünde gestörten Schöpfungsordnung, der berith Gottes spricht.

3. Das prophetische Zeugnis im A. T. ruht auf dem Glauben an die Erwählung Israels als der Gemeinschaft, in der und durch die Gott das Wunder der Wiederherstellung der gestörten Schöpfungsordnung bewirken will. Alle prophetischen Aussagen über Unheil und Heil haben hierin ihren Beziehungspunkt. Die atl. Eschatologie ist also überhaupt nur vom prophetischen Erwählungsglauben aus einsichtig. Sie kann vom prophetischen Zeugnis sowenig getrennt werden wie der Erwählungsglaube Israels von seinem Glauben an den Schöpfer- und Erlösergott.

4. In der Einheit von Schöpfungs- und Erlösungsglauben erfüllt sich erst die Tiefe des atl. Gottesgedankens. Nichts in Natur und Geschichte steht außerhalb dieses Schöpfungswillens, nichts ist von der Erlösung ausgeschlossen als der Gott widerstehende Wille des Menschen. Die atl. Eschatologie fügt zu dem Glauben an den Sinn

---

* Thesen zu einem in der Akad.-Theol. Vbdg. Jena am 7. Mai 1929 gehaltenen Vortrag.

der Geschichte und an das Ziel des Weltlaufs 1. die Hoffnung auf die Vollendung in dem Reiche Gottes, das in Kraft kommen soll, aber 2. auch das Kriterium des Gerichts über alles Geschichtliche, ohne das es keine Vollendung der Gottesherrschaft gibt.

5. Die atl. Eschatologie kennt kein Kontinuum der sich vollendenden Geschichte. Das kommende Reich Gottes, das die Propheten verkünden, ist das große Wunder Gottes. Der Realismus des atl. Glaubens weiß, daß in aller Geschichte von Menschen her die Sündenmale bleiben.

6. Das Reich Gottes ist also nie Aufgabe Israels, sondern immer nur Gabe Gottes. Aufgabe Israels ist der Gehorsam gegen den Erlösungswillen Gottes. Dieser Gehorsam ist das Ethos, das dem eschatologischen Glauben entspricht.

7. Die Herrschaft Gottes ist zwar dem Ziel nach transzendent-eschatologisch, aber existentiell ist sie in der Geschichte gegenwärtige Wirklichkeit kraft der Entscheidung der Gesamtheit und des Einzelnen für den offenbaren Willen Gottes, wie er in der Erwählung Israels sichtbar wird.

8. Das „regnum gratiae im Rahmen der Geschichte" — das ist die spezifische atl. Eschatologie.

9. Die Vorstellungsformen der atl. Eschatologie sind die des mythischen Denkens. Sie entsprechen dem Kreislaufdenken der altorientalischen Weltanschauung. Aber der atl. Glaube an den Gott des heiligen Personenwillens, der Schöpfer und Erlöser ist, hat die zyklische Eschatologie dieser Weltanschauung in absolute Eschatologie umgesetzt. Ob hierbei parsistische Eschatologie mitgewirkt hat, oder ob nicht umgekehrt die prophetische Eschatologie der Bibel die Zarathustras beeinflußt hat, bleibt eine offene Frage.

G. A. F. Knight, Eschatology in the Old Testament, in: Scottish Journal of Theology. 4 (1951), pp. 355—362. Übersetzt von Hermann-Josef Dirksen.

ESCHATOLOGIE IM ALTEN TESTAMENT

Von G. A. F. KNIGHT

Die Hebräer hatten eine unerschütterlich „ganzheitliche" Auffassung vom Leben und von der Welt. Wir Abendländer, deren Erziehungssystem auf der Annahme der „Griechen" basiert, daß Materie und Geist unterschiedliche Wesenheiten sind, haben erhebliche Schwierigkeiten, wenn wir uns in das Denken des Alten Testaments hineinfinden sollen. Platon war keineswegs der erste Philosoph, der das Reich der Ideen von dem der Dinge trennte. Hatten doch schon einige ionische Philosophen vor ihm die Vorstellung entwickelt, daß die Wahrheit eine Eigenschaft ist, die dem Urteil zukommt. Ein Ergebnis dieser Trennung war die Auffassung, Materie oder Dinge seien nicht so wichtig, ja nicht einmal so wirklich wie die Ideen. Die Beschäftigung mit der Welt der Ideen bzw. mit der Welt der geistigen Werte führe die Menschheit vorzüglich zur Gotteserkenntnis.

Die gegenteilige Auffassung der Hebräer kann man sich vielleicht mit Hilfe einer Analogie verdeutlichen. Eine Münze hat zwei Seiten. Ähnlich kann man die Wirklichkeit als ein zweiseitiges Ganzes begreifen. Einerseits umfaßt diese Wirklichkeit die Dinge der physischen Welt. Die Vielfalt der Daten, die wir in der unbeseelten Natur erkennen, kann unter Anwendung wissenschaftlicher Methoden untersucht und gemessen werden, und die Ergebnisse der wissenschaftlichen Entdeckungen können alsdann den Menschen zur Ausnutzung überlassen werden. Aber die materielle Welt, erforschbar und analysierbar, ist nur die eine Seite unserer Münze. Die andere kann tatsächlich außerhalb des Gesichtskreises, ja für den Augenblick sogar außerhalb des Bewußtseins liegen. Aber der Mensch, der unsere Münze vor sich hat, bleibt nicht deshalb von den Folgen seiner Vergeßlichkeit verschont. Anders gesagt, alles, was auf der einen Seite der Münze, d. h. also in der materiellen

Welt, existiert und sich ereignet, ist notwendigerweise von Bedeutung auch in der Welt des Geistes; so behauptet das hebräische Denken. Man kann die Münze nicht hinstellen und sie mittendurch in zwei Ansichten teilen. Umgekehrt ist die „geistige" Seite der Münze unauflöslich einbezogen in die „materielle" Schauseite der Münze, die die „Ganzheitlichkeit" der Realität repräsentieren soll.

Diese unlösbare Relation zwischen Materie und Geist scheint für den Hebräer an jedem Aspekt des Lebens und Denkens beobachtbar gewesen zu sein. Jedenfalls hält er sie sowohl für sich selbst als auch in bezug auf die Außenwelt für erwiesen.

a) Sie gilt ihm für die Erfahrung, die er mit sich als Person macht. Wenn beispielsweise ein Mensch sich fürchtet, so fühlt er sich nicht nur psychisch, sondern auch physisch betroffen. Ebenso wie er die Furcht in seiner „Seele" wahrnimmt, fühlt er auch seine Haare sich sträuben. Wenn er einen Brief mit schlechten Nachrichten liest, fühlt er, wie seine Kehle sich zuschnürt. Ist er erregt, läuft ihm ein Schauer über den Rücken. Seine „Eingeweide drehen sich um", die naturbedingte Begleiterscheinung der geistigen Erfahrung von Mitgefühl. In der Tat erfordert die Erforschung aller Beziehungen zwischen dem Physischen und dem Seelischen des alttestamentlichen Menschen ein eigenes Studium. In den letzten Jahren hat sich die Aufmerksamkeit den psycho-physischen Funktionen der verschiedenen Körperorgane zugewandt, z. B. denen des Herzens, der Nieren, der Leber, der Eingeweide, ebenso der augenfälliger benutzten Hände, Augen, Ohren und des Mundes, um festzustellen, welche innere Erfahrung durch das jeweilige Organ empfunden wird. Daher sind wir uns heute klarer als jemals zuvor bewußt, daß auf allen Ebenen des Denkens im Alten Testament die Vorstellung niemals auftaucht, der Mensch sei eine Verbindung von Leib und Seele. Er kann von dem einen sprechen und dann von dem anderen, wie man von dem „Kopf" oder der „Wappenseite" der Münze sprechen kann. Aber immer denkt der alttestamentliche Mensch von sich als eben von einem Menschen, von einem einzigen Wesen. Der Psalmist, welcher ruft: „Meine Seele dürstet nach Dir, mein Leib verlangt nach Dir" (Ps 63, 2), ist unfähig, wie es scheint, die Münze mittendurch zu teilen, welche seine Erfahrung, Mensch zu sein, repräsentiert.

b) Sie gilt ihm aber auch als erwiesen in der Welt der Natur. Es ist hinlänglich bekannt, daß der Hebräer für Naturvorgänge keine Zweitursachen zuläßt. Wenn es regnet oder schneit, so ist der Finger Jahwes unmittelbar verantwortlich, nicht Tiefdruckgebiete oder die Sonnenwärme, welche die Meeresverdunstung verursacht. Gab es Hungersnot oder Dürre, so waren sie ohne Frage „des Herren Werk". Deshalb waren die Hebräer außerstande, mit Sicherheit zu sagen, worin die Relation zwischen der unbeseelten Natur und der Welt des Geistes bestand, zumal beide in gewisser Hinsicht Aspekte der jeweils anderen Seite sind. Der Parallelismus der hebräischen Dichtung, bei dem derselbe Gedanke in zweifacher, unterschiedlicher Weise ausgedrückt wird, bezeugt oft diese „ganzheitliche" Wirklichkeitsauffassung sowohl hinsichtlich der Natur wie im Hinblick auf den Menschen. Der berühmte Vers im Buche Job (38, 7): „Als allzumal die Morgensterne sangen und alle Gottessöhne vor Freude jubelten", hat die Gedanken zur Voraussetzung, daß die Sterne und die Engel der Sterne lediglich zwei Aspekte des einen und selben Gegenstandes sind. Tatsächlich wird der Ausdruck „Heer des Himmels" (z. B. Ri 5, 20; Jos 5, 14; Jes 24, 21; 40, 26; 45, 12; Jer 33, 22; Ps 33, 6; Neh 9, 6) immer wieder doppelsinnig gebraucht — sozusagen von unserem „griechischen" Standpunkt aus geurteilt.

Nach hebräischem Denken gibt es allerdings eine, und nur eine Macht, die in der Lage ist, die enge Verbindung von Geist und Materie, welche nach dem Willen Gottes das Wesen der Wirklichkeit ausmacht, zu zerreißen, und das ist die Macht der Sünde. Aber auch die Sünde muß unter den zwei gleichen Aspekten gesehen werden. Vor dem Sündenfall, so hören wir, wandelte der Mensch in der ursprünglichen Rechtschaffenheit seines Herzens in vollkommener Gemeinschaft mit Gott. Aber kaum berichtet das Alte Testament von einem Sündenfall im Bereich des menschlichen Geistes, als es auch schon erklärt, daß dieser Fall Konsequenzen hat für die ganze Natur, für das Reich der Materie (Gen 3, 16—18; 6, 7). Außerdem gilt das, was auf die Spaltung in der Welt des Menschen zutrifft, gleichzeitig für die himmlischen Orte (Gen 6, 2), da ja das All ein einziges unteilbares Ganzes ist. Das heißt also, daß wie alles andere im Himmel und auf Erden, so auch die Sünde ihre nach zwei Seiten reichende Bedeutung hat. Daher werden wir, wenn wir unsere Aufmerksamkeit dem eschatologischen Denken der Hebräer zuwenden, mit Recht erwarten dürfen, einen entsprechenden Doppelaspekt vorzufinden. Mit anderen Worten, alttestamentliche Eschatologie muß sich gleichzeitig mit Himmel und Erde, mit Geist und Materie befassen, pari passu. Gerade auf Grund der Eigentümlichkeit des hebräischen Denkens kann sie sich nicht nur mit dem einen beschäftigen und das andere beiseite lassen. Das Ende der Welt muß sich in der dinglichen Welt ebenso auswirken wie in der Welt des Geistes.

Der Alttestamentler ist sich natürlich bewußt, daß er keine „Lehrsätze" über Eschatologie in den Büchern des Alten Testaments finden wird, genausowenig wie einen Lehrsatz über irgend etwas anderes. Was er vorfindet, sind die lebendigen Gedanken eines Volkes, das sich allezeit der beiden Seiten unserer Münze bewußt ist, weil ihm ja seine Gedanken von dem lebendigen Gotte zugekommen sind, der beides erschaffen hat, Himmel und Erde. Wenn dieses Volk ein Wort wie *malᵓāḵ*, das je nach Zusammenhang einen himmlischen oder einen irdischen Boten bezeichnen kann, oder den Begriff *dāḇār*, der zu gleicher Zeit sowohl das „Wort" als auch seinen Inbegriff, das „Ding" bezeichnen kann, ohne Skrupel benutzt, dann darf der Forscher nicht erwarten, eine saubere Trennung von Himmel und Erde bei eschatologischen Themen zu finden. Worauf er sich einstellen darf, ist lediglich, im Alten Testament eine Anzahl unterschiedlicher Linien des eschatologischen Denkens erkennen zu können, von denen einige vielleicht noch nicht einmal lose mit den anderen verknüpft zu sein scheinen. All diese verschiedenen Linien jedoch gewinnen an Bedeutung und Gewicht, nicht nur in ihrer Isolierung, sondern auch in ihrer wechselseitigen Beziehung, wenn man sie im Licht der neutestamentlichen Offenbarung sieht.

a) Der *Sohn Davids*. Die Reihe der Könige, die diesen Titel trugen, war in der Tat eine Folge recht durchschnittlicher Männer. Einige von ihnen waren Krieger, andere grausame Tyrannen, wiederum andere waren in gewissem Maße fromm oder, wie ihre prophetischen Ratgeber, um Reformen bemüht. Aber ein von Gott eingesetzter König ist notwendigerweise von allumfassender Bedeutung, eben weil er von Gott eingesetzt ist. Mowinckel hat die Theorie aufgestellt, daß Israel ein jährliches Inthronisationsfest begehe, bei

dem der „Sohn Davids" als Gott begrüßt wurde, während das Volk
vor seinem Thron die Worte „Jahwe ist König geworden" sang
(Ps 47; 93—100). Wenn diese Theorie irgendwelche Entsprechung
in der Wirklichkeit gehabt hat, dann haben wir nicht etwa einen
Fall von Götzenverehrung oder Blasphemie vor uns, sondern ein
Zeugnis für das lebhafte Bewußtsein, daß das, was für ewig in den
himmlischen Regionen gilt, auch seine Entsprechung auf Erden finden muß.

Die beständige Beschäftigung der Propheten mit einem *Fürsten,*
der kommen soll (Jes 9, 5—6; 11, 1; Jer 30, 9; Ez 34, 24; 37, 24 f.),
oder — unter Verwendung eines anderen Symbols — mit einer ver-
schwommen umrissenen Person, dem *Sproß* (Jes 11, 1; Jer 23, 5;
33, 15; Sach 3, 8), ist in gleicher Art nur ein anderer Aspekt derselben Sehweise. Wenn die Propheten von ihren inneren Bildern
diese vagen und roh skizzierten Vorstellungen entwarfen, so wollten sie nicht in erster Linie zukünftige Ereignisse ankündigen und
die Gestalt eines Menschen umreißen, an dessen Kommen sie glaubten. Vielmehr bekannten sie ihren Glauben, daß das, was in der
Welt des Geistes wirklich war — selbst wenn es nur in recht vagen
Begriffen (Wunderbarer, Ratgeber, der Starke Gott, der Ewige
Vater, der Friedensfürst) undeutlich erfaßt werden konnte —,
schließlich auch zur Fleischwerdung in Raum und Zeit bestimmt
war, wenn erst das trennende Element zwischen Geist und Materie,
die Sünde, überwunden und besiegt sein würde.

b) Der *wahre Priester.* Die gesamte Entwicklung des Priestertums
kann unter demselben Aspekt betrachtet werden, nur, möchten wir
sagen, umgekehrt zu der bei der Darstellung des „Sohnes Davids"
befolgten Richtung. Was Gott auf Erden schon eingesetzt hat, kann
notwendigerweise nur die eine Seite unserer Münze sein, wenn auch
die Bedeutung dieser „materiellen" Seite, wegen der Existenz der
Sünde, nicht völlig erfaßt wurde. Die Interpretationsmethode des
Hebräerbriefes steht demnach in völliger Übereinstimmung mit
dieser charakteristischen Betrachtungsweise des Alten Testaments,
indem sie die universale Bedeutung jener Institutionen anerkennt,
die Gott in der Geschichte Israels gestiftet hat. In der Tat erschien
am Ende ein Hoherpriester, an dem keine Sünde gefunden ward,
und er wurde sofort von denen, die Augen hatten zu sehen, mit den

Worten des Ps 110, 4 begrüßt, als ein Priester *auf ewig* nach der Ordnung des Melchisedek.

c) Die *heilige Stadt*. Sion ist die „Stätte der Füße Gottes" (Jes 60, 13). Sodann ist hier der Platz, den Gott „erwählt hat, um daselbst seinen Namen hinzulegen" (Dtn 12,5; 1 Kön 8, 44). Weil das ein Faktum ist, wird zwangsläufig der Tag kommen, an dem das irdische Jerusalem das Gegenstück des himmlischen sein wird. Am Tage, an dem Gott die Macht der Sünde, die trennende Kraft, überwindet, wird Jerusalem ein neuer Garten Eden mit Burgen und Zinnen geworden sein (Ps 48, 1—3; Sach 14, 8 f.). So sehen die Wallfahrtslieder erwartungsvoll der Zeit entgegen, wenn alle Völker der Erde nicht nur zum Berge Jahwes aufsteigen werden (Jes 2, 2; Ps 24, 3), sondern ebenso in das himmlische Jerusalem eintreten (Ps 122).

d) Unter demselben Aspekt könnten wir die universale Bedeutung solcher Vorstellungen untersuchen wie die vom *Guten Hirten* (vgl. Sach 13, 7 und Ez 34, 2 mit Ez 34, 11 f.); vom *Richter* (Ps 96, 13; Mi 6, 1—3); vom *Retter* (vgl. Ri 3, 9 und 2 Kön 13, 5 mit Jes 43, 11; 45, 21 etc.); vom *Quell des Lebens* (Sach 13, 1; 14, 8; Ps 46, 5); und natürlich die vom *leidenden Gottesknecht* (vgl. Sach 12, 10, wo von einem menschlichen König die Rede ist, den sie durchbohrt haben, mit Sach 9, 9 und Jes 53.).

e) Das *Volk Israel*. Mit der Auserwählung wird Israel sich bewußt, daß es Gottes erstgeborener Sohn ist (Ex 4, 22), adoptiert, um fortan auf Erden sichtbar zu machen, was ewig wirklich ist in der Welt des Geistes, nämlich die ewige Vater-Sohn-Beziehung in der Gottheit (Ex 7, 16; Jes 49, 3. 6). Zwar kann Israel dieser Rolle nicht gerecht werden, da die Sünde die vollkommene Sohnesbeziehung zerstört hat. Aber aus Israels Schoß wird schließlich ein anderer erstehen, über dessen Haupt die Worte von Ex 4, 22 gesprochen worden sind, als er sein Amt im Dienst der Offenbarung antritt, und der in sich selbst die zwei Welten völlig vereint, deren sich die Hebräer stets bewußt sind: die Welt des Geistes und die der Materie.

Nun erkennen die Propheten des Alten Testaments, daß die Zeit kommen wird, in der eine solche Vereinigung unausweichlich stattfinden muß, weil es seit Anbeginn der Welt in Gottes Plan und Verheißung liegt, mit der Sünde „abzurechnen". Folglich wissen sie,

daß bei der endgültigen Auseinandersetzung er die Sünde nicht nur
auf Erden überwunden haben wird, sondern auch in den Himmeln,
wo die Fürsten und Mächte des hl. Paulus ihre Wohnung haben. Sie
sind überzeugt, daß der *Tag des Herrn* die Sünde des ganzen Kosmos aufspüren und offenkundig machen wird (Zeph 1, 2 f. 18; Hi
15, 14 f.; Ps 50, 4; Jes 13, 13; Hag 2, 6. 21; Jes 51, 6), sowohl im
Himmel droben als auch hier unten auf Erden.

In Übereinstimmung mit dem oben Ausgeführten enthalten die
unterschiedlichen Hinweise auf Gottes kommende machtvolle Erlösungstat in ihrer Formulierung eine universale Bedeutung.

I. Die *Wiederkehr der Zeit des Mose* (Jes 10, 24; 41, 18—20; 51,
9—10) wird voller Hoffnung erwartet, weil bei dem ersten Exodus
Ereignisse von zeitübergreifender Bedeutung eingetreten waren.
Gott hatte sich nicht nur als *Æhjæh ʾaŝær æhjæh* offenbart, als der
lebendige Gott der Himmel, der jetzt in seinem und durch sein Volk
hier auf Erden wirkt, sondern gleichfalls war offenbart worden, daß
auch das sittliche Verhalten von ewiger Bedeutung ist. Zur Erkenntnis dieser bedeutsamen Tatsache gelangte Israel, als es den Dekalog
in der Bundeslade (Ex 25, 16), dem irdischen „Zelt" dessen, den der
Himmel der Himmel nicht fassen kann, mit sich führte.

II. Der *Neue Bund* (Jer 31, 31—34) wird ähnlich im Licht der
Offenbarung gesehen, die sich schon auf dem Sinai ereignet hatte.
Wenn er geschlossen wird, wird das ganze All ob seiner Bedeutung
erschüttert werden (Joel 3, 3—5).

III. Jeder *Messias,* der auftritt, wird verstanden als eine Art von
ἀρραβών für die endzeitliche Integration von Materie und Geist, sei
er Hiskia, Kyros oder Serubabel. Jeder bringt ein gewisses Maß an
Frieden (Zusammenführung, Harmonie) als einen Hinweis auf die
endgültige Harmonie aller Dinge. Überdies — wenn wir den Messias als eine Person, die noch kommen soll, völlig außer acht lassen —
hat Gott dem Volk Israel im Sabbatfrieden schon eine Institution
gegeben, die eine Art von ἀρραβών für den vollkommenen Sabbatfrieden sein soll, in dem Gott über und jenseits seiner gespaltenen
Welt wohnt.

IV. Die *Geschichte der Hebräer* wird natürlich auch unter einem
vergleichbaren Aspekt betrachtet, sobald das vorgegebene Moment
der „Ganzheitlichkeit" klar erkannt und als Interpretationsprinzip

angewandt wird. Ihre Geschichte, so sehen sie, ist bedeutungsvoll, ist Heilsgeschichte. Aufstieg und Fall der Könige und Fürsten sind nicht nur eben dieses: Sie sind auch machtvolle Taten Gottes auf Erden, der selbst nicht von dieser Erde, sondern Geist ist (Jes 31, 3), vollbracht auf dem Weg zur Vollendung seines Planes am Ende der Zeiten.

V. Es ist demnach klar, daß das Ende im Denken des Alten Testaments nicht nur die eine Welt betreffen kann, sondern die beiden Welten, die des Geistes und die der Materie betreffen muß, also beide Seiten der Münze, da ja das Ende die „Ganzheit" der Wirklichkeit, die ganze Münze betrifft. Es müßte dann aber auch ebenso einsichtig sein, daß Eschatologie nicht bloßer Zierat im alttestamentlichen Denken ist, sondern eine integrierende und zentrale Denkweise für die gesamte alttestamentliche Offenbarung. Das Ziel aller Taten Gottes, so wie es das Alte Testament überliefert, besteht in nichts anderem als in der Erlösung des ganzen Kosmos. Es ist mit anderen Worten nicht nur die Erlösung des Menschen aus der Gewalt der Sünde (und noch viel weniger die Erlösung der menschlichen „Seelen" aus einer sündhaften Welt). Vielmehr steht am Ende pari passu auch die Erlösung der Himmel aus der Sünde Gewalt.

Sicherlich geht es um die Erlösung des Menschen. Der hebräische Ausdruck „Menschensohn" oder „Sohn Adams" dient als Anrede für einen Ezechiel, der, selbst ein Sünder, in der Tat eins ist mit dem alten Adam des Sündenfalls. Aber bei Daniel 7, 13 kennzeichnet der Gebrauch dieses Ausdrucks „die neue Gottesgemeinschaft, in der der Wille Gottes vollkommen verwirklicht wird" (R. H. Charles). Aber solch eine Einigung liegt außerhalb des Denkens des „gespaltenen" sündhaften Menschen. Er kann nur die eine Seite der Münze darstellen, diejenige, die er kennt und in der er lebt. Darum gebraucht er recht „irdische" Ausdrücke, um das Ende zu beschreiben: „Greise und Greisinnen, die auf den Straßen Jerusalems sitzen, jeder mit einem Stock in der Hand wegen seines hohen Alters" (Sach 8, 4—8; 14, 10 f.).

Es geht aber ebenso um die Erlösung der Welt der Natur. „An jenem Tag" wird die Wüste aufjauchzen und blühen wie die Rose (Jes 35, 1), der Löwe wird mit dem Rind sich lagern, und die „Natur, rot an Zahn und Klaue", wird den Frieden des Gartens Eden wiederum erleben. Ja, sogar die Himmel selbst werden verwandelt, werden befreit werden von der Macht des Bösen (Jer 11, 12), damit die endgültige Vereinigung der beiden Welten, die Verbindung von Materie und Geist vollzogen werden kann, so daß sie, nicht länger getrennt durch die Sünde, ein Einziges werden. Und wieder werden Adams Augen Gott in der Kühle des Abends im Garten wandeln sehen.

Doch wenn das Ende nun kommt, wird dieses Ganze etwas Neues sein. „Siehe, ich will etwas Neues schaffen, spricht der Herr" (Jes 43, 19). Die Rückkehr aus dem Exil ist nur ein Aspekt einer größeren Wirklichkeit, obwohl sich der Vers sicherlich auf die Rückkehr bezieht. Denn einen neuen Himmel *und* eine neue Erde will Gott zusammen erschaffen (Jes 65, 17; 66, 22), wo die Erlösten mit neuem Namen gerufen werden (Jes 62, 2). Zusammen werden beide etwas Neues bilden, wie ja das Ganze mehr ist als die bloße Summe seiner Teile. Und diese neue Schöpfung wird von dem „geistlichen Fleisch" Gottes selber sein, die Herrlichkeit, die nichts anderes ist als das Gewand des lebendigen Gottes (Jes 40, 5; 66, 18; Ps 104, 2—4).

Studia Theologica. 6 (1952), S. 79—114.

GIBT ES EINE ESCHATOLOGIE
BEI DEN ALTTESTAMENTLICHEN PROPHETEN?

Von Johannes Lindblom

Ein jeder, der auf dem Gebiet der alttestamentlichen Prophetenforschung arbeitet, muß über die Verwirrung staunen, die sich geltend macht, sobald die Eschatologie zur Sprache kommt. Paul Volz
hat einmal gesagt: alle Propheten des Alten Testaments sind Eschatologiker. Sigmund Mowinckel behauptet in seinem Buch ›Han som
kommer‹ ohne weiteres, daß keiner von den vorexilischen Propheten
eine Eschatologie verkündet hat.[1] Oder nehmen wir als Beispiel
einen einzelnen Prophet. Sowohl Volz als auch Joachim Begrich
haben mit großer Energie die „eschatologischen" Motive in dem
deuterojesajanischen Buche herausgearbeitet.[2] Hans-Joachim Kraus
spricht neuerdings mit Nachdruck von der eschatologischen „Endgeschichte" in Deuterojesaja.[3] Pfeiffer dagegen vermeidet konsequent den Ausdruck Eschatologie in seiner Behandlung des namen-
losen Propheten des Exils und redet anstatt dessen ausführlich von

[1] S. Mowinckel, Han som kommer. Messiasforventninger i det Gamle
Testament og på Jesu tid, Köbenhavn 1951, S. 88 ff. Der Standpunkt
Mowinckels leidet trotz aller Klarheit, die seine Ausführungen kennzeichnet, an einem gewissen Widerspruch. S. 89 wird gesagt, daß es keine vor-
prophetische oder prophetische Eschatologie überhaupt gibt. S. 93 dagegen
hören wir: die im eigentlichen Sinne eschatologischen Aussagen der vorexilischen Bücher entstammen alle den Prophetenkreisen der nachexilischen
Zeit. Es gibt also auch nach Mowinckel eine prophetische Eschatologie im
Alten Testament, obschon den späteren Zeiten angehörig.

[2] P. Volz in seinem Kommentar: Jesaia II, übersetzt und erklärt, Leipzig 1932. Begrich in Studien zu Deuterojesaja, BWANT, 4. Folge, H. 25,
Stuttgart 1938.

[3] H.-J. Kraus, Die Königsherrschaft Gottes im Alten Testament, Beiträge zur historischen Theologie 13, Tübingen 1951, S. 105 f.

dem poetischen Hochflug und der hemmungslosen Phantasie bei diesem Prophet.[4] Mowinckel betont, daß Deuterojesaja die Zukunft
nach dem Muster des Thronbesteigungsfestes schildert, aber auch
nicht Deuterojesaja vertritt nach ihm eine wirkliche Eschatologie.[5]
In meinem Buch ›The Servant Songs in Deutero-Isaiah‹ habe ich betont, daß, wenn Eschatologie eine Lehre von dem Ende der Geschichte oder dieser Welt ist, man von Eschatologie bei Deuterojesaja
nicht reden kann. Die deuterojesajanischen Prophezeiungen von der
Zukunft müssen anders beurteilt und charakterisiert werden.[6]

Offenbar hängt diese Verworrenheit in der Beurteilung der prophetischen Weissagungen mit einer verhängnisvollen Unklarheit betreffend den Begriff Eschatologie an und für sich eng zusammen.

Man geht manchmal von dem Begriff *eschaton* aus und definiert

---

[4] R. H. Pfeiffer, Introduction to the Old Testament, New York, 5th
ed., S. 462—480.

[5] Mowinckel, a. a. O., S. 105 und 175.

[6] J. Lindblom, The Servant Songs in Deutero-Isaiah. A new Attempt
to solve an old Problem, Lunds universitets årsskrift, N. F. Avd. 1: 47, 5,
1951, S. 94 ff. Einige Kritiker haben meinen Standpunkt betreffs der
Frage von der Eschatologie bei Dtjes beanstandet. Was ich in dem genannten Buche bestreite und immerfort bestreiten muß, ist, daß es sich bei
Deuterojesaja um ein wirkliches Ende der Geschichte oder dieser Welt
handle. Weiter habe ich folgendes gesagt: "If the Second Isaiah and many
other Prophets of the Old Testament, were to be called eschatologists
when they speak of future events, this term must be taken in *another sense*
than that commonly used in connection with Judaism and early Christian
faith"; a. a. O., S. 96, Fußnote 5. Im folgenden werde ich tatsächlich einen
Versuch machen, den Begriff Eschatologie anders zu bestimmen, als diejenigen tun, die den Term Eschatologie nur für solche Vorstellungen in
Anspruch nehmen wollen, die sich auf das Weltende und die Endgeschichte
beziehen. Bei einer weiteren und dem Wesen der alttestamentlichen Religion besser angemessenen Definition der Eschatologie kann auch Deuterojesaja sachgemäß als Eschatologiker bezeichnet werden, was durchaus nicht
berechtigt wäre, wenn man Eschatologie als eine Lehre *de novissimis* im
eigentlichen Sinne bezeichnen wollte. Was mich zu diesem neuen Angriff
des eschatologischen Problems veranlaßt hat, ist die augenscheinliche Unmöglichkeit, den Begriff Eschatologie aus der Prophetenforschung auszurotten.

die Eschatologie als eine Lehre vom Ende der Welt oder der Menschheitsgeschichte. Von einem Ende im eigentlichen Sinne wissen die
alttestamentlichen Propheten nichts; zum wenigsten haben sie eine
Lehre davon. Die Vorstellung von einem Ende in diesem Sinne finden wir erst in der jüdischen und christlichen Apokalyptik und der
christlichen Dogmatik. Es ist nicht ratsam, die Etymologie des Wortes zugrunde zu legen, wenn man nach einer etwaigen Eschatologie
der Propheten fragt.[7] Meines Erachtens bietet *der Gedanke von den
zwei Zeitaltern* den besten Ausgangspunkt. Terminologisch begegnet
uns bekanntlich der Unterschied zwischen „dem gegenwärtigen Zeitalter" und „dem zukünftigen Zeitalter" erst in der jüdischen Apokalyptik, bei den Rabbinern und im Neuen Testament,[8] aber die
Sache selbst ist schon bei den Propheten des Alten Testaments vorhanden, und in dem allerdings etwas unbestimmten Ausdruck „am
Ende der Tage" *(b⁽ᵉ⁾aḥᵃrît hajjāmîm)* haben wir jedenfalls eine *Vorbereitung* der künftigen Terminologie.[9]

Mit dem Feststellen des Vorhandenseins des Gedankens von den
zwei Zeitaltern sind wir doch nicht weit gekommen. Wir müssen
eine Antwort auf die Frage finden, was gerade bei den Propheten
die Idee der beiden Zeitalter bedeutet und was uns überhaupt berechtigt, von einem zukünftigen Zeitalter bei den Propheten zu
reden.

Ich denke, daß alle, die sich mit alttestamentlicher Forschung beschäftigt haben, darüber einig sein können, daß die Propheten aller
Zeiten nicht selten von einer Zukunft sprechen, wo die Verhältnisse,

---

[7] Die Ungeeignetheit vom Begriff *eschaton* auszugehen, wenn von
Eschatologie gesprochen wird, wird mit logischer Schärfe von A. W. Argyle
in The Hibbert Journal 51, 1953, S. 385 ff., dargetan.

[8] Siehe H. Sasse in: Kittel, Theologisches Wörterbuch zum Neuen
Testament, Band 1, Stuttgart 1933, s. v. αἰών.

[9] Der Ausdruck ᵓaḥᵃrît hajjāmîm bezeichnet bisweilen mehr allgemein
eine ferne Zukunft. So Gen 49,1; Num 24, 14; Dtn 4, 30; 31, 29. An einer
Reihe von Stellen späteren Ursprungs bezieht er sich auf Dinge, die sich
im Zusammenhang mit dem Abschluß dieses Zeitalters und dem Eintritt
des neuen Zeitalters ereignen werden: Jes 2, 2 (Mi 4, 1); Jer 23, 20 (30,
24); 48, 47; 49, 39; Ez 38, 16; Hos 3, 5; Dan 10, 14. Der Ausdruck hat
hier das Gepräge einer eschatologischen Formel bekommen.

die gegenwärtig herrschen, eine so große Veränderung durchgemacht haben, daß etwas „ganz anderes" eingetreten ist. Das „ganz andere" braucht aber mitnichten ein Ende im eigentlichen Sinne und etwa ein Schaffen einer ganz neuen Welt zu bedeuten. Auch wenn man nur von einer radikalen Veränderung der Verhältnisse und Ordnungen der Geschichte oder der Welt spricht, bzw. von Ereignissen prophezeit, die ihrer Natur nach ganz und gar aus dem Rahmen des *normalen* geschichtlichen Geschehens dieser Zeit fallen und einen ganz neuen Zustand der Dinge im Volke oder in der Menschheit mit sich bringen, etwa an der Grenze zwischen den beiden Zeitaltern liegen, ist es berechtigt, von etwas „ganz anderem" zu reden. Als *eschatologisch* sind nun, meiner Meinung nach, solche Aussagen zu bezeichnen, die auf eine Zukunft hindeuten, wo die Verhältnisse der Geschichte, bzw. der Welt, so verändert werden, daß man wirklich von einem neuen Zustand der Dinge, von etwas „ganz anderem" reden kann. Damit ist aber auch gesagt, daß es nicht geht, immer eine scharfe Grenze zwischen eschatologisch und nicht-eschatologisch im Alten Testament zu ziehen. Es müssen Fälle vorkommen, wo man schwanken kann, wie sich die Propheten selber die Dinge vorgestellt haben. In der Tat läßt es sich bei ihnen nicht immer mit Sicherheit feststellen, was nur poetischer Hochflug ist und was als Schilderung wirklicher, zu dem neuen Zeitalter gehöriger Tatsachen betrachtet werden muß. In solchen Fällen kommt man mit Nachfühlung und Intuition weiter als mit nüchternen philologischen und motivgeschichtlichen Feststellungen.[10]

[10] In der Bertholet-Festschrift, Tübingen 1950, zeichnet C. Steuernagel ganz summarisch die Strukturlinien der Entwicklung der jüdischen Eschatologie auf dem Grunde der nationalen, der individualen und der universalen Eschatologie. Er betont richtig, daß die drei Elemente in der verschiedensten Weise miteinander kombiniert sind. — Die letzte Arbeit, die sich ausführlich mit diesen wichtigen Problemen beschäftigt, ist S. B. Frost, Old Testament Apocalyptic. Its Origins and Growth, London 1952. Frost definiert die Eschatologie als einen Komplex von Vorstellungen und Ideen, die sich auf eine Zukunft beziehen, die als "the effective end" betrachtet wird. Frost sagt weiter: "Only conceptions marked by that sense of finality are properly eschatological and the term should be reserved for them" (vgl. Eschatology and Myth, Vetus Testamentum 1952, S. 70—80

Wir halten also daran fest, daß Eschatologie am besten als Bezeichnung solcher Vorstellungen benutzt werden soll, die sich auf
eine Zukunft beziehen, wo die irdischen Verhältnisse so verändert
werden, daß man von etwas wirklich Neuem und „ganz anderem"
sprechen muß, gleichgültig ob sich das Neue innerhalb oder außerhalb des Rahmens der Geschichte abspielt. Ein spezielles Kennzeichen der Eschatologie, in dem sich alle einigen können, gibt es nicht
und kann es nicht geben. Begriffe wie „übergeschichtlich", „supranatural", „wunderbar", „transzendent" und dergleichen haben
hier wenig zu besagen, denn für alttestamentliche Auffassung ist alle
Geschichte eine Werkstätte für ein wunderbares und wunderreiches
göttliches Handeln. Der Unterschied zwischen „natürlich" und
„übernatürlich" hängt mit unserem modernen Weltbild zusammen
und ist der alttestamentlichen Weltauffassung vollkommen fremd.
Auch eine Idee wie die Wiederherstellung (restitutio in integrum)
oder Vorstellungen von einer Katastrophe oder von universalen
Umwandlungen in der Menschheit oder kosmologischen Umstürzungen sind nicht angemessen, das „Eschatologische" an und für sich
zu charakterisieren. Alles das gehört in gewissen Fällen mit zur Vorstellungswelt der Eschatologie, aber für eine *Definition* der Eschatologie sind solche Gedanken unbrauchbar.

Natürlich könnte man sich dafür entschließen, das Wort Eschato-

[dt. in diesem Bd. S. 73—87]). Es gibt, sagt Frost, ein *eschaton* in der Geschichte und ein *eschaton*, das das Ende der Geschichte überhaupt bedeutet,
in beiden Fällen aber herrscht die Vorstellung von einem Ende (S. 32).
Meines Erachtens legt Frost allzu großes Gewicht auf die Vorstellung des
eschaton, des Endes, des Abschlusses. Zum Eschatologischen gehört wohl
auch alles das, was danach kommt, mit einem Wort: das neue Zeitalter,
das auf dieses Zeitalter folgen wird. Es mag sein, daß die Schilderungen
des Abschlusses und der Wende inhaltsreicher und konkreter sind als die
Schilderungen der Fortsetzung. Das liegt aber in der Natur der Sache.
Von dem, was „kein Auge gesehen hat und kein Ohr gehört hat", hat man
weniger zu erzählen als von dem, was mit den Erfahrungen der gegenwärtigen Geschichte verwandt ist. Die Apokalyptiker haben doch ziemlich
viel zu erzählen von dem, was nach dem „Abschluß" kommt, und die
Apokalyptik ist auch nach Frost eine Form der Eschatologie.

logie nur für solche Vorstellungen zu benutzen, die sich auf das
Ende in einem mehr absoluten Sinne beziehen. Das würde sich indessen nicht lohnen. Der Terminus hat sich einmal so tief eingebürgert, daß es nicht mehr tunlich ist, seine Sphäre so stark zu begren-
zen. *Wir ziehen deshalb vor, eine Definition zu formulieren, die
etwas Wesentliches in allem, was man Eschatologie nennt, trifft und
zugleich für die Eigenart der prophetischen Verkündigung paßt.*

Auch wenn man Eschatologie in diesem erweiterten Sinne nimmt,
sind die eschatologischen Aussagen besonders bei den älteren Propheten nicht so zahlreich, wie man oft angenommen hat. Die eschatologische Deutung ist bei der exegetischen Erklärung der prophetischen Texte stark übertrieben worden. Das gilt vor allem von den
Auslegungen Hugo Greßmanns, die immer einen großen Einfluß auf
die alttestamentliche Forschung ausüben, auch wenn man seine
Hauptthese vom Ursprung der israelitischen Eschatologie verwirft.
Die Propheten waren doch in erster Linie Männer der aktuellen Gegenwart, Wecker und Warner, Bußprediger und Bestrafer, mit tiefer
Verankerung in der Geschichte, in der sie selbst lebten. Für ihre
Strafverkündigung benutzten sie in erster Reihe Kalamitäten auf
dem Gebiete der Natur, die der unmittelbaren Erfahrung der Zu-
hörer angehörten, und daneben erwartete feindliche Angriffe von
seiten der fremden Völker, die in jeder Zeitepoche gefürchtet waren.
Und wenn sie aufrütteln, trösten und ermuntern wollten, spiegelten
sie ihrem Volke oft Ereignisse vor, die auf der Linie der ganz normalen Hoffnungen und Wünsche des Volkes lagen.

Die meiner Meinung nach falsche Auffassung vieler Drohworte
bzw. Heilsweissagungen bei den Propheten als eschatologischer Aussagen beruht auf einer Reihe von allerdings ziemlich naheliegenden
exegetischen Fehlgriffen.[11]

Falsche oder zweifelhafte Einzelexegese. Nur ein paar Beispiele.
Jer 4, 23—26 schildert der Prophet eine Vision, in der er schaut,
wie die Erde in Chaos verwandelt ist. Greßmann fand hier Escha-

---

[11] Zum Nächstfolgenden vergleiche meinen Aufsatz ›Historia och
eskatologi hos de gammaltestamentliga profeterna‹ in der in Finnland in
finnischer und schwedischer Sprache neulich herausgegebenen Festschrift
›Talenta quinque‹, Helsinki 1953, S. 13—24.

tologie.[12] Volz sogar Apokalyptik.[13] Beide übersahen, wie auch viele andere getan haben, daß die Vision hier als eine Allegorie dient, die das Gericht über Juda veranschaulichen soll.[14] Die Deutung folgt in v. 27, wie oft mit der Formel *kî ḵō ʾāmar jahwæ* eingeleitet.[15] Am 5, 18 bezieht sich der Ausdruck *jôm jahwæ* nicht auf den „jüngsten Tag" im eschatologischen Sinne, sondern auf den bevorstehenden Festtag Jahwes. Das ersieht man aus dem Zusammenhang mit dem Folgenden. Mowinckel hat uns hier den richtigen Weg gezeigt. Mit dieser Erklärung ist auch eine Grundsäule der Hypothese von einer vorprophetischen Eschatologie zu Boden gefallen.[16]

[12] H. Greßmann, Der Ursprung der israelitisch-jüdischen Eschatologie, Göttingen 1905, S. 147: die Endkatastrophe wird als ein Weltchaos geschildert.

[13] P. Volz, Der Prophet Jeremia, übersetzt und erklärt, Leipzig 1928, S. 50 f.

[14] Derselbe Fehler bei Frost, a. a. O., S. 53 f. Frost sagt, daß diese Stelle eschatologisch im absoluten Sinne ist. "It is far more complete eschatology of doom than anything elsewhere in the Old Testament." Die Verse sind nach Frost "probably not Jeremianic". Ein besseres Verständnis für die wirkliche Bedeutung unserer Stelle zeigt W. Rudolph in seinem Jeremia, in: Eißfeldt (Hrsg.) Handbuch zum Alten Testament, Bd. I 12, Tübingen 1947, S. 31. Vgl. auch A. Weiser, Der Prophet Jeremia, Das Alte Testament Deutsch, 20, Göttingen 1952, S. 46 f.

[15] Zu dieser Formel als die Deutung einer Allegorie einleitend siehe meine oben genannte Arbeit The Servant Songs, S. 23, 29, 93.

[16] Siehe zuletzt Han som kommer, S. 93 f. Mowinckel sagt hier, daß „der Tag Jahwes" bei Amos sich auf den Offenbarungstag Jahwes beim Neujahrsfest bezieht. An den jedesmal bevorstehenden Tag Jahwes knüpften die Zeitgenossen des Amos die Hoffnung auf eine Offenbarung Jahwes zum Heil des Volkes. Für die Richtigkeit dieser Erklärung des Ausdrucks spricht entschieden der Zusammenhang mit dem Folgenden („ich hasse eure Feste" etc.). Ich kann sogar Sellin beistimmen, wenn er meint, daß Amos das Gericht Jahwes an dem nächsten Festtag erwartet zu haben scheint (Das Zwölfprophetenbuch, 1, Leipzig 1929). Ich kann nicht finden, daß diese Erklärung der wichtigen Amosstelle widerlegt worden ist, auch nicht durch die Ausführungen L. Černýs in seiner sonst sehr gründlichen Arbeit The Day of Yahweh and some Relevant Problems, Prag 1948. Die Stelle Am 5, 18 ff. hat also m. E. nichts mit Eschatologie zu tun.

Der Orakelstil. Die prophetischen Voraussagen sind oft als Orakel formuliert und haben als solche absichtlich etwas Dunkles und Schwebendes in der Ausdrucksweise. Amos sagt nicht direkt, daß das Volk nach Assyrien deportiert werden wird, er sagt: „über Damaskus hinaus" (5, 27). Eine ähnliche orakelmäßige Ausdrucksweise finden wir 4, 2 f.; 6, 14 und 7, 17. Jeremia spricht orakelmäßig dunkel vom Feinde aus dem Norden. Die Prophetensprüche in Jes 7 haben eine absichtliche Mehrdeutigkeit. Über dem ganzen Kapitel ruht ein Halbdunkel, wodurch die Erklärung vom modernen Gesichtspunkt aus außerordentlich erschwert wird. Die stilistische Formgebung der Aussagen hat ohne Zweifel die einseitig eschatologische Erklärung veranlaßt. Durch seinen formalen Charakter von etwas halb Wirklichem, halb Unwirklichem, von etwas, das über Raum und Zeit zu schweben scheint, bekommt das Orakel eine täuschende Ähnlichkeit mit der eschatologisch-apokalyptischen Aussage.[17]

Verwechslung von Theophanien und eschatologischen Gerichtskatastrophen. Schilderungen von göttlichen Theophanien sind eine bei den Propheten ziemlich oft vorkommende Gattung. Die Schilderung einer Theophanie ist natürlich nicht an und für sich eine Gerichtsschilderung, noch weniger eine Schilderung des jüngsten Gerichts. Mi 1, 3—4 wird gesagt: „Siehe, Jahwe zieht heraus von seiner Stätte und steigt herab und tritt auf die Höhen der Erde. Da schmelzen die Berge unter ihm, und spalten sich die Täler wie Wachs vor dem Feuer, wie Wasser, das am Abhang hinabstürzt." Diese Worte enthalten noch keine Verkündigung eines Gerichts, noch

[17] Ich bin nunmehr fest davon überzeugt, daß das Immanuel-Kind Jes 7 der von Jesaja erwartete Thronfolger ist und daß seine Geburt für Jesaja eine Glückszeit für Juda bringen wird. Die mythologisch-orakelmäßigen Ausdrucksweisen haben natürlich an und für sich nichts Auffallendes in einer Prophetenrede. Eine wichtige Voraussetzung für das Verständnis dieses Kapitels ist, daß man die nächstfolgenden Unheilssprüche von dem Angriff der Assyrer vom Immanuelswort sachlich und zeitlich absondert. Die Worte „den König von Assur" v. 17 b ist eine Glosse, die dem ganzen Vers eine falsche Bedeutung gibt. In meiner Auffassung vom Immanuelskind stehe ich in guter Übereinstimmung mit den Ausführungen Mowinckels in Han som kommer, S. 78—84.

weniger eines Endgerichts; es handelt sich hier um eine Theophanie, die als Einleitung zu dem im folgenden geschilderten Gericht über Samaria und Jerusalem steht. Die Offenbarung Jahwes an und für sich bringt mit sich die kosmischen Umstürzungen, die hier geschildert werden.[18] Der Prototyp aller Theophanieschilderungen ist die Sinai-Theophanie mit der vulkanischen Eruption und dem Erdbeben. Ähnliche Theophanien werden in Jes 30, 27—28a und Hab 3, 3—7 geschildert.[19] In beiden Fällen dient die Schilderung der Theophanie nur als Einleitung zu einer Schilderung eines Gerichts geschichtlicher Natur, einerseits über Assur, andererseits über Babel. Ähnliche Theophanien ohne eschatologischen Inhalt haben wir z. B. Jer 10, 13 f. und 51, 16 f.

Mythologisierung geschichtlicher Ergebnisse. In der Inspiration steigert sich die Phantasie gewaltig. Bilder und Symbole drängen sich dem Offenbarungsempfänger auf. Dabei werden auch mythologische Motive nicht verschmäht. Jesaja prophezeit in Kap. 5, v. 13 die Verbannung seines Volks und das Verschmachten der Herrlichen im Volke. So weit bewegt sich der Prophet auf dem Boden des rein Natürlichen und Geschichtlichen. Danach wird aber fortgesetzt: die Scheol sperrt ihren Rachen auf und reißt ihr Maul auf ohne Maß, daß hinabfährt die Pracht und das Gebraus der Stadt. Das ist Mythologie, aber nicht Eschatologie. Dasselbe ist der Fall im Maschal über den babylonischen König in Kap. 14, wo der König „Helal, der Sohn der Morgenröte" genannt wird, der vom Himmel gefallen ist. Es ist Mythologie, aber nicht Eschatologie, wenn Amos seinem Volke verkündet, daß Jahwe den Chaosdrachen gebieten wird, diejenigen zu beißen, die sich auf dem Grunde des Meeres verbergen (9, 3). Zu den mythologischen Motiven, die in Schilde-

[18] V. 2 scheint freilich den Hinweis auf ein allgemeines Völkergericht zu enthalten, aber die zweite Hälfte des Verses, die vom Weltgericht handelt, ist offenbar redaktionell und sekundär. Zur Motivierung dieser Behauptung siehe Lindblom, Micha literarisch untersucht, Acta Academiae Aboensis, Hum. VI 2, Åbo 1929, S. 17 ff.

[19] Die Schilderung der Theophanie im Habakukpsalm geht allmählich in die Gerichtsschilderung über. Von Eschatologie findet sich im ganzen Psalm nichts. Siehe zuletzt Mowinckel in Theologische Zeitschrift (Basel) 9, 1953, S. 1 ff.

rungen rein geschichtlichen Inhalts verwendet werden können, gehört auch das Panik-Motiv. Beim Angriff der Feinde werden die Menschen berauscht wie vom Wein, sie taumeln, sie werden von Schwindel ergriffen. Ein Zauberschlaf überfällt sie (Jes 29, 9 f.; Jer 13, 13 f. etc.). Die Menschen werden von Angst ergriffen, wie die Angst einer Gebärerin (Jer 6, 24; 22, 23; 48, 41; 49, 22. 24 usw.). Selbstverständlich kommen solche Motive auch in eschatologischen Schilderungen vor, aber an und für sich geben sie nicht einer Schilderung einen eschatologischen Charakter.

Die Schrecken in den prophetischen Gerichtsschilderungen. Feuer, Gewitter, Sturm, Hagel, Überschwemmung, Erdbeben, Pest, Hunger, Dürre, Schwert, Blutvergießen, wilde Tiere, Verdunkelung der Sonne, Mist und Nebel — das gehört alles zum Arsenal Jahwes, wenn er hinauszieht, um seine Strafgerichte auszuführen. Solche Motive begegnen uns immer wieder in den prophetischen Weissagungen. Wie ist das zu verstehen? Keine von den hier aufgezählten Kalamitäten fällt aus dem Rahmen der Erfahrungen, die zu jeder Zeit in Palästina gemacht werden können. Wenn sie in den prophetischen Schilderungen über das natürliche Maß gesteigert werden, ist das oft nur als poetische Übertreibung zu beurteilen. Nichts von alledem deutet an und für sich auf Eschatologie, was sich dadurch erweist, daß Schilderungen von solchen Naturereignissen — nebst wirklich mirakulösen Naturwundern — auch in den rein historischen Berichten der Geschichtsbücher von den Kriegen Israels mit seinen Nachbarn, vorkommen.[20]

Die visionäre und poetische Art der Schilderungen. Bei der exegetischen Auslegung der prophetischen Aussagen darf man niemals vergessen, daß sie im großen Umfang ihren Grund in ekstatischen oder ekstatoiden Visionen haben. In der Vision nimmt die Schilderung naturgemäß den Charakter von etwas Geheimnisvollem, Unaussprechlichem, halb Unwirklichem an. Eine ähnliche Wirkung hat der Hochflug der poetischen Phantasie. In beiden Fällen, die sich übrigens nicht immer genau unterscheiden lassen, geschieht etwas, was mit dem Traum Ähnlichkeit hat. Die Erzählung von etwas Geträumtem muß mit anderen Methoden erklärt

[20] Z. B. Ex 7—12; 14; Jos 10; 11; 13; Ri 5, 20; 1 Sam 5.

werden als realistische Schilderungen von Tatsachen. Wie es ausdrücklich gesagt wird, sieht Amos in einer Vision, wie Jahwe
kommt, das Land durch Feuer zu vernichten (7, 4). Der geheimnisvolle, andeutende Ton kommt in Jes 21, 1 gut zum Ausdruck: „Wie
Stürme im Negeb heranjagend kommt's aus der Wüste aus furchtbarem Lande." Ähnlich klingen die Ausdrücke in Jer 10, 22 und
48, 40. Visionär klingt die Schilderung vom Anlauf der Assyrer
gegen Jerusalem in Jes 10, 28 ff. Jesaja hört mit dem inneren Ohr,
wie die Assyrer nicht als ein einziges Volk, sondern als ein Ge-
wimmel von Völkern anrücken: „Horcht, es braust von vielen
Völkern. Sie brausen wie das Meer braust" (17, 12). Auch das
Gerichtsorakel Jesajas gegen Assur in Kap. 33 gehört hierher. Ich
kann — trotz aller Anklänge an die Thronfeierliturgie — hier keine
eigentliche Eschatologie finden. Man kann weiter an die Schilderung
bei Jeremia vom Feinde aus dem Norden denken oder an die phantastischen Beschreibungen der Bewaffnung und des wilden Heran-
stürmens der Feinde in Jes 5, 26 ff. und in der Ninive-Dichtung bei
Nahum.

Es kann keinem Zweifel unterliegen, daß gerade die visionäre
und poetische Art vieler prophetischen Voraussagen in vielen Fällen
eine falsche Exegese verursacht hat. Es gehört zur Natur solcher
Schilderungen, daß sie mit herkömmlichen Motiven, Bildern und
Symbolen arbeiten, die meistens einen sehr losen Zusammenhang
mit der konkreten Wirklichkeit haben. Es wäre gleich abwegig, in
solchen Schilderungen exakte Beschreibungen von Tatsachen zu
suchen wie etwa die mittelalterlichen Heiligenlegenden als zu-
verlässige historische Quellen zu benutzen. Ebenso falsch wäre es,
wollte man solche Schilderungen wegen der phantastischen Ausdrucksweisen als eschatologische Weissagungen stempeln, wie es in
der Auslegung oft geschieht.

Etwas, was ganz sicher die eschatologische Erklärung vieler
prophetischen Zukunftsschilderungen rein geschichtlicher Natur veranlaßt hat, ist, *daß man die in ihnen vorkommenden mythologischen und phantastischen Motive in der echten Eschatologie und
Apokalyptik wiedergefunden hat.* Motive, die hier eschatologisch
im eigentlichen Sinne sind, erklärt man — bewußt oder unbewußt —
als eschatologisch, auch wenn sie bei den alten Propheten zur Ver-

wendung kommen. Es ist wahr, daß „Geburtswehen" in Jes 13, 8;
Mt 24, 8; Mk 13, 8 und bei den Rabbinern ein typisch eschatologischer Terminus ist, aber bei den Propheten finden wir das Motiv
sehr oft als Bezeichnung eines hohen Grades von Angst und
Schrecken ohne irgendwelchen eschatologischen Nebenton. Es wäre
ebenso falsch, unter dem Eindruck späterer Eschatologie die Geburtswehen überall bei den Propheten eschatologisch zu erklären
wie den Ausdruck „an jenem Tage" überall als eine Bezeichnung
des „Jüngsten Tages" aufzufassen.

Hiermit habe ich auf einige Ursachen einer meines Erachtens
falschen Auslegung von vielen prophetischen Voraussagen hingewiesen. Das bedeutet aber mitnichten, daß ich verneine, daß man
das Recht hat, bei den Propheten überhaupt von Eschatologie zu
reden. Alles kommt darauf an, was man unter Eschatologie versteht.
Im Anfang dieses Aufsatzes habe ich die Ansicht vorgeführt, daß
man bei der Bestimmung des Begriffs Eschatologie am besten von
dem Gedanken zweier Zeitalter ausgeht. Wenn die Propheten von
einer Zukunft reden, die nicht nur eine Fortsetzung der in dieser
Zeit waltenden Verhältnisse bedeutet, sondern etwas Neues und
ganz anderes mit sich bringt, da haben wir das Recht, den Terminus
Eschatologie zu verwenden.

Bei einem Studium der prophetischen Aussagen, die sich auf das
neue Zeitalter beziehen, stellt es sich gleich heraus, daß sie zwei
verschiedene Hauptmotive zum Ausdruck kommen lassen: das
Motiv der neuen Menschheit bzw. der neuen Welt, und das Motiv
des neuen Israels. Im ersten Falle sprechen wir von einer universalen
Eschatologie, im zweiten Falle von einer nationalen Eschatologie.
Beide diese Arten von Eschatologie erfordern ihre eigene Untersuchung. Es ist angemessen, mit der ersten zu beginnen, da die Dinge
hier verhältnismäßig klar liegen.

Amos verkündigt ein Strafgericht über eine Reihe fremder Völker
teils wegen ihrer Verbrechen gegen Israel, teils wegen ihrer Sündigkeit an und für sich, aber die genannten Völker gehören alle zu den
Nachbarvölkern Israels. Die Menschheit als solche fällt entschieden
außerhalb des Gesichtskreises dieses Propheten. Weltuntergang,
Weltgericht, Welterneuerung sind Vorstellungen, die ihm vollkommen fremd sind. Der Tag Jahwes kommt in Betracht aus-

schließlich als ein Tag des Gerichts über Israel. Was von Amos gilt, gilt auch von seinem Zeitgenossen Hosea.[21]

Der erste, bei dem wir universale Eschatologie finden, ist Jesaja. Ein fester Ausgangspunkt für eine Untersuchung der universalen Eschatologie bei Jesaja, sowie auch bei den Propheten überhaupt, ist das Stück Jes 2, 10—21.

Es scheint mir, als ob die Kommentatoren die Bedeutung dieser Dichtung nicht genügend eingesehen hätten. Das Stück muß als eine selbständige Dichtung aufgefaßt und nicht im Lichte des Vorhergehenden erklärt werden. Hier handelt es sich nicht mehr bloß um das Volk Israel, sondern um die Menschheit. Der Gegenstand des Handelns Jahwes ist die Erde, die Welt, nicht das Land Israels (vv. 19 und 21).[22] Was das Gericht Gottes hervorruft, ist, in Übereinstimmung mit der Gottesauffassung Jesajas, der Hochmut der Menschen, welcher durch die der Welt der Natur (Libanonzedern, Basaneichen etc.) und der gottesvergessenen Kultur (Turm, Mauer etc.) entnommenen Beispiele metaphorisch veranschaulicht wird.[23] An Seite des Hochmuts wird auch die heidnische Abgötterei als Verletzung der göttlichen Majestät Jahwes mit Strafe bedroht. Die Wurzel der universal-eschatologischen Perspektive Jesajas an dieser Stelle ist also sein Glaube an die erhabene Majestät Jahwes als eines Weltgottes und seine Gewißheit, daß alles, was eine Kränkung dieser göttlichen Majestät bedeutet, sei es Hochmut und Hybris, sei es Abgötterei, dem endgültigen Gericht anheimgefallen ist. *Wie* das Gericht ausgeführt werden soll, ist nicht gesagt. Auch wir haben

---

[21] Man übertreibt oft den Unterschied zwischen dem Gerichtswort über Moab Am 2, 1 ff. und die Urteile über die übrigen Völker. Es sind nicht bloß ihre Verbrechen gegen Israel, die das Strafurteil herbeirufen, sondern auch, daß sie so grausam und unmenschlich gehandelt haben, wodurch sie den Zorn des gerechten Gottes herausgefordert haben.

[22] Merkwürdig ist die Behauptung Frosts: "This eschatology is apparently limited to Judah and Israel" (a. a. O., S. 49 f.). Schon Duhm sah die Bedeutung dieses Stückes als einer Weissagung von einer universalen Eschatologie. So auch neuerdings V. Herntrich in seinem Kommentar über Jesaja, Kap. 1—12, Das Alte Testament Deutsch, 17, 1950.

[23] Zu dieser Redeweise vgl. meine Ausführungen über "metaphorical descriptions" in The Servant Songs, S. 79—83.

keinen Anlaß darüber zu grübeln.²⁴ In der ganzen Dichtung ist nichts, was Jesaja nicht hätte sagen können.

Haben wir das Recht, diese Weissagung als „eschatologisch" zu bezeichnen? Ich meine *ja*. Eine Welt, wo alles Hochmütige, alles, was die göttliche Majestät Jahwes kränkt, niedergestoßen werden wird und Jahwe allein erhaben ist, ist wahrlich eine neue Welt. Eine Zukunft, die eine solche Verwandlung mit sich bringt, bedeutet sachlich ein neues Zeitalter.

Jes 3, 13: „Jahwe steht da zu hadern, er tritt hin zu richten die Völker." Im Lichte des oben behandelten Stückes sind die Völker (*ᶜammîm*) als mit der Menschheit gleichbedeutend wohl verständlich. Es handelt sich natürlich nicht um die Stämme Israels, noch soll man die Pluralform in den Sing. ändern. Das Strafgericht über die Machthabenden in Juda ist hier als ein einzelnes Moment in dem allgemeinen Menschheitsgericht aufgefaßt.²⁵ Ein Gericht über die ganze Menschheit ist wahrlich keine zur Geschichte dieser Zeit gehörige Begebenheit, es ist ein eschatologisches Ereignis.

Jes 14, 24—27. Die Assyrer, die Unterdrücker des Volkes Jahwes, werden im Lande Jahwes von Jahwe zerschmettert werden (v. 25). Aber ein ähnliches Schicksal wird auch die übrigen Völker der Erde treffen: „Ein solcher ist der Plan, der über die ganze Erde (*ᶜal kŏl-hāᵓāræṣ*) geplant ist, eine solche ist die Hand, die über alle Völker (*ᶜal kŏl-haggôjîm*) gereckt ist." Alle Völker der Erde — das ist wohl der Gedanke — trotzen wie Assur Jahwe Zebaot, dem Herrn der Welt, und werden deshalb einmal von Jahwe gerichtet werden.

Jes 18, 1—6. Die Botschaft an Kusch. Die Adressaten der Botschaft sind die Kuschiten, aber zugleich auch die Menschheit: „alle Bewohner des Erdkreises und alle Siedler der Erde." Sie werden ermahnt, wenn Bergsignal gehißt wird, hinzuschauen, und, wenn in die Posaune gestoßen wird, aufzuhorchen. Was so angekündigt wird, ist das Eintreffen des Weltgerichts Jahwes, das Jahwe dem

---

²⁴ Greßmann denkt an einen „Gottessturm" und ein Erdbeben (Ursprung, S. 14), andere denken an einen Orkan.

²⁵ Herntrich behält den Plural. DSIa hat *ᶜammîm*. Sept.: τὸν λαὸν αὐτοῦ ist als eine Erleichterung zu beurteilen.

Propheten speziell geoffenbart hat. Das Gericht selbst wird in folgender Weise geschildert. Zuerst wird gesagt, daß Jahwe in erhabener Ruhe den Weltlauf betrachtet, um die rechte Stunde abzuwarten. Dann folgt die bekannte Schilderung des Weinbergs, die ihrem Wesen nach eine Gleichnisrede ist. In einer Gleichnisrede muß man immer nach der Pointe fragen. Hier ist die Pointe die überraschende und brutale Verheerung der ganzen Pflanzung, die unmittelbar vor der Ernte geschieht. Gleich vor der Ernte, seitdem sich alles in guter Ordnung entwickelt hat, kommt jemand und schneidet die Reben ab und reißt die Ranken weg. So wird der ganze Weinberg in eine Wildnis verwandelt, wo Raubvögel und die wilden Tiere ungehindert hausen können. Diese höchst anschauliche und in sich geschlossene Gleichnisrede umfaßt den ganzen Inhalt der Verse 5—6. Die Gleichnisrede veranschaulicht, wie das Gericht Jahwes, wenn seine Stunde gekommen ist, unerwartet und erbarmungslos eintrifft. Man streitet darüber, ob die Assyrer oder die Äthioper der Gegenstand des Gerichts sind. Meines Erachtens spricht der ganze Zusammenhang dafür, daß der Prophet an die ganze Menschheit gedacht und mit dem Gericht das Weltgericht gemeint hat. Dann bekommt auch die Anrede an die ganze Menschheit v. 3 ihre volle Erklärung.[26]

[26] Die dem Weinbau entnommenen Ausdrücke werden von G. Dalman, Arbeit und Sitte in Palästina, IV (Gütersloh 1935), sehr gut erklärt; siehe das Verzeichnis der Bibelstellen. Dalman betont richtig, daß es sich 5 b nicht um normales Beschneiden, sondern um gewaltsame Vernichtung des Ertrags handelt (S. 331). — Mit $w^e k\bar{a}ra\underline{t}$ beginnt der Nachsatz nach der vorhergehenden Zeitbestimmung (gegen Procksch). Es handelt sich in der Gleichnisrede nicht um Gott, sondern um ein unbestimmtes „man" (Ersatz für eine passive Konstruktion). Das Subjekt in $je^c\bar{a}z^e\underline{b}\hat{u}$ sind die abgehauenen Reben und Ranken. Sie werden den Raubvögeln und wilden Tieren preisgegeben, selbstverständlich nicht zum Fraße, sondern der verwüstete Weinberg dient den Tieren als Aufenthaltsort. — $^c\bar{a}l\bar{a}w$ (v. 6) bezieht sich ebenfalls auf die Reben und Ranken (siehe Gesenius-Kautzsch, Hebr. Grammatik, § 135 o-r. H. S. Nyberg, Hebreisk grammatik, § 84 r). Oder schwebt vielleicht der Weinberg als solcher dem Verfasser vor? Die in v. 6 b verwendeten Ausdrücke auf die assyrischen Krieger zu beziehen, scheint mir unmöglich. Zu vergleichen sind Stellen wie Jes 13, 20 ff.; 34, 13 ff.; Jer 50, 39 f.

Jes 28, 22. Untergang und Entscheidung wird über die ganze Erde (ᶜal kŏl-hāᵓāræṣ) kommen. Von einem zukünftigen Weltgericht hat der Prophet eine besondere Offenbarung bekommen. Das Gericht über die ungläubige Bevölkerung Jerusalems ist als ein Moment in diesem allgemeinen Weltgericht gedacht.

In den echten Revelationen Michas finde ich keine Weissagung, die sich auf das Weltgericht bezöge. Nahum denkt nur an ein Gericht über Assur und Ninive. Bei Zephanja, dem Jesaja-Jünger, dagegen spielt bekanntlich das Weltgerichtsmotiv eine ziemlich große Rolle. Im Lichte der Weltgerichtsidee Jesajas scheint mir nunmehr vieles dafür zu sprechen, daß die Stellen bei Zephanja, die von einem Weltgericht handeln, ursprünglich sind.

Zeph 1, 2—3. Menschen und Tiere der Welt werden vernichtet werden, die Menschen, weil sie Sünder sind, die Tiere, weil sie Sünde bewirken (hammakšelôt mit kausativem Sinn). Das Weltgericht ist der Anfang des Gerichts über die Götzendiener und Abtrünnigen in Jerusalem und Juda.[27]

Zeph 1, 14—18. Die Verwandtschaft dieser Stelle mit Jes 2, 10—21 spricht stark dafür, daß wir auch hier eine echt zephanjanische Schilderung des Weltgerichts vor uns haben. Der große Tag Jahwes ist nahe. Es ist ein Tag des Zorns und ein Tag der Drangsal, ein Tag der Posaune und des Kriegsgeschreis wider die befestigten Städte und die hohen Zinnen (vgl. Jes 2, 15). Durch das Feuer seines Eifers wird die ganze Erde (kŏl-hāᵓāræṣ) verzehrt werden. Denn Vernichtung und Bestürzung wird er über alle Bewohner der Erde (kŏl-jôšᵉbê hāᵓāræṣ) schaffen (vgl. Jes 10, 23; 28, 22).

Zeph 3, 8. Jahwes Richterspruch ist, daß er die Völker versammeln, die Königreiche zusammenbringen soll, um über sie seinen Grimm auszugießen, all die Glut seines Zorns; und durch das Feuer seines Eifers wird die ganze Erde verzehrt werden. Im Zusammenhang mit dem Weltgericht wird nun auch das sündvolle Jerusalem bestraft werden.

Im Buch des Habakuk ist das Gericht Gottes über ein bestimmtes,

[27] Ich folge in der Erklärung G. Gerleman in seinem Buch Zephanja, textkritisch und literarisch untersucht, Lund 1942. Gerleman meint, daß die beiden Verse 2—3 spätere Zusätze sind. Ich finde nunmehr kein Hindernis, die Verse als ursprünglich zu behalten.

historisches Volk, wahrscheinlich die Babylonier, in Aussicht gestellt. Auch die Vision in Kap. 3 kennt kein allgemeines Gericht über die Menschheit im eschatologischen Sinne. Das erste Stück, vv. 3 ff., schildert überhaupt nicht ein Gericht, sondern eine Theophanie des zornigen Gottes. Das Stück vv. 13—16 handelt zwar von einem Gericht, aber hier ist offenbar das gegen Juda feindliche Volk der Gegenstand des Gerichts. In v. 12 scheint freilich ein „Weltgericht" angedeutet zu sein. „Im Grimme beschreitest du die Erde, im Zorn zerdrischst du *die Völker*"; aber dieser universale Ausblick wird sofort verlassen. Wir haben hier nur ein hymnologisches Klischee, von welchem keine weitgehenden Schlüsse gezogen werden können.

Jeremia ist mit dem Gedanken wohlvertraut, daß Jahwe der Herr der Welt ist und daß er die Schicksale der Völker in seiner Hand hat. Der prophetische Auftrag Jeremias gilt nicht nur Israel, sondern auch fremden Völkern (1, 10). Wenn wir in Kap. 25 und in den Kapiteln 46—51 Ankündigung des Gerichts über eine Reihe von nichtisraelitischen Völkern finden, so steht das in guter Übereinstimmung mit dem prophetischen Auftrag Jeremias überhaupt. Nun fragt es sich aber, ob die Gerichtsverkündigungen Jeremias wirklich allen Völkern der Erde gelten und sich also auf ein universales Weltgericht beziehen. Wie die Weissagungen jetzt vorliegen, ist das der Fall. In der Bechervision sollen alle Reiche der Welt, die auf der Oberfläche der Erde leben, vom Becher trinken (25, 26). In den sich daran anschließenden Stücken lesen wir: Das Schwert Jahwes wird wider alle Bewohner der Erde gerufen (v. 29). Zu allen Bewohnern der Erde dringt das Geschrei Jahwes, ja, bis an das Ende der Erde (v. 30 f.). Jahwe geht ins Gericht mit allem Fleisch, er übergibt die Gottlosen dem Schwerte (v. 31). Erschlagene Jahwes wird es geben von einem Ende der Erde zum andern (v. 33). Nun ist es ganz klar, daß dieser Abschnitt bei Jeremia in der Tradition eine beträchtliche Überarbeitung erlitten hat. W. Rudolph hat meines Erachtens mit guten Gründen erwiesen, daß gerade die Worte, die von einem Weltgericht handeln, zu den sekundären Erläuterungen gehören.[28] Selbstverständlich hätte auch

---

[28] A. a. O., S. 140 ff. In 36, 2 und 45, 4 f. wird wohl an alle die in der Verkündigung Jeremias genannten fremden Völker gedacht.

Jeremia so wie Jesaja von einem Gericht Gottes über die Sünder, die stolzen und hochmütigen Menschen auf der Erde überhaupt reden können. Es scheint mir aber am wahrscheinlichsten, daß er nur von den Völkern gesprochen hat, die in seinem Blickfeld lagen und gerade in seiner Zeit Aktualität hatten. Jedenfalls sind die in Frage kommenden Stellen ein Beweis dafür, daß in den Kreisen, die dem Jeremiabuche seine endgültige Gestalt gegeben haben, das universale Weltgericht eine lebendige Idee war.

Die Weissagung Hesekiels von Gog, der mit seiner Heeresmacht in das nach Beendigung des Exils wiedergewonnene Land Israels einfallen wird, um dort seinem entsetzlichen Ende entgegenzugehen, gehört nicht mit in diesen Zusammenhang. Wie man auch die Fragen nach der Komposition und der Verfasserschaft beantwortet, eins ist klar, nämlich daß Gog mit seinem Heer und seinen Hilfstruppen nicht mit der Menschheit zusammenfällt. Gog und sein Volk kommen vom Norden her und sind nicht vom „Feinde aus dem Norden" zu unterscheiden, von dem schon eine ältere israelitische Tradition zu erzählen wußte. Was unter diesem Volk aus dem Norden verstanden werden mag — ein bestimmtes Volk der Geschichte oder ein rein mythologisches bzw. sagenhaftes Volk [29] —, so bedeutet es doch hier wie bei Jeremia eine gewissermaßen begrenzte Größe. Auch die Bezeichnung „Personifikation der Israel feindlichen Weltmacht" ist nicht gelungen — eine solche Abstraktion ist bei den Propheten recht unwahrscheinlich.[30] Übrigens ist die oft wiederholte Bemerkung, daß die Gog-Katastrophe geschieht, damit die Völker der Welt sie sehen und so die Macht und Heiligkeit Jahwes erkennen sollen, ein Beweis dafür, daß das Gericht über Gog nicht als ein Weltgericht aufzufassen ist. Die Weissagung von Gog gehört somit mit der nationalen, nicht mit der universalen Eschatologie zusammen.

Aus der nachexilischen Zeit kennen wir viele Weissagungen von einem Weltgericht.

[29] Über diese Fragen siehe Aarre Lauha, Zaphon. Der Norden und die Nordvölker im Alten Testament, Annales Academiae scientiarum fennicae, B. 49, 2, Helsinki 1943, S. 53 f.
[30] Vgl. J. Herrmann, Ezechielstudien, Leipzig 1908, S. 47.

Jes 10, 21—23. Vernichtung und festen Beschluß bringt der Herr inmitten der ganzen Erde. Das Stück wirkt stark epigonenhaft (vgl. Procksch im Kommentar).

Jes 13. In dem Schicksalsspruch über Babel wird das Gericht über das babylonische Reich gegen den Hintergrund eines allgemeinen Weltgerichts geschildert. Die Heerscharen Jahwes kommen anrückend, um die ganze Erde zu verderben *(lᵉḥabbel kŏl-hāᵓāræṣ)*. Die Erde wird zur Wüste gemacht. Die Sünder auf der Erde werden vertilgt. Jahwe sucht am Erdkreis *(ᶜal teḇel)* die Bosheit heim. Die Menschen werden kostbarer als Feingold und die Leute als Ophirgold. Alles das wird am „Tage Jahwes", der nahe ist, geschehen.

Jes 30, 25. In einem nachexilischen Zusatz steht: „Am Tage des großen Würgens, wenn Türme fallen."

Jes 34. Hier wird das Weltgericht als der Rahmen gezeichnet, der den Untergang Edoms einschließt. Jahwes Zorn ist auf alle Völker *(kŏl-haggôjîm)* gerichtet, sein Grimm auf all ihr Heer *(kŏl-ṣᵉḇāᵓām)* etc.

Mi 1, 2. Jahwe tritt als *ᶜed*, d. h. Ankläger (= Richter), gegen die Völker auf. Die Worte sind eine Interpolation in der Schilderung der Theophanie, mit der die Gerichtsverkündigung über Samaria und Jerusalem eingeleitet ist.[31]

Mi 5, 14: „Ich werde im Zorn und Grimm Rache nehmen an den Völkern, die nicht gehorcht, d. h. sich nicht bekehrt haben." Die Worte bilden den Abschluß einer nachexilischen Weissagung vom Triumph Israels nach der Verbannung.

Mi 7, 13. Die Erde wird verwüstet samt ihren Bewohnern wegen der Frucht ihrer Taten. In dem Zusammenhang, in dem diese Worte jetzt stehen, müssen sie von einem Gericht über die ganze außerisraelitische Welt handeln. Die Diaspora ist vorausgesetzt.

Ob v. 15—16. Das Gericht über Edom ist ein Moment in einem allgemeinen Gericht über die Völker der Erde. Der „Tag Jahwes" ist nahe über alle Völker *(ᶜal kŏl-haggôjîm)*. Alle Völker werden den Wein des Zornes Jahwes trinken und werden, als wären sie nicht gewesen.

Jo 4. In der Zeit der Schicksalswende Judas und Jerusalems ver-

---

[31] Siehe oben, S. 38.

sammelt Jahwe alle Völker *(kŏl-haggôjîm)* zur Vernichtung im Tal
Josaphat. Die Ausdrucksweise deutet darauf hin, daß in der Phantasie des Propheten wirklich alle Völker der Erde in Betracht
kommen, obschon auch einzelne Nationen, die besonders gegen
Israel feindlich gehandelt haben, bei Namen genannt werden. Die
Idee der Vernichtung der Heidenvölker im Lande Israels baut wohl
auf Stellen wie Jes 14, 25 usw.

Sach 11, 1—3. Feuer wird die Zedern Libanons verzehren, der
steile Wald wird hinabsinken und der Stolz Jordans verödet
werden. Elliger wird darin recht haben, daß diese Verheerung ein
Gleichnis für die Katastrophe der Weltmacht am Ende der Tage
ist.[32]

Sach 12, 1—3. Am Tage Jahwes macht Jahwe Jerusalem zu
einem Taumelkelch für alle Völker ringsum *(kŏl-hāᶜammîm sābîb)*.
Er macht es zu einem Hebestein für alle Völker *(kŏl-hāᶜammîm)*.
Alle Völker der Erde *(kol gôjê hāᵓāræṣ)* werden gegen Jerusalem
versammelt.

Sach 14, 1—3. Am Tage Jahwes wird er alle Völker zum Krieg
gegen Jerusalem versammeln, und Jahwe wird herausgehen und
kämpfen gegen die Völker, wie er früher am Tage der Schlacht
kämpfte.

Sach 14, 12—15. Beschreibung der Katastrophe, die alle die
Völker treffen wird, die gegen Jerusalem gezogen sind.

Sach 14, 17—19. Diejenigen von den Sippen der Erde *(mišpᵉḥôt
hāᵓāræṣ)*, die sich Jahwe nicht unterwerfen, über sie wird kein
Regen fallen. Das wird die Strafe aller Völker sein, welche nicht
hinaufziehen, um das Hüttenfest zu feiern.

Mal 3, 19. Am Gerichtstag Jahwes werden alle Übermütigen und
Übeltäter wie vom Feuer restlos vernichtet werden.

Jes 24—27. Die sogenannte Jesaja-Apokalypse. Die Erde wird
verwüstet und ausgekehrt und ihre Bewohner zerstreut. Die Erde
verwelkt, und die Welt verfällt. Die Menschen werden wegen ihrer
Gottlosigkeit und Bosheit ausgerottet (24, 1—6). Die Grundfesten
der Erde beben, die Erde wankt und schwankt wie ein Trunkener.

[32] K. Elliger in seinem Kommentar über Sacharja. Das Alte Testament
Deutsch, 25, 1950.

Eine neue Sintflut wird über die Welt kommen (24, 16 aβ—20). Die Katastrophe umfaßt auch das Heer der Höhe sowie die Könige auf dem Erdboden. Sie werden eingekerkert bis zum letzten Tag, wo das endgültige Gericht stattfinden wird (24, 21—23). Jahwe zieht aus von seinem Ort, heimzusuchen die Schuld der Erdbewohner (26, 20—21). Jahwe wird den Drachen, die flüchtige Schlange, d. h. die Weltmächte, vernichten (27, 1). Das Weltgericht in der Jesaja-Apokalypse ist etwas, was mit der Zerstörung einer nichtgenannten Stadt, nach meiner Meinung Babylons, zusammenhängt. Durch den Fall Babylons im Jahre 485 wurde die Vorstellung ins Leben gerufen, daß man jetzt unmittelbar vor dem Anbruch der Endzeit und des neuen Zeitalters stand.[33]

[33] In meiner Arbeit Die Jesaja-Apokalypse. Jes. 24—27, Lunds universitets årsskrift. N. F. Avd. 1: 34, 3, Lund 1938, habe ich die Ansicht verfochten, daß für dieses Buch die Bezeichnung „Apokalypse" eigentlich nicht paßt. Das Stück Jes 24—27 ist ein eschatologisches Buch mit einer Art von liturgischer Komposition, aber keine Apokalypse, da hier für die Apokalyptik wesentliche Merkmale fehlen, vor allem die Signatur der Geheimlehre. Frost, a. a. O., S. 146 f., Fußnote 14, beanstandet meine Liste von zwölf Merkmalen der Apokalyptik. Das hätte er vielleicht nicht getan, wenn er sich erinnert hätte, daß er selbst wenigstens sechzehn solche Merkmale aufgezählt hat, die übrigens zum großen Teil mit den meinigen identisch sind. Betreffs des Inhalts bedeutet die Apokalyptik nur eine Steigerung im Verhältnis zu der älteren prophetischen Eschatologie. Wer z. B. wie Frost (S. 33) die Apokalyptik definiert als "the mythologizing of eschatology", muß doch unmittelbar anerkennen, daß schon die älteste Form der Eschatologie an mythologischen Vorstellungen reich ist. Es ist Frost nicht gelungen, die Begriffe Eschatologie und Apokalyptik klar zu bestimmen. Es ist bezeichnend, daß er sogar in der messianischen Weissagung Jes 11, so wie auch in dem allgemein eschatologischen Stück Am 9, 13—14, Apokalyptik findet (S. 21, Fußnote 8). Meiner Ansicht nach ist und bleibt das Wesentliche in der Apokalyptik, daß ihre Erzeugnisse in der Form einer Geheimlehre auftreten. Apokalyptik ist geoffenbarte Geheimlehre eschatologischen und bisweilen kosmologischen Inhalts. Daß die mythologischen Elemente in der Apokalyptik eine große Steigerung aufweisen, beruht natürlich auf der fortgeschrittenen Entwicklung des religiösen Denkens im Judentum, und zwar unter fremder Beeinflussung.

Über das *Wie* des Weltgerichts kann in aller Kürze folgendes gesagt werden:

Der im Weltgericht Handelnde ist Jahwe selbst. Die Art und Weise seines Handelns hat immer etwas Wunderbares und Übernatürliches an sich. Jahwe sendet seine Heerscharen über die Erde. Es wird von Krieg und Blutvergießen gesprochen. Die gegen Jahwe feindliche Weltmacht wird grausam vernichtet. Bisweilen geschieht die Niederlage der Feinde im Lande Israels, wie es einmal in der Zeit Jesajas mit den Assyrern geschah. Die Weissagungen Jesajas vom Untergang Assurs vor den Mauern Jerusalems sind wohl der Ursprung der Vorstellung von dem Gericht über die Weltmacht gerade im Lande Israels. Schrecken, Panik, Angst ergreifen die Menschen. Gewaltige Naturerscheinungen begleiten das Gericht: Erdbeben, Sintflut, Verfinsterung der Sonne, des Mondes, der Sterne, allerlei Umwälzungen im Kosmos. Die Erde wird verwüstet, die Menschheit vertilgt oder gewaltig dezimiert. Auch die Tiere werden vom Gericht getroffen, in dem Maße, wie sie an der allgemeinen Sündhaftigkeit teilhaben, bisweilen auch die kosmischen Geistermächte. Das Gericht hat nichts Juristisches an sich, es ist immer als ein strafendes Handeln Gottes beschrieben. Die Ursache ist die Bosheit der Menschen, ihr Götzendienst, vor allem ihr Hochmut und Stolz, daß sie dem lebendigen Gott der Welt trotzen. Jahwe handelt, um seine Hoheit und seine Heiligkeit zu behaupten. Alles wird im Begriff „Tag Jahwes" zusammengefaßt.

Die oben gesammelten Stellen, die alle vom Weltgericht handeln, stammen aus verschiedenen Epochen des altestamentlichen Prophetismus. Der erste Prophet, der von einem Weltgericht gesprochen hat, ist Jesaja. Die betreffenden Weissagungen vermehren sich in der nachexilischen Zeit. In Betracht der geschichtlichen Tatsachen wäre es aber ganz falsch zu sagen, daß die Idee des Weltgerichts nachexilisch sei. Da das Weltgericht und die Verhältnisse, die danach auf der Erde eintreten, entschieden etwas ganz Neues, eine ganz neue Ordnung bedeuten, können wir wirklich vom Eintritt eines neuen Zeitalters reden. Angesichts der Idee des Weltgerichts haben wir also das Recht, von einer universalen Eschatologie bei den Propheten, auch bei den vorexilischen Propheten, zu reden. Es ist gewichtig zu beobachten, daß bei den alttestamentlichen Propheten niemals von einem Weltende im eigentlichen Sinne gesprochen wird. Die Welt existiert auch nach den durchgreifenden Umwälzungen. Dem gläubigen Israel ist z. B. immer eine Existenz im eigenen Lande verbürgt.

Das allgemeine Weltgericht ist nur die eine Seite der universalen Eschatologie, die andere Seite ist die Unterwerfung der Menschheit unter Jahwe, den Gott Israels und den Gott der Welt.

Ich zähle zunächst die Hauptstellen auf, ohne die Datierungs-fragen zu diskutieren.

Jes 2, 2—4 (= Mi 4, 1—4). Die Heidenvölker werden nach Jerusalem ziehen, um Jahwe zu suchen und sich die wahre Jahwe-Religion anzueignen. Jahwe wird Richter über die Völker werden, und ein Zustand eines allgemeinen Friedens wird auf der Erde herrschen.

Jes 11, 10—11. In der messianischen Zeit werden die Heiden den Messiaskönig aufsuchen und sich ihm unterwerfen.

Jes. 17, 7—8. Die Menschen *(hāʾāḏām)* werden vom Götzen-dienst zu Jahwe, dem Heiligen Israels, ihrem Schöpfer, umkehren. Selbstverständlich handelt es sich hier um die heidnische Völkerwelt im allgemeinen.

Zeph 2, 11. Jahwe wird alle Götter der Erde hinschwinden lassen, und alle Inseln der Völker *(kol ʾijjê haggôjîm)* werden ihn anbeten.

Zeph 3, 9. Jahwe wird den Völkern *(ᶜammîm)* neue, reine Lippen geben, so daß sie alle den Namen Jahwes anrufen und ihm dienen mit einer gemeinsamen Schulter. Der Plural *ᶜammîm* ist textkritisch angefochten worden. Aber als der Konsonantentext festgestellt wurde, wurde jedenfalls unsere Stelle als ein Zeugnis von der Be-kehrung der Heiden aufgefaßt. In derselben Fassung lag das Wort schon den griechischen Übersetzern vor (λαούς).

Hab 2, 14. Die Erde wird sich füllen mit der Erkenntnis der Herrlichkeit Jahwes, wie das Wasser das Meer bedeckt.

Jer 3, 17. In der kommenden Weltzeit wird man Jerusalem den Thron Jahwes nennen, und dorthin werden sich alle Völker *(kŏl-haggôjîm)* versammeln, um Jahwes Namen anzubeten, und sie werden nicht mehr dem Starrsinn ihres bösen Herzens folgen.

Jer 12, 15—17. In der kommenden Zeit wird sich Jahwe über

die exilierten Heidenvölker wieder erbarmen. Sie werden sich die
wahre Jahwereligion aneignen und lernen, bei dem Namen Jahwes
zu schwören, und so mit Israel eine geistige Einheit bilden.
Jer 16, 19—21. Die Heiden werden die Nutzlosigkeit der Götzen
einsehen und Jahwe als dem wahren Gott ihre Huldigung leisten.
Sach 2, 15. Viele Völker *(gôjîm rabbîm)* werden sich an jenem
Tage an Jahwe anschließen und ihm ein Volk werden.
Sach 8, 20—23. Die Heiden werden nach Jerusalem ziehen, um
Jahwe zu suchen und das Antlitz Jahwes zu begütigen.
Sach 14, 16. Die Heiden werden von Jahr zu Jahr hinaufziehen,
um den König Jahwe anzubeten und das Hüttenfest zu feiern.

Der sogenannte Tritojesaja ist mit der Idee der Bekehrung der
Heidenvölker wohlvertraut. Das Haus Gottes wird ein Bethaus für
alle Völker werden (Jes 56, 7). In der neuen Welt kommt Monat
für Monat und Sabbat für Sabbat alles Fleisch *(köl-bāsār)* Jahwe
anzubeten (66, 23).

Auch einzelne Völker werden bei Namen genannt, welche in der
kommenden Weltzeit zu Jahwe umkehren werden: Ägypten und
Assyrien Jes 19, Äthiopien Jes 18, 7.

Eine Sonderstellung in bezug auf die universale Heilseschatologie
nimmt Deuterojesaja ein.[34] Bei diesem Propheten ist die Bekehrung
der Heiden ein Gedanke prinzipieller Bedeutung. Der Quellpunkt
seiner Anschauung von der Erlösung der Völker liegt im göttlichen
Auftrag, der dem Knecht Jahwes gegeben ist. Der Knecht ist berufen, die Völker der Welt die Thora Jahwes zu lehren, damit sie
wahre Jahwediener werden.[35] Der Knecht ist von Jahwe zum Licht
(Heilsbringer) der Völker gemacht.[36] Durch ihn wird ein Völker-
bund zustande kommen, der aus denjenigen bestehen wird, die in
der ganzen Welt der Wahrheit huldigen und sich Jahwe unterwerfen.[37] So wird das Heil Jahwes bis ans Ende der Welt gehen.[38]
Mittel der Erlösung der Heiden sind das Zeugnis von der Wahrheit

---

[34] Zum Folgenden siehe weiter meine Arbeit The Servant Songs in
Deutero-Isaiah, besonders S. 52 ff.

[35] Jes 42, 1—4.

[36] 42, 6; 49, 6.

[37] 42, 6.

[38] 49, 6.

vom lebendigen Gott und zugleich das stellvertretende Leiden des Knechtes.[39] Die Heiden, die sich gegenwärtig in einem Zustand von Finsternis und Blindheit befinden, sind im voraus für das Heil bestimmt. Sie warten darauf, an der wahren Religion teilzunehmen und Untertanen Jahwes zu werden.[40]

Das sind die Grundgedanken der Ebed Jahwe-Orakel in bezug auf das universale Heil. Sie kommen aber auch an anderen Stellen des deuterojesajanischen Buches zum Vorschein.

Jes 45, 23. Jahwe hat bei sich selbst geschworen: jedes Knie wird sich ihm beugen und jede Zunge ihm schwören.

Jes 51, 4—5. Die Thora und das Recht Jahwes werden ausgehen zum Licht der Völker. Jahwes Heil ist nahe, seine Arme werden die Völker richten. Die Inseln warten auf ihn und seinen Machterweis.

Jes 55, 5. Fremde Völker werden sich Israel anschließen und an dem Gottesglauben Israels teilnehmen.

Die Bekehrung der Heiden und das ihnen vorausbestimmte Heil ist „das Neue", das jetzt verkündigt wird und wovon man früher nichts wußte.[41]

Was das Alter der Weissagungen von der Bekehrung der Heiden betrifft, kann folgendes in aller Kürze gesagt werden.

Die größte Anzahl gehört Schriften, die aus dem Exil oder der Zeit nach dem Exil stammen. Die Stellen, die in vorexilischen Schriften vorkommen, müssen besonders geprüft werden. Im Hinblick auf den modernen traditionshistorischen Aspekt auf die prophetische Literatur, scheint es mir sicher, daß die Weissagung Jes 2, 2—4 = Mi 4, 1—4 einmal, in mündlicher oder schriftlicher Form, eine heimatlose Existenz gehabt hat und daß sie erst bei der Redaktion der prophetischen Bücher aufs Geratewohl einmal in die Sammlung der Revelationen Jesajas, einmal in die Sammlung der Revelationen Michas eingefügt wurde. Wenn dem so ist, muß wohl ein nachexilischer Ursprung für diese Weissagung angenommen werden. Einige Stellen setzen die Zerstörung Jerusalems und die

---

[39] 52, 13—53, 12.

[40] 42, 4. 7.

[41] 42, 9; 48, 6.

Deportation voraus: Jes 11, 10—11. Zeph 3, 9 f.; Jer 3, 17. Alle die übrigen tragen aus literarischen, stilistischen oder sachlichen Gründen das Gepräge, späte Zusätze zu sein. Ich muß kurz auf die modernen Kommentare hinweisen, um ganz unnötige Wiederholungen zu vermeiden.

Die ausführlichsten Schilderungen der Bekehrung der Heiden und zugleich die klarste Motivierung dafür finden wir bei Deuterojesaja. Der Schluß scheint mir unumgänglich zu sein, daß der Ursprung des Gedankens von der Bekehrung der Heiden gerade bei Deuterojesaja zu suchen ist und daß also sämtliche Weissagungen, die von einem für die Heiden vorausgesehenen Heil handeln, auf deuterojesajanische Tradition bauen. Die Bekehrung der Heiden und der Zustand der Welt, der danach folgt, bedeutet in der Tat eine so durchgreifende Veränderung der Verhältnisse der Welt, daß man wohl von einem neuen Zeitalter und einem wirklich eschatologischen Ausblick reden kann. Die universale Heilseschatologie ist also eine Schöpfung Deuterojesajas.

Wir gehen jetzt zur *nationalen Eschatologie* über. Hier geht es um das Volk Israel und sein kommendes Schicksal. Entweder steht Israel allein im Blickpunkt, oder ist das kommende Schicksal Israels mit dem zukünftigen Schicksal der Menschheit und der Welt irgendwie verknüpft.

Den Gedanken von der vollständigen Verwerfung und vom nationalen Untergang des israelitischen Volkes, den wir bei Amos finden, würde ich kaum eschatologisch nennen. Die Vernichtung der nationalen Existenz Israels ist für Amos ein Ereignis, das entschieden innerhalb des Rahmens der normalen Geschichte fällt. Israel wird als Strafe seiner Sünden von der gerade jetzt aktuellen assyrischen Weltmacht verschlungen werden. Die Naturkatastrophen, die Amos in Aussicht stellt, gehen, obschon in der aufgeregten Phantasie des Propheten gewaltig gesteigert, nicht über das hinaus, was zum normalen Leben dieser Welt gehört. Eschatologisch sind dagegen alle die Stellen, wo das Gericht über Israel als ein Moment im universalen Menschheitsgericht dargestellt wird. Ganz deutlich ist das der Fall an Stellen wie Jes 3, 12—15; 28, 14—22; Zeph 1, 2 ff. usw.

Bei weitem die zahlreichsten Weissagungen von der eschatologischen Zukunft Israels handeln aber von einer radikalen Erneuerung des Volkes in religiöser, sozialer und politischer Hinsicht. Sie sind also heilseschatologischer Natur.

Hos 3, 5. Das erste Wort von einem Propheten, das eine Perspektive in eine eschatologisch gedachte lichte Zukunft für Israel eröffnet, ist die Weissagung Hoseas von der Prüfungszeit und dem danach folgenden durch die Bekehrung Israels eingeleiteten Zeitalter. „Danach werden die Söhne Israels umkehren und Jahwe, ihren Gott, suchen und zitternd sich zu Jahwe und den von ihm verliehenen Gütern wenden." Der enge Zusammenhang mit der gleich vorher geschilderten Episode der Ehegeschichte Hoseas verbürgt den hoseanischen Ursprung der Weissagung.[42]

Mit dieser echt hoseanischen Weissagung ist 2, 16—17 sehr eng verwandt. Eine Prüfungszeit in der Wüste wird die Bekehrung des Volkes zur Folge haben, welche eine neue Epoche im Leben des Volkes einleiten wird.

Hos 14, 5—9: ein Orakelwort Gottes als Antwort auf das vorhergehende Bußgebet. Nach der Heilung des Abfalls des Volkes wird Jahwe wunderbaren Segen über Israel ausgießen. Es handelt sich hier in der Tat um ein neues Zeitalter, obschon bei Hosea die Schilderungen noch verhältnismäßig zurückhaltend sind.

Jes 1, 24—28. Ein Läuterungsgericht wird im Volke eintreffen. Danach wird etwas Neues zustande kommen. Jahwe wird das Volk in ein gerechtes Volk umwandeln und eine Wiederherstellung der alten idealen Verhältnisse im Reich durchführen.

Betreffs Jes 4, 2—6 bin ich sehr unsicher. Ist es jesajanisch oder nachexilisch? Absolut sichere Merkmale für einen nachexilischen Ursprung gibt es kaum hier. Die Grundgedanken sind folgende. Wir werden in die Zeit des „Restes" versetzt. In dieser Zeit wird das, was Jahwe an Gütern dem Lande verleiht, eine Ehre für das neue Volk sein. Das neue Volk wird ein heiliges Volk sein. Jahwe wird durch seine Gegenwart dem neuen Jerusalem Schutz und

---

[42] Diese Weissagung ist allerdings von einem Späteren überarbeitet worden. Die Worte „und David, ihren König," sind jedenfalls unmöglich im Munde Hoseas; siehe Lindblom, Hosea literarisch untersucht, Acta Academiae Aboensis, Hum. V, Åbo 1927, S. 30.

Schirm schaffen. Schwierigkeiten betreffend Stil und einzelne Vorstellungen bestehen immerhin. Ist vielleicht ein echtes Jesaja-Orakel
in der Tradition etwas umgestaltet worden?

Der Rest bei Jesaja bedeutet den kleineren Teil des Volkes, der
bei dem Zerschlagen des Volkes durch die Weltmacht errettet werden
wird. Von diesem Rest meint Jesaja, daß er zu Jahwe umkehren
wird. Davon zeugt der symbolische Name des ältesten Sohnes des
Propheten: Schearjaschub.[43] Wenn das Wort vom heiligen Samen
6, 13 jesajanisch ist, was ich nunmehr für wahrscheinlich halte[44] —
es steht auch in der neuen Handschrift DSIa —, so blickt der Prophet
auch hier einer Zukunft entgegen, wo aus der allgemeinen Vernichtung ein kleiner Rest errettet werden wird, der ein „heiliger
Same" sein wird. Von dieser Schar wird gesagt, sie wird nicht mehr
ihre Stütze in der Weltmacht, sondern im Gott Israels haben (10,
20). Jahwe wird ihr Ehrenkranz sein (28, 5). Die Existenz des
Restes ist ein Werk Jahwes (37, 31 f.). Sein Kennzeichen wird in
Übereinstimmung mit der Grundanschauung Jesajas der Glaube,
das Vertrauen an Jahwe sein (7, 9; 30, 15). Die kleine Schar von
Glaubenden, die der Prophet schon um sich versammelt hat, sind
Vorzeichen und Wahrzeichen, die auf den künftigen Rest von Um-
gekehrten hindeuten (8, 16—18). Sie sind die Elenden des Volkes
(14, 32). Sie sind die, die den Glauben haben (28, 16). Der Rest

[43] Die Übersetzung des Namens ist schon aus sprachlichen Gründen
nicht ganz klar. L. Köhler, Vetus Testamentum III, 1953, S. 84 f., meint,
daß *jāšûḇ* ein „nackter Relativsatz" ist und übersetzt: „der Rest, der um-
kehrt". Man könnte wohl auch die Wortverbindung als einen zusammen-
gesetzten Nominalsatz auffassen und übersetzen: „der Rest — er wird
umkehren", oder: „ein Rest, und er wird umkehren", was bedeuten würde:
es wird ein Rest sein, und er wird umkehren. Das würde der Anschauung
Jesajas seit seiner Berufung her exakt entsprechen. Bei dem Zusammen-
treffen Jesajas mit Ahaz (Kap. 7) war der Gedanke *der Umkehr* höchst
bedeutsam, der Gedanke des Restes aber weniger, da in jenem Augenblick
Jesaja die Gewißheit hegte, daß sein Volk aus der damaligen Not errettet
werden und mit der Geburt des Königskindes eine Glückszeit für Juda eintreten würde.

[44] Siehe auch I. Engnell, The Call of Isaiah. An Exegetical and Com-
parative Study, Uppsala universitets årsskrift 1949: 4, S. 52 f.

bei Jesaja ist nicht an und für sich ein eschatologischer Begriff, aber er bekommt dann und wann einen eschatologischen Anstrich (z. B. 1, 27; 7, 21 f.), so daß es bisweilen eine Gefühlssache ist, ob man hier von Eschatologie reden soll oder nicht.[45]

Meine Ansicht von der Weissagung von dem Immanuel-Kind habe ich oben [S. 38, Anm. 17] in aller Kürze dargelegt. Ist das Weib, das gebären wird, die Königin und das Kind der eben erwartete Thronfolger, kann sie trotz des orakelmäßigen und mythologischen Kolorits nicht als eschatologisch bezeichnet werden. Wie steht es aber mit dem berühmten und eifrig debattierten Stück Jes 9, 1—6? Das erste, was festgestellt werden muß, ist, daß die Geburt des Königskindes nicht vorher verkündigt, sondern als eine schon geschehene Tatsache erzählt wird. Das geht aus dem Gebrauch der Tempora in v. 5 hervor, die als Praeterita aufgefaßt werden müssen.[46] Das Kind gehört dem davidischen Königsgeschlecht. Bei seiner Geburt ist schon im Kult der liturgische Huldigungsruf erklungen: Wunderrat, Heldengott usw. Jetzt stimmt der Prophet sein eigenes Jubellied an. Vielleicht wurde es sogar bei einer kultischen Feier vorgetragen. Durch die Geburt des Königskindes wendet sich das Schicksal des Volkes. Vorher Not und Angst, *jetzt* (das bedeuten die Tempora) Glück und Freude. Die Geburt des Kindes bedeutet, daß der harte Druck der feindlichen Angreifer abgewehrt und eine Friedenszeit mit unglaublicher Machtentfaltung und grenzenlosem Glück eingetreten ist. Ich sehe kein Hindernis dafür, diese prophetische Dichtung in dieselbe historische Situation zu

[45] Lehrreiche Untersuchungen über den Begriff des Restes bei den Propheten aus den späteren Jahren: P. de Vaux in Revue biblique 42, 1933, S. 526—539. W. E. Müller, Die Vorstellung vom Rest im Alten Testament. Diss. Leipzig, 1939. E. W. Heaton in: The Journal of Theological Studies III, 1, 1952, S. 27—39.

[46] Dies wird von Nyberg in seiner Arbeit Hebreisk grammatik, § 86 oo, Anm., kräftig betont. Wichtig ist seine Bemerkung: „Das sogenannte *perfectum propheticum*, das eine so große Rolle bei der Exegese und in den Sprachlehren gespielt hat, existiert nicht." — In einem inhaltsreichen Aufsatz in der Bertholet-Festschrift, 1950, hat auch A. Alt den jesajanischen Ursprung dieser Dichtung verteidigt. Alt denkt aber nicht an die Geburt, sondern an den Krönungstag des neuen Davididen.

verlegen wie die Immanuel-Weissagung in Kap. 7. Der Unterschied ist nur der, daß in Kap. 7 das Kind noch erwartet ist, während hier das Kind schon geboren ist. Die politische Lage ist dieselbe und die an die Geburt geknüpften Hoffnungen dieselben. Ich betrachte also das Stück Jes 9, 1—6 als jesajanisch; aber von Eschatologie sollte man hier nicht mehr reden als in betreff der Immanuel-Weissagung.

Zeph 2, 9; 3, 11—17. Die nach der allgemeinen Gerichtskatastrophe Übergebliebenen werden ein gereinigtes Volk bilden, das aus demütigen und niedrigen Leuten bestehen wird, die ihre Zuflucht beim Namen Jahwes suchen. Sie werden von keinen Feinden mehr gestört werden; selbst werden sie ihre bösen Nachbarn plündern und ihr Erbe antreten. Jahwe wird in ihrer Mitte als König und Helfer sein. Hier hat der Rest-Gedanke deutlich einen eschatologischen Charakter angenommen.

Die oben aufgezählten eschatologischen Stellen — die ja übrigens nicht sehr zahlreich sind — stammen meiner Meinung nach aus vorexilischer Zeit, und zwar aus der Zeit vor der Epoche Jeremias. Sie stellen eine Zeit in Aussicht, da ein neues Israel in ganz neuen Verhältnissen leben wird. Sie deuten auf ein neues Zeitalter hin und können also als national-eschatologische Weissagungen bezeichnet werden.

In den Jahren gleich vor dem Untergang Judas, während des Exils und in der Zeit nach der Heimkehr regt sich die national-eschatologische Hoffnung bei den Propheten und ihren Jüngern in viel stärkerem Grad als bei den früheren Propheten.

Ich gebe hier einen Überblick über die wichtigsten Stellen, ohne die Echtheitsfragen zu diskutieren. In diesem Zusammenhang ist die Datierung der einzelnen Aussagen ohne Belang. Was uns hier interessiert, ist einerseits der Umfang des Materials, andererseits der Inhalt der Weissagungen.

Ich beginne mit dem Buch Jeremias, das ganz sicher manche echt-jeremianische Weissagungen von einem neuen Zeitalter enthält, aber daneben auch viele Aussagen späteren Ursprungs aufgenommen hat. Für die Echtheitsprobleme muß ich auf die in den Kommentaren geführten Diskussionen hinweisen.

Jer 3, 14—18. Wiederkehr eines Teils der Exulanten. Rechte Könige im neuen Reich, Vermehrung des Volkes. Jerusalem der

Thron Gottes. Bekehrung der Heiden. Wiedervereinigung Israels und Judas.

Jer 23, 3—8. Wiederkehr der Übriggebliebenen. Vermehrung des Volkes. Rechte Leiter. Sicheres Wohnen im eigenen Lande. Der ideale König aus dem Geschlecht Davids.

Jer 30—31. Ein Cento von Weissagungen aus verschiedenen Zeiten. Nach der Wiederkehr sowohl der Nordstämme als der Südstämme Wiederherstellung des Volkes in seiner Ganzheit. Ein gerechtes Volk. Der ideale Davidide. Sicherheit. Fruchtbarkeit. Freude. Vermehrung des Volkes. Untergang der Feinde. Aufbau der Hauptstadt. Ein neuer Bund. Vergebung aller Sünden. Verwirklichung des Erwählungsgedankens (Formel: „Ihr werdet mein Volk sein, und ich werde euer Gott sein.").

Jer 32, 36—44. Wiederkehr der Verbannten. Verwirklichung des Erwählungsgedankens. Ein neuer ewiger Bund. Wiederherstellung des Landes.

Jer 33. Wiederherstellung des ganzen Volkes. Gerechtigkeit. Vergebung. Freude und Wohlstand. Der gerechte Davidide. Ewiges Königtum und ewiges Priestertum.

Jer 46, 27—28. Wiederkehr der Exulanten. Ruhe und Sicherheit. Untergang der Feinde.

Ezechiel. Die literargeschichtlichen Probleme des Buches Ezechiel werden noch heftig debattiert. Ich muß mich hier einfach auf eine Aufzählung der Hauptstellen beschränken, die nach meiner Terminologie einen national-eschatologischen Inhalt haben.

Ez 11, 17—21. Die Exulanten werden versammelt werden und das Land Israels wieder in Besitz nehmen. Ein von allem Bösen gereinigtes Volk wird im eigenen Lande leben. Ein neuer Geist und ein fleischernes Herz. Verwirklichung des Erwählungsgedankens. Bestrafung der Abtrünnigen.

Ez 16, 59—63. Ein neuer, ewiger Bund wird mit Juda aufgerichtet werden. Die Sünden werden alle vergeben werden.

Ez 17, 22—24. Das ideale Königtum im neuen Zeitalter als eine Tat Jahwes, auch von den Heiden anerkannt.

Ez 20, 33—44. Rückkehr der Exulanten. Abschaffung des Götzendienstes. Gottgefälliger Kult im Heimatlande. Reue ob aller früher begangenen Schlechtigkeiten.

Ez 28, 25—26. Die Zerstreuten werden versammelt werden. Sie werden sicher und glücklich auf dem eigenen Boden leben. Gericht wird über die bösen Nachbarn vollstreckt.

Ez 34, 11—16. Jahwe der rechte Hirt seines Volkes. Errettung der Verbannten. Segensreiches Leben im eigenen Lande.

Ez 34, 23—31. Der ideale Davidide. Friedensbund. Das wilde Getier ausgerottet. Fruchtbarkeit und Wohlstand. Sicherheit. Verwirklichung des Erwählungsgedankens.

Ez 36. Während die bösen Nachbarn Judas von der Strafe erreicht werden, wird Israel wiederhergestellt werden. Die Zerstreuten werden alle zusammen nach dem Heimatland geführt werden, das Land wird mit Fruchtbarkeit und Reichtum an Menschen gesegnet und das Zerstörte wiederaufgebaut werden. Reinigung des Volkes von Bosheit und Abgötterei. Neues fleischernes Herz und neuer Geist. Verwirklichung des Erwählungsgedankens. Reue ob der früheren Verschuldungen.

Ez 37. Wiederaufrichtung des Volkes und des Staates. Rückkehr der Exulanten nach dem eigenen Lande. Die Nordstämme zusammen mit Juda bilden ein gemeinsames neues Staatswesen. Reinigung von Bosheit und Abgötterei. Verwirklichung des Erwählungsgedankens. Der ideale Davidide. Friedensbund. Ewiger Bestand des Tempels.

Ez 38, 1—39, 20. Vernichtung des von früheren Propheten vorausgesagten Feindes aus dem Norden mit dem Namen „Gog" im Lande Israels. Verherrlichung des Namens Jahwes in Israel und in der Völkerwelt durch das Gericht über Gog.

Ez 39, 25—29. Rückkehr der Exulanten. Sicherheit im Lande. Ausgießung des Geistes über das neue Israel.

Ez 40—48. Das neue Jerusalem, der neue Tempel, der neue Staat. Eine Schilderung der neuen kultischen und politischen Verhältnisse nach der Rückkehr der zwölf Stämme.

Deuterojesaja. Ist Eschatologie, wie öfters gesagt wird, eine Lehre vom Ende der Welt und der Menschheitsgeschichte, gibt es keine Eschatologie bei Deuterojesaja. Wenn man aber unter Eschatologie die Hoffnung auf ein neues Zeitalter versteht, wo alle Verhältnisse in etwas ganz anderes verwandelt sind, so ist das Buch Deuterojesaja vom Anfang bis zum Ende ein eschatologisches Buch. Wir haben oben festgestellt, daß der Gedanke an die Bekehrung der Heiden, der in vielen deuterojesajanischen Aussagen zum Ausdruck kommt, als ein universal-eschatologischer Gedanke bezeichnet werden kann. Daneben wird nun bei Deuterojesaja immer wieder von einer Wiederherstellung des Volkes in solchen Wendungen gesprochen, daß wir mit Recht von einem national-eschatologischen Ausblick in die Zukunft reden können. Diese Aussagen finden sich in den vom Verfasser in einem anderen Zusammenhang als Weissagungen des Triumphes bezeichneten Revelationen Deuterojesajas.[47] Die Hauptideen dieser triumphierenden Weissagungen sind: Wiederkehr der Exulanten als ein neuer wunderbarer Exodus. Jahwe kehrt als König nach Zion wieder zurück. Aufbau der Hauptstadt und des Tempels in ungeahnter Pracht. Sicherheit und Heil in dem erneuten Lande und dem wiederaufgerichteten Reiche. Untergang der feindlichen Nationen. Rache wird an allen Feinden genommen. Die fremden Völker werden die Sklaven Israels. Alle Götzen werden vernichtet.

Tritojesaja folgt in den Spuren Deuterojesajas. Wir haben hier einige Gedichte, die mit den triumphierenden Weissagungen Deuterojesajas sehr eng verwandt sind (Kap. 60—62). Wenn wir von der Schöpfung einer neuen Erde und neuer Himmel hören (65, 17; 66, 22) so bedeutet das eine *Welterneuerung*, nicht Neuschöpfung im buchstäblichen Sinne. Der Prophet denkt an eine von Heil erfüllte Welt, zunächst an die von Israeliten bewohnte Welt, wo Freude, langes Leben, Sicherheit im Lande, Heiligkeit, paradiesischer Friede herrschen werden.

Die nachexilischen Prophetenbücher enthalten alle mehr oder weniger ausführliche Weissagungen national-eschatologischen Inhalts.

Hag 2, 6—9 und 23. Der Prophet sieht einer Zeit entgegen, wo von allen Heidenvölkern Schätze nach Jerusalem gebracht werden. Der neue Tempel wird mit Herrlichkeit erfüllt. Heil wird gespendet. In der Person Serubbabels wird die Verheißung eines idealen Königs aus dem Geschlecht Davids in Erfüllung gehen.

Die Nachtgesichte Sacharjas. Die Städte Judas werden von Gü-

---

[47] Siehe The Servant Songs in Deutero-Isaiah, S. 57 f.

tern überfließen, und Jahwe wird aufs neue Zion erwählen (1, 17). Die gegen Israel feindlichen Völker werden niedergeschlagen werden (2, 4). Jerusalem wird als offener Ort daliegen wegen der Menge von Menschen und Vieh. Jahwe wird ihm eine Feuermauer ringsum und zur Herrlichkeit in seiner Mitte sein (2, 8 f.). Rückkehr der Exulanten, Vernichtung der Feinde, Wohnen Jahwes in der Mitte seines Volkes. Wiedererwählung Jerusalems (2, 10—16). Zemach, der Knecht Jahwes, kommt. Vollkommene Vertilgung der Sünden. Paradiesischer Friede (3, 8—10). Die beiden Ölsöhne, die vor dem Herrn der ganzen Erde stehen (4, 14). Abschaffung der Gottlosigkeit (5). Das Niederlassen des Geistes Jahwes im Lande des Nordens zum Heil Israels und zum Gericht über die Heiden (6, 1—8).[48] Krönung Josuas bzw. Serubbabels. Wiederaufbau des Tempels (6, 9—15.).[49]

Sach 8, 1—8. Wohnen Jahwes in Jerusalem. Hohes Lebensalter. Rückkehr der Exulanten. Verwirklichung des Erwählungsgedankens.

Sach 8, 11—13. Wohlstand und Fruchtbarkeit im Lande. Israel ein Beispiel des Segens.

Sach 9, 9—17. Der ideale König kommt in Geringheit und Demut. Allgemeiner Friede. Rückkehr der Exulanten. Vereinigung von Juda und Israel. Rache an den Feinden.

Sach 10, 3—12. Rückkehr der zwölf Stämme aus allen Ländern der Diaspora. Vernichtung der Weltmacht.

Sach 12—13, 6. Der Sieg Israels über die Heidenvölker. Ausgießung des Geistes der Buße. Abschaffung der Bosheit, der Abgötterei und des entarteten Prophetentums.

Sach 13, 8—9. Läuterung des restlichen Drittels. Verwirklichung des Erwählungsgedankens.

Sach 14, 10—11. 20—21. Erhöhung des Zionsberges. Sicherheit im Lande. Heiligkeit der Stadt Jerusalem.

---

[48] Siehe die ausführliche Motivierung dieser Erklärung von *rûaḥ* v. 8 bei L. G. Rignell, Die Nachtgesichte des Sacharja, Lund 1950, S. 212 ff.

[49] Rignell meint, daß es (wie es im jetzigen Text steht) Josua, der Hohepriester, war, der gekrönt werden sollte. Er sollte aber nicht selbst als Messiaskönig gekrönt werden; der Akt sollte symbolisch sein und auf das messianische Königtum Serubbabels hinzielen, a. a. O., S. 223 ff.

Jo 3, 1—5. Die Gläubigen von Juda werden aus der allgemeinen Gerichtskatastrophe errettet. Ausgießung des Geistes der prophetischen Ekstase über die Entronnenen. Alles von allerlei Naturkatastrophen begleitet.

Jo 4, 16—21. Nach der Vernichtung der Völker wird Juda in Ewigkeit in seinem Land in Sicherheit wohnen und den Segen des Bodens genießen. Jerusalem wird eine heilige Stadt sein, und Jahwe wird auf dem Zion wohnen.

Ob 17—21. Israel wird aus der Weltkatastrophe errettet werden. Die Nordstämme werden zusammen mit Juda sich an den feindlichen Nachbarn rächen und das alte Gebiet wieder in Besitz nehmen. Jahwe wird König sein.

Mal 3, 1—5. Vorangegangen von einem Herold wird Jahwe (bzw. „der Engel des Bundes") zu seinem Tempel kommen, um von dort aus sein Volk zu reinigen und Gericht zu halten.[50]

Mal 3, 20—21. Die Sonne des Heils wird denjenigen, die Jahwe fürchten, aufgehen. Sie werden die Gottlosen niederstoßen.

Mal 3, 23—24. Elia, der Prophet, kommt wieder, um Frieden und Eintracht im Volke zu schaffen, damit es nicht vom Bann Jahwes geschlagen werde.

Die sogenannte Jesajaapokalypse. Unter den Stücken, die von einem Weltgericht handeln, und den Schilderungen des Schicksals der zerstörten Stadt finden sich einige Gedichte, die deutlich national-eschatologische Ausblicke eröffnen. Die hier begegnenden Vorstellungen sind folgende: Fest- und Freudemahl auf dem Berg Zion, an dem auch die Heiden teilnehmen werden. Die Tränen werden abgewischt und der Tod auf ewig vernichtet (25, 6—10 a). Vermehrung der Bevölkerung durch Auferstehung toter Israeliten (26, 19). Höchste Glückseligkeit. Segen und Sicherheit in der zukünftigen Gemeinde. Das Volk verbreitet sich über die ganze Erde. Vergebung der Sünden. Abschaffung aller Abgötterei (27, 2—9). Versammlung und Wiederkehr der Vertriebenen der ganzen Diaspora (27, 12—13).

---

[50] Beachtenswert ist die Erklärung Elligers in: Das Alte Testament Deutsch: der ausgesandte Bote ist der Prophet selbst; der Bundesengel ist vermutlich der Schutzengel des Bundes mit Levi und gehört zu einem späteren Einschub.

Weissagungen aus nachexilischer Zeit, die sich auf das zukünftige
Zeitalter beziehen und die wir als national-eschatologische Weis-
sagungen bezeichnen können, wurden im Zusammenhang mit der
Redaktion der älteren Prophetenbücher denselben zugefügt, um den
Bedürfnissen der nachexilischen Gemeinde, die das Gericht durch-
litten hatte, zu dienen.

Am 9, 11—15. Das gestürzte Reich der davidischen Dynastie
(= Juda) wird in seinem früheren Umfang wiederaufgerichtet werden. Rückkehr aus dem Exil. Beispiellose Fruchtbarkeit im Lande.
Wiederaufbau der zerstörten Städte. Ewiger Bestand des Volkes im
eigenen Lande.[51]

Hos 2, 1—3. Die Verbannten aus Juda sowie auch aus den Nord-
stämmen werden nach dem eigenen Lande zurückkehren. Die Menge
der Bevölkerung wird zahllos sein. Sie werden einen gemeinsamen
König einsetzen. Der Erwählungsgedanke wird verwirklicht werden.

---

[51] Es ist mir unmöglich, diese Weissagung für Amos in Anspruch zu
nehmen. Sie setzt offenbar den Untergang des Südreichs, die Verheerung
des Landes und die Deportation voraus. Das Partizip *nofælæt* ist zeitlos
und bedeutet natürlich ebensogut *gefallen* wie *zerfallend*. Auch das Stück
8 b—10 trägt das Gepräge einer Erweiterung des ursprünglichen Amos-
Wortes von der absoluten Vernichtung des israelitischen Volkes. Es bedeutet eine Modifikation des grausamen Orakels von der Vernichtung mit
Hinblick auf die eingetretene Deportation und die an die Golah geknüpften Hoffnungen. Mit solchen kommentarartigen Erweiterungen der prophetischen Aussagen muß man mehr rechnen als oft geschieht. Zur Bildsprache
in v. 9 siehe G. Dalman, Arbeit und Sitte in Palästina, III, Gütersloh 1933,
S. 142. Dalman denkt an das feine Getreidesieb, in welchem mit den
Körnern die Steine bleiben. Die Erwähnung der letzteren betont, denkt
Dalman, daß selbst die minderwertigen Steine, die nachher ausgelesen
werden, erhalten bleiben. Amos kennt nicht die Idee des „Restes". Das
Wort 3, 12 von den kümmerlichen Überbleibseln eines zerrissenen Tieres
der Herde ist der Gegensatz eines Heilsorakels von einem erretteten „Rest"
im jesajanischen Sinne. Die kläglichen Reste sind nur ein trauriges Bild
dafür, daß das Tier wirklich tot ist (so richtig Müller, a. a. O., S. 50). Gut
ist die Erklärung Weisers (Das Alte Testament Deutsch, 24, 1949, S. 127):
„Mit beißender Ironie redet auch Amos von der ‚Rettung' des Volkes, die
aber alles andere sein wird als Rettung."

Hos 2, 18—25; 11, 10—11. Heimzug aus dem Exil. Das Land wird wieder in Besitz genommen. Sicheres Wohnen im Lande. Paradiesischer Friede. Segen und Fruchtbarkeit. Verwirklichung des Erwählungsgedankens.[52]

Jes 11, 1—9. Nach dem Aufhören des geschichtlichen davidischen Königtums wird ein neuer König aus dem alten Königsgeschlecht erstehen, der mit göttlicher Ausrüstung das erwartete ideale Königtum des neuen Zeitalters verwirklichen wird. Gerechtes Regiment. Vernichtung der Gottlosen. Paradiesischer Friede. Reine Gemeinde. Die vorausgesetzte Situation ist exilisch oder nachexilisch.[53]

Jes 11, 10—16. Versammlung und Rückkehr der Exulanten. Wiedervereinigung der Nordstämme mit Juda. Eroberung der Nachbarländer.

Jes. 14, 1—2. Abermalige Erwählung Israels. Rückkehr aus der Gefangenschaft. Triumph über die Feinde.[54]

Jes 16, 5. Das ideale Königtum des neuen Zeitalters.

---

[52] Zur Motivierung siehe Lindblom, Hosea, S. 68 und 101.

[53] Das Verb *gāza*ᶜ bedeutet, was allgemein angenommen wird, abschneiden, abhauen. Dann muß *geza*ᶜ etwas Abgeschnittenes, Abgehauenes bedeuten. Das Wort kommt an drei Stellen in der Bibel vor: hier, Jes 40, 24 und Hiob 14, 8. An der Hiobstelle handelt es sich dem Zusammenhange nach offenbar um den Baumstumpf, der nach dem Umhauen des Baumes morsch wird, aus dem aber neue Triebe hervorsprossen. In Jes 40, 24 wird von etwas gesprochen, was in die Erde gepflanzt wird und dort Wurzeln schlägt; das kann nichts anderes als ein Setzlingsreis sein, das ja auch etwas Abgeschnittenes ist. In Jes 11, 1 paßt nur die Bedeutung Baumstumpf, aus dem ein *ḥoṭær*, d. h. Reis hervorgeht. Die Bedeutung Setzlingsreis ist hier ausgeschlossen.

[54] Zum Begriff der abermaligen Erwählung siehe neuerdings Th. C. Vriezen, Die Erwählung Israels nach dem Alten Testament, Zürich 1953, S. 74, 98 f. Ist vielleicht das Problem in der Richtung zu lösen, daß *bāḥar* sich hier am ehesten auf das *Erwählungshandeln* Jahwes bezieht? Die Besitznahme des Heimatlandes nach dem Aufhören der babylonischen Sklaverei wird als eine Wiederholung der Ereignisse im Anfang der Geschichte des Volkes, der Befreiung aus Ägypten und der Besitznahme Kanaans, betrachtet. Die Rückkehr aus Babylonien wird ja nicht selten als ein zweiter Exodus geschildert. Vgl. auch die abermalige Erwählung Jerusalems Sach 1, 17; 2, 16.

Jes 29, 17—24. Wunderbare Verwandlung der geschichtlichen
Verhältnisse. Vernichtung der Übeltäter. Reine Gemeinde. Die
Scham der Gefangenschaft ist vorbei.

Jes 30, 19—26. Nach dem Gericht durch das Exil wird Abschaffung allen Götzendienstes geschehen. Wunderbare Fruchtbarkeit
wird im Lande eintreten, Veränderungen im Kosmos. Der Bruch
des Volkes wird dann verbunden und der Schlag seiner Wunde geheilt sein.

Jes 32. Die gläubige Gemeinde unter der Regierung des idealen
Königs. Ausgießung des Geistes zur Fruchtbarkeit und Gerechtigkeit. Sicheres Wohnen im Lande.

Jes 35. Wunderbare Rückkehr aus dem Exil. Triumph über die
Feinde. Reine Gemeinde. Ewige Freude im Heimatland. Alles im
deuterojesajanischen Stil.

Zeph 3, 10. Aus den entferntesten Gegenden der jüdischen Diaspora werden die Jahwe-Anbeter ihre Opfergaben nach Zion
bringen.

Zeph 3, 16—20. Wunderbare Wiederherstellung des Volkes nach
der Rückkehr aus dem Exil und dem Gericht über die Bedrücker.
Jahwe wohnt inmitten seines Volkes.

Mi 2, 12—13. Rückkehr der Exulanten unter der Führung Jahwes, des göttlichen Königs, im deuterojesajanischen Stil.

Mi 4, 6—8. Aus den aus dem Exil Zurückgekehrten wird ein
mächtiges Volk werden. Jahwe wird König sein, und das Reich wird
in seinem früheren Umfang wiederhergestellt werden.

Mi 5, 1—5. Entstehung eines neuen Davididen, der als König
über Israel herrschen wird. Geheimnisvolle Anknüpfung an das alte
jesajanische Wort von dem Weibe, das gebären wird. Rückkehr der
Exulanten und Wiedervereinigung der Nordstämme mit Juda.
Friede und Sicherheit im Lande.[55]

Mi 5, 6—7. Blutiger Triumph über die Heidenvölker, inmitten
derer die Juden zerstreut sind.

[55] Siehe weiter Lindblom, Micha literarisch untersucht, S. 94 ff. Das
ganze Stück ist von einem nachexilischen Micha-Jünger komponiert, der
sich in die Zeit Michas absichtlich versetzt hat. So erklärt sich die Rolle,
die hier Assur spielt. Meine in der genannten Arbeit ausgesprochenen Sätze
über die Eschatologie habe ich jedoch in den späteren Jahren modifiziert.

Mi 5, 9—14. Pazifizierung des Landes. Abschaffung der Zauberei und Abgötterei. Rache Gottes an den Heiden, die sich nicht bekehren lassen.

Mi 7, 11—12. Nach dem Wiederaufbau der Mauern Jerusalems wird eine israelitische Großmacht wiederhergestellt werden. Die in aller Welt zerstreuten Juden werden heimkehren.

Mi 7, 14—20. Ein Gebet eschatologischen Inhalts. Was in Aussicht gestellt wird, ist das vollkommene Regiment Gottes, eine israelitische Großmacht, Demütigung der Heidenvölker nach deuterojesajanischem Muster. Sündenvergebung für Israel.

Die Grundidee der nationalen Eschatologie bei den Propheten ist das in Übereinstimmung mit dem Erwählungsgedanken erneuerte Israel der idealen Zukunft, bisweilen als der „Rest", d. h. die nach der Gerichtskatastrophe Übriggebliebenen, bezeichnet. Was uns berechtigt, hier von Eschatologie zu reden, ist daß das erwartete Neue etwas ganz anderes im Verhältnis zu der Gegenwart ist. Das Neue tritt nach einer durchlittenen Gerichtskatastrophe ein. In der babylonischen Zeitepoche, aus welcher die Mehrzahl der nationaleschatologischen Weissagungen herstammt, fällt diese Gerichtskatastrophe mit dem babylonischen Exil zusammen.

Die Hauptvorstellungen der national-eschatologischen Weissagungen sind folgende. Gericht über die Gottlosen und Übeltäter im Volke, bisweilen im Zusammenhang mit dem allgemeinen Weltgericht. Rückkehr aus dem Exil und der ganzen Diaspora, oft als ein zweiter Exodus gedacht. Rache an den feindlichen Völkern. Israel triumphierend über die Heiden. Wiedervereinigung Nordisraels mit Juda. Erweiterung der Grenzen, Wiederherstellung des davidischen Reichsgebiets, Vermehrung der Bevölkerung, hohes Lebensalter, Wiederaufbau der Hauptstadt und des Tempels. Fruchtbarkeit des Bodens, Wohlstand, Segen, Glückseligkeit, Freude, Sicherheit im Lande, Pazifizierung des Landes, paradiesischer Zustand im Volk und Land. Der ideale König aus dem Geschlecht Davids und ewiges Königtum nach dem Prinzip der Gerechtigkeit. Geistige Erneuerung des Volkes, Reue, Umkehr, Glaube, Sündenvergebung, neues Herz. Ausgießung des Geistes Gottes. Gott als König und Schutzherr in der Mitte seines Volkes. Ausrottung aller Bösen, aller Götzendiener und Zauberer, reine Gemeinde, allge-

meine Heiligkeit, reiner Kult. Wiederkehr der alten guten Verhältnisse. Abermalige Erwählung Israels und Jerusalems. Ein neuer
Bund. Verwirklichung des Erwählungsgedankens. Bisweilen wird
von kosmischen Phänomenen gesprochen; ferner von Abschaffung
des Todes und Auferstehung toter Israeliten.

Zusammenfassung

1. Wenn man von Eschatologie bei den alttestamentlichen Propheten reden will, muß man das Wort in einem anderen Sinne nehmen
als der, welcher in der christlichen Dogmatik üblich ist. Von einem
wirklichen Ende dieser Welt haben wir im Alten Testament keine
oder nur schwache, wohl dem Volksglauben entstammende Andeutungen (z. B. Jes 51, 6). Ich befürworte, den Terminus Eschatologie
da zu verwenden, wo von einem neuen Zeitalter mit radikal veränderten Verhältnissen im Vergleich mit der Gegenwart gesprochen
wird.

2. Das Wort Eschatologie soll man nicht brauchen, wenn die
Propheten von einzelnen zukünftigen Ereignissen reden, die zu der
jedesmal aktuellen Geschichte gehören, ohne ein ganz neues Zeitalter
einzuleiten, auch wern ihre Schilderungen etwas Überschwengliches,
Phantastisches oder sogar Mythologisches an sich haben.

3. Die Grenze zwischen historischer Voraussage und eschatologischer Weissagung kann naturgemäß nicht immer scharf gezogen
werden. Es gibt Übergangsformen, für welche eine genaue terminologische Fixierung nicht möglich ist.

4. Unter den eschatologischen Weissagungen können wir mit Fug
zwischen universal-eschatologischen Weissagungen und national-
eschatologischen Weissagungen unterscheiden. In den ersten stehen
die Welt, die Menschheit, die Völker im Zentrum, in den letzteren
steht Israel mit seinen nationalen, politischen und religiösen Interessen im Zentrum. Aus den oben angeführten Beispielen ersieht man,
daß beide Arten von Weissagungen selbständig vorkommen können,
daß es aber auch viele Stellen gibt, an denen nationale und universalistische Motive miteinander verbunden sind.

5. Beispiele sowohl der universalen Eschatologie wie auch der

nationalen Eschatologie finden sich in allen Epochen des alttestamentlichen Prophetismus. Die älteste Stelle, wo ein universales Gericht über die Menschheit in Frage kommt, ist Jes 2, 10—22. Für
eine nationale Eschatologie kommt Hosea (während einer gewissen
Periode) als erster in Betracht. Die Motivierung des Menschheitsgerichts liegt im Glauben an die Gerechtigkeit Jahwes als des Herrn
der ganzen Welt; die Motivierung der nationalen Eschatologie liegt
im Glauben an die Erwählungsliebe Jahwes zu Israel.

6. Die älteste Form der universalen Eschatologie ist die Gerichtseschatologie. Die universale Heilseschatologie ist späteren Ursprungs. Manches spricht dafür, daß Deuterojesaja der Urheber des
universalen Heilsglaubens ist, d. h. des Glaubens an die zukünftige
Bekehrung der Heiden zum Gott Israels.

Auf die Frage nach dem Ursprung der alttestamentlichen Eschatologie und der Herkunft der einzelnen Vorstellungen, die mit der
Eschatologie der Propheten zusammengehören, habe ich keinen Anlaß, in diesem Aufsatz näher einzugehen.

Eschatologie ist also nach meiner Terminologie Weissagung von
einem neuen, ganz anders gearteten Zeitalter. Eschatologie darf nicht
mit Apokalyptik verwechselt werden. Es ist im Interesse der Klarheit
notwendig, die beiden Termen genau zu unterscheiden. Der wesentliche Unterschied liegt nicht etwa in besonderen Vorstellungen und
Motiven. Eine Menge der Ideen, die uns in der Apokalyptik begegnen, kommen auch in der prophetischen Eschatologie vor. Der
Hauptunterschied liegt in der Darstellungsweise. *Apokalyptik ist
geoffenbarte Geheimlehre eschatologischen Inhalts*, m. a. W. lehr-
hafte Darstellung zukünftiger bzw. kosmologisch-universeller, ge-
heimnisvoller Dinge, die durch übernatürliche Offenbarung ausgewählten Persönlichkeiten mitgeteilt worden sind. Eschatologie haben
wir reichlich in den alttestamentlichen Prophetbüchern. Von Apokalypsen haben wir nur ein einziges Beispiel im alttestamentlichen
Kanon, nämlich das Buch Daniel.[56]

---

[56] Rowley hat also ganz recht, wenn er behauptet: Daniel ist "the only
fully apocalyptic book in the Old Testament" (The Growth of the Old
Testament, London 1950, S. 156). Ich möchte sogar "fully" streichen. —
Natürlich hat man das Recht, von „apokalyptischen Vorstellungen" zu

Nachtrag

Dieser Aufsatz war schon längst abgeschlossen, als Professor Th. C. Vriezen bei dem alttestamentlichen Kongreß in Kopenhagen 1953 seinen Vortrag über ›Prophecy and Eschatology‹ hielt [dt. in diesem Bd. S. 88—128]. Betreffs der Erklärung der einzelnen Texte gehe ich bisweilen meine eigenen Wege, in der Hauptfrage freue ich mich aber einer großen Übereinstimmung mit Professor Vriezen: Der Terminus „Eschatologie" ist in der Prophetenforschung unentbehrlich, er muß aber in einem weiteren Sinne genommen werden, als in der dogmatischen Lehre *de novissimis* üblich ist. Die Wurzel der prophetischen Eschatologie ist der für Israel eigentümliche Gottesglaube, bzw. der Glaube an die Erwählung und den Beruf des Volkes. In einer unpublizierten Untersuchung, vorgetragen bei der Tagung der Society for O. T. Study in Rom 1952, an welche übrigens Prof. Vriezen anknüpft, machte ich den Unterschied zwischen einer historischen und einer kosmologischen Eschatologie. Hier unterscheide ich zwischen den universal-eschatologischen und den national-eschatologischen Vorstellungen bei den Propheten.

reden, wenn man darunter solche Vorstellungen versteht, die für die Apokalyptik *typisch und charakteristisch* sind und ausnahmsweise oder gar nicht in der eigentlichen prophetischen Literatur vorkommen. Wenn man aber den *Hauptunterschied* zwischen Eschatologie und Apokalyptik in der Art der *Vorstellungen* sieht, schafft man nur Verwirrung.

S. B. Frost, Eschatology and Myth, in: Vetus Testamentum. 2 (1952), pp. 70—80. Übersetzt von Hermann-Josef Dirksen.

ESCHATOLOGIE
UND MYTHOS

Von S. B. Frost

Daß Eschatologie und Mythos in enger Beziehung zueinander stehen, wird allgemein anerkannt. In diesem Aufsatz
werde ich den Versuch unternehmen, diese Beziehung zu untersuchen und einiges von ihrer Komplexität und Eigenart aufzuzeigen.

Eine Beziehung kann nur dann zufriedenstellend diskutiert werden, wenn zuvor die in Beziehung gesetzten Gegenstände selbst klar
erfaßt worden sind. Und obwohl weder Mythos noch Eschatologie
eine eindeutige Definition zulassen, werden diesen Begriffen dennoch so häufig unscharfe und verwirrende Inhalte zugeordnet, daß
ich genötigt bin, meinen eigenen Umgang mit ihnen zu verdeutlichen. Eschatologisches Denken fasse ich auf als eine Form der Erwartung, die durch Endgültigkeit gekennzeichnet ist. Das *eschaton*
ist das Ziel eines Prozesses in der Zeit; nach ihm kann sich nichts
mehr ereignen; es ist der Höhepunkt teleologischer Geschichte. Es
selbst kann durchaus die Charakteristika der Zeitlichkeit und Kontinuität besitzen, aber es kann in Gedanken nicht einmal durch ein
nachfolgendes Ereignis überholt werden. So wie ein Kind niemals
fragt, was sich denn noch ereignen wird, nachdem der Prinz die
Prinzessin geheiratet hat und sie nun „glücklich für alle Zukunft
leben", und wie der Marxist nicht den künftigen Fortgang der Geschichte bedenkt, wenn nur erst die klassenlose Gesellschaft erreicht
ist, so ist das *eschaton* der Punkt, über den hinaus der Gläubige niemals fragt. Sicherlich gibt es andere, weniger radikale Denkformen,
die man in nachlässiger Weise als eschatologische bezeichnet, aber es
ist der Ton absoluter Endgültigkeit, der diese Kategorie des Denkens
insgesamt eindeutig kennzeichnet.

Wenn wir dazu übergehen, das Wesen des Mythos zu bedenken,

dann können wir von Frankforts Darlegungen ausgehen.[1] Nach ihm ist der Mythos das spekulative Denken des Menschen auf einer bestimmten Entwicklungsstufe. „Mythos", so schreibt er, „ist eine Art von Dichtung, die die Dichtung insofern transzendiert, als sie Wahrheit beansprucht; er ist eine Art von Beweisführung, die sich selbst überschreitet, insofern sie bestrebt ist, die beanspruchte Wahrheit zu erzeugen; er ist eine Art von Handlung, von rituellem Verhalten, das seine Erfüllung nicht im Akt selbst findet, sondern poetische Wahrheit für sich in Anspruch nehmen und herausarbeiten muß." Ferner legt er dar, daß spekulatives Denken die Erfahrung transzendiert, weil es diese selbst zu erklären, zu vereinheitlichen und zu ordnen versucht: „Wenn wir das Wort in seinem ursprünglichen Sinn verstehen, dann können wir sagen, das spekulative Denken versucht, das Chaos der Erfahrung auf festen Grund zu stellen, so daß es die Umrisse einer Struktur erkennen läßt, Ordnung, Zusammenhang, Sinn." Somit stellt Mythos die Rationalität des *status quo* dar, und wenn er in den Ritus übertragen wird, so hat er dort die Funktion, die Erhaltung und Wohlfahrt der bestehenden Schöpfungsordnung zu sichern. Engnell formuliert in seinen Ausführungen zur ägyptischen Auffassung vom Königtum das Gemeinte in folgender Weise: „Der König ist identisch mit dem höchsten Gott und dadurch mit der Ordnung des Universums, dem Kosmos. Diesen erhält er kraft der Ausübung seiner rituellen Funktionen. Wenn er untergegangen ist — d. h. das Königtum als solches —, herrscht das Chaos." Er führt auch Texte zum sumerisch-akkadischen Königtum an, die vom König als jemandem sprechen, der eingesetzt worden ist, „um die Fundamente des Landes zu festigen".[2] Im Kult, so kann man sagen, wird ein schmales Segment des Lebensrades ergriffen. Über und unter dem Menschen schwingt der große Kranz des Rades auf und nieder, über sein Begreifen hinaus; aber hier in den Riten des Kults kann, ja muß er seinen An-

[1] H. Frankfort, Before Philosophy, Pelican Edition 1949 (des Buches: H. und H. A. Frankfort, John A. Wilson, Thorkild Jacobsen, William A. Irwin, The Intellectual Adventure of Ancient Man, Chicago, 1946, S. 16; deutsch: Frühlicht des Geistes, 1954, S. 15).

[2] I. Engnell, Studies in Divine Kingship in the Ancient Near East, Uppsala, 1943, S. 15 und 40.

stoß zu dem gewaltigen Kreisen einbringen, muß er ebenso die Reibung des Umschwungs mindern. Zweifellos dienen auch andere Kräfte dieser Bewegung, und vielleicht ist der Mensch nicht einmal wesentlich für ihren Fortgang, aber wenn er seine Rolle nicht spielt, wird das Rad erbarmungslos mit zunehmender Hitze und Reibung weitermahlen, so daß Sturm und Erdbeben, Flut und Dürre, Seuche und Sonnenfinsternis Symptome einer wachsenden Gefahr sind, die den Kosmos weithin zerstören kann, wenn sie nicht abgewandt wird. Zuzeiten sind die Götter selbst für die Zerstörung der Natur verantwortlich, wenn z. B. Enlil die Welt in einer Flutwelle verschlingt; manchmal suchen die feindlichen Kräfte des Chaos den geordneten Kosmos zu vernichten, wie es der Mythos der Tiamat schildert. Aber der Zweck des Kultes ist es, den Menschen zu befähigen, seine Rolle auszuführen und dafür zu sorgen, daß wenigstens von seiner Seite der sanfte Lauf des Lebensrades angemessen und gleichmäßig in Gang gehalten wird.

Mythologisches Denken und mythologische Vorstellungen zeigen sich im Alten Orient in zwei Gewändern: einerseits in dem Ägyptens mit seinen Pyramiden, welche „mit unwiderleglicher Endgültigkeit"[3] Ägyptens Überzeugung ausdrücken, daß das Universum eine Welt ohne Wandel ist, und die den Fundamentalsatz seiner Religion veranschaulichen: „$Ma^{c}at$ ist seit dem Tag ihres Schöpfers nicht gestört worden." Andererseits finden wir Mythologie im Gewande Babylons mit dessen Auffassung des Universums als Stadtstaat, und des Stadtstaats als Tempel, und des Tempels als des Versammlungshauses der Götter, und mit dem Fundamentalsatz, „daß keiner der Tage sein Maß überschreitet oder nicht erreicht"[4].

Der Mythos steht also in einem grundsätzlichen Gegensatz zur Eschatologie wegen seiner besonderen Eigenart. Mythos ist ein Versuch, das Geordnetsein des Universums zu erklären, so wie der Kult darauf ausgerichtet ist, diese Ordnung zu erhalten und zu schützen. Eschatologie aber fragt suchend nach einem Ende, nach dem Zer-

---

[3] Der Ausdruck stammt von H. Frankfort, Ancient Egyptian Religion, Columbia, 1948, S. 107.

[4] Weltschöpfungsepos, Tafel V. Zum Zusammenhang vgl. Pritchard, Ancient Near Eastern Texts, Princeton 1950, S. 67 b.

fall der Ordnung, und diese zwei Denkweisen stehen in direktem Gegensatz. Mowinckel hat zweifellos recht, wenn er betont, daß eschatologisches Denken nicht aufkommen kann, solange der Kult seinen Einfluß auf das menschliche Denken ausübt, und daß nur im Tod der mythologischen Mutter das eschatologische Kind zum Leben kommen kann. In Israel wurden die Ansprüche des Kults, nach denen Jahwe über das Universum herrsche und die Völker gänzlich besiegt habe, solange unangezweifelt akzeptiert, wie der Kult sich behaupten konnte. Aber als in der späteren Königszeit die Diskrepanz zwischen den Glaubenssätzen und der erfahrenen Wirklichkeit zu groß wurde, da, sagt Mowinckel, nahmen die Menschen ihre Zuflucht dazu, daß sie Jahwes Sieg in die Zukunft verlegten: Sicherlich, sagten sie, noch ist seine Herrschaft nicht vollendet, aber bald wird sie es sein. Und damit war die Eschatologie geboren. Ich selbst glaube nicht, daß das an sich eine hinreichende Begründung für die Entstehung eschatologischen Denkens bietet. Meine Absicht war es nur, Mowinckel als Zeugen für meine Behauptung anzuführen, daß sich mythologische und eschatologische Denkweisen wechselseitig widersprechen.

Die religionsgeschichtliche Schule allerdings war der Auffassung, die zyklische Denkform, die wir vor allem in Babylonien antreffen, habe in der vorprophetischen, ja vorhistorischen Periode ein riesiges System eschatologischen Denkens entstehen lassen, sowohl in der Form der *Heils-*, als auch der *Unheilseschatologie.* Gunkel war der Ansicht, daß im Gefolge der Entdeckung des Vorrückens der Äquinoktien die Vorstellung entstanden sei, daß es einen Jahreszyklus und damit ebenso einen Zyklus der Zeitalter gebe.[5] Alfred Jeremias übernimmt die sogenannte „Astraltheorie" Wincklers insgesamt und analysiert diesen Glauben in folgender Weise: 1. Das Zeitalter der Vollkommenheit liegt am Anfang; 2. Die Zeiten verschlechtern sich; 3. Die glückliche Zeit des Anfangs wird wiederkommen.[6] So war für diese Schule das beherrschende Prinzip der

---

[5] H. Gunkel, Genesis, 1901, S. 242.

[6] ERE (= Encyclopaedia of Religions and Ethics, ed. J. Hastings, 1908 ff., 2. Aufl.: Edinburgh 1925 ff.), Bd. I, S. 183 f. Zur Kritik an der „Astraltheorie" vgl. L. W. King, ebd., S. 778 f.

Mythologie „Endzeit wird Urzeit"; das Ende wird der wiederkehrende Anfang sein. Daher setzten sie überall, wo sie Mythologie fanden, Eschatologie voraus und unterlegten sie dem frühesten Denken des Menschen.

Das Vorrücken der Äquinoktien, das scheint jetzt gesichert, wurde erst um 380 v. Chr. entdeckt,[7] aber irgendeine Vorstellung von einem *Annus magnus* war schon viel früher verbreitet. Finden wir sie doch bei Hesiod etwa schon um 700 v. Chr., und zwar offensichtlich als Entlehnung. Zwei Anmerkungen müssen jedoch noch gemacht werden. Selbst wenn wir erstens die Richtigkeit der „Astraltheorie" unterstellen — wozu heute, wenn überhaupt, nur sehr wenige Wissenschaftler bereit sind — und für die erste Hälfte des ersten Jahrtausends v. Chr. das Vorhandensein einer Theorie des Zeitalter-Zyklus annehmen, so ist auch das noch kein Beweis für eschatologisches Denken, wie wir es definiert haben. Es kann nur dann eschatologisch sein, wenn der Zyklus bei der Wiederkehr des Goldenen Zeitalters durchbrochen werden darf. Das hat H. L. Jansen in seinem Buch ›Die Henochgestalt‹[8] erfaßt, wenn er bemerkt, daß bei den Juden nicht nur keine Spur einer Zyklentheorie zu finden ist, sondern daß dort auch gar keine gefunden werden könnte, weil ja der Glaube an ein *eschaton* grundlegend für ihr Denken sei. Zweitens ist anzumerken, daß der einzige Hinweis auf eschatologische Erwartung bei Hesiod darin besteht, daß er sein Schicksal beklagt, im fünften Geschlecht der Menschen geboren und weder früher gestorben noch später geboren zu sein. Diese drei Wörter ἢ ἔπειτα γενέσθαι sind das einzige Anzeichen für eine Zukunftserwartung, und sie sind offensichtlich eindeutig formelhaft gebraucht und vertragen in keiner Hinsicht den Vergleich mit Amos'

הוֹי הַמִּתְאַוִּים אֶת־יוֹם יהוה

Darüber hinaus haben wir mit der Tatsache zu rechnen, daß es vor der Zeit des Amos keinen einzigen direkten Beweis für eschatologisches Denken in irgendeinem der Mythen des Alten Orients gibt. Oesterley hat in einem seiner früheren Werke[9] nachgewiesen,

---

[7] W. F. Albright, From the Stone Age to Christianity, Baltimore, 1946, S. 262.

[8] Die Henochgestalt, Oslo 1939, S. 77.

[9] W. O. E. Oesterley, Evolution of the Messianic Idea, 1908, S. 149.

daß in Ägypten die Menschen das Goldene Zeitalter in der Vergangenheit, nicht aber in der Zukunft suchten, und Frankfort merkt an: „Für die Ägypter war die Vergangenheit normativ."[10] Mit Bezug auf Babylon sagt Oesterley: „Obwohl, soweit bekannt ist, die Babylonier keine deutlichen Spuren des Mythos vom Goldenen Zeitalter überliefert haben, gibt es doch zahlreiche Anzeichen dafür, daß eine mehr oder weniger parallele Erzählung bei ihnen in Umlauf gewesen sein muß"; dann folgen einige blasse Anspielungen und mögliche Etymologien. Aber für irgendeine Form eines Zukunftsglaubens kann Oesterley keinen Beweis anführen.[11] H. Greßmann gibt offen zu, daß es keine Texte gibt, die einen Beweis für babylonische Eschatologie liefern können und daß Berossos unsere einzige Quelle verläßlicher Information ist. Trotzdem schlägt er versuchsweise vor, man könnte vielleicht solche Hinweise im Mythos des Festgottes Era finden. Aber alles, was man dort entdeckt, ist ein dunkler Hinweis auf Siechtum und Wiedererblühen des babylonischen Staates.[12] Zu Berossos hat Jansen mit guten Gründen ausführen können, daß man in ihm einen Missionar sehen darf, der dem Westen die Weisheit des Ostens bringt, repräsentiert in einer Mischung aus babylonischer Mythologie, chaldäischer Astrologie und der Eschatologie der Magier. Aber selbst dann noch, fügt Jansen hinzu, bleibt es eine offene Frage, ob die babylonisch-chaldäische Mythologie erst auf jüdischem Boden unter den Einfluß der Eschatologie geriet, oder ob sie schon vorher (eventuell unter iranischem Einfluß) von den Chaldäern selbst in dieser Weise umgestaltet worden war. Auf jeden Fall ist der Berossos des dritten Jahrhunderts v. Chr. kein verläßlicher Zeuge für die Existenz einer eigenständigen babylonischen Eschatologie während der ersten Hälfte des ersten Jahrtausends v. Chr. Auch Jeremias kann trotz des umfangreichen Apparats seiner „Astraltheorie" kein besseres Argument anführen als eine Bemerkung Assurbanipals, daß während seiner Herrschaft der Gott Ea der Landwirtschaft reiche Erträge gewährt habe, und er meint, man könne aus solchen Aussagen

---

[10] Before Philosophy, S. 35 (deutsche Ausgabe: S. 35).
[11] A. a. O., S. 143.
[12] Der Messias, Göttingen 1929, S. 472 f.

die Themen der Erwartung eines Goldenen Zeitalters erschließen. Aber Jastrow sagt andererseits kurz und bündig, daß „man von einer solchen Entwicklung keinerlei Spuren finden kann"[13], und Thorkild Jakobsen legt in seiner Behandlung des babylonischen Mythos dar, daß das Ritual dazu bestimmt war, den geordneten Kosmos zu erhalten, aber von Eschatologie weiß er überhaupt nichts zu berichten[14].

Wir sehen uns also erneut zu der Folgerung veranlaßt, daß lediglich in der Vorstellung von einem *Annus Magnus* sich so etwas wie Zukunftserwartung finden läßt im Babylon jener Zeit, während der, wie wir wissen, Eschatologie in Israel schon kräftig lebte. Wir können aber nicht genug betonen, daß, gleichgültig welche Bedeutung diese Vorstellung im mesopotamischen Denken jener Zeit gehabt haben mag, sie doch einer astrologischen Theorie verwandter war als einem religiösen Glauben und daß sie weder in Babylonien noch sonstwo, zum Beispiel in Griechenland, jemals echte eschatologische Bedeutung gehabt zu haben scheint. Der Vollständigkeit wegen wollen wir noch hinzufügen, daß die Texte von Ras-Schamra offensichtlich ebenfalls frei von echter Eschatologie sind, obwohl ihre Mythen, ähnlich wie die Babylons, zweifellos einige der wiederkehrenden Themen enthalten, in die sich die eschatologischen Erwartungen Israels eines Tages kleiden werden.[15] Wenn wir die schwachen Anspielungen, die Greßmann und Jeremias zitieren, mit dem zweiten Kapitel des Jesaja, V. 10 ff., vergleichen oder mit der lebendigen Erwartung des Zephanja, dann wird es meiner Ansicht nach mehr als deutlich, daß die jüngeren Wissenschaftler wie Mowinckel und Engnell recht haben, wenn sie die Eschatologie in Israel entstehen lassen und dies als einzigartig in der ersten Hälfte des ersten Jahrtausends beurteilen.[16] Wir würden uns zu weit vom Thema wegführen lassen, wenn wir versuchen sollten darzustellen, was das eschatologische Denken der Hebräer entstehen ließ; gleichwohl gilt meine Sympathie den Ideen von J. M. P. Smith und

[13] M. Jastrow, Hebrew and Babylonian Traditions, S. 255.
[14] Before Philosophy, S. 187 (deutsche Ausgabe: S. 221).
[15] A. a. O., S. 207.
[16] Psalmenstudien II, Kristiania 1922, S. 223. Vgl. I. Engnell, a. a. O., S. 43, Anm. 3.

Ladislav Černy, nach denen Eschatologie das Ergebnis der religiösen
Erfahrung und der Geschichte Israels ist. Ebenso ist es hier nicht
unsere Aufgabe, zu der äußerst schwierigen Frage nach Ursprung
und Datum des eschatologischen Denkens der Iranier Stellung zu
nehmen. Denn wir beabsichtigen ja nachzuweisen, daß der Ursprung
der Eschatologie nicht im Mythos gefunden werden kann, daß vielmehr die ursprüngliche Eigenart des Mythos im Gegensatz zu der
der Eschatologie steht.

Es erhebt sich nunmehr die Frage, ob es im Alten Testament
Eschatologie gibt, die nicht in der Darstellungsweise des Mythos
mitausgedrückt wird. Nach meiner Meinung kann man sie bei Amos,
Jesaja und Zephanja und vielleicht auch bei Micha [17] finden. Zuvor
aber müssen wir feststellen, daß sich die Zukunftserwartung dieser
Propheten in zwei verschiedenen Formen äußert. Die allgemeine
Erwartung, welche sie allerdings mit den anderen vorexilischen
Propheten, mit Hosea, Jeremia und Habakuk, teilen, richtet sich
auf ein Ereignis, das völlig in den Geschichtsprozeß fällt. Diese
Propheten erkannten in der Geschichte das Medium, in dem Jahwe
seine Absicht realisierte, nämlich seine Herrschaft auf Erden auf-
zurichten und sich unter den Hebräern ein gerechtes Volk zu
schaffen. Sünde heißt dann Rebellion gegen seinen Willen und seine
Huld.[18] Strafen wird er, indem er sich der feindlichen Völker in
ihrem Krieg gegen Israel bedient. Als Beispiel für diese Art des
Denkens können wir das Gedicht des Jesaja zitieren, in dem Jerusalem unter der geheimnisvollen Bezeichnung Ariel der Untergang
angekündigt wird:

> Wehe, Ariel, Ariel,
> du Stadt, wo David lagerte!
> Fügt noch ein Jahr zu diesem Jahr hinzu,
> laßt die Feste nochmals kreisen,
> dann will ich Ariel bedrängen,
> daß Klage und Wehegeschrei ertönt.[19]

[17] Vgl. Micha 1, 3.
[18] Vgl. G. W. Anderson, A Study of Micah 6, 1—8, in: SJTh, Juni
1951, S. 193 f.
[19] 29, 1—2.

Dieses Gericht wird innerhalb der Geschichte durch das Vorgehen der Assyrer vollstreckt werden: „Ach Assur, der Stock meines Zornes, die Rute, die mein Grimm schwingt."[20] Aber verschieden von dieser geschichtlichen Erwartung, welche schwankt je nachdem, ob Jesajas Zorn über sein Volk oder das Mitleid mit dessen Leiden die Oberhand gewinnen, gibt es eine andere, weitaus seltener ausgesprochene Erwartung, die bei Jesaja tatsächlich nur einmal ihren vollen Ausdruck findet an einer Stelle des zweiten Kapitels, die schon erwähnt wurde (Jes 2, 10—14):

> Verkriech dich in die Felsen,
> vergrab dich in den Staub
> vor dem Schrecken Jahwes,
> vor dem Glanz seiner Majestät.
>
> . . .
>
> Denn der Tag für Jahwe der Heerscharen wird es sein
> über alles Stolze und Hohe,
> über alles, was aufragt und erhoben ist,[21]
> über alle Zedern des Libanon,
> über alle Eichen Basans,
> über alle hohen Berge,
> über jeden ragenden Hügel!

Hier haben wir es mit echter Eschatologie zu tun. Hier vernehmen wir den Ton der Endgültigkeit. In der ersten Gruppe der Erwartungsäußerungen vernimmt man, was Jahwe innerhalb der Geschichte tun wird. Hier erfahren wir, was er mit der Geschichte tun will. In vergleichbarer Weise erwartet Amos, daß der Assyrer kommen wird, um Israel zu bestrafen, erwarten Zephanja und Jeremia die Überfälle der Skythen; der letztere verkündet darüber hinaus noch den Angriff der Babylonier. Aber während Amos, Jesaja und Zephanja ein Ereignis innerhalb der Geschichte und gleichzeitig deren Ende vor Augen haben, kann ich nicht erkennen, daß Jeremia, Hosea und Habakuk etwas über die historische Erwartung Hinausgehendes verkünden. (Man wird bemerken, daß

---

[20] 10, 5. Vgl. BH³.
[21] Vgl. BH ³.

ich A. C. Welch [22] nicht folgen kann, wenn er das Chaos-Orakel bei Jer 4, 23—26 trotz seines durch und durch eschatologischen Charakters dem Jeremia zuspricht, noch seiner Auslegung von Kap. 25.)

Wenn wir also recht haben mit unserer Unterscheidung der zwei genannten Formen von Zukunftserwartung, dann ist es klar, daß wir unserer eingangs vorgenommenen Definition folgend den Begriff „eschatologisch" nur für die Erwartung des *eschaton*, des Endes der Geschichte, verwenden dürfen. Nun stellt sich die Frage, welche Beziehung zwischen der eschatologischen und der geschichtlichen Erwartung bestanden hat und ob die erste in mythologischen Darstellungsformen ausgedrückt worden ist oder nicht. Bei der Beantwortung der ersten Frage müssen wir mit großer Behutsamkeit vorgehen, denn man wird einsehen, daß wir dabei die Denkprozesse des Propheten stärker analysieren, als er es selbst getan hat. Es ist äußerst unwahrscheinlich, daß Amos, Jesaja oder Zephanja hätten erklären können, wie sie ihre Erwartung eines feindlichen Einfalls und politischen Unglücks mit ihrer eschatologischen Erwartung verknüpfen konnten, nach der Jahwe alles Unheil überwindet und seine gerechte Herrschaft auf Erden errichtet. Es würde leicht sein, nach dem Muster der späteren Apokalyptik die Verknüpfung in der Form einer bloßen Abfolge darzustellen: zunächst das politische Strafgericht über Juda, sodann der Tag Jahwes mit der Bestrafung und Reinigung der ganzen Erde; aber das hieße einen komplexen Sachverhalt sehr simplifizieren. Ich glaube vielmehr, daß man den Schlüssel in Frankforts [23] Bemerkung findet, die mythische Urzeit sei eine in sich abgeschlossene Vorstellungseinheit, die außerhalb der Zeit liegt und daher niemals weiter in die Vergangenheit zurückverlegt werden kann, und daß parallel dazu die absolute Zukunft der eschatologischen Erwartung niemals im Verlauf der Zeit näherkommen kann. So ist die Zukunftserwartung bei Amos, Jesaja und Zephanja (und zweifellos auch bei anderen Propheten, nur daß wir bei ihnen keine so klaren Hinweise finden) auf zwei verschiedenen Ebenen dargestellt: Die geschichtliche Erwartung

---

[22] Vgl. A. C. Welch, Jeremiah, His Time and His Work, Oxford [2]1951, S. 110 f.

[23] Before Philosophy, S. 35 (deutsche Ausgabe: S. 35).

gehört zum Bereich des zeitlichen Ablaufs, während die eschatologische Erwartung gleichsam darüber liegt, auf einer völlig anderen
Ebene. Nichtsdestoweniger gibt es eine enge Beziehung zwischen
beiden.

Es wäre falsch zu sagen, diese Beziehung sei dieselbe, die wir
sonst als Sympathiezauber bezeichnen, aber sie ist von dieser Art.
Es würde richtiger sein, mit Jacobsen zu sagen, daß im mythen-
schaffenden Denken das Axiom vorherrsche: „Ähnlich sein ist dasselbe wie sein." Dies liegt allen Substitutionsriten des alten Kultes
zugrunde, sei es daß ein Lamm für einen Frevelnden geopfert wird
oder der König für den Gott eintritt bei dem ἱερός γάμος. „Indem
der König sich mit Dumuzi identifiziert, ist er Dumuzi; und die
Priesterin ist in gleicher Weise Inana. Unsere Texte stellen das eindeutig fest."[24] Dieselbe Denkweise ist auch die Grundlage einer
Zeichenhandlung. Wenn Jeremia seinen Krug über Jerusalem zerbricht oder wenn Ezechiel einen Schwert-Tanz aufführt, dann
werden nicht nur die Zerstörung Jerusalems und die schnelle Heftig-
keit des Zornes Jahwes vorhergesagt, sondern in einem gewissen
Ausmaß auch durch die Handlung des Propheten herbeigeführt. Die
Handlung symbolisiert nicht nur die Wahrheit, sondern konkretisiert sie und führt sie in den Wirkungsbereich des Propheten, so daß
sie zu einer Handlung wird, die er ausführen kann, sichtbar und
verständlich für das Volk. Aber seine menschliche Wirksamkeit ist
gleichsam einbezogen in die göttliche der kosmischen Ordnung, und
die bestimmende Macht liegt nicht in seinen Händen, sondern bei
dem uneingeschränkt gültigen Willen Jahwes. So können wir uns
auch ein historisches Ereignis, zum Beispiel den Angriff der Assyrer
auf Juda, vorstellen als etwas, das in die göttliche Wirksamkeit von
Jahwes Gericht über alles Land mit einbezogen ist. Es verursacht
dieses Gericht nicht, setzt es nicht in Gang, wie ein kleiner Funke
eine große Explosion in Gang setzt; es läßt keinen Zeitmechanismus
anlaufen, demzufolge das *eschaton* zu einem vorherbestimmten
Zeitpunkt unvermeidlich eintreten muß. Aber es ist von derselben
Art, ist Ausdruck von und wirksam mit dem göttlichen Urteils-

---

[24] Th. Jacobsen, in: Before Philosophy, S. 215 (deutsche Ausgabe:
S. 220 f.).

spruch an Jahwes großem Tag. „Ähnlich sein ist dasselbe wie sein."

Deshalb erwähnen Amos und Jesaja den assyrischen Angriff öfter und in konkreter Weise als den Tag Jahwes. Für sie ist der assyrische Angriff der Tag Jahwes, nur in begreifbarer Weise dargestellt, selbst wenn er nicht mit diesem Tag selbst gleichgesetzt werden darf. Ebenso ist der Angriff der Skythen nicht nur ein Vorspiel zum Tag des Zorns, dem Tag der Abrechnung und Bedrückung: Für Zephanja wird der Tag Jahwes in ihm konkret und wirklich. Wenn Joel Heuschreckenplage, Dürre und Steppenbrand erleben muß, so reagiert er darauf mit der Aufforderung, Buße zu tun. Denn dies sind nicht nur natürliche Unglücksfälle, die man mit einer Geste des Muts und der Energie überstehen könnte: Es sind Zeichen des herannahenden Tages, an dem der Mensch in seiner Kreatürlichkeit der Majestät Jahwes, dem Schöpfer allen Seins gegenübersteht. Aus diesem Denkansatz hat die später sich entwickelnde Beziehung zwischen den beiden Erwartungsformen ihre Gestalt gewonnen. Die geschichtliche Erwartung wird lediglich gesehen als ein Hinweis auf das zukünftige *eschaton,* und so verblaßt sie von einer echt prophetischen Erwartung zu bloßen Zeichen der Zeiten, zu einem kleinen Detail des wirklich bedeutsamen Ereignisses, welches natürlich das *eschaton* selbst ist. Bei den früheren Propheten aber hat sie noch, wie wir gesehen haben, ihre eigene Bedeutung.

Unsere zweite Aufgabe im vorliegenden Zusammenhang war es, die Eigenart des eschatologischen Erwartungstyps näher zu beschreiben. Wenn wir die Metaphern und Bilder der eindeutig eschatologischen Stellen bei Amos, Jesaja und Zephanja heranziehen, finden wir, daß sie überwiegend von Licht und Dunkel, Erdbeben und Kriegerischem handeln. Keiner dieser Ausdrücke hat ausgesprochen mythologischen Charakter, d. h. sie beziehen sich nicht auf das Goldene Zeitalter, auf Drachen-, Flut- oder Erlösermythen. Die messianischen Stellen in Jesaja 9, 11, 32 und das Orakel vom Goldenen Zeitalter in 2, 2—4 können nach meiner Meinung nicht Jesaja zugeschrieben werden. An den Stellen, die sich eigentlich auf den Tag Jahwes beziehen, darf man das mythologische Element übersehen. Man mag einwenden, Licht und Dunkel seien selber mythologische Begriffe, und das mag stimmen, aber ich meine, es sei doch deutlich, daß diese Propheten sich des mythischen Hintergrundes dieser Begriffe nicht bewußt waren, wenn sie sie gebrauchten. Was wir also bei diesen Propheten antreffen, ist Eschatologie, die exakt unserer Definition entspricht und die nicht in mythologischen Begriffen ausgedrückt wird. Gleichwohl läßt sie sich in einer Hinsicht mit der Mythologie in Verbindung bringen: in dem zeitlosen und endgültigen Charakter des *eschaton*.

Wenn wir uns jetzt den Propheten der Exilszeit zuwenden, sowohl Ezechiel als auch Deutero-Jesaja, finden wir, daß sie, wie man feststellen kann, den Mythos bewußt und wohlüberlegt verwenden. Der zuletzt genannte Prophet benutzt, wie Psalm 74, den Drachenmythos, um auf die Ereignisse des Exodus hinzuweisen; und der Psalm enthält einen Hinweis auf den Akt der Schöpfung selber.[25] Bei Ezechiel, Kap. 38 f., wird der Mythos herangezogen, nicht um auf die Vergangenheit, sondern auf das *eschaton* hinzuweisen. Die beiden Kapitel sind Parallelberichte der letzten verzweifelten Anstrengungen der Völker, Jahwes Volk, ja sogar Jahwe selbst zu vernichten. Sie werden angeführt von Gog aus dem Lande Magog und bilden eine Koalition der Völker aus dem Norden wie auch aus dem Süden. Trotz aller Versuche, Gog als eine geschichtliche Gestalt zu identifizieren, beweist die Erwähnung der Haken in den Kinnbacken (Kap. 38, 4),[26] daß hier Tiamat oder Rahab, Behemoth oder Leviathan gemeint sind, d. h., daß Gog eine mythologische Figur ist, die in sich selbst all das zusammenfaßt, was Jahwe feindlich gesinnt ist. Der „Nordländer" bei Joel (2, 20), der sich quer über Palästina von Meer zu Meer erstreckt, ist offenkundig dieselbe Gestalt. Diese Linie mythologischer Entwicklung setzt sich in der syrischen Baruchapokalypse fort, in der Behemoth und Leviathan beim eschatologischen Mal das Hauptgericht bilden; sie wirkt in 4 Esra nach und erscheint auch in der (Joh.-)Offenbarung als das Tier. Schließlich hat sich von ihr Milton zu jenen unvergeßlichen Versen anregen lassen, in denen er den „alten Drachen der Unterwelt" beschreibt, der

[25] Jes 51, 9 f., Ps 74, 10—16.
[26] Vgl. Ez 29, 3 f., wo dem Pharao, der bezeichnenderweise Rahab genannt wird, ein ähnliches Schicksal verheißen wird.

voll Grimm, weil er sein Reich versinken sieht,
mit dem gewundenen Schuppenschwanze scheußlich schlägt.

Seit der Zeit des Ezechiel werden auch andere mythologische
Gestalten und Andeutungen kennzeichnend für die eschatologische
Erwartung. Wir wissen aus den Ras-Schamra-Texten, daß צפן
nicht nur der mythische Orientierungspunkt war, sondern ebenso
der Götterberg, und Oesterley[27] hat schon vor längerer Zeit nachgewiesen, daß in der klassischen Weissagung vom Goldenen Zeitalter bei Jesaja 2, 2—4 und Micha 4, 1—5 eine Kombination der
Themen vom Garten Eden und vom heiligen Berg vorliegt. Die
Datierung dieser Stellen ist natürlich überaus schwierig, aber ich
kann nicht glauben, was Greßmann[28] betont, daß sie in ihrem Ursprung älter seien als die kanonischen Propheten. Weiser bemerkt,
daß sie zum Ideenkreis der nachexilischen Eschatologie gehören und
Kennzeichen aufweisen, die sie zur nachexilischen Prophetie und zu
einigen späteren Psalmen in Beziehung setzen.[29] Zwar nimmt auch
T. H. Robinson ein früheres Datum an, aber doch nur eines aus der
Exilszeit. Was wir also mit Zuversicht behaupten können, ist, daß
von der Exilszeit an das Prinzip „Endzeit wird Urzeit" zu seiner
vollen Wirkung kommt, und alle Versuche, das kommende Zeitalter
in Bildern ländlicher Einfachheit und bäuerlichen Glücks darzustellen, sind weitgehend von diesem Prinzip geleitet. Ähnlich
stützen sich das Thema vom Gericht und die messianische Hoffnung
einmal auf den Flutmythos, zum anderen auf den Erlösermythos,
und werden so im Falle des ersteren zu einem konstanten, im
zweiten Fall zu einem sporadischen Element im Bilde der Eschatologie. In beiden Fällen handelt es sich um die Frage nach der
Eschatologisierung eines früheren mythologischen Motivs.

Unsere Ergebnisse sind demnach, daß Eschatologie ursprünglich
vom Mythos und seiner Darstellung im Kult verschieden, ja seiner
eigentlichen Natur entgegengesetzt war, und daß die Eschatologie
ihr mythologisches Gewand erst in der Exilszeit anlegte. Da sich die
verbannten Juden in einer Welt vorfanden, in denen der heidnische

[27] A. a. O.
[28] A. a. O., S. 153 f.
[29] ATD, Die Kleinen Propheten I, S. 234.

Mythos dominierte, ist es verständlich, daß sie den Mythos als eine Darstellungsform übernahmen, in der sie sich selbst ausdrücken konnten. Während Mythos und Kult zusammen zunächst die jeweils bestehenden Zustände ausdrücklich bejahten, erlaubten es die Realitäten ihrer eigenen politischen Situation nicht länger, diese positive Einstellung durchzuhalten, und zwangen sie, wie Mowinckel gesagt hat, ihren Glauben auf die Zukunft zu setzen: Dadurch wurde der Mythos seiner ursprünglichen Intention beraubt, er wurde eschatologisiert. Eschatologie hat ihren eigenen und selbständigen Ursprung; was wir jedoch als Ergebnis vorliegen haben, ist eine Mischung aus diesen zwei Elementen, aus Mythos und Eschatologie, die insgesamt eine neue Denkform darstellt: die Apokalyptik. Welcher der beiden Bestandteile dominiert, d. h., ob man die Apokalyptik als bloß eschatologisierten Mythos beiseite lassen kann oder ob man sie als Eschatologie in mythologischem Gewand ernst nehmen muß, das ist vielleicht das drängendste Problem, dem die christliche Kirche heute gegenübersteht.

Th. C. Vriezen, Prophecy and Eschatology. In: Supplements to Vetus Testamentum I. Leiden 1953, pp. 199—229. Übersetzt von Udo Worschech.

PROPHETIE UND ESCHATOLOGIE

Von Th. C. Vriezen

Einleitung

Bis heute hat es noch keine Einigung über die Frage nach dem eschatologischen Charakter der klassischen Propheten Israels gegeben. Der Grund dafür ist einerseits in der unterschiedlichen Terminologie zu suchen, besteht aber andererseits auch in den auseinandergehenden Auffassungen über den Inhalt der prophetischen Botschaft. Einige Gelehrte weigern sich, den israelitischen Propheten eschatologische Vorstellungen zuzuschreiben, weil sie verneinen, daß diese Propheten irgendeine Heilserwartung hatten (Wellhausen). Andere gestehen diese Heilshoffnung durchaus den israelitischen Propheten zu, aber möchten das Wort „Eschatologie", das diese Hoffnung umschreibt, vermeiden, weil ihre Definition dieses Wortes es nicht erlaubt, diesen Begriff auf die Predigt der Propheten anzuwenden (Eerdmans).[1] Wieder andere gestehen diesen Propheten beides, die Heilserwartung und Eschatologie zu, weil sie annehmen, daß die Predigt vom Untergang und Heil für die Eschatologie typisch ist. Schließlich gibt es noch jene, die die Heilserwartung als ein allgemeines altorientalisches Phänomen betrachten und es daher als widersinnig ansehen, wenn man den Israeliten, a fortiori den Propheten, eschatologische Vorstellungen nicht zugestehen würde.

Vor einiger Zeit hat J. Lindblom[2] das Problem ausdrücklich hervorgehoben, indem er auf die unbefriedigende Situation aufmerksam machte, die das Resultat der „vagen Vorstellungen des Terminus Eschatologie und das Fehlen klarer Definitionen in diesem

---

[1] Godsdienst van Israel, I, 1930, S. 186 ff.; The Religion of Israel, 1947, S. 140.

[2] The Servant Songs in Deutero-Isaiah, 1951, S. 96, 104.

Bereich alttestamentlicher Studien" ist. Er glaubt, daß „die ganze Frage der Eschatologie eine der dringendsten Aufgaben ist, die der Wissenschaft vom Alten Testament heute obliegt". In einem späteren Aufsatz [3] gab er selbst die Antwort, indem er „zwischen einer historischen und kosmologischen Eschatologie" unterschied, wobei „die erstgenannte typisch für die klassischen Propheten ist, während die andere einem späteren Zeitpunkt angehört und ihre Reife erst in der apokalyptischen Literatur erreichte". [4]

Die Thematik scheint mir so wichtig zu sein, daß es wünschenswert ist, das Problem auch hier anzusprechen, obgleich meine Antwort sich nicht allzusehr von der Prof. Lindbloms unterscheidet. Wir sagten bereits, daß es zwei Aspekte zu diesem Problem gibt: auf der einen Seite ist es die Frage der Form oder Terminologie: in welchem Sinne muß oder darf das Wort Eschatologie gebraucht werden? Andererseits ist es eine Frage des Inhalts: welches ist der charakteristische Inhalt der prophetischen Hoffnung; und erlaubt er es, ihn mit „eschatologisch" zu bezeichnen?

Natürlich ziehen diese Fragen viele andere nach sich. Zum Beispiel solche über den Ursprung und den Hintergrund der prophetischen Botschaft, über ihre Entwicklung bei den verschiedenen prophetischen Persönlichkeiten, über die Verbindung zwischen der eschatologischen Hoffnung der Schriftpropheten und der der späteren apokalyptischen Schriften. Diese Fragen können aber nur am Rande berührt werden, da die zwei Hauptprobleme uns in erster Linie beschäftigen sollen.

I. Einige Bemerkungen zum Terminus „Eschatologie"

In der alttestamentlichen Wissenschaft ist häufig die Terminologie eins der größten Probleme, das mit Verständnis, aber auch kritisch behandelt werden muß. Die anzuwendenden Begriffe entstammen

---

[3] In einem unveröffentlichten Aufsatz, der während der Sitzung der Society for O. T. Study in Rom, April 1952, verlesen wurde; siehe Ordo Lectionum, achte Vorlesung: The Problem of Eschatology in the O. T.

[4] The Problem of Eschatology in the O. T.

oftmals nicht dem Alten Testament, sondern sind dem westlichen Gedankengut entlehnt, obwohl sie nicht in befriedigender Weise ihre semitischen Äquivalente reflektieren.

In unserer Forschung sind wir zum Teil auf Termini angewiesen, die aus anderen Wissenschaftszweigen geborgt sind. Beim Studium des Alten Testamentes wird man immer wieder Begriffe benutzen, die hauptsächlich aus der christlichen systematischen Theologie stammen. Daraus entstehen natürlicherweise Schwierigkeiten und Kurzschlüsse, weil diese Vorstellungen nicht mit jenen des Alten Testamentes übereinstimmen. Obgleich die christlich-theologischen Begriffe aus der Bibel abgeleitet worden sind, so sind sie dennoch oftmals vom griechischen oder westlichen Denken beeinflußt worden. Jedoch ist es nicht möglich, die gegenwärtig existierende Terminologie einfach beiseite zu lassen und zu versuchen, eine völlige Modifizierung herbeizuführen, indem man eine getrennte, neue Terminologie einführt. Die Humanwissenschaften erlauben nicht eine so einfache Klassifikation durch eine Unzahl von Formeln und Sigla, wie sie der Naturwissenschaft zugänglich sind; denn die geistigen Phänomene, mit denen die Humanwissenschaften sich beschäftigen, sind von komplexerer und organischerer Natur als jene der Naturwissenschaft und können nicht adäquat in Formeln und Sigla ausgedrückt werden. Darüber hinaus gebrauchen die Geisteswissenschaften Begriffe, die nicht nur ein analytisches Gegenüber darstellen, sondern auch Wörter, die bestimmte komplexe Ideengruppen einschließen und diese Gruppen auch in ihrer vielfältigen Ganzheit beschreiben.

Der Terminus „Eschatologie" gehört zu jenen Begriffen, die schon immer einen Ideenkomplex bezeichnet haben. Obgleich der Ursprung des Wortes nicht klar ist (es ist anscheinend noch nicht allzulange in Gebrauch)[5], so schließt es doch alles über das „Endschicksal des Einzelnen und die Zukunft des Weltganzen"[6] mit ein. Der Begriff wird nicht nur in der Dogmatik gebraucht, sondern auch in

[5] Siehe B. A. van Groningen, In the Grip of the Past, 1953, S. 115; Enciclopedia Italiana, XIV, 1932, S. 287, s. v. Escatologia; Dictionnaire de Theologie Catholique, V 1, 1912, S. 456 s. v. Eschatologie.
[6] A. Bertholet, Eschatologie, RGG, II, S. 320 (2. Auflage).

der Religionsphänomenologie, in der Religionsgeschichte und in der
Biblischen Theologie. Daher ist der Terminus zu einem sehr allgemeinen Begriff geworden. Vermutlich ist das Wort in der Dogmatik entstanden und kann daher als eine einfache Übersetzung des
dogmatischen Terminus *De Novissimis* betrachtet werden. Auch
könnte der Begriff von der im Wachstum befindlichen Biblischen
Theologie eingeführt worden sein. Dann wurde er aber in einem
allgemeineren Sinne in Verbindung mit dem historischen Charakter
dieses Wissenschaftszweiges gebraucht. Über diesen Punkt habe ich
keine Klarheit gewinnen können.[7]

Die Frage, mit der wir uns besonders beschäftigen wollen, ist
diese: in welchem Sinne muß und darf das Wort „Eschatologie"
wissenschaftlich verwendet werden — welche Bedeutung hat es?
Es gibt einige, die glauben, daß, aufgrund des traditionellen Ge-
brauches des Wortes, es nur in Verbindung mit jener Vorstellung
von den letzten Dingen benutzt werden kann, die entsteht aus der
„Vorstellung von jenem großen Drama der Endzeit, mit dem . . .
diese Weltzeit endet und eine neue ewige Zeit des Heils anbricht".[8]

Wegen des phänomenologischen Gebrauchs sind andere der Ansicht, daß der Terminus als Bezeichnung für gewisse Enderwartun-
gen verwendet werden kann, bei denen die Zerstörung und Erneuerung der Welt zwar unberücksichtigt bleiben, die sich aber im

[7] Die römisch-katholische Theologie hat dieses Wort nur allmählich
und spät angenommen (siehe die beiden Encyclopädien). Die streng orthodoxe reformierte Theologie hat lange Zeit vom Gebrauch dieses Wortes
Abstand genommen. Aber besonders in Deutschland und England scheint
der Begriff schon früh verwendet worden zu sein. Wir finden ihn schon bei
D. Fr. Strauß in seiner Glaubenslehre, II, 1841; in diesem Werk trägt das
letzte Kapitel die Überschrift ›Die Lehre von den letzten Dingen‹. In diesem Kapitel finden wir auch einen besonderen Abschnitt über ›Die biblische
Eschatologie‹, in dem unter anderem auch die Fragen über Leben und Tod
behandelt werden.

[8] G. Hölscher, Die Ursprünge der jüdischen Eschatologie, 1925, S. 3;
J. Lindblom vertritt ebenfalls diese Ansicht in: The Servant Songs in
Deutero-Isaiah, 1951, S. 96, Fußnote 1. Er glaubt, daß „für alle Eschatologie der Unterschied zwischen den beiden 'αἰῶνες' wichtig ist" und „die
eschatologischen Vorstellungen sind außerhistorisch und übernatürlich. Sie
sind im Grunde genommen von mythischer Natur".

Rahmen der Geschichte bewegen.[9] Wie dem auch sei, wir können sicher sein, daß „Eschatologie" nichts anderes bedeutet als: die Lehre von den letzten Dingen, und daß das Wort an sich keinen bestimmten Inhalt impliziert.

Das Alte Testament enthält einige Hinweise auf einen erweiterten Gebrauch des Wortes „Eschatologie", indem es auch Teile der prophetischen Botschaft umfaßt. Denn in den Prophezeiungen begegnet man immer wieder der Wendung $^{\flat}a\underline{h}^{a}r\hat{\imath}\underline{t}$ $hajj\bar{a}m\hat{\imath}m$. Dieser Ausdruck hat eine allgemeinere und eine eingeschränkte Bedeutung: er kann die Zukunft allgemein und die letzten Tage speziell bezeichnen.[10] In Israel machte man keine grundlegende Unterscheidung zwischen den kommenden Dingen (ohne sie weiter zu definieren), welche die Grenze des Horizontes des Redners anzeigen, und der absolut genommenen Zukunft.[11]

Aufgrund der verschiedenen Aspekte, die oben angeführt wurden, ist der Gebrauch des Begriffes „Eschatologie" in einem weiteren Sinn nicht nur völlig zulässig, sondern auch ratsam.[12] Sollte der Terminus nur auf bestimmte Aussagen, die von einer kosmisch-dramatischen Zerstörung der Welt sprechen, angewendet werden, so würde das bedeuten, daß nicht nur alle vor-exilischen prophetischen Aussagen a priori, sondern auch alle nach-exilischen prophetischen Aussagen mit Ausnahme einiger apokalyptischer Stücke in

---

[9] J. Lindblom hält auch dies für möglich. Siehe seinen Vortrag in Rom (vgl. S. 89, Anm. 3).

[10] Siehe S. 88, Anm. 1; Eerdmans Definition zur Bedeutung dieses Terminus: „in Zukunft" ist einseitig. Nach Jes 2, 2; Mi 4, 1; Jer 23, 20; 30, 24; 48, 47; 49, 39 kann man die eschatologische Bedeutung nicht verleugnen. Siehe auch Köhler, Lexicon in Veteris Testamenti Libros, s. v.

[11] Siehe S. 118 f.

[12] Der Gebrauch des Wortes in einem Sinn, der „die äußersten Stufen in den Entwicklungen der Ereignisse in der Vergangenheit und in der Zukunft" einschließt, ist nicht ratsam. Siehe B. A. van Groningen, op. cit., S. 115, Anm. 6, gegen G. van der Leeuw, Phänomenologie der Religion, Tübingen, 1933, S. 549 f. und „Urzeit und Endzeit", Eranos-Jahrbuch, 1949, Sonderdruck 1950, S. 31. A. M. Brouwer, Wereldeinde en wereldgericht, 1928, S. 2 f. erwähnt die Anwendung des Wortes in einer axiologischen Bedeutung in den Werken von Troeltsch und P. Althaus (Die letzten Dinge).

den Schriften der Propheten von vornherein auszuschließen wären. In diesem Fall aber hätten alle älteren Aussagen keine Verbindung zu einem letzten entscheidenden Moment in dieser Welt. Da diese Tendenz für lange Zeit vorherrschend gewesen ist, konnte eine falsche Vorstellung für die prophetischen Aussagen über Errettung und Unheil aufkommen. Aber da letztlich die Fakten über diese Frage entscheiden, wird es notwendig sein, die eigentliche Bedeutung der prophetischen Predigt über die Zukunft zu untersuchen. Nur so ist es möglich, zu einer objektiven Beurteilung zu gelangen.

Wir kommen daher nun zu dem allerwichtigsten Punkt: die Frage nach dem Sinn der prophetischen Botschaft über das Zukünftige. Ist es möglich, darin Elemente zu entdecken, die eine bestimmte und entscheidende Erwartung in bezug auf die Zukunft dieser Welt ausdrücken?

II. Das Material

Es ist nicht möglich, die Zukunftserwartungen der klassischen Propheten zu behandeln, ohne vorher eine allgemeine Darstellung des Auftretens der Propheten selbst zu geben. Ich kann mich nicht enthalten, Jacob [13] zu zitieren: « il n'y a pas un prophétisme, il y a des prophètes », dieser Aussage folgt jedoch, « il n'y a pas des prophètes, il y a un mouvement prophétique ». Die Propheten waren unabhängig, aber nicht allein. Es besteht eine zwiefache Beziehung: sie standen in der Mitte ihres Volkes, aber auch, wie es scheint, Seite an Seite. Die Beziehungen unter ihnen können noch deutlich erkannt werden, z. B. zwischen Jeremia und Hosea, Jeremia und Micha, Deutero-Jesaja und Jesaja, um nur einige augenfällige Beispiele zu nennen. [14] Aber sie standen auch in der Mitte ihres Volkes und teilten die Religion mit diesem Volk. Sie waren keine Einzelgänger, wie die Gelehrten des Alten Testamentes im letzten Jahrhundert noch angenommen hatten, die in den Propheten eine neue Phase der Religion Israels sehen wollten und ihnen auch die

[13] Revue d'histoire et de philosophie religieuses, 32, 1952, 59—69; E. Jacob, Le prophétisme israélite d'après les recherches récentes.

[14] Es müssen ebenfalls Verbindungen bestehen zwischen Jesaja und Amos, Jesaja und Micha, Zephanja und Amos, Hesekiel und Jeremia.

Schöpfung des Jahwismus zugeschrieben haben. Um dieser Tendenz entgegenzutreten, stellte Joh. Pedersen die Propheten als Reaktionäre unter ihren eigenen Leuten dar.[15] Diese Auffassung könnte natürlich auch zu einer anderen Art der Einseitigkeit führen, denn die Propheten waren sicherlich keine Männer, die das alte geistliche Leben führen wollten, nur weil es alt war, denn sonst hätten sie nicht in allen Existenzfragen soviel Opposition gezeigt, wie sie es getan haben, und zwar einer nach dem andern und vom ersten bis zum letzten (Amos, Micha, Jesaja 8, 11 f.; Jeremia). Aber dennoch ist Pedersens Ansicht in dem Punkte richtig, daß die Propheten die Botschaft des alten Israel fortführen! Ihre Haltung gegenüber der Religion ihres Volkes ist absolut positiv, und gerade deshalb ist ihre Haltung gegenüber dem Volk selbst ebenso absolut kritisch. Das große Geheimnis ihres Lebens bestand darin, daß sie Jahwe vom Untergang reden gehört hatten. Dies veranlaßte sie, als Realisten in Glaubensangelegenheiten, solch eine radikale kritische Haltung anzunehmen.[16] Auf der Basis des reinsten israelitischen Glaubens und berufen durch das Wort Gottes treten sie auf und richten ihre radikalste Kritik gegen ihr eigenes Volk. Es ist daher nicht zufällig, daß die große Sammlung von Prophezeiungen des Amos gegen das Volk mit Israels Glaubensbekenntnis beginnt: *raq ætkæm jāda῾ti mikkol mišpᵉḥôṭ ḥāᵓᵃdāmā* (3, 2), das mit Gen 12, 3 verbunden ist und dem die Erwähnung von der Befreiung aus Ägypten vorausgeht. Aus diesem Grunde ist die Schlußfolgerung von Amos, daß Gott besonders gegenüber Israel ein Strafgericht ankündigt, auch nicht zufällig.

Amos teilt auch den Glauben an den zukünftigen *jôm Jhwh*. Er verurteilt das Volk nicht dafür, daß sie an diesen Tag glaubten, dem im Kult[17] immer wieder eine zentrale Stellung eingeräumt wurde,

[15] Israel III—IV passim

[16] Hos 6, 5; Jes 6, 8—13; 49, 2; Mi 3, 8; Jer 1, 10—19; 28; Ez 3, 4—9.

[17] Die literarische Verbindung bei Amos und Zephanja zwischen dem *jôm Jhwh* und dem Kult ist nicht zufällig. Siehe: S. Mowinckel, Psalmenstudien, II, und die um dieses Buch herum entstandene Literatur. Ich bin jedoch noch immer nicht überzeugt davon, daß es möglich ist, so wie Mowinckel zu argumentieren und ein Neujahrsfest zu konstruieren, in dem

sondern vielmehr dafür, daß sie den Tag nicht als Tag Jahwes ernst genommen hatten und nicht an das Gericht[18] denken wollten. Aufgrund seiner Berufung (die Visionen in Kap. 7—9) muß er das Strafgericht über Israel verkündigen. Aber wegen seines gemeinsamen Glaubens mit dem Volk finden sich auch andere Elemente in seinem Glauben. Charakteristisch dafür ist 5, 14 f.; hier spricht er mit Zustimmung über den Glauben des Volkes, der auf der Tatsache beruht, daß Gott nahe ist. Er glaubt auch, daß es dem Volk möglich ist, seine Existenz durch Buße zu retten, obgleich dies nur auf den Rest zutrifft und auch von ihm redet er mit größter Zurückhaltung: *„Vielleicht* wird der Herr, der Gott der Heerscharen, gnädig sein dem Rest Israels" (5, 15). Das *„Vielleicht"* ist so charakteristisch für Amos wie für Zephania (2, 3).

Trotz seiner Unheilsbotschaft empfand Amos dennoch, daß zwischen Gott und dem Volk eine Beziehung bestand. In seinen Prophezeiungen spricht er immer von ᶜammî (7, 8. 15; 8, 2; 9, 10. vgl. 14). Nirgendwo kommt er zu dem Schluß, daß Gott Israel verworfen hat, obgleich er prophezeit, daß das Volk fallen und nicht mehr aufstehen wird (5, 2). Das gleiche gilt für die Erwählungslehre in späterer Zeit: trotz des Gerichtes und trotz der Predigt von der Verwerfung wird die Erwählung nicht aufgegeben. Daher unterscheiden die Propheten (und nicht nur Deutero-Jesaja) zwischen zwei Israel-Typen: Israel als empirisches Volk, das untergeht, und Israel als das Volk Gottes, das besteht und bleibt, sichtbar aber nur dem Auge des Glaubens. Der gleiche Gedanke findet sich in den Prophezeiungen des Amos. Das mag auch der Grund sein, weshalb er in der letzten Gerichtsprophezeiung innerhalb seines Buchs betont, daß Gott das Haus Israel unter allen Völkern sichten wird (d. h., er wird sie überallhin ins Exil senden), aber auch, daß

---

nichtisraelitisches Material mit den Psalmen verbunden wird. Siehe S. 123 f., Anm. 82 + 83.

[18] E. Würthwein, ZThK, 49, 1952, 1 ff. [= ders., Wort und Existenz, 1970, 111 ff.] mag recht haben, wenn er sagt, daß das Element des Gerichtes im Kultus nicht fehlte. Dies erklärt aber nicht die radikale Form der Predigt des Amos, denn sie kann nur von der besonderen Berufung des Propheten her erklärt werden (Amos 7, 7 ff.).

alle Sünder des Volkes durch das Schwert sterben werden (9, 9—10). Hier wird ein Unterschied zwischen dem gesamten Volk und einem Teil des Volkes gemacht.

Im Buch Amos finden wir die Heilshoffnung und die Gerichtspredigt, aber ersteres ist nicht so eng mit seiner wahren Botschaft, der Gerichtsbotschaft, verbunden, so daß die Botschaft von der Errettung immer wieder aus erklärlichen Gründen Zweifel hervorgerufen hat, aber dennoch ist es nicht unmöglich, daß die Worte authentisch sind.[19] Es gibt noch ein weiteres ähnliches Beispiel: Amos' Aussage in 9, 7 über Jahwes Sorge um andere Völker scheint nicht ganz mit der Aussage in 3, 2 in Übereinstimmung zu sein; jedoch sollte diese Spannung nicht überbewertet und unnötig akzentuiert werden, so daß daraus ein Widerspruch konstruiert wird. Es scheint mir daher ganz annehmbar, daß der Prophet an die Errettung seines Volkes und an die Wiederherstellung der davidischen Herrschaft[20] glaubte (ganz abgesehen davon, ob die uns überlieferten Worte in Amos 9, 11—15 authentisch sind oder nicht). Aber diese Erlösungshoffnung ist kaum neu, denn sie kann eine der Hoffnungen gewesen sein, die das Volk von Juda schon immer hegte und von der es immer in den Psalmen gesungen hat. Der einzige Unterschied mag darin bestehen, daß die Aussage des Amos nüchterner und tatsachenbezogener war als die Hoffnung des Volkes und daß er den Untergang des Hauses David mit größerem Realismus sah. Es war die Lebensaufgabe von Amos, die Drohung des absoluten Gerichtes an Israel zu verkündigen, zu einer Zeit, als niemand damit rechnete. Er war ein Mann mit nur einer Sehne für seinen Bogen, und sein Schuß traf die richtige Stelle!

Seine Aufgabe hat darin bestanden, Hoffnungen zu zerstören, die man übereifrig aufgenommen hatte, die aber mit Sünde befleckt waren. Er hat aber nicht neue Hoffnungen hervorgerufen. Aber

---

[19] Die Authentizität ist auch von V. Maag, Text, Wortschatz und Begriffswelt des Buches Amos, 1951, S. 246 ff. verteidigt worden.

[20] B. Duhm, Das kommende Reich Gottes, 1910, S. 16 meint: „Psychologisch sollte man es freilich für fast undenkbar halten, daß er geglaubt habe, es komme nichts mehr nach." Aber die Prophezeiung selbst hält er für eine der unechten späteren Ergänzungen.

wegen dieser radikalen Zerstörung aller Hoffnungen ist er der Mann gewesen, der mehr als andere dazu beigetragen hat, die Wiederherstellung zu ermöglichen.

Es ist schwierig zu sagen, inwieweit Hoseas Tätigkeit auf der des Amos aufbaut. Er lebte vermutlich in der Nähe der südlichen Grenzlinie des Nordreiches in der Gegend von Bethel, wo das Auftreten von Amos einen Aufruhr verursacht hatte, und es ist daher schwer vorstellbar, daß Hosea nichts von der Unheilsverkündigung des Amos gehört haben soll. Das Auftreten des Amos wird man kaum innerhalb von zehn Jahren vergessen haben können, wenn man bedenkt, daß man sich an das Wirken von Micha noch ein Jahrhundert später erinnerte. Wie dem auch sei, eine unmittelbare Verbindung ist nicht nachweisbar, denn Hosea besitzt einen eigenen Stil und ringt auf seine Weise mit dem Problem des Strafgerichtes, das auch er zu verkündigen hatte. Für ihn existierte besonders das Problem, daß Jahwe sein Volk der Vernichtung preisgeben wollte. Er zeichnet Jahwe als den Gott des Zornes und zugleich als den Gott der Liebe, stärker noch, als es Amos tat, der Gott als den mächtigen Jahwe Zebaoth kannte, den Gott des Gerichts. Worte wie *hæsæd* und *ʾahᵃbā*, um das Verhältnis zu Gott anzuzeigen, fehlen bei Amos gänzlich, ebenso Bilder, die Gott als wilden Panther oder als wütenden Bär[21] darstellen; es sind aber Bilder, die dem leidenschaftlichen Sinn Hoseas entsprachen. Aber Gott sagt: „Mein Herz hat sich gewendet in mir" (11, 8 ff.), und Hosea kann nicht beim Gericht stehenbleiben: die andere Seite, die Gemeinschaft zwischen Gott und seinem Volk[22] muß auch in seiner Botschaft Ausdruck finden. Davon erhalten wir nur hier und dort Anzeichen in der Predigt des Amos. Für Hosea kann das Gericht nicht das Ende sein, sondern

---

[21] Ein vergleichendes Studium des Vokabulars und der Bilder, die die Propheten benutzen, wäre sehr wertvoll. Wenn die oben genannte Studie von Maag durch andere, insbesondere vergleichende Studien, ergänzt würde, dann würden die Persönlichkeiten der Propheten sich klarer voneinander abheben.

[22] Bei Hosea finden wir ein viel intimeres (fast mystisches) Verhältnis zu Gott als bei Amos. Zu Hosea siehe Sellin, Das Zwölfprophetenbuch, 1929, S. 19.

durch das Gericht wird die Errettung ermöglicht.[23] Es könnte kaum
anders sein in den Predigten Hoseas. Es ist unglaublich, daß die Abschnitte, die von Hoseas Heilshoffnungen sprechen, als unecht[24] angesehen wurden. Hosea hebt besonders hervor, daß es Gott in seiner
Liebe ist, der all diese Dinge tut. Es ist Gnade, aber es scheint Hosea,
daß Gott eigentlich nicht anders handeln kann. Es ist wohl wahr,
daß Hosea die Hoffnung des Volkes, daß Gott einen Akt der Umkehr sofort annimmt, zunichte macht (6, 1 ff.). Aber dies allein be-
friedigt auch Hosea nicht, denn er ist davon überzeugt, daß Gott
letztlich doch die Wiederherstellung herbeiführen wird. Es besteht
eine enge Verbindung zwischen den pathetischen Worten in 11, 8 ff.;
2, 16 ff. und 14, 2 ff.

Die Heilshoffnung, die Hosea zeichnet, weist Züge seiner unmittelbaren Umgebung auf. Das Volk ist in seinem bäuerlichen
Leben reich gesegnet.[25] Der Friede unter den Tieren und die Erwartung der Vernichtung des Kriegsgerätes (2, 20) wird auch damit zu
tun haben, obgleich man von einem literarkritischen Standpunkt
her einwenden könnte, daß diese Thematik die Verbindung zwischen 2, 19 und 2, 21 stört. Das Wort $l^{e\,c}ôl\bar{a}m$ (2, 21) impliziert,
daß die Erlösung von Dauer sein wird. Dies ist auch in der Erwartung enthalten, nach der der Himmel auf die Erde hören wird,
um Israel zu Hilfe zu kommen. Trotz all dieser Aussagen bleibt es
aber zweifelhaft, inwieweit man in Hoseas Predigt von einer wirklichen Erneuerung alter Hoffnungen sprechen kann. Das völlig
Neue in seiner Verkündigung ist die Bestimmtheit, mit der Gottes
Gericht angekündigt wird, und die absolute Notwendigkeit der
Umkehr. Nur durch dieses Gericht und durch diese Umkehr kann
die Wiederherstellung ermöglicht werden, und auch dies geschieht
nur durch ein Wunder Gottes. Jedenfalls hat Hosea zwei Sehnen
auf seinem Bogen und ist eine ganz andere Persönlichkeit als der
großartige, einseitige Landwirt aus dem Grenzgebiet der judäischen
Wüste.

[23] Siehe auch W. Cossmann, Die Entwicklung des Gerichtsgedankens
bei den alttestamentlichen Propheten, 1915; vgl. auch Hosea 2; 14.

[24] Die Leichtigkeit, mit der Duhm (a. a. O.) zu dieser Schlußfolgerung
kommt, ist eindrucksvoll.

[25] Mit G. Hölscher, Die Propheten, 1914, S. 209 ff. u. Sellin, op. cit., S. 6.

Mit Jesaja erreichen wir eine neue Phase in der Entwicklung der Erlösungshoffnung. Auf der einen Seite ähnelt er Amos, denn in seinen Prophezeiungen sind Gericht und Errettung nicht so eng verbunden wie bei Hosea, andererseits hat aber bei ihm die Heilserwartung eine besondere Stellung inne, wie bei Hosea, aber dennoch verschieden. Heil ist bei Jesaja weitaus mehr ein Wunder. Erlösung und Gericht sind im Ratschluß Gottes verborgen und können in der Vorstellung des Propheten nur wie ein Paradoxon verbunden sein. Jesaja ist vom kommenden Gericht (Kap. 6) so rückhaltlos überzeugt wie Amos. Andererseits besteht aber auch die Gewißheit, daß ein Rest — ein Rest des Volkes, dem bei Amos *vielleicht* Erlösung zuteil wird — zurückkehren wird. Und weiter enthält Jesajas Prophetie eine Erlösungshoffnung, die in vielfacher Hinsicht die des Hosea übersteigt und die einen großen Einfluß auf das geistliche Leben seines Volkes und, so können wir wohl auch sagen, auf die Welt ausgeübt hat. Die großen Meinungsverschiedenheiten, die sich aus der Exegese Jesajas, besonders der Kapitel 6—9, ergeben haben, können nur gelöst werden, wenn man das Paradoxe der Gedanken Jesajas erkannt hat. Dies wird in verschiedenen Textabschnitten deutlich, z. B. dort, wo Jesaja sagt (28, 21), daß Gottes Züchtigungen an seinem Volk ein ihm fremder Akt (paradox,[26] *zār ma^{ᶜa}śehû*), ja eigentlich das Handeln eines Fremden ist[27] (*nŏḵrijjā ^{ᶜa}ḇodāṯô*). Auf diese Weise erscheint Gottes Gerichtshandeln in einem ganz anderen Licht als bei Hosea, der darin den leidenschaftlichen Zorn Gottes gesehen hat, oder bei Amos, der lediglich das Gottesgericht als gerechtes Handeln Gottes sieht. Jesaja erscheint es „fremd", wir könnten sagen: unverständlich, paradox. Diesen Worten Jesajas folgen die bekannten Sätze über die Arbeit des Bauern, der sein Land und die Feldprodukte auf verschiedene Weise behandelt, aber jedes mit Weisheit tut. Jesaja schließt diesen Abschnitt mit den Worten Jahwes: *hifliʾ ^ᶜeṣā, higdîl tûšijjā*, „Sein Rat ist wunderbar, und er führt es herrlich hinaus" (28, 29 b). Er wiederholt diese Worte über Gottes fremdes Handeln noch einmal und mit stärkerer

---

[26] Paul Humbert, Les adjectifs zar et nokri, in: Mélanges Syriens M. R. Dussaud, S. 261.

[27] Zu diesem Text siehe Procksch in seinem Kommentar.

Betonung: *lāḵen hinᵉnî jôsef lᵉhaflîʾ æṭ hāᶜām hazzæ hafleʾ wāfælæʾ*. „Darum will ich auch hinfort mit diesem Volk wunderlich umgehen, aufs wunderlichste und seltsamste" (29, 14). Der Text in 30, 15 zeigt ebenfalls seine Vorliebe für das Paradoxe: „Durch Umkehr und Ruhe werdet ihr errettet werden, im Stillesein und in Zuversicht soll eure Stärke sein." Hat man dieses Element in Jesajas allgemeinen Prophezeiungen an sein Volk erkannt, so verwundert es einen auch nicht, dieses Element ebenso in seinen Hoffnungen auf Errettung zu finden, die wohl in ihrer erweiterten Form, wie sie uns überliefert wurden (z. B. 8, 23 ff.), eher an seine Jünger als an das Volk gerichtet waren. Die erste Botschaft von der Erlösung: *hāᶜām hoholᵉḵîm baḥošæḵ rāʾû ʾôr gāḏôl* enthält ebenfalls das Paradoxon. Ebenso verhält es sich mit der Ankündigung vom Erscheinen des Königs der Erlösung, in der der Kontrast zwischen dem Kind aus 9, 5 und der Aufgabe, die es ausführen soll, dem Ganzen eine eigentümliche Note gibt.[28] Man wird daher die Persönlichkeit dieses Propheten mißverstehen, wenn man verlangt, daß seine Prophezeiungen immer ein starres System bilden sollen. Im Gegenteil, wir sollten darauf vorbereitet sein, starke interne Kontraste zu finden, und sie liegen ja auch vor. Wir müssen auch große Hoffnungen entdecken bei einem Mann, der so eigene Vorstellungen über seinen Gott hat, und wiederum finden wir, daß seine Erwartungen hoch sind. Zum ersten Punkt möchte ich den zweideutigen Namen *šᵉʾār jāšûḇ* erwähnen: ein Rest kehrt wieder. Die wahre Bedeutung ist in jeder Hinsicht doppeldeutig: ein Rest der — nur oder gewiß — zurückkommt, d. h. bereut oder zurückkehrt.[29] Der Name *Immanuel* erscheint mir ebenfalls zweideutig zu sein: präkativ (Gott sei mit uns) oder positiv (Gott ist mit uns)[30], wie dies auch die erklärenden Verse anzeigen (8, 5—10)[31].

[28] Besonders 8, 23 a, s. unten S. 104.

[29] Z. B. 10, 20—22, wo der zwiefache Aspekt des Gedankens zum Ausdruck kommt. Die drei Verse und besonders die paradoxen Schlußworte sind authentisch: *killajôn ḥarûṣ šôṭef ṣᵉdaqā* (*ṣᵉdaqā* im Doppelsinn).

[30] A. Bentzen, Jesaja, I, 1944 zu diesem Text; und: Skandinavische Literatur zum A. T., 1938—1948, Theol. Rundschau N. F., 17, 1948/9, S. 291.

[31] Die Kapitel 7 und 8 lassen erkennen, wie das Wort Gottes zum Pro-

In Kapitel 6 beschreibt der Prophet seine Berufung. Er ist beauftragt, durch seine Predigt den Fall seines Volkes herbeizuführen: dies paradoxe Element in seiner Unterweisung (6, 9b und 10; vgl. auch 29, 9—16!) verwirrt immer noch jene, die die Worte nicht nur hören, sondern auch verstehen wollen. Daß aber diese von Gott auferlegte Aufgabe unverständlich ist, wird durch dieses Paradoxon besonders betont. Wie aus diesem Kapitel hervorgeht, wußte Jesaja,

pheten gelangte. Am deutlichsten geht dies aus 8, 1—4 hervor. Dort „empfängt" der Prophet ein Wort ohne Deutung. Er versteht es nicht, aber schreibt es in der Gegenwart von Zeugen nieder. Danach erfolgt die erklärende Offenbarung: es soll der Name seines Sohnes sein, der ihm geboren werden wird, und es scheint, als würde sich dieser Name auf die drohende Invasion Palästinas durch die Assyrer beziehen. Nach Jesaja besteht somit eine Offenbarung aus zwei getrennten Vorgängen: zuerst eine Prophezeiung ohne weitere Bestimmung; die offenbarte Bedeutung wird erst später klar. Die Prophezeiung kommt zu Jesaja und Amos auf verschiedenen Wegen. Der Letztgenannte „sieht etwas", er ist der $ro^{\circ}\bar{\alpha}$-Typus, der aber die Offenbarung zusammen mit der Vision empfängt (vgl. z. B., was Amos über das Merkmal eines Propheten schreibt in 3, 7). Beim Erstgenannten kommt die Prophezeiung plötzlich und enthält eine Audition. Sie beginnt wie ein Orakelspruch. Das eigentliche Wort der Offenbarung bleibt für einige Zeit verborgen. (Haben wir hier nicht in der Tat zwei Prophetentypen: Amos, der alte $ro^{\circ}\bar{\alpha}$ und Jesaja, der eher den Typus des kultischen Orakelpropheten repräsentiert, der wiederum nicht derselbe wie der $n\bar{a}b\hat{i}^{\circ}$-Typus ist?) Dies wirft auch Licht auf die Schwierigkeiten der Interpretation, die von 7, 10—17 hervorgerufen werden sowie auf die Textkomposition in 7, 10—8, 10. In 7, 10—17 beschreibt Jesaja genau, was bei einem zweiten Treffen mit Ahas geschehen war. Diese Zusammenkunft fand vermutlich im königlichen Palast statt; vgl. den Gebrauch der Pluralform in den Versen 13 und 14. Es sind die Worte Jahwes, die hier niedergeschrieben sind (Jahwe in V. 10 ist ursprünglich). Da die Rede Jahwes hier in mancher Hinsicht orakelhaft ist, folgen auch die erklärenden Offenbarungen über die bemerkenswerten Aussagen über das Essen von Butter und Honig und über die Verbindung zu den folgenden Ereignissen erst später in 7, 18—25 (+ 8, 21—23 a). Die Doppeldeutigkeit des Namens Immanuel wird in 8, 5—10 erklärt. Es ist möglich, daß 8, 6—8 und 8, 9—10 aus verschiedenen Perioden stammen: die erstgenannten Verse datieren in die Zeit nach der Offenbarung von 8, 1—4, und 8, wie Amos und Hosea, daß er zur Verkündigung des kommenden Gerichtes berufen worden war. Es gibt hier keinen positiven Aspekt zu diesem Werk, wie bei Jeremia 1, 10.[32]

Jesaja hat aber noch längst nicht alles über seine Arbeit berichtet. Zum Beispiel finden wir in seinen „Bekenntnissen" (6—8, 23 oder 9, 6) keine Angabe darüber, warum er seinen erstgeborenen Sohn

9—10 müßten vielleicht mit der Offenbarung von 7, 1—7 verbunden werden. Meiner Meinung nach richtig, vertritt auch Bentzen diese Ansicht. Wenn diese Sicht stimmt, dann wurden diese Abschnitte von Jesaja selbst zusammengestellt, als man alle Stücke sammelte. Dies mag auch der Fall mit 10, 20—22 gewesen sein, vgl. S. 100, Anm. 29. Die beiden Prophezeiungen über die beiden Königreiche von Damaskus und Ephraim werden in 8, 1—4 erklärt (nämlich, daß es der assyrische König ist, der das Land erobern wird; in 7, 18 war dies noch ungewiß, so daß *mælæk Aššûr* in 7, 17 und 20 eine Glosse sein muß). Die Kapitel sind das Resultat des ganzen Offenbarungskomplexes, der Jesaja in den Jahren 734—3 zuteil wurde. In dieser Zeit ist er beständig mit weltgeschichtlichen Ereignissen beschäftigt (auch daß z. B. 8, 10 uns wiederum an 7, 7 erinnert mit *lô tāqûm* und *lô jāqûm*). 8, 11—15 ist eine Offenbarung, die mit der Tatsache zu tun hat, daß Jesaja in dieser Zeit der Verschwörung beschuldigt wurde. Wegen dieser Anschuldigung enthält auch 8, 16 die Entscheidung, von der Politik für eine gewisse Zeit zurückzutreten und sich nur seinen Jüngern zu offenbaren und darauf zu warten, daß Gott spricht (V. 17). Es ist ja nicht nötig, daß Jesaja spricht, denn allein seine Gegenwart, sein Stillesein und die Namen seiner Söhne sind Zeichen und Omen genug (V. 18). Auch seine Jünger sollen nicht reden, außer wenn sie gebeten werden, Orakelsprüche von den Toten weiterzugeben. Dann sollen sie aber die *tôrā* und die *tᵉ'ûdā* sprechen lassen (V. 19. 20). Wenn wir mit unserer Annahme recht haben, daß dies die Struktur des Kapitel ist, dann sind zwei Schlußfolgerungen gerechtfertigt: dieser Teil wurde 734/3 geschrieben, und: dieser Abschnitt ist völlig authentisch (außer einigen Glossen und eingeschobenen Abschnitten).

[32] Die Übersetzung: abgrasen für *bā'ar* muß trotz Bubers Ansicht verneint werden (so Köhlers Lexicon). Die Auslegung der letzten Worte als Verheißung, befürwortet von Engnell, The Call of Isaiah, 1949, ist höchst unwahrscheinlich. Sehr bemerkenswert ist der Weg, den Engnell beschreitet, um die Authentizität von Jes 6, 13 (Ende) zu verteidigen. Er beruft sich auf eine dogmatische Interpretation in der Septuaginta, in der der frag-

šᵉᵓār jāšûḇ genannt hatte, obgleich dies vermutlich in Übereinstimmung mit göttlichen Unterweisungen geschehen war.[33] Viel Aufmerksamkeit wird in Jesajas Memoiren den Begegnungen mit dem König zuteil, dem Repräsentanten des Hauses Davids. Man hat den Eindruck, als sei die Einfügung von 8, 23 ff. damit verbunden. Die an Ahas adressierten Worte aus 7, 7—9 sind problematisch, aber der Abschnitt ist uns wahrscheinlich nicht ganz korrekt überliefert worden. Der zweite Text, der mit Immanuel (7, 15) verbunden ist, ist völlig rätselhaft: er bezieht sich anscheinend auf die junge Königin, von der Jesaja sagt, daß sie schwanger sei und einen Sohn, den sie Immanuel nennen würde, gebären wird (wegen der großen Verzweiflung des Volkes zur Zeit der Geburt, daher im präkativen Sinne?), aber daß das Kind Butter und Honig essen würde, die vorzüglichsten Nahrungsmittel, die das Land hervorbringt, noch bevor das Kind selbst fähig ist, seine Wahl zu treffen. Dann folgen die erklärenden Worte: dann wird das Land von Damaskus und Nordisrael, vor dem du dich jetzt fürchtest, ein völlig verlassenes Land sein. Danach kommen wir zu den rätselhaften Worten von V. 17, von denen wir nicht mit Gewißheit sagen können, ob sie eine Verheißung oder eine Drohung enthalten. Aus der „Erscheinung seines Kommens", die wahrscheinlich nachträglich von dem Propheten hinzugefügt wurde (V. 18 ff.), scheint es, daß er ursprünglich die Gefahr von zwei Seiten kommen sah: sowohl von Ägypten

liche Text nicht in den wichtigen Handschriften gefunden wird. Aufgrund der positiven Übersetzung von V. 12 (wo die Lesart ᶜᵃzûḇā in der Septuaginta mit „die, die übrig sind, der Rest" übersetzt wird, siehe I. L. Seeligmann, The Septuaginta Version of Isaiah, 1948. S. 63 f. Engnell glaubt, daß die Septuagintaübersetzung μακρυνει für riḥaq auch in einem positiven Sinne verstanden werden kann, aber hier verwechselt er offenbar μακρυνει mit μακροθυμει; jedenfalls ist die Übersetzung „wird Geduld haben" für μακρυνει nicht bei Liddell-Scott zu finden) glaubt Engnell, daß die letzten drei Worte von V. 13 (nicht in der Septuaginta) im hebräischen Text, von dem die Septuaginta übersetzt worden war, doch vorhanden gewesen sind! Auf diesem Wege kann man alles beweisen. In textkritischen Fragen steht die hyperkritische „traditionsgeschichtliche" Schule doch ihrer Opposition, der fundamentalistischen Schule, sehr nahe.

[33] Siehe S. 100, Anm. 29.

als auch von Assyrien (V. 18); daß er aber trotzdem Hoffnung für die wenigen hatte, die dieser Katastrophe entkommen waren, ja er erwartete sogar, daß sie Genüge haben werden (7, 21—22). Kp. 7, 23—25 und 8, 21—23 a gehören vermutlich zusammen. Hier wird die Verwüstung des Landes durch die inzwischen abgezogenen Eroberer beschrieben. Nichts kann mehr in dem Land getan werden. Jeder, der es dennoch versucht, in diesem öden Land etwas zu vollbringen, wird kläglich scheitern. In seiner Verzweiflung wird der Mensch dazu geführt, seinen Gott und seinen König zu verfluchen. Nur wenn diese große Not akzeptiert wird, ist es möglich, daß man vor der Dunkelheit der Verzweiflung gerettet wird (V. 23 a: aber es wird keine Dunkelheit über dem sein, der die Angst getragen hat, oder: der besorgt um sie war; dies kann nur als Kontrast zum Voraufgegangenen verstanden werden und als ein Paradoxon). Das Bild erinnert uns an die Erwartung des Hosea, daß das Volk in die Wüste zurückkehren wird: bei Jesaja wird das Land selbst zur Wüste. Während in Hoseas Prophezeiungen eine kollektive Rettung des Volkes beschrieben wird, sind es bei Jesaja nur Einzelpersonen, die das Gericht überleben. Meiner Meinung nach muß auch 8, 6—10 in solch einem paradoxen Sinne erklärt werden. Das erste Immanuellied beschrieb die Not, die nicht an den Grenzen Judas haltmacht, und sie erwähnt auch die Bestrafung des Ahas, der die Assyrer um Hilfe gerufen hat — hier wird der Name Immanuel präkativ gebraucht (V. 6—8). Im zweiten Vers wird Immanuel positiv verstanden: der Prophet hört in seinem Namen auch die Verheißung einer gewissen Errettung anklingen (s. S. 101 f., Anm. 31). Kein Wunder also, daß dieser Prophet mit seinem Glauben an den Gott, der Wunder wirkt, auch das Lied der Errettung singen und die Botschaft vom Erlöser-König ausrufen konnte,[34] als nämlich seine Prophezeiungen tatsächlich wahr wurden und der erste Teil des israelitischen Gebietes besetzt wurde (8, 23—9, 6). Ich bin mir nicht sicher, daß Jesaja hier an die Ausrufung der Nachfolge eines historischen Königs gedacht hat (dies wäre dann Hiskia gewesen). Es kann jedoch als Tatsache angesehen werden, daß Jesaja diese Hoff-

---

[34] Siehe A. Alt, Jes 8, 23—9, 6, in: Bertholet Festschrift, 1950, S. 29—49 [= ders., Kl. Schr. II, 1953, 206 ff.].

nung als sich bald in dieser Zeit erfüllend erwartete. Aus den besonderen Namen, die Jesaja dem zukünftigen Kronenträger gibt
(richtig gesehen von Procksch [35] und Buber [36] als dem Antikönig, der
gegen Ahas opponiert), geht hervor, daß seine Hoffnung nicht nur
historisch ist, sondern auch in das religiöse Feld der Heilsgeschichte
gehört. Was könnte auch sonst von diesem Propheten erwartet
werden? Die Namen des Gegenkönigs sind äußerst bedeutsam.[37] In
diesen Namen ist eine neue definitive Erwartung der Erlösung
Israels als eines wunderbaren Zeichens der Gnade Gottes enthalten.

Die Immanuelperikope enthält eine Prophezeiung aus dem Jahr
734. In der Perikope über den Erlöserkönig (8, 23—9, 6) finden
wir eine Prophezeiung aus der Zeit der Besetzung des Nordreiches
und der Annektion des eroberten Territoriums durch Assyrien (nach
732). In 28, 16 f. finden wir eine spätere Prophezeiung aus der Zeit
kurz vor dem Untergang Samarias (zwischen 725 und 722), welche
die wohlbekannten Worte enthält: „Siehe ich lege in Zion einen
Grundstein, einen *boḥan*-Stein, einen köstlichen Eckstein ... Wer
glaubt, der flieht nicht. Und ich will das Recht zur Richtschnur und
die Gerechtigkeit zum Gewicht machen." In der Mitte dieser
Prophezeiung, die den Fall Samarias, aber auch den Fall Jerusalems
voraussagt (V. 17b—19), verkündigt Jesaja eine Botschaft, die den
Gläubigen wiederum Unerschrockenheit verleiht (sie betont den
Kontrast zu der scheinbaren Todesverachtung der Spötter in Jerusalem), nämlich, die Verheißung Gottes, daß durch die Zerstörung

---

[35] Jesaja, I, zu diesem Text. Procksch spricht vom „geistlichen Gegen-
könig".

[36] Der Glaube der Propheten, 1950, S. 201; Buber spricht von einer
theo-politischen Figur.

[37] Die Zahl der Namen kann nicht auf drei reduziert werden wie bei
Buber (*pælæʾ* wird mit *šᵉmô* verbunden); auch kann sie nicht auf fünf, die
gebräuchliche Zahl in Ägypten, ausgedehnt werden (Alt). Es ist auch nicht
richtig, daß die Namen nur als menschliche Epitheta anzusehen sind, entsprechend eines orientalischen Herrschers oder Königs von Israel (wie
Buber und Alt behaupten). Vergleiche den ersten Namen *pælæʾ jôᶜeṣ* mit
Jes 28, 29, wo von Jahwe gesagt wird: *hiflîʾ ᶜeṣā*. Der zweite und der
dritte Name sind auch sehr bedeutsam!

Jerusalems er zugleich an dem Wiederaufbau einer neuen Stadt arbeitet, in der Gerechtigkeit und Recht die Grundlagen sind. Hier sind Zerstörung und Wiederherstellung eng miteinander verbunden. Wenn diese Worte aus dem Zusammenhang gerissen werden (wie bei Procksch), dann verlieren sie viel von ihrer Kraft. Für Jesaja ist der drohende Untergang kein Grund zur „ängstlichen Hast", sondern ein Zeichen des Wirkens Gottes, ja sogar des Erlösungshandelns Gottes. Für die Spötter wird bald eine Veränderung kommen — dann, wenn sie Morgen für Morgen die Fluten steigen sehen werden, soll Schrecken die Einwohner überfallen: „Und es wird lauter Schrecken sein, eine Nachricht zu vernehmen" (28, 19 c). Dies ist Beweis dafür, daß Jesaja erwartete, daß ein neues Jerusalem aus den Ruinen des alten Jerusalem, ein neues Königreich, ein Königreich der Gerechtigkeit entstehen würde. Von Anfang an hat er niemals die Hoffnung aufgegeben, obwohl er wußte, daß sich Gott vom Hause Jakob abgewendet hatte (8, 17). Nun ist aus dieser Hoffnung fester Glaube geworden.[38]

Dieser Glaube und diese Hoffnung haben zwei Kulminationspunkte geschaffen, die an den Beginn und an das Ende der ersten Sammlung seiner Prophezeiungen (11, 1 ff. und 2, 2 ff.) gestellt sind.

Der Anfang von Kapitel 11[39] bezieht sich auf die völlige Zerstörung des Hauses Davids: eine Rute aus dem Stamm von Jesse und ein Zweig aus seinen Wurzeln wird neues Leben hervorbringen. Es ist Jesaja immer deutlicher geworden, daß auch das Haus Davids

---

[38] Eine Parallele zur Predigt von 28, 16 f. findet man in 1, 26 f. (auch in 4, 2?).

[39] Die Echtheit von 11, 1 ff. wird allgemein angezweifelt, offensichtlich aber mit unsicheren Begründungen; z. B. glaubt Hölscher, Die Propheten, 1914, S. 364, daß, obwohl wenig gegen den jesajanischen Ursprung zu sagen ist, die Affinität mit anderen vergleichbaren Errettungsprophezeiungen aus späterer Zeit es möglich erscheinen läßt, daß auch diese Prophezeiung spät ist. Meiner Meinung nach sprechen der geistliche Charakter des Erlöserkönigs in Kap. 11 und das Bild vom Königreich der Gnade, das uns stark an mythologische Paradiesmotive erinnert, mehr für einen großen Mann wie Jesaja als den wahrscheinlichen Autoren, als für einen unbekannten nachexilischen Poeten.

untergehen würde, außer einem Rest,[40] denn dieses Haus vermag
genausowenig eine Verbesserung herbeizuführen wie Israel. Nur
der Geist Jahwes kann retten, der Weisheit und Verständnis lehrt,
^{c}eṣā und g^{e}bûrā (Worte, die uns an 9, 5 erinnern), Erkenntnis und
Furcht Gottes![41] Daß diese Hoffnung in einem Bild des kommenden
Gnadenreiches endet, dessen Darstellungen aus alten Paradies-
motiven abgeleitet sind, braucht uns bei diesem Propheten-Poeten
nicht zu verwundern.

Wenn die Ehre, das Siegeslied von Jahwes Errettung der Nationen
(2, 2 ff.) geschrieben zu haben, einem Propheten zukommt, dann nur
Jesaja, trotz des bekannten literarkritischen Problems. Der Stil
spricht zu seinen Gunsten[42], ebenso seine Wertschätzung Jerusalems,
die er nie aufgegeben hat. Das Lied ist mehr als nur ein rein natio-
nales Lied, wie es uns aus der vorexilischen Zeit bekannt ist, und es
ist mehr als eine Prophezeiung darüber, daß die Nationen nach
Jerusalem kommen werden, um das Wort Gottes zu hören. Es ist
auch eine Verheißung des Heils der ganzen Welt. Das Lied ist
melodischer und positiver dem Inhalt nach, als irgendein anderes
vergleichbares Gedicht. Ich glaube daher, daß dieses reiche und
reife Glaubenslied sehr wahrscheinlich von dem Visionär[43] ge-

[40] Vgl. M. Buber, Der Glaube der Propheten, S. 213, der auch dieses
Gedicht einem späteren Lebensabschnitt Jesajas zuschreibt. Buber versucht
jedoch zu sehr, diese Prophezeiung in die Geschichte einzubetten, besonders V. 6 ff., indem er sie als „Sinnbild des Völkerfriedens" (S. 215) betrachtet.

[41] Die Verbindung zwischen Jesaja und Micha (5, 1 ff.) ist hier deutlicher vorhanden als anderswo. Und wir können annehmen, daß es Micha
war, der übernahm. Vgl., daß auch Micha in 5, 1 — obwohl mit anderen
Worten — nur die Errettung von einem neuen Jesse erwartet, aus der
kleinen Stadt Bethlehem. Auch ist Micha 5, 3 eng mit Jes 11, 2 ff. verbunden. Dies vereinfacht die Beurteilung der duplikaten Abschnitte aus
Jes 2 und Micha 4 in einem großen Maße.

[42] Hölscher, S. 360, glaubt, daß die theologische Vorstellung von der
priesterlichen tôrā auf dem Zion und vom Zion als dem höchsten der
Berge, der jesajanischen Urheberschaft im Wege steht. Aber tôrā muß sich
nicht nur auf den Priester beziehen, und die Vorstellung von Zion als dem
höchsten Berg kann genausogut alten wie jüngeren Datums sein.

[43] Vgl. auch M. Buber, Der Glaube der Propheten, S. 216.

schrieben wurde, der auch als der Schöpfer der Hoffnung auf ein Gnadenreich bezeichnet werden kann.

Jesajas Größe[44] besteht darin, daß er in der Krisenzeit sein Volk vom „Griff der Vergangenheit" befreite — dem Wunsch nach dem alten Königreich Davids — und daß er die Aufmerksamkeit des Volkes auf neue Ausblicke lenkte, in denen das Auge des Glaubens ein neues Königreich sah, sicherlich, ein Königreich, das auf der Geschichte Israels gegründet war (und besonders auf den geistlichen und universellen Tendenzen des ältesten israelitischen Historikers, des Jahwisten, die in Gen 12, 1—3[45] Ausdruck finden), aber auch ein Königreich, dessen Zenit nicht in der Vergangenheit, sondern in der Zukunft lag, weil dieses Königreich, durch Gott gewährt, zum Träger der höchsten geistlichen Werte werden würde. Durch diese Befreiung hat Jesaja den großen und umfassenden Gedanken der israelitischen Religion neues Leben gegeben — neu nicht nur im Sinne von „wieder", sondern auch im Sinne von „auf einem neuen Wege", indem er sie zu einer anderen Ebene erhob. Entsprechend der Gerichtsbotschaft, die er zu verkündigen hatte, erkannte er auch, daß das Leben des Volkes in allen Schichten von Recht und Gerechtigkeit, durch die Furcht und den Geist Gottes inspiriert sein müßte, wenn die Vision des alten Historikers sich erfüllen sollte.

Es ist zuweilen angenommen worden, daß Jesaja mit dem Restgedanken die Vorstellung von einer Gemeinde geschaffen habe, und daß er darin die Erlösung sah. Den Rest, der für Jesaja für eine gewisse Zeit vielleicht nur durch seine Jünger repräsentiert wurde, als eine Gemeinde zu sehen, ist aber wohl nie sein endgültiges Ziel gewesen.[46] Die Tatsache, daß Kapitel 11, als letzte Form der Predigt Jesajas vom Königreich, den König mit Bildern aus dem wahren religiösen Leben darstellt (z. B. der *jir'at Jhwh* in 11, 2 b und die Forderung, die an Jesaja selbst gestellt wird in 8, 12 f.), zeigt, daß

---

[44] Vgl. die grundlegende Aussage von B. A. van Groningens Werk, In the Grip of the Past, 1953.

[45] Siehe auch A. Alt, Gedanken über das Königtum Jahwes, in: Kleine Schriften zur Geschichte des Volkes Israel, I, S. 357.

[46] Daß Jesaja *nicht* die Gemeinde getrennt vom Volke meint, wird aus Kap. 28 und aus 1, 26 f. deutlich, wo er ein neues Jerusalem erwartet. Aus

für ihn das neue Königreich und der Glaube ein und dasselbe sind.[47]
M. Buber sprach von Theopolitik. Dies ist eine gute Bezeichnung,
die den Platz des überladenen Wortes „Theokratie" einnehmen
könnte. Ich möchte jedoch gegen Buber behaupten, daß in Jesajas
Theopolitik nicht der Mensch, sondern Gott der Politiker ist, denn
alles kommt von ihm und seinem Geist (11, 1—3 die $r\hat{u}^a\underline{h}$; 9, 5 die
besonderen göttlichen Epitheta; 2, 2 ff. die $tôrā$ und der $d^e\underline{b}ar\ Jhwh$
als die dominierenden Faktoren),[48] und weil das Königreich, das er
schaut, das Werk des Menschen transzendiert (11, 6—9), ein Königreich, das zudem ewig sein wird (9, 6 c: $me^catt\bar{a}\ w^e{}^cad\ {}^côlām$).
Jesaja ist der Mann, der einerseits weiß, daß Israel (Juda) als Volk
in seinen Tagen keinen Wert mehr hat und untergehen wird, der
aber andererseits fest an die Zukunft seines Volkes glaubt, weil er
weiß, daß Gott in Israel am Werk ist. Daher gibt ihm sein Glaube
die Gewißheit, daß Gott etwas Neues aus der kommenden Zerstörung und dem Chaos erschaffen wird: ein Königreich des Rechtes
und der Gerechtigkeit unter göttlicher Königsherrschaft, das Königreich Gottes unter den Menschen, das in Israel seine Anfänge hat,
aber ein Segen für die ganze Welt für immer sein wird.

Nach Jesaja wurde bis zum Exil wenig zu dieser Botschaft hinzugefügt. Sein Zeitgenosse Micha, der etwas später lebte, und der uns
in seiner Verkündigung sehr stark an Jesaja und Amos erinnert, ist
in gewisser Hinsicht geradliniger oder besser, direkter als Jesaja —
er kündigt *expressis verbis* die Zerstörung des Tempels an (3, 12).
Seine Heilshoffnungen erinnern uns sehr an Jesaja: 5, 1—4 könnten
ein Kompendium jesajanischer Lehre darstellen. Bei den anderen
Propheten nach Jesaja finden wir ebenfalls immer wieder Gedanken,

diesem Grunde kann Jesaja nicht als der Schöpfer der Gemeindeidee betrachtet werden.

[47] Aus diesem Grunde ist es wahrscheinlich, daß die theokratische Idee
der deuteronomistischen Autoren aus dem Kreis der Jünger Jesajas hervorgegangen ist. Sie ist zu Jesaja nicht gegensätzlich. Vgl. meine Arbeit:
Die Erwählung Israels nach dem Alten Testament, 1953, S. 55 ff.

[48] Gegen M. Buber, Der Glaube der Propheten, S. 217. Die Deutung
von Jes 2, 5 mit „Israel muß mit dem 'Gehen' beginnen, damit die Völker
folgen können" kann wirklich nicht mit Exegese bezeichnet werden!

die bereits von einem der drei ältesten Propheten verkündigt worden sind.

Universalistische Vorstellungen fehlen nicht vollständig (Zeph 3, 9). Aber wir erhalten den Eindruck, daß der Kampf, das geistliche Leben Israels zu retten, so hart geführt wurde, daß ihr Predigen stärker konzentriert war und daher sich auf das Gericht (und die Erlösung) Israels konzentrieren mußte. Wahrscheinlich drückt Jeremia keine Heilshoffnung im Blick auf die Völker aus.[49] Es ist wahr, daß sich das religiöse Leben mehr und mehr auf den inneren Menschen konzentrierte. Bei Micha 6, 8 (demütig vor Gott wandeln), in Zephania 3, 12 (der Rest ist ᶜānî und dal) und besonders in Jeremia 31, 31—34 (die Beschreibung der völligen inneren Erneuerung des religiösen Lebens des Volkes und des Individuums) wird dies immer deutlicher, als die Zerstörung des Lebens des Volkes sich immer mehr verwirklichte. Dies hat auch seine Spuren in Jeremias messianischer Hoffnung hinterlassen. Der ṣæmaḥ ṣaddîq, wie er genannt wird, trägt den Namen Jhwh ṣidqenû (23, 5 f.) und offenbart im Grunde genommen die gleichen Züge wie Jesajas letzte Erwartung in 11, 1 ff.

Jeremias Zeitgenosse Ezechiel betont ebenfalls die innere Erneuerung des Menschen (durch den Geist Gottes) in 36, 26—28. Aber auch in seinem Werk fehlt die Erwartung der universellen Bedeutung Israels vollständig. Die Völker sind für ihn nur Zeugen im Hintergrund der Tragödie, deren zentrale Person Israel ist. Diese Konzentration auf das Leben Israels selbst und diese Hinwendung zum tiefsten Geistesleben kann im Werk dieses Propheten nur erklärt werden, wenn man die Situation betrachtet, die aus der absoluten Vernichtung der äußerlichen Existenz resultiert; besonders aber, wenn wir seine Stellung mit der Predigt des Jesaja vergleichen, für den diese Zerstörung noch zukünftig war, und mit der Verkündigung von Deutero-Jesaja und Sacharja, die durch ihn zu dieser Auffassung gelangt sind. Trotzdem ist die Heilshoffnung bei Ezechiel eine vollständige. Sie findet besonders in den oftmals wiederholten Worten Ausdruck (die auch bei Jeremia gefunden wer-

---

[49] Es ist schwierig zu entscheiden, ob 3, 17 ursprünglich ist (vgl. 12, 14—17).

den): „Ihr sollt mein Volk sein und ich will euer Gott sein" (Ez 36, 28 usw.), und in der Verheißung: „Mein Heiligtum wird bei ihnen sein" (37, 27). Auch in dem Namen, den Ezechiel Jerusalem in dem letzten Vers von Kap. 48 gibt: *Jahwe šammā,* und schließlich auch in der Beschreibung vom Tempelplatz in Kap. 40—48 und von dem lebendigen Wasser des Tempelbaches, der die judäische Wüste verwandeln wird und das Tote Meer reich an Fischen werden läßt. Schon in Kap. 36 hat der Prophet die Hoffnung ausgedrückt, daß das verwüstete Land wie der Garten Eden werden wird. Gott selbst wird sein Volk regieren und einen Hirten über alle setzen (34, 23; 37, 24). All dieses ist eine Beschreibung einer totalen und fundamentalen Erneuerung Israels, einer Erneuerung also, die einen völligen Bruch mit allem was voraufgegangen war voraussetzt. Obgleich die Vergangenheit eine wichtigere Rolle bei Ezechiel spielt als z. B. bei Jesaja oder Jeremia, so bedeutet das nicht, daß Ezechiel im Griff der Vergangenheit lebte. Er kritisiert die Vergangenheit sehr scharf. Obgleich die Erneuerung innerlich sein wird, so ist sie dennoch real. Die äußerliche Errettung besteht in der Befreiung von der Welt und darin, daß man in das Land der Väter zurückgebracht wird.[50] Seine ganze Hoffnung findet in der Beschreibung der Auferstehung von den Toten Ausdruck und wird als Wunder erfahren, als ein neues Leben, das von Gott empfangen wird.

Wenn wir von Ezechiel zu Deutero-Jesaja weitergehen, ist es so — trotz der Hoffnung, die Ezechiel niemals aufgegeben hat —, als würden wir aus einer dunklen Höhle heraustreten, die nur mit einem schwachen Lichtschein uns den Weg gewiesen hat, und nun in der frischen Luft voller Licht und einem weiten Horizont stehen. Alles hat sich hier verändert — der Prophet, mit dem er am engsten verbunden ist, ist sicherlich der erste Jesaja, sein großer Namensvetter, oder besser gesagt, sein großer Lehrer. Hölscher nennt ihn den ersten großen eschatologischen Prediger.[51] Volz hat von ihm gesagt, daß er der Prophet ist, der gänzlich von der Eschatologie

---

[50] Meiner Meinung nach sollten Kap. 38 f. den jüngeren apokalyptischen Zusätzen zugeordnet werden; so auch Bertholet, Hesekiel (Handbuch zum A. T., 1936).

[51] Hölscher, Ursprünge der jüdischen Eschatologie, 1925, S. 15.

inspiriert ist,[52] und viele andere Gelehrte stimmen ihm zu.[53] Vor einiger Zeit wurde diese Ansicht von J. Lindblom[54] sehr stark angegriffen, der überzeugt ist, daß „der Prophet weiß, daß er nicht vom Ende der Geschichte zeugt, sondern von einem neuen Akt eines historischen Dramas".[55]

Bevor wir zu diesem Problem zurückkehren, wollen wir einige der Gedanken Deutero-Jesajas darlegen. Aus den verschiedenen Termini und Bildern, die der Prophet gebraucht, wird ersichtlich, daß die Erlösung, die er erwartete und wohl schon teilweise sich ereignen sah, weit über das hinausgeht, was man ein historisches Ereignis nennen könnte. Zuerst sei auf das Wort *bārāʾ* hingewiesen, das er viel öfter als irgendein anderer Schreiber anwendet,[56] und welches beweist, daß für ihn die Erlösung Israels nicht weniger als eine neue Schöpfung war[57]. Daher sieht er neue Dinge (*ḥᵃdāšôt*) entstehen, die vorher nicht gewesen sind.[58] Was Gott in Israel tut, kann mit der Schöpfung in alter Zeit verglichen werden (51, 9 ff.), oder aber mit der Befreiung aus Ägypten, ja, es wird die Befreiung aus Ägypten sogar überflügeln (Israel verließ Ägypten in großer Hast, Dtn 16, 2, aber aus Babylon werden sie ohne Hast ausziehen, auch nicht in großer Flucht, Jes 52, 12). Die ganze Welt wird Zeuge sein und hofft und wartet auf dieses Ereignis (50, 4 f.). Jahwe wird

---

[52] Jesaja II, und: Der Eschatologische Glaube im A. T., Festschrift Beer, 1935, S. 81.

[53] J. Lindblom (The Servant Songs in Deutero-Isaiah, 1951, S. 94, 10, 2) erwähnt noch: Begrich, Causse, Sellin, Hempel.

[54] A. a. O., S. 95 f.; 101, Anm. 12, wo R. H. Pfeiffer, H. H. Rowley und A. Guillaume zitiert oder erwähnt werden.

[55] A. a. O., S. 102.

[56] Siehe P. Humbert, Emploi et portée du verbe *bara* (créer) dans l'Ancien Testament, in: Th. Zeitschrift 3, 1947, S. 401 ff.

F. M. Th. Böhl, *bārā* als Teminus der Weltschöpfung im altt. Sprachgebrauch, in: Festschrift Kittel, 1913, S. 42 ff. Deutero-Jesaja gebraucht das Wort 16mal; P 12mal, und es erscheint im ganzen AT 44mal (Humbert).

[57] Humbert, a. a. O., S. 420; nach Humbert hat dieser Terminus nicht nur eine soteriologische, sondern auch eine eschatologische Bedeutung, S. 421.

[58] Jes 48, 6 f.; 41, 20; 43, 7. 19; 45, 8; 46, 9 f.; 44, 24 ff.

nun in Gegenwart aller Menschen verherrlicht werden, ihm werden sich alle Knie beugen (45, 23). Die Götter dieser Welt sind ein Nichts und werden verspottet. Jahwe regiert in Jerusalem (52, 7 f.). Zu Israel sagt man: siehe dein Gott (40, 9). Gott wird einen ewigen Bund mit Israel schließen *(berît cōlām: ḥasdê Dawiḏ hannæ'æmanîm),* so daß alle Nationen herzukommen (55, 3—5). Israel wird aufgerufen ein 'ōr gōjîm, eine *berit cām* zu sein, um der Welt die *tōrâ* und den *mišpāṭ* zu lehren (42; 49).

Man kann gewiß nicht verneinen, daß Deutero-Jesaja ein Poet ist und viele Bilder gebraucht, weil er die Dinge, die er zu sagen hat, in seinem eigenen gehobenen Stil ausdrücken möchte. Aber das Pathos, das all dies beherrscht ist auch das des Sehers, der die Geburt einer neuen Welt schaut. Die rein historischen Ereignisse werden ebenfalls in diesem Licht gesehen: der Aufstieg der neuen Weltmacht geschieht nur, um den Weg für Gottes Wirken an Israel vorzubereiten, um Israel Freiheit zu geben, damit es seine Aufgabe in dieser Welt erfüllen kann. Für ihn und seinen jüngeren Zeitgenossen Sacharja (siehe unten) ist der bevorstehende Fall Babylons ein feststehendes Faktum. In dem was der Prophet sich vollziehen sieht, ist eine neue Welt eingeschlossen. J. Lindblom sagt mit Recht, daß das, was der Prophet erwartet, „zur gegenwärtigen Geschichte gehört". Aber es scheint mir, als würde er der Botschaft des Propheten nicht gerecht werden, wenn er sagt, daß dies „nicht das Ende der Geschichte, sondern ein neuer Akt eines historischen Dramas" ist. Ich würde folgende Lesart vorschlagen: *der* erneuernde Akt *des* historischen Dramas. Mit anderen Worten: was hier geschieht, vollzieht sich in dem historischen Rahmen der Welt, aber dieses Geschehen ist etwas, das mit Bestimmtheit diese Welt verändern wird und ist somit die 'aḥărît hajjāmîm, obgleich Deutero-Jesaja diesen Terminus nicht benutzt.[59]

Diese großen Hoffnungen sind von Deutero-Jesaja an seine Zeitgenossen und an die späteren Propheten Haggai, Sacharja und die Propheten und Poeten weitergegeben worden, deren Worte im

---

[59] Aber Jahwe kennt die 'aḥărît (41, 22; 46, 10). An sich muß jedoch 'aḥărît selbst kein eschatologischer Terminus sein, was Köhler, Lexicon (s. v.) jedoch zu stark betont.

Trito-Jesaja gesammelt wurden. Auf verschiedene Weise haben sie von der Erlösung berichtet, über die ihr Herr zu ihnen gesprochen hatte. Aus ihren Prophezeiungen geht eindeutig hervor, daß die von ihnen erwartete Erlösung eine entscheidend neue Situation in dieser Welt darstellt. Himmel und Erde und alle Nationen werden bewegt werden, und alles Wertvolle wird in den Tempel gebracht (Hag 2, 6—9). Gott wird die Stärke der heidnischen Königreiche niederwerfen, und Serubabel wird zum Siegelring seiner Herrlichkeit werden (Hag 2, 20—23). Jerusalem wird die Stadt Gottes sein (die Metropolis der Welt: Sach 2, 5—9. 10—17; 8, 20—23), wenn Jahwe die Nationen überwunden hat (Sach 2, 1—4). In den Vorstellungen Trito-Jesajas über die Erlösung wird Jerusalem ziemlich einseitig zum Interessenmittelpunkt gemacht, während andererseits diese Vorstellungen aber auch universellen und supra-historischen Charakter tragen (Jes 65, 17—25; 66, 5—24). Nach der ersten Prophezeiung bestehen bereits jene Merkmale, die in den späteren apokalyptischen Schriften weiter ausgeführt werden (ein neuer Himmel und eine neue Erde, eine lange Lebensspanne, ähnlich wie die Menschen vor der Flut, der jesajanische Friede des Paradieses). Wir haben es hier mit einer späteren Zeit zu tun (vgl. z. B. Sach 8, 4 f. mit Jes 65, 20), in der die Menschen geistlich in den Zeichen der zukünftigen Erlösung schwelgen. Neben dem kosmischen Element (Jes 24, 21—23; Joel 3, 3 ff.) wird die Erlösung des einzelnen mehr und mehr bei Joel und in Jes 24—27 betont; damit wird aber auch die Grenze zu den späteren Apokalyptikern erreicht. Die transzendierenden Elemente der späteren Apokalyptiker bilden die nächste Stufe. Wenn wir den Übergang von der prophetischen zur apokalyptischen Predigt betrachten, so sind wir doch sehr darüber erstaunt, wie allmählich sich dieser Übergang vollzogen hat. Natürlich gibt es Unterschiede, und zwar sehr bedeutsame Unterschiede zwischen den älteren, prophetischen und den jüngeren, apokalyptischen Vorstellungen, aber es besteht kein klarer Bruch zwischen diesen beiden. Wir können nicht einfach sagen: hier hört die Prophetie auf und dort beginnt die Eschatologie.[60] Auch wenn gewisse Elemente

---

[60] Siehe R. H. Charles, Religious Development between the Old and New Testament, Neudruck 1948, S. 15 ff. M. A. Beek, Inleiding in de

(besonders die von transzendentalem Charakter) vielleicht als spezifisch apokalyptisch bezeichnet werden können, so sind sie dennoch sehr eng mit anderen prophetischen Elementen verbunden, so daß eine völlige Trennung der beiden unmöglich ist.

Auf der einen Seite lebten die Menschen in der Zeit nach Deutero-Jesaja in der Gewißheit, daß sich ihre Erlösungshoffnung sehr bald erfüllen würde. Neben der Erwartung von Haggai und Sacharja möchte ich auch auf die wohlbekannten Worte des Chronikschreibers hinweisen, die beweisen, daß man sich Jerusalem als Königreich Gottes auf Erden dachte.[61] Andererseits lebten die Menschen aber auch in der Hoffnung, daß sich ihr Heil bald verwirklichen würde. Ich beziehe mich hier auf Zeitberechnungen, die schon in der Priesterschrift zu finden sind, und die wahrscheinlich ein eschatologisches Element in ihrem chronologischen Schema enthalten.[62] Diese Zeitberechnung wird im Buch Daniel noch weiter ausgeführt.[63]

Neben diesen entwickelten sich auch andere Vorstellungen, welche die Erlösungshoffnung zunehmend in einem universellen und transzendenten Sinne verstehen: auf der einen Seite begegnet man der Enttäuschung darüber, daß die Verwirklichung der Erlösung sich so lange hinauszögert, andererseits ist ein transzendentalisierendes Element zu erkennen, das aus einer früheren Periode stammt. Aber wahrscheinlich macht sich hier auch schon der Dualismus des Parsismus in gewissem Ausmaß bemerkbar.

Joodse apocalyptiek van het Oud- en Nieuw-Testamentisch tijdvak, Theologia VI, 1950, S. 3 f.

[61] Vgl. 1 Chron 17, 14 usw.

[62] Siehe unter anderen Arbeiten: L. Köhler, Theologie des A. T., 3. A. 1953, S. 72; 238, Anm. 70.

[63] Dan 9, 24—27; vgl. auch die 390 Jahre der Damaskusschrift und möglicherweise Ez 4, 5. Eine der Berechnungen ist vielleicht folgende gewesen: 2666 (Schöpfung bis Exodus), 480 (Salomos Tempel), 430 (Könige Judas nach dem Tempelbau), 390 (Zeit des Gerichtes für Israel), 40 (Gerichtszeit für Juda), sind gleich 4006 Jahre.

II b. Schlußfolgerungen aus dem Material

In der Rückschau auf den israelitischen Prophetismus glaube ich
nach diesem Überblick zwei Höhepunkte zu entdecken: Jesaja (umgeben von Amos, Hosea und Micha) und Deutero-Jesaja; der eine
am Eingang des dunklen Tunnels, durch den Israel hindurchgehen
mußte, der andere am Ende dieses Tunnels. Sie sind die Pole, um
die sich die prophetische Botschaft dreht. Der erstere lebt in der
Spannung der Erwartung und der spätere in der Spannung der Erfüllung, wenn ich diese Worte hier so benutzen darf, die sich sicherlich nicht ausschließen.

Die Aufgabe der Propheten ist es gewesen, den Fall des Gottesvolkes anzukündigen, Israels, wie es erfahrungsgemäß lebte, damit
auf diesem Wege das Volk Israel, das von Gott erwählt war, seine
Berufung erfüllen konnte.[64] Das Geheimnis der prophetischen
Aktivität liegt in dem doppelten Aspekt, den Israel darstellt: das
empirische Israel als das Volk Gottes. Und darin liegt der Irrtum
vieler Studien über die Botschaft der Propheten, daß dieser Punkt
nicht genügend berücksichtigt wird. Dies wurde mir klar, als ich eine
der älteren Dissertationen zu diesem Thema anschaute.[65] Darin
wurde die klassische These Wellhausens verteidigt, daß alle Heilshoffnungen (eschatologische Vorstellungen genannt) nachexilisch
sind. Dies wird dann schließlich durch ein Zitat von Küchler[66] gestützt: „Wenn solche gegensätzlichen Meinungen (über Untergang
und Erneuerung) bei demselben Mann in derselben Zeit seines
Lebens für möglich gehalten werden dürfen, fällt ... die Charakter-
identität einer religiös-sittlichen Persönlichkeit." Nach van Reve-
steijn wären zwei Personen in einem Wesen: ein Prophet des Unheils
und ein idealistischer Prophet. Aber diese ältere Schule Wellhausens
hat nicht erkannt, daß aufgrund des Charakters des israelitischen

---

[64] J. Lindblom, „Die historische Eschatologie hat ihren Ursprung in dem
Erwählungsglauben Israels und ist daher einzigartig in der israelitischen
Religion" (Paper for the Society for O. T. study, Roma 1952); siehe auch
M. A. Beek, a. a. O., S. 5.

[65] Th. L. W. van Ravesteyn, De eenheid der eschatologische voorstel-
lingen van Jesaja (Thesis), 1910, S. 251.

[66] Die Stellung Jesajas zur Politik, S. 55 (zitiert bei van Ravesteyn).

Glaubens einerseits die Möglichkeit vorhanden war, die Zerstörung Israels als eines empirischen Volks zu verkündigen und dennoch die Gewißheit zu haben, daß der Gott Israels sein Volk trotz der Zerstörung zu neuem Leben befähigen kann. Eerdmans war einer der Kritiker, der überzeugt davon war, daß die Propheten nicht nur nach moralischen Überzeugungen lebten, sondern an die Kraft Gottes glaubten, der sein auserwähltes Volk nicht ohne Zukunft lassen würde.[67] Eerdmans' Meinung scheint doch richtiger als die der „Eschatologen", wie Greßmann, zu sein, der wohl die Erlösungshoffnung der Propheten akzeptierte, aber sie als Rest einer zwar prophetischen aber dennoch vorisraelitischen allgemeinen altorientalischen Eschatologie betrachten mußte.[68] Meiner Meinung nach hat Mowinckel recht, wenn er sagt, daß es keine eigentliche Eschatologie unter den altorientalischen Völkern gibt.[69]

Es ist hier nicht möglich, die Wurzeln der Heilserwartung in Israel vollständig darzulegen; sie sind mit der ganzen Geschichte des Volkes und mit dem geistigen Leben in all seinen Aspekten verwoben, daher auch mit dem kultischen Leben und mit der Stellung des Königs in seinem Volk. Jedoch verdient keiner dieser genannten Aspekte besondere Betonung.[70] Wir müssen aber als eine wichtige Tatsache ansehen, daß Israels besonderes religiöses Berufungsbewußtsein, das tief in seiner Geschichte (Heilsgeschichte) und in der Struktur der Religion Israels verwurzelt ist, immer im Hintergrund der prophetischen Botschaft gegenwärtig waren. Denn ohne diesen Hintergrund kann weder die kritische Haltung der Propheten noch ihre Predigt über die Zukunft richtig verstanden werden. Der berühmte Vers in Amos 3, 2 weist auf den wahren Anfangspunkt hin:

[67] Godsdient van Israel, I, 1930, S. 186. Auch L. Dürr, Ursprung und Ausbau der isr. jüd. Heilandserwartung, 1925.

[68] H. Greßmann, Der Ursprung der isr. jüd. Eschatologie, 1905; Der Messias, 1929.

[69] Das Thronbesteigungsfest Jahwäs und der Ursprung der Eschatologie, 1922, S. 221 ff.

[70] Meiner Meinung nach weder der Kult (Mowinckel), noch der Glaube an Gott und der Name Gottes an sich (Bleeker), Over inhoud en voorsprong van Israels heilsverwachting, 1921; und van Groningen, In the Grip of the Past, S. 120.

die Israeliten als besonderes Volk Gottes werden von Gott mit großer Schärfe wegen ihrer Sünden bestraft. Wir dürfen niemals vergessen, daß *alles*, was Israel im Laufe der Geschichte widerfuhr, nur in einem religiösen Lichte gesehen wurde. Für die Propheten existierte in der Tat nicht so etwas wie Profangeschichte, denn, mit einer oder zwei Ausnahmen, wurde praktisch die gesamte Geschichte, die Jahwe leitete, nur in Verbindung mit Israel gesehen. Jahwe ruft zuerst Assur, dann Nebukadnezar und Kyros, weil er Israel bestrafen oder befreien möchte. Er schickt die Nationen wieder fort, wenn sie ihre Aufgabe verrichtet oder Israel geschlagen haben. Für die Propheten ist Israel das Volk Gottes und kann somit nicht ausgelöscht werden, auch wenn es empirisch vernichtet wurde. Für die Propheten ist die Möglichkeit einer Trennung zwischen Gott und dem historischen Volk ein unbestreitbares Faktum. Sie haben die israelitische Religion von jeglichem naturalistischem Überbleibsel gereinigt, haben dann aber doch — eben weil das Verhältnis zwischen Gott und dem historischen Volk als vom Willen Gottes ausgehend betrachtet wurde — niemals ihren Glauben an das Volk Gottes aufgegeben. Denn der Glaube hat seine eigene Logik. In Israel war er absolut religiös-realistisch, oder — wie man sagen kann — existentialistisch und nicht intellektuell-abstrahierend. Nur wenn wir die zweifache Bedeutung des Namens Israel uns vor Augen halten, vermögen wir es, den Propheten zu folgen, besonders aber Deutero-Jesaja.[71]

So sehen wir sie nun in der Geschichte Seite an Seite erscheinen: Amos, der der erste war, der die furchtbare Entdeckung vom Niedergang des Volkes machte und der nur hier und da sich in seiner Predigt darüber erheben kann. Hosea, der aufgrund seiner Erfahrung (durch göttliche Forderung veranlaßt) sich zu der Gewißheit durchringen konnte, daß Jahwe mittels seines Gerichtes den Weg zu einem neuen Verhältnis frei macht, weil er der Gott ist, der Israel liebt, während dagegen Jesaja mit dem Namen *š^{e}ʾār jāšûḇ* von

---

[71] Selbst jenes Volk, das vom Strafgericht betroffen wird, bezeichnen die Propheten mit „mein Volk". Einige Male benutzt Jesaja den Ausdruck „dies Volk" (6, 10; 8, 12; 9, 15; 28, 11.14; 29, 13.14), aber auch: mein Volk!

vornherein das seltsame Werk Gottes, das eine schreckliche Drohung, aber für den Glaubenden auch eine Verheißung enthält, hervorhebt und bezeugt.

Der Gegensatz zwischen Gott und Mensch wird in seinen beiden Aspekten bei Jesaja besonders deutlich (Jes 6: der Abstand zwischen dem Heiligen und dem Sünder; Jes 31, 3: der Gegensatz zwischen Geist und Fleisch), so daß die Distanz zwischen Gott und Mensch besonders hervorgehoben wird gegenüber der alten Einheit von Gott, Mensch und Welt (die Pedersen im alten Israel beobachtet hat). Für Jesaja ist die Erneuerung nicht nur schlicht „historisch" in unserem Sinne des Wortes (dieser Terminus kann genauso irreführend sein wie das Wort „eschatologisch"): sie ist historisch und zur gleichen Zeit auch überhistorisch (supra-historisch), sie geschieht im Rahmen der Geschichte, wird aber durch Kräfte herbeigeführt, welche die Geschichte transzendieren. Somit ist das was kommt eine neue Ordnung der Dinge, in der sich die Herrlichkeit und der Geist Gottes (Jes 11) offenbaren werden. Schon in Hoseas Bild von der blühenden Wüste, dem Frieden unter den Tieren, der Antwort des Himmels auf die Erde finden sich Elemente, die später von Jesaja vertieft und spiritualisiert werden. Die göttlichen Namen des Erlöser-Königs sind Zusicherungen für das neue Königreich, der Geist Gottes ist die Quelle des neuen Lebens, die zu fließen beginnt. Erlösung wird der Welt der Völker zuteil, die Erde bekommt eine neue Ausrichtung. Was Gott durch den Fall Israels herbeiführt, ist: ein neues Israel in einer neuen Welt (Jes 11, 9).

Und die Botschaft Deutero-Jesajas ist die Antwort auf diese Vision des Glaubens. Hier hören wir den Ruf: die Zeit der Erlösung ist gekommen (Jahwe regiert in Zion), und die Wunder beginnen, die Völker stehen auf und halten Ausschau — Gott führt eine Neuschöpfung herbei.

Diese Erwartung, daß die Erlösung bald anbricht, beherrscht die Prophezeiungen der ersten Jahrhunderte nach dem Exil. Die Botschaft vom Heil erhält zentrale Bedeutung, die Predigt vom Gericht wird sekundär. Jerusalem wird als Zentrum der neuen, kommenden Welt angesehen und als Thron des Königreiches Gottes. Besonders nach Haggai und Sacharja 1—8 scheinen sich diese Dinge bald zu erfüllen. Danach folgt jedoch die Enttäuschung über den Verzug,

und das Königreich wird mehr und mehr eine Sache der Zukunft.
Es wird kosmisch und transzendent, so daß sich eine neue Form der
Eschatologie herausbildet: die Apokalyptik.

III. Abschließende Bemerkungen

Dürfen wir nun das Wort „Eschatologie" in bezug auf die prophetische Heilshoffnung gebrauchen? Meiner Meinung nach findet
sich in unserem Vokabular kein anderes Wort, das phänomenolo-
gisch und theologisch diese Erwartung charakterisiert, obgleich man
einige Einwände gegen dieses Wort aufgrund seiner Zweideutigkeit
erheben könnte. Eschatologie kann in einem engeren und weiteren
Sinn benutzt werden. In engerem Sinn gedeutet, bezieht es sich nur
auf die apokalyptische Form des ᶜôlām hazzǣ gegenüber dem ᶜôlām
habbāᵓ, oder dem Leben im Himmel gegenüber dem Leben auf der
Erde.

Aber Eschatologie kann auch in einem weiteren Sinne den Glauben an ein *neues Königreich* bezeichnen, eine neue Welt, auch
wenn hier der Untergang des Kosmos nicht in Frage gestellt wird
und man erkennt, daß dies alles im Rahmen dieser einen Welt Gottes geschieht. Denn für *Zukunft* und *Ende*, für *später* und *letztes*
kennt das Hebräische nur ein Wort: ᵓaḥᵃrît, genauso wie es für die
prähistorische Zeit und für die *Vergangenheit (qædæm)* und für
immer und *Ewigkeit (ᶜôlām)*[72] nur ein Wort kennt.

Die Zeit wird nicht in Perioden mit verschiedenen Namen auf-
geteilt. Die hebräische Denkweise kennt nicht unsere Vorstellung
von Zeit und kann daher auch Zeit nicht zerteilen, denn diese Denkweise ist nicht analytisch sondern totalisierend.[73] Unsere Vorstellun-

---

[72] Vgl. die verschiedenen Möglichkeiten, durch die der Superlativ im
Hebräischen Ausdruck findet; siehe D. Winton Thomas, A Consideration
of some Unusual Ways of Expressing the Superlative in Hebrew, V.T. III,
1953, 209 ff.

[73] Siehe Joh. Pedersen, Israel, I—II und Th. Boman, Das hebräische
Denken im Vergleich mit dem Griechischen, 1952, S. 109 ff.; aber
ᵓaḥᵃrît bedeutet nicht „hinterste Seite"; siehe E. Jenni, Das Wort Olam
im A. T., in ZAW 64, 1953, 197 ff.

gen können niemals mühelos auf das hebräische Denken übertragen werden, weil sie nämlich schärfere Unterscheidungen machen. Aus diesem Grunde können wir auch nicht sagen, daß das Wort Eschatologie als Lehre von den *eschata* (superlativisch) nicht benutzt werden darf, um die Lehre von der Erneuerung zu bezeichnen, die in den Rahmen der Geschichte hineingehört, denn die hebräische Denkweise macht keinen so scharfen Unterschied zwischen dem Historischen und dem Überhistorischen, wie wir es tun. Auch die israelitische Vorstellung von der Geschichte unterscheidet sich von der unsrigen.[74] Weil diese Sprache so wenige Abstrakta gebraucht und ebenso wenige Unterscheidungen[75] macht, scheint es oftmals, als

[74] *Tôledôt* bedeutet Geschichte im Sinne von: Existenzwerdung (coming into existence) und die Manifestation dessen, was geworden ist. Es wird damit nichts über den Weg gesagt, auf dem dies geschah (immanent oder transzendent). *Hājā* bedeutet *werden* und *sein*. Die statische Vorstellung ist im alten Israel unbekannt, ebenso die allumfassende Darstellung der Welt als Ganzes. Entsprechend anders sind auch die gesamten Ausdrucksweisen; sie konkretisieren statt zu abstrahieren: der „Erste" ist „der am Kopf", der „Letzte" ist „der am Rücken". In Gen 1 wird die Welt nicht aus dem Nichts geschaffen, denn es gibt kein Wort dafür. Diese Vorstellung kommt erst in der späteren jüdischen Welt unter hellenistischem Einfluß auf. Davor wurde Nichtigkeit durch *tohû wabohû* bezeichnet, das Chaos. Die israelitische Denkweise, die praktisch, total und existentiell ist, nicht analysiert und streng abstrahiert, erlaubt in der älteren Periode nicht die Formierung von solchen Vorstellungen wie: *das Letzte, das Ende* als solches, usw. Dies darf bei einer Diskussion über Eschatologie nicht vergessen werden. Denn sonst würde man Dinge, die zusammengehören, trennen. Die spätere Eschatologie ist ebenso eng mit der früheren prophetischen Eschatologie verbunden, wie die spätere Lehre von der Schöpfung *ex nihilo* mit der von Gen 1, wonach die Welt durch das Wort aus dem *tohû wabohû* erschaffen wurde.

[75] Darum wird den Wörtern oftmals eine fließende Bedeutung gegeben, so daß es nicht immer möglich ist, mit Gewißheit ihre Bedeutung wiederzugeben. Eine Konstruktion mit *min* kann komparativisch oder trennend verstanden werden: Ich liebe ihn mehr als, oder: Ich liebe ihn und nicht den anderen ... Vermutlich spielt hier die Stimmlage oder die Akzentuierung des Wortes eine Rolle, was natürlich nicht beim Schreiben wiedergegeben werden kann.

würden die Dinge nicht in befriedigender Weise auseinandergehalten werden. Dies ist jedoch nicht wahr. Auch wenn für Jesaja die Ereignisse sich im Rahmen dieser Welt abspielen, so gibt es dennoch für ihn einen absoluten Bruch zwischen den jetzt existierenden Dingen, die zerstört werden sollen und dem, was kommen wird, um die Welt zu erneuern.[76]

Wenn wir nun die Merkmale einer Eschatologie in einem objektiven Überblick zusammenstellen würden, so scheint mir, daß wir vier Hauptperioden unterscheiden müssen. Dies bedeutet jedoch nicht, daß zwischen diesen Perioden jeweils ein deutlicher historischer Bruch exakt gezeigt werden kann, denn die Vorstellungen einer Epoche gehen immer wieder in die andere über: dann werden sie entweder assimiliert oder bleiben Seite an Seite mit den jüngeren Aussagen bestehen. In einem gewissen Sinne müssen wir die Bemerkung Steuernagels vom Beginn seines Artikels über jüdische Eschatologie übernehmen, die besagt, daß es darin keine Methode gibt, sondern nur eine Serie von „Einzellinien"[77] entstanden sind, die voneinander abweichen und doch miteinander verbunden sind und aus verschiedenen Perioden stammen. In diesem „fließenden" Sinn können wir folgende Klassifizierung der eschatologischen Vorstellungen in Perioden vornehmen:

1) prä-eschatologisch (vor den klassischen Propheten),

2) proto-eschatologisch (Jesaja und seine Zeitgenossen),

3) aktualisierend-eschatologisch (die Eschatologie, die von Deutero-Jesaja und seinen Zeitgenossen realisiert wird),

4 a) transzendentalisierende[78] Eschatologie (jene Form der Eschato-

---

[76] Einige haben bemerkt, daß die Propheten nicht die Vernichtung der Welt erwartet haben, weil sie nur von der Zerstörung ihres eigenen Landes redeten. Ich glaube nicht, daß dies richtig ist (siehe S. 117 f.: die ganze Geschichte hat für die Propheten Israel zum Zentrum). Außerdem bedeuten doch wohl die Prophezeiungen über den Untergang der verschiedenen *gôjîm*, daß die ganze Welt gerichtet wird.

[77] C. Steuernagel, Die Strukturlinien der Entwicklung der jüdischen Eschatologie, in: Bertholet-Festschrift, 1950, S. 479 ff. Siehe auch R. H. Charles, Religious Development between the O. T. and N. T., 16 ff.

[78] Inwieweit diese transzendentalisierende Eschatologie direkt der hebräischen Gedankenwelt als Reaktion auf die Verzögerung der Reali-

logie, bei der die Erlösung nicht in dieser Welt kommt, sondern entweder spirituell im Himmel oder nach einer kosmischen
Katastrophe in einer neuen Welt),

4 b) neben dieser transzendentalisierenden Eschatologie (und durch
sie) bestehen die verschiedenen historischen eschatologischen
Formen auch weiterhin in der letzten Stufe,[79] und zwar im
Sinne von 1) prä-eschatologisch, 2) proto-eschatologisch oder
3) aktualisierend-eschatologisch (obgleich die letzten beiden
weniger oft vorkommen). Besonders lebt die prä-eschatologische
Vorstellung mit ihren ausgeprägten ethnischen Neigungen in
gewissen politisch-messianischen Erwartungen und Bewegungen weiter. In dieser Periode ist 2) besonders stark transzendentalisiert; vgl. z. B. zur transzendentalen Form von 2):
Daniel 7, usw.[80] In der Religiosität der mystisch orientierten
Sekten wie den Essenern[81] scheint 3) eine gewisse Rolle zu
spielen, obwohl auch ein dualistisches Element hier Einfluß
hatte. Eine reine Weiterführung von 3) findet sich besonders in
der Frühzeit der christlichen Kirche.

Wir wollen nun versuchen, eine weitere Definition der Merkmale
der ersten drei Perioden und ihres Verhältnisses zueinander zu geben.

Die erste Periode, die ich prä-eschatologisch genannt habe, ist die
Zeit vor dem Auftreten der klassischen Propheten. In jenen Tagen
erwartete man einen *jôm Jhwh*[82], der, so erscheint es bei Amos, als
ein Tag der Erlösung erwartet wurde, an dem Jahwe Israel zu seiner
vollen Herrlichkeit bringen wird. Er wird es zu dem Leben zurückführen, das es einst unter David hatte. Die Zukunft wird größten-

---

sierung der eschatologischen Hoffnungen entspringt, oder unter parsisti-
schem und später vielleicht sogar hellenistischem Einfluß gestanden hat,
kann hier nicht weiter diskutiert werden.

[79] Siehe Steuernagel, a. a. O., S. 480 ff.

[80] Steuernagel, a. a. O., S. 481 f.

[81] Sie verstehen sich selbst als heilige Gemeinde Gottes.

[82] Der *jôm Jhwh* wird einerseits von Mowinckel als identisch mit dem
Neujahrstag und dem Fest der Thronbesteigung verstanden, andererseits
als Siegestag Jahwes (Jahwe als Krieger) gedeutet, siehe H. Wheeler
Robinson, Inspiration and Revelation, 1946, S. 138 ff.

teils im Lichte der Vergangenheit gesehen, der idealisierten Ära Davids. Das Volk lebte ebenso stark im Griff der Vergangenheit wie in dem der Zukunft, denn dies letzte Element fehlte nicht völlig in Israel während der Tage vor den klassischen Propheten (der Jahwist in Gen 12, 3). In dieser prä-eschatologischen Periode sind Israels Hoffnungen, soweit wir das feststellen können, hauptsächlich politisch-national (Gen 49; Num 24; Deut 33; Jahwe-König-Psalmen [?] [83]) obgleich auch moralische Motive nicht gefehlt haben. Diese Form kann aber nicht wirklich eschatologisch genannt werden [84], da die Erwartung sich nicht auf die Erneuerung der Welt bezieht, sondern Israels Größe zum Gegenstand hat.[85] Ihre Tendenz ist mehr expansiv-nationalistisch als spirituell im Sinne der Erwartung einer neuen Welt, die von Jahwe geschaffen wird. Außerdem

[83] Die Psalmen als historische Daten zu verwenden ist sehr problematisch. Dies gilt besonders für die sogenannten Thronbesteigungspsalmen. Wegen ihres Inhalts (Abraham, Moses, Aaron werden erwähnt; andere Dinge erinnern uns an die Predigten der Propheten), ihrer Stellung innerhalb bestimmter Psalmengruppen und auch wegen ihres Stils vermitteln sie den Eindruck, daß sie allgemein in eine späte Zeit gehören, d. h. in den Kult des zweiten anstatt in den des ersten Tempels, so daß man geneigt ist (mit Gunkel-Begrich), diese Psalmen unter die „eschatologischen" Psalmen einzureihen, anstatt unter die sehr alten Kultlieder — obgleich der Typus sehr alt sein und zum Kult des alten Neujahrsfestes als dem Fest des Jahwe-Malak gehört haben mag. Wir können uns hier nicht mit Mowinckels These in seinen Psalmenstudien, II, in Einzelheiten beschäftigen. Er betrachtet dort Eschatologie als eine psychologische Reaktion (es wird nicht deutlich, in welcher Zeit dies auftritt) der Müdigkeit in bezug auf den Kult des Festes Jahwes als König: Eschatologie ist eine Flucht in die Zukunft, sobald der Kult (der hier als eine dramatische und wirksame Wiedergabe religiöser Ideen verstanden wird) den Menschen nichts mehr sagt.

[84] So mit Mowinckel, aber nach ihm aus einem anderen Grund, weil im Kultus die Gläubigen schon die Realisation des *jôm Jhwh* erlebten.

[85] Andererseits darf eine solche Vorstellung wie die des Jahwisten über die moralisch-spirituelle Berufung Abrahams und seine Bedeutung für die Weltgeschichte nicht angesehen werden, als sei damit eine nationale Hoffnung verbunden; er ist vielmehr der Vorläufer der großen Propheten (siehe meine Arbeit: Die Erwählung Israels nach dem A. T., S. 86 ff.).

scheint sie sich mehr an der Vergangenheit als an der Zukunft zu orientieren. Dennoch glaube ich, daß man diese Periode mit prä-eschatologisch bezeichnen kann, um anzudeuten, daß in dieser Periode Elemente vorhanden sind, die in der folgenden wieder zu finden sind, und auch Themen, auf denen die nächste Periode aufbaut. Besonders denke ich da an die Gewißheit Israels, daß es Gottes Volk ist, eine Gewißheit, deren Grundlage nicht nur im Kult, sondern besonders in der Geschichte zu suchen ist.[86]

Die zweite Periode ist die Jesajas (von Amos bis Jeremia). Es ist die Zeit, in der die Vision von einem neuen Volk und einem neuen Königreich eine bedeutende Rolle anzunehmen beginnt, einem Königreich, das die ganze Welt umfaßt und das auf geistlichen Kräften ruht, die von Gott ausgehen:[87] Ich möchte diese Zeit mit *erwachende Eschatologie* bezeichnen. Dieses Königreich ist gewiß ein Eschaton, *ʾaḥᵃrît*, obwohl es in der Geschichte erscheint.

Zum dritten Zeitabschnitt gehört Deutero-Jesaja. Der Einfluß dieser Periode war noch viele Jahrhunderte später in verschiedenen Bewegungen fühlbar (siehe oben, S. 122 f.). Diese Zeit möchte ich als *aktualisierende Eschatologie* bezeichnen: das Königreich Gottes wird nicht nur in *Visionen* als kommend gesehen, sondern sein Kommen wird *erfahren*. Die Welt verändert sich. Israel wird nun aufgerufen, ein Licht für die Welt zu sein, die Völker werden aufgefordert, zuzuhören, und das Volk ist sich der Gewißheit der Herrlichkeit Zions bewußt, des Berges des Gottestempels, wo sich alle Knie beugen und alle Könige Israel huldigen werden.

Dann gibt es eine vierte Periode, nämlich die apokalyptische Periode der *dualistischen Eschatologie*. Unter den verschiedenen Ursachen, die zu einer Trennung zwischen der ewigen Welt Gottes oben und der Realität auf Erden unten, die zerstört werden muß, führten, sind zuerst zu nennen die große Enttäuschung nach den hochgestellten Hoffnungen und der Einfluß, den das wachsende

---

[86] Mowinckel, Psalmenstudien, II, hat diesen Faktor auch erkannt, ihm aber zu niedrige Bedeutung beigemessen oder ihn nicht weiterentwickelt; S. 320 f.

[87] Die Ansicht von Charles, op. cit., S. 19 und passim, daß „die prophetische Erwartung einer gesegneten Zukunft für die Nation von einem ethischen Standpunkt aus materialistisch war", trifft nicht zu.

Gefühl von Distanz im religiösen Leben, von einem Prozeß der Transzendentalisierung, verursachte; anzuführen ist aber auch die neue Weltschau des persischen Dualismus [88] und das hellenistische Gedankengut. Diese Transzendentalisierung des Göttlichen impliziert eine Säkularisierung der Welt: Gott und die Welt werden getrennt. Der Unterschied zwischen dieser Periode der Eschatologie und der voraufgehenden besteht nicht nur in der Aktualisierung der letzteren im Rahmen der Zeit im Gegensatz zur ersteren, sondern auch in dem Unterschied der Handlungsebene und der Person. Wir können immer sagen, daß zur Zeit der klassischen Propheten (und auch in der ersten Zeit nach dem Exil) es noch die Einheit von Ort und Zeit (diese Welt) und Handlung (Person; es ist Gott, der wirkt) gegeben hat. In der apokalyptischen Periode ist diese Einheit aber zerbrochen. Der Ort, an dem das neue Königreich realisiert werden soll, ist anders, denn diese Welt soll zerstört werden und eine neue Welt soll kommen. Auch die Zeit ist anders, denn wir betreten hier die Ewigkeit.[89] Und auch die Handlung ist verschieden: es gibt nicht nur das Handeln Gottes zugunsten des Messias, sondern es sind viele Personen, die wirken, die vorbereitend arbeiten, während der Messias (Messiasse) der Erlösungsbringer wird.

Die eschatologische Schau ist ein israelitisches Phänomen, das so außerhalb Israels nicht gefunden worden ist — wie dies schon ganz richtig von Mowinckel gegen Greßmann usw.[90] beobachtet wurde.

[88] Es ist sehr wahrscheinlich, daß dieser Einfluß zugegeben werden muß. Wir müssen uns die Bemerkung H. Greßmann's, Der Messias, S. 352, vor Augen halten, daß dieser Einfluß die Volksreligion war. Es ist jedoch unwahrscheinlich, daß dies schon bei der Generation des Exils erkennbar ist.

[89] Buber, Der Glaube der Propheten, S. 216, bezeichnet die *Endzeit* ganz richtig mit: „Stillstehen der Geschichte."

[90] In Verbindung damit zeigt B. A. van Groningen (a. a. O., S. 120) von anderer Seite her den Gegensatz des israelitischen und christlichen Glaubens zur griechischen Lebensphilosophie. Weder Philosophie noch Religion führen hier zu der Vorstellung, daß diese Welt irgendeinen Sinn besitzt. „Die Götter haben keine Führungsrolle inne trotz ihrer Macht. Sie offenbaren sich nur. Es existiert kein Gesetz, das zu einem endgültigen Ziel hinführt, noch solches, das bestimmt, daß alle Dinge so geschehen, wie sie geschehen."

Aber es ist nicht der Wunschtraum eines Volkes, das seines Kultes überdrüssig geworden war (Mowinckel), sondern es muß durch einen echten genuinen Jahwismus erklärt werden, der durch die religiöse prophetische Kritik von allen nationalistischen, weltlichen und säkularisierten Hoffnungen gereinigt worden war.

Eschatologie entsteht nicht dort, wo Menschen an der Bedeutung des Kultes zu zweifeln beginnen, sondern dort, wo die Propheten konfrontiert wurden mit der Aktualität des eigenen Glaubens an Gott und wo diese Glaubenswirklichkeit kritisch gegen das Leben des Volkes gerichtet wurde.[91] Daher predigten die Propheten, daß das göttliche Strafgericht eintreffen werde, gaben aber auch Zeugnis davon ab, daß der heilige Gott in seiner Treue und Liebe zu Israel unverändert bleibt. So erhielt das Leben Israels in der Geschichte einen doppelten Aspekt: auf der einen Seite ist das Gericht nahe, auf der anderen Seite jedoch liegt die Erlösung in der Zukunft. Auf diese Weise verursacht die klassisch-prophetische Religion eine Spannung, die sich total von jener Spannung unterscheidet, die die kultische Religion beherrscht. In der Gedankenwelt des Volkes gab es bald eine nahe und eine entferntere Zukunft[92] — letztere zeigt die Grenzen des Horizontes auf und muß daher, vom Standpunkt des Propheten aus, endgültig sein. Für ihn ist sie im Grunde eine ᵓaḥᵃrît im Sinne eines Eschaton. Eschatologie ist kein Wunschtraum, der eine psychologische Erklärung zuläßt, sondern eine religiöse Gewißheit, die unmittelbar aus dem israelitischen Glauben an Gott hervorgeht, ein Glaube, der in der Geschichte seiner Heilserlebnisse seine Wurzeln hat. Der eschatologische Ausblick war *möglich*, weil Israel seinen Gott als handelnden Schöpfergott erkannt hatte, der in seiner Heiligkeit diese Welt nicht preisgibt, sondern in der Geschichte weiterwirkt. Diese Vision wurde *Wirklichkeit*, weil die Propheten, die in die Erkenntnis des heiligen Seins Gottes eindrangen, mehr und mehr die Diskrepanz zwischen dem, was war, und dem, was sein sollte, erlebten. Der endgültige Bruch in der altisraelitischen ganzheitlichen Lebensphilosophie, die von der Einheit Gottes, der Welt, des Volks und des Mitbürgers ausging, ist der Punkt, an dem

[91] Siehe W. Eichrodt, Theologie des A. T., I, S. 205 f.
[92] H. H. Rowley, The Growth of the O. T., 1950, S. 83 f.

die Eschatologie durchbricht; und Eschatologie ist die Form, in der der kritische Realismus des Glaubens der Propheten sein Bekenntnis zu Jahwe, dem Herrn der Welt, aufrechterhält. Der grundlegende Inhalt der Eschatologie ist das prophetische Wort Gottes, das Jeremia wie auch Hesekiel ihrem Volk in der größten Not einprägen: „Ihr sollt mein Volk sein, und ich will euer Gott sein."

Und schließlich ist Eschatologie die universale Form des Bekenntnisses betenden Glaubens, wie sie eine deutlich persönliche Ausformung durch den Psalmisten erhält:

Jahwe jigmor ba^{ca}dî, Jahwe ḥasd^{e}ḵā l^{ec}ôlām, ma^{ca}śê jādæḵā ʾaltæræf! (Ps 138, 8).

Svensk Exegetisk Årsbok. XXIV (1959), S. 5—21.

ZUR FRAGE DER ESCHATOLOGIE
IN DER VERKÜNDIGUNG DER GERICHTSPROPHETEN

Von Jakob H. Grönbæk

Wenn man mit der Entwicklung der alttestamentlichen Eschatologie-Forschung vertraut ist — und zwar der Entwicklung von Wellhausen über Greßmann[1] und Sellin[2], über die epochemachenden ›Psalmenstudien II‹[3] von Mowinckel (1922), weiter über Hölscher[4] und von Gall[5] bis zu dem im Jahre 1926 erschienenen Buch ›Jesajadisiplene. Profetien fra Jesaja til Jeremia‹ von Mowinckel —, fällt es auf, daß Mowinckel, was die Herkunft der „eigentlichen" Eschatologie betrifft — nach seinem kurzen Anschluß an die sogenannte religionsgeschichtliche Schule —, dasselbe Ergebnis wie Wellhausen[6] erreicht hat: daß die Eschatologie im großen und ganzen in der exilischen und nachexilischen Zeit entstanden sei. Dasselbe Ergebnis, das Wellhausen durch psychologische und literarkritische Erwägungen erreicht hatte, hat Mowinckel allmählich erreicht, indem er von ganz neuen und originellen Voraussetzungen (Psalmenstudien II) und später, insbesondere unter Einfluß von Hölscher, von einer literarkritischen „Selbstbesinnung" (Jesajadisiplene)[7] ausging.

---

[1] Der Ursprung der israelitisch-jüdischen Eschatologie (1905).

[2] Der alttestamentliche Prophetismus. Drei Studien (1912). (Alter, Wesen und Ursprung der alttestamentlichen Eschatologie, S. 102 bis 193.)

[3] Das Thronbesteigungsfest Jahwäs und der Ursprung der Eschatologie (1922).

[4] Die Ursprünge der jüdischen Eschatologie (1925).

[5] BASILEIA TOU THEOU. Eine religionsgeschichtliche Studie zur vorkirchlichen Eschatologie (1926).

[6] Vgl. Israelitische und jüdische Geschichte, 8. Aufl. (1921), S. 107 f.

[7] Vgl. auch Profeten Jesaja (1926) und spätere Werke wie Det Gamle

Das Neue und Geniale in den ›Psalmenstudien II‹ war, daß Mowinckel einen Zusammenhang zwischen dem vorexilischen Neujahrsfest und der Eschatologie entdeckte. Wie einerseits eine Radikalisierung der kultischen Grundauffassung Gunkels Mowinckel zur Bestimmung des vorexilischen Herbstfestes als das Thronbesteigungsfest Jahwes und zur Bestimmung des Vorstellungsgehaltes dieses Festes führte, bestätigte Mowinckel anderseits die Forschungsergebnisse von Gunkel und Greßmann, nach denen die Propheten in ihren Weissagungen auf schon existierendem Traditionsmaterial bauten. Mowinckel gab aber dieser Tradition einen anderen Stempel: anstatt diese Tradition als ursprünglich eschatologisch zu charakterisieren, bestimmte er sie als ursprünglich kultisch verwurzelt. Um nur ein paar Beispiele zu nennen: Während Greßmann meinte, daß das universalistische Gepräge vieler Unheilsbeschreibungen bei den vorexilischen Propheten aus einer ursprünglich eschatologischen Tradition stammte, wies Mowinckel auf das universalistische Vorstellungsgepräge des Thronbesteigungsfestes hin. Das unvermittelte Nebeneinander von Unheils- und Heilsweissagungen schrieb Greßmann einer vorprophetischen eschatologischen Tradition zu. Auch Mowinckel meinte in den ›Psalmenstudien II‹ nicht, daß in den Heilssagungen notwendigerweise ein spät interpolierter Zug gegeben sei, aber in Gegensatz zu Greßmann wies er auf eine kultische Tradition hin. Den Restgedanken leiteten Greßmann von eschatologischer, Mowinckel hingegen von kultischer Tradition ab. Andere Züge könnten genannt werden, die die Verwandtschaft von Greßmann und Mowinckel zeigen. Daß Mowinckel in ›Psalmenstudien II‹ in viel höherem Grade von der religionsgeschichtlichen Schule als von der literarkritischen beeinflußt ist, ist deutlich.

Hand in Hand nun mit dieser oben angeführten literarkritischen

Testamente, oversatt av S. Michelet, Sigmund Mowinckel og N. Messel (GT MMM) III. De senare Profeter (1944), S. 23—33; Offersang og Sangoffer (1951), S. 186 ff. und Han som kommer (1951), S. 88—107 (Englische Übersetzung von G. W. Anderson: He that cometh [1956], S. 125 ff.).

„Selbstbesinnung" Mowinckels — das heißt seiner allmählich erwachenden Überzeugung, daß das Problem: Eschatologie bei den
vorexilischen Propheten eng mit einer literarkritischen Untersuchung
der prophetischen Schriften verbunden sei — geht in seinem Buch
›Jesajadisiplene‹ und noch mehr in seinem großen Werk ›He that
cometh‹ der Wunsch nach einer terminologisch klar unterbauten
Verwendung des Begriffes Eschatologie. Und hier wird es ganz
deutlich, daß Mowinckel sich gegen die religionsgeschichtliche
Schule — und damit auch gegen ›Psalmenstudien II‹! — wendet.
Denn von einer vorexilischen Eschatologie im „eigentlichen" Sinne
zu sprechen hat nach Mowinckel Begriffsverwirrung zur Folge, ja
ist sogar falsch.

Was ist denn nach Mowinckel Eschatologie im „eigentlichen"
Sinne? In ›He that cometh‹ (S. 125 f.) definiert er Eschatologie als
"a doctrine or a complex of ideas about 'the last things' ". Dazu fügt
er, daß "every eschatology includes in some form or other a dualistic
conception of course of history, and implies that the present state
of things and the present world order will suddenly come to an
end and be superseded by another of an essentially different kind".
Dieses Drama hat "a universal, cosmic character". Nichts geschieht
"by human or historical forces, or by immanent, evolutionary
process". Die Umwälzung ist "definitely catastrophic in character".
Das Neue ist, christlich ausgedrückt, "the work of God: it is God's
will that is accomplished, and His plan for the world which reaches
its fulfilment". Eine genauere — und dogmatischere — Definition
läßt sich wohl kaum geben![8] Es leuchtet ein, daß eine solche
Definition zur Folge hat, daß "not only all pre-exilic prophetic
ideas would be excluded a priori, but also all post-exilic prophetic
ideas, except possibly a few apocalyptic pieces within the writings

[8] Betreffend diese eschatologischen Charakteristiken, siehe auch Jesajadisiplene, S. 93 ff.; Hölscher, a. a. O., S. 1; Lindblom, Profetismen i Israel
(1934), S. 517 [Englische Übersetzung Prophecy in Ancient Israel (1962),
S. 360 f., wo er die „dogmatische" Definition verlassen hat, vgl. übrigens
unten Note 15]; The Servant Songs in Deutero-Isaiah. A New Attempt to
Solve an Old Problem, in: Lunds universitets årsskrift, N. F. Avh. 1:
47, 5 (1951), S. 96 Note 5.

of the prophets".[9] Diese Konsequenz zieht Mowinckel natürlich auch.[10]

Die Frage ist aber, ob es zweckmäßig ist, den Ausdruck Eschatologie in dieser engen, in der Dogmatik üblichen Bedeutung zu verwenden. Mowinckel hatte schon in >Jesajadisiplene< den Weg für einen weiteren Gebrauch des Terminus Eschatologie gebahnt, indem er hier von einer vorexilischen, national-diesseitigen Eschatologie, das heißt von Erwartungen einer Umwälzung innerhalb der Geschichte zugunsten Israels sprach. Zur Bestätigung der Richtigkeit dieser Bestimmung des Terminus Eschatologie wies Mowinckel[11] auf die Formel ʾaḥᵃrît hajjāmîm hin, die sich ziemlich oft in der Verkündigung der Propheten finden läßt. Später hat Mowinckel indessen seine Meinung über diese Formel geändert, indem er in >He that cometh< (S. 131) die Anschauung vertritt, daß die Formel eine späte Interpolation sein muß, möglicherweise unter Einfluß von persischem Sprachgebrauch, denn es lasse sich in der vorexilischen Zeit keine Vorstellung von den „letzten Dingen" finden. In diesem Falle darf man wohl sagen, daß eine Definition die Macht über ihren Urheber ergriffen hat. Der Gedankengang ist in der Tat der: Da es erst in spät-nachexilischer Zeit eine Eschatologie gab, kann die Formel ʾaḥᵃrît hajjāmîm erst in dieser Zeit entstanden sein; sie muß also in den Prophetbüchern eine exegetische Interpolation sein!

Dagegen spricht aber, daß es gar nicht sicher ist, daß die Formel ʾaḥᵃrît hajjāmîm überall, wo sie vorkommt (Gen 49, 1; Num 24, 14; Dtn 4, 30; 31, 29; Jes 2, 2; Mi 4, 1; Jer 23, 20; 30, 24; 48, 47; 49, 39; Ez 38, 16; Hos 3, 5; Dan 10, 14), im absoluten Sinne, de novissimis, verstanden werden muß. Schon F. Buhl[12] hat darauf aufmerksam gemacht, indem er in Verbindung mit seiner Inter-

---

[9] Th. C. Vriezen, Prophecy and Eschatology (Supplements, to Vetus Testament. Congress Volume, 1953, S. 202 [dt. in diesem Bd. S. 92 f.].

[10] He that cometh, S. 125 ff.; 149 ff.; vgl. auch GT MMM III, S. 27 bis 33.

[11] Jesajadisiplene, S. 99.

[12] Jesaja, oversat og fortolket (1894), S. 75 f.

pretation von Jes 2, 2 schreibt, „daß die prägnante, superlativistische Bedeutung nicht mit Notwendigkeit in den Worten selbst liegt". N. Messel [13] äußert sich in derselben Richtung, wobei er voraussetzt, daß die Formel auch den alten, d. h. vorexilischen Propheten bekannt gewesen ist. Da die Vorstellung von den zwei Äonen im alten Israel nicht bekannt war, und da die Formel sich nach Messel offenbar nicht auf die messianische Zeit bezieht, ist die Vermutung naheliegend, daß ʾaḥ°rît „soviel als unser ‚schließlich‘, ‚am Ende‘, nämlich der betreffenden geschichtlichen Entwicklung, von der die Rede ist", bedeutet. Die Formel braucht also nach Messel nicht eine Suspension der Geschichte einzuschließen. Das findet Messel bestätigt in Jer 5, 31, wo in dem (nach Messel nicht eschatologischen) Ausdruck ʾaḥ°rîtāh das Suffix, das neutrisch zu verstehen sei, dem hajjāmîm in unserer Formel entspreche, „welcher eine feierliche Fülle des Ausdrucks beabsichtigen wird und demgemäß sich nur in gehobener Rede findet". ʾAḥ°rît hajjāmîm sei dann später als ein eschatologischer Terminus (Messel nimmt also „eschatologisch" im absoluten Sinne!) von den vorexilischen Propheten in die Apokalyptik gekommen.

Die Erwägungen Messels über ʾaḥ°rît hajjāmîm dürften im Prinzip richtig sein. Daraus ergibt sich, daß das für die Formel Charakteristische bei den vorexilischen Propheten einfach „der Abschluß-Aspekt" ist. Es dürfte auch falsch sein — von einer engen Definition der Eschatologie als der Lehre von den im absoluten Sinne „letzten Dingen" aus, einer Definition, die die Vorstellung von den zwei Äonen voraussetzt — ʾaḥ°rît a priori mit τὰ ἔσχατα, novissima, zu identifizieren. Mit einer solchen Definition wird von vornherein ausgeschlossen, daß die vorexilischen Propheten die Formel gekannt und gebraucht haben konnten. Genauso falsch ist es natürlich auf Grund des Vorhandenseins der Formel in der vorexilischen Zeit zu behaupten, es gebe in dieser Zeit eine Eschatologie im absoluten Sinne.[14] Hingegen dürfte es natürlich und wohl zu verantworten

---

[13] Die Einheitlichkeit der jüdischen Eschatologie (1915), S. 61 ff.

[14] Diesen Schluß scheint Greßmann gezogen zu haben (vgl. Der Ursprung der israelitisch-jüdischen Eschatologie, S. 1 und Der Messias, 1929, S. 84).

sein, von der Formel ʾaḥ⁽ᵃ⁾rît hajjāmîm[15], wie auch von anderen
Gesichtspunkten aus, gegen die enge und traditionelle Definition
des Terminus Eschatologie zu argumentieren. Das bedeutet natürlich nicht, daß ʾaḥ⁽ᵃ⁾rît hajjāmîm sich auf die Zukunft im allgemeinen
bezieht: das verbietet das Wort ʾaḥ⁽ᵃ⁾rît, welches deutlich hervorhebt, daß das, was geschehen wird, dem, was jetzt geschieht, ein
Ende macht. Wenn wir also von einer vorexilischen Eschatologie
sprechen, meinen wir eine Eschatologie geschichtlich-diesseitiger Art,
nicht dagegen eine Eschatologie, die eine Suspension der Geschichte
und ein Streben nach dem Jenseitigen einschließt. Später ist diese
vorexilische Eschatologie — wohl unter Einfluß der parsistischen
Religion — transzendent geworden. Das, was prinzipiell die
Eschatologie charakterisiert, ist also nicht die Frage, ob die „letzten
Dinge" innerhalb der Sphäre der Geschichte liegen, oder ob sie eine
Suspension des Geschichtlichen, eine Vernichtung dieser Welt, einschließt. Nein, das für die Eschatologie Charakteristische ist die
Tatsache, daß das, was geschehen wird — innerhalb oder außerhalb
des geschichtlichen Rahmens — unter „dem Abschluß-Aspekt"
gesehen ist. Und dieser „Abschluß-Aspekt" charakterisiert sowohl
den negativen wie den positiven Gehalt der Eschatologie: Wie das
Unheil endgültig ist, so ist auch das darauf folgende Heil endgültig, d. h. permanent.[16]

[15] Auch Vriezen weist in seinem oben angeführten Aufsatz auf die
Formel ʾaḥ⁽ᵃ⁾rit hajjāmîm hin als Bekräftigung des weiteren Gebrauchs
des Wortes Eschatologie. — Wie Vriezen opponiert auch Joh. Lindblom
gegen die Einengung des Begriffes Eschatologie (Gibt es eine Eschatologie
bei den alttestamentlichen Propheten?, in: Studia Theologica, Vol. VI
Fasc. I—II, Lund 1953, S. 79—114 [in diesem Bd. S. 31—72]); Lindblom erklärt sich in der Hauptfrage mit Vriezen einig: „Der Terminus
‚Eschatologie' ist in der Prophetenforschung unentbehrlich, er muß aber
in einem weiteren Sinne genommen werden, als in der dogmatischen Lehre
de novissimis üblich ist" (S. 114). [In diesem Bd. S. 72.]

[16] Lindblom (a. a. O., S. 80 f. [in diesem Bd. S. 32 f.]) rät davon ab —
wenn man den Begriff Eschatologie bestimmen soll —, von dem Begriff
eschaton auszugehen, weil die alttestamentlichen Propheten von einem
Ende im eigentlichen Sinne nichts wissen. Dagegen bietet für Lindblom
„der Gedanke von den zwei Zeitaltern den besten Ausgangspunkt", denn
obwohl dieser Gedanke uns terminologisch erst in der jüdischen Apokalyp-

Außer der Formel ᵓaḥᵃrît hajjāmîm [17] gibt es natürlich andere Züge in dem Zukunftsbild der vorexilischen Propheten, die diesen sowohl zeitlichen als qualitativen „Abschluß-Aspekt" nicht nur andeuten, sondern auch hervorheben. Wir können kurz die Verkündigung von Amos diese Bestimmung der vorexilischen Eschatologie beleuchten lassen. Amos, der die Reihe von Gerichtspropheten einleitete, die ganz eingreifend die Absolutheit Jahwes erlebten, verkündigte unbarmherzig „das Ende" (haqqeṣ; 8, 2), nicht nur für Israel, sondern auch für Juda (2, 4 f.) [18] und die Nachbarvölker (1, 2—2, 3). Das Gericht (auch über die Heiden) ist ethisch begründet. Kann diese Verkündigung aber eschatologisch genannt werden? Selbstverständlich nicht, wenn wir von der traditionellen Definition der Eschatologie ausgehen. Die Vernichtung ist nicht universell. Wenn Jahwe „das Geschick" seines Volkes „wendet" (9, 14), geschieht es innerhalb der Geschichte, indem „der Rest", der die Katastrophe überleben wird (5, 15; 9, 9 f.), gerettet wird — nicht um in einem überirdischen Dasein weiterzuleben, sondern in einem neuen Dasein auf der Erde und in der Geschichte, und zwar unter der Daviddynastie, die wieder in ehemaliger Gewalt über die Völker regieren soll (9, 11 f.), und Fruchtbarkeit soll im Lande

tik begegnet, sei „die Sache selbst" schon bei den Propheten im AT vorhanden, „und in dem allerdings etwas unbestimmten Ausdruck ‚am Ende der Tage' (bᵉᵓaḥᵃrît hajjāmîm) haben wir jedenfalls eine Vorbereitung der künftigen Terminologie". Wir haben im Gegensatz zu Lindblom den Begriff eschaton als Ausgangspunkt gebraucht, und dafür spricht nicht nur, daß „die Sache selbst" bei den vorexilischen Propheten vorhanden ist, sondern auch, daß es terminologisch zu verantworten ist (vgl. eben die Formel ᵓaḥᵃrît!).

[17] Da die Formel bei den vorexilischen Propheten höchstens 8mal zu finden ist, könnte man — sofern sie als eine späte Interpolation betrachtet worden ist — mit einem gewissen Recht zurückfragen, warum die Formel nur in so wenigen Fällen interpoliert worden ist, und zwar nur bei fünf von den Propheten. Man möchte eher annehmen, daß es ein Zufall ist, daß die Formel nur bei diesen fünf Propheten bezeugt sei!

[18] Betreffend die Echtheit dieses Spruches, siehe E. Hammershaimb, Amos (1946), S. 42. [Englische Übersetzung The Book of Amos (1970), S. 45 f.]

sein (9, 13). Alles wird von dem schonungslosen, ethisch betonten
Schöpfergott (4, 13; 9, 6), Jahwe von Sion (1, 2; vgl. 9, 11), ge-
macht. „An jenem Tage" (5, 18; vgl. 8, 3.9.13), wenn er sich zum
Gericht seines Volkes wegen seiner unfaßbaren und maßlosen
Sünden (2, 4.6 ff.; 5, 6; 8, 4; usw.) offenbart, will er das sündhafte
Volk vertilgen, so daß nichts übrig wird (3, 12; 7, 9; 9, 1 ff. 8) von
dem Volke, das trotz Warnungen (4, 6 ff.) nicht das Gute, d. h.
Jahwe (5, 14; vgl. 5, 4), gesucht hat. Der kommende „Tag Jahwes"
ist Finsternis (5, 18.20), Trauer und Klage (8, 3.10), Dürre (1, 2;
8, 11), Abschlachtung mit dem Schwert (7, 9; 9, 1.10), Deportation
(5, 27; 7, 11), ein Unglückstag von einem Ende zum andern (8, 10).
Das ist das letzte Wort Jahwes — und dennoch nicht das letzte,
denn denjenigen, die sich vielleicht (vgl. 5, 15) bekehren, wird eine
Glückszeit verheißen. „Ich pflanze sie in ihr Land, und nie wieder
werden sie ausgerissen aus ihrem Lande, das ich ihnen gegeben
habe, spricht der Herr, dein Gott." (9, 15; nach der Zürcher Bibel)
Wie Jahwe sein Volk vertilgt hat, so will er es mit dem „Rest" aufs
neue schaffen! Und wie das Gericht ethisch begründet ist, so auch
die Verheißung, ausgedrückt in dem Restgedanken und in der
Läuterungsvorstellung. Obwohl Amos erregt die Erwählung
suspendiert (9, 7), ist die Erwählung dennoch eine lebendige Realität, indem sie sowohl hinter dem Gericht (3, 2) als auch hinter der
Verheißung (9, 15) steht.

Es dürfte deutlich aus dem obigen hervorgehen, daß der „Tag
Jahwes" für Amos — und das gilt auch für die ihm folgenden
Gerichtspropheten — nicht das Ergebnis einer immanenten Entwicklung von geschichtlichen Kräften ist. Gott ist nämlich nicht ein
in der Geschichte sich entfaltendes Prinzip, nein, er ist für die
Propheten der persönliche, aktiv handelnde Weltgott; und dieser
ist er, weil er der Schöpfer der Welt ist. Dennoch ist Jahwe der
Gott Israels, und als solcher bricht er in die Geschichte herein, und
als solcher gebraucht er die geschichtlichen Mächte als willenlose
Werkzeuge, um seinen Willen zu vollziehen, d. h. um sein Volk zu
strafen. Also: sowohl das Heil als das Unheil wirkt Jahwe (vgl.
Jes 45, 7!). Das Gericht bei Amos ist insofern schon universell, als
die ganze dem Propheten bekannte „Welt", die Aramäer, die
Philister, Tyrus, die Edomiter, die Ammoniter und die Moabiter

getroffen werden. Aber — und das ist das Wesentliche und Epoche-
machende — vor allem soll das von Jahwe erwählte Volk gestraft
werden, denn als Volk Jahwes ist die Verantwortung Israels um so
größer und seine Schuld um so schwerer. Der „Tag Jahwes" [19] bedeutet vor Amos das Gericht über die Feinde Jahwes und seines
Volkes und die Rettung Israels. Amos aber "led the way in a
prophetic reversal of this meaning, changing it into a day of
Yahweh's judgment on Israel and the world. For the prophets, the
phrase did not denote any and every manifestation: it retained the
special meaning evident the use of it by Amos, the meaning of
final judgment. With this meaning, it has a natural, and indeed an
essential place in the prophetical eschatology, as this developed." [20]
Es geht deutlich aus Amos 4, 6 ff. hervor, daß Amos den „Tag
Jahwes" als die *endgültige* Zornesmanifestation Jahwes betrachtet:
Trotz wiederholter Plagen, die Jahwe seinem Volke geschickt hat
wegen seiner Sündigkeit und seines Kultus, hat das Volk sich nicht
bekehrt; darum *(lāken)* wird Jahwe sein Volk vertilgen (Vers 12).

Wir haben im obigen die Verkündigung von Amos betrachtet,
um die Gerichtsverkündigung zu beleuchten [21], die mit ihm sich in
die israelitische Religionsgeschichte eingebürgert hat, eine Verkündigung, die von den nachfolgenden Gerichtspropheten fortgesetzt wird, und die in der schließlichen Eroberung und Zerstörung
Jerusalems, am „Tage Jahwes" (Ez 13, 5; Klgl 1, 12; 2, 22), ihre
Erfüllung gewinnt. Und wir tragen keine Bedenken, die Gerichtsverkündigung, die die Propheten von Amos bis Jeremia und Ezechiel

---

[19] Daß der „Tag Jahwes" ursprünglich nichts anderes als das Neujahrsfest (vgl. Ps 118, 24) war, hat vor langem Mowinckel nachgewiesen (vgl.
Engnell, Art. Yttersta dagen, Svenskt bibliskt Uppslagsverk, II [1952],
Sp. 1628—1632 [2. Ausg. 1963, Sp. 1449—52]); daß aber jôm jahwæ in
Amos 5, 18 sich „nicht auf den ‚jüngsten Tag' im eschatologischen Sinne,
sondern auf den bevorstehenden Festtag Jahwes" bezieht (Lindblom,
a. a. O., S. 84 [in diesem Bd. S. 37]), leuchtet gar nicht ein.

[20] H. Wheeler Robinson, Inspiration and Revelation in the Old
Testament (1950), S. 143.

[21] Selbstverständlich geht es in diesem Aufsatz nur um eine Beleuch-
tung der vorexilischen Gerichtsverkündigung! Betreffend Einzelbelege,
siehe den oben angeführten Aufsatz Lindbloms.

kennzeichnet, eine eschatologische Verkündigung zu nennen. Denn diese Propheten, die überall den Finger Jahwes in der Geschichte und in der Natur sahen, und deren immer aktuelle Verkündigung als Gegenstand das Verhältnis des strengen, ethisch betonten Jahwe zu seinem abtrünnigen Volke hatte, verkündigten radikal und eindringend dem Volke die „letzten Dinge", und zwar durch eine Katastrophe, die von dem zornigen Weltgott, dem Jahwe Israels, durch herbeigerufene, geschichtliche Mächte gewirkt und von allerlei Naturphänomenen begleitet wird. Das ist aber nur die eine Seite des Zukunftsbildes dieser Propheten. Ihre Verkündigung war Verkündigung zur Bekehrung. "The prophecy of good is meant to encourage goodness; the prophecy against evil to promote penitence." [22] Dem „Rest" soll eine völlig neue Ära anbrechen, ein kommendes Reich der Herrlichkeit mit einem Gott wohlgefälligen Davididen als Herrscher über einem Gott wohlgefälligen Volk.

Wir haben oben versucht zu zeigen, daß es zu verantworten ist, den Terminus Eschatologie zu verwenden, wenn die Zukunftsverkündigung der vorexilischen Propheten auf eine befriedigende Weise charakterisiert werden soll: danach haben wir — mit Amos als Muster — versucht, einen Eindruck dieser vorexilischen Eschatologie anzudeuten. Die ersten eschatologischen Verkündiger sind also Gerichtspropheten. Ihre Verkündigung war gegen den Kultus gewendet, wie er unter ihren Zeitgenossen geübt wurde, und gegen das falsche Sicherheitsgefühl, das dieser Kultus im Volke trotz ihrer Sünden schuf. Und darum mußten sie auch mit dem für den (Neujahrs-)Kultus (und das Sicherheitsgefühl) charakteristischen Unheils/Heils-Schema brechen.[23] Das Gericht über das eigene Volk Jahwes ist nahe — und nicht die Rettung, die davon abhängig ist, daß das Volk die Bundesgebote befolgt. Das war die aktuelle und warnende Verkündigung der Propheten. L. Dürr drückt es so aus: „Erst die Propheten haben, wie bekannt ist, der Not der Zeit

---

[22] H. Wheeler Robinson, a. a. O., S. 130.

[23] Betreffend dieses Schema, siehe Sjöberg, De förexiliska profeternas förkunnelse. Några synpunkter in: Svensk exegetisk Årsbok, XIV (1949), S. 7 ff.

folgend, das alte Heils/Unheils-Schema zur Unheils/Heils-Erwartung umgestaltet, indem sie das ursprünglich für die Völker erwartete Unheil auf Israel selbst übertrugen und erst durch die Unheilskatastrophe hindurch das Heil eintreten ließen ..."[24]

Bekanntlich ist durch den epochemachenden Einsatz Mowinckels (und A. J. Wensincks)[25] hervorgehoben worden, Eschatologie sei ursprünglich eine Projektion dessen, was im Neujahrskult geschieht, in die Zukunft hinein. Wenn wir aber oben gesehen haben, daß die Gerichtspropheten die ersten eschatologischen Verkündiger waren und daß deren Verkündigung gegen den aktuellen Kultus gewendet war, leuchtet es ja ein, daß diese Auffassung des Zusammenhangs zwischen dem Kultus und der beginnenden Eschatologie einer Korrektur bedarf. Tatsächlich scheint die Anschauung nämlich nicht richtig, nach der die Vorstellungen, die ursprünglich am Neujahrskultus hafteten, im großen und ganzen im selben Zusammenhang in der eschatologischen Verkündigung zu finden seien. Sonst sei die betreffende Verkündigung nicht eschatologisch, denn Eschatologie sei eine Lehre, ein Komplex von Vorstellungen mit einem traditionellen und mehr oder minder systematischen Gehalt. Eine Verkündigung, die dieser Definition entspricht, war erst im Spätjudentum vorhanden, also sei keine Verkündigung vor dieser Zeit eschatologisch! Eschatologie sei zeitlos, der Wirklichkeit fern, phantastisch! In der Regel liegen in solchen Charakteristiken Wertungen: Solches könne man den Gerichtspropheten nicht zuschreiben. "The prophets of doom were always concerned with contemporary events. Their starting point was always the given, concrete, historical situation, and nearly always the political situation. They were national prophets, not private fortune-tellers and medicinemen concerned with the trivial affairs of private individuals. They foretold the future; but it was the immediate future, which arose out of existing, concrete reality."[26] Diese Charakteristik der Gerichtspropheten ist ganz gewiß sehr treffend, die oben angeführte

---

[24] Ursprung und Ausbau der israelitisch-jüdischen Heilandserwartung (1925), S. 41 f.

[25] The Semitic New Year and the Origin of Eschatology, in: Acta Orientalia I (1922), S. 158 ff.

[26] He that cometh, S. 131.

Charakteristik der Eschatologie ist aber allzu eng und nur mit der Eschatologie konform, wie sie später wurde, dagegen nicht mit der Eschatologie, wie sie ursprünglich war.

Die eschatologische Verkündigung der Gerichtspropheten ist der *aktuell* gegebenen Situation entsprungen und nicht von dogmatischen Systemen beeinflußt. Und eben ihre *aktuelle* Gerichtsbotschaft war für das Volk und seine Leiter anstößig. Die Opposition der Propheten gegen den Kultus ihrer Zeit war nicht prinzipiell, sondern *aktuell*. Die neuere Forschung hat gezeigt, daß es für die Gerichtspropheten die Alternative Kult oder Moral nicht gab.[27] Was sie bekämpften, war pervertierter Kultus, d. h. Kultus ohne Moral. Das Verhältnis zu Jahwe war ein Bundesverhältnis, was das Neujahrsfest als Bundeserneuerungsfest zum Ausdruck brachte.[28] Das Volk hatte aber diesen Bund gebrochen.

Wenn wir nun — und das ist wichtig für das Verständnis der eschatologischen Verkündigung der Gerichtspropheten — die Zeit dieser Propheten charakterisieren sollen, dann war diese Zeit im höchsten Grade kultisch verwurzelt: Die Erwartungen, die das Volk hatte, entsprangen dem Kultus. Im Kultus schuf Jahwe Heil und Segen für sein Volk. Der Kultus sicherte das Volk gegen Untergang, er erzeugte die falsche Sicherheit, die die Gerichtspropheten so unbarmherzig angriffen. Wohl hat das Volk die Diskrepanz zwischen der schönen Welt des Kultus und der bitteren Wirklichkeit gefühlt, und wohl sah man selten die Erwartungen, die am Kultus

---

[27] Gegen die Anschauung, daß die Propheten gegen den Kultus opponierten, „weil er nicht Religion war" (von Gall, BASILEIA TOU THEOU, S. 165), hat sich insbesondere I. Engnell mit Gewicht gewendet (vgl. z. B. SBU II, Sp. 739). Betreffend der Wiederentdeckung der Bedeutung des Kultus in der Forschung der letzten fünfzig Jahre siehe R. Gyllenberg, Kultus und Offenbarung, in: Interpretationes ad Vetus Testamentum pertinentes Sigmundo Mowinckel septuagenario missae (1955), S. 72—84.

[28] Vgl. Psalmenstudien II, S. 150 ff.; Offersang og sangoffer, S. 154 ff.; A. Weiser, Zur Frage nach den Beziehungen der Psalmen zum Kult. Die Darstellungen der Theophanie in den Psalmen und im Festkult, in: Bertholet-Festschrift (1950), S. 515 (vgl. Offersang og sangoffer, S. 506 Note 10) und Die Psalmen (ATD) (1955), S. 22 ff. (4. Aufl.).

hafteten, im neuen Jahre verwirklicht. Wir wollen aber kaum in dieser Spannung zwischen Erwartung und Wirklichkeit den Mutterschoß der Eschatologie finden[29], denn Eschatologie war eben nicht ursprünglich Volkseschatologie, sondern Gerichtseschatologie. Man möchte eher annehmen, daß das Volk von der bitteren Wirklichkeit in die „Unwirklichkeit" des Kultus geflohen ist: *Wir* seien die Erwählten Jahwes, *wir* seien mit ihm im Bunde, deswegen seien *wir* gesichert, wie groß auch die Gefahr sei. Daß das Bundesverhältnis zu Jahwe auch die Beobachtung seines Bundes einschloß (vgl. Ps 95. 99. 81. 50), d. h. daß die Moral ein integrierender Teil des Kultus war, daß die Antwort des Volkes auf die Heilstaten, die im Kultdrama aktualisiert wurden, die Befolgung seiner Bundesforderungen sein sollte — das hatte das Volk vergessen. Es hatte die Forderungen Jahwes zugunsten seiner Verheißungen vergessen. Im Neujahrskultus habe der König ja durch sein stellvertretendes Leiden[30] die Sünde, die das Volk im vergangenen Jahre begangen hat, gebüßt, weshalb das Jahr, das vor der Tür steht, ein „Gnaden-Jahr" Jahwes werden soll.

Die aktuelle Verkündigung der vorexilischen Propheten war also primär Gerichtseschatologie, eine Weissagung des baldigen Unterganges des Volkes. Dieser Untergang wird von dem allmächtigen Jahwe mittels der Natur und der Geschichte gewirkt, d. h. mittels allerlei Naturkatastrophen (z. B. Erdbeben, Dürre etc.) und mittels geschichtlicher Mächte. Wir könnten von unserer modernen Einstellung aus dazu geneigt sein, zwischen „natürlichen" und geschichtlichen Katastrophen einen prinzipiellen Unterschied zu machen. Als Beispiele dieser zwei Formen von Katastrophen können wir mit S. B. Frost[31] Jes 2, 10—14 und Jes 29, 1—2 nennen. Belege, die

[29] Vgl. Psalmenstudien II, S. 317.

[30] Vgl. Engnell, Studies in Divine Kingship in the Ancient Near East (1943); The ᶜEbed Yahweh Songs and the Suffering Messiah in "Deutero-Isaiah", in: Bulletin of the John Rylands Library (1948), S. 54—96. Vgl. auch meinen Aufsatz: Kongens kultiske funktion i det forexilske Israel, in: Dansk teologisk Tidsskrift (1957), S. 1—16.

[31] Eschatology and Myth, in: Vetus Testamentum (1952), S. 75 f. [dt. in diesem Bd. S. 80 f.].

nach Frost, was "with history" bzw. was "in history" geschehen wird, zum Ausdruck bringen. Den Spruch Jes 2, 10—14 betrachtet Frost als eschatologisch, weil er "expectation of the eschaton, the end of history" [32] enthalte, wogegen der Spruch Jes 29, 1—2 nur von einem geschichtlichen Ergebnis spreche. Also lassen sich bei den vorexilischen Propheten eschatologische Erwartungen sowohl im „eigentlichen" Sinne (vgl. die Definition Mowinckels!) als im „weiteren" Sinne finden. Obwohl Frost nicht meint, daß diese Distinktion den Propheten bewußt sei, und obwohl er dafür plädiert, daß die geschichtliche Erwartung "is of a piece with, it is expressive of, and effectiv with, the divine activity of judgment of Yhwh's great day" [33], eine Aktivität, die eben Jes 2, 10—14 zum Ausdruck bringt, können wir Frost auf Grund unserer oben angeführten Anschauung der vorexilischen Eschatologie nicht folgen. Die vorexilischen Propheten haben entweder bewußt oder unbewußt das Ende der Geschichte verkündigt. Ihre Eschatologie ist geschichtlich-diesseitigen Charakters; deshalb ist Jes 2, 10—14 nicht eschatologischer als Jes 29, 1—2. An der ersten Stelle wird der „Tag Jahwes" als eine alles Stolze und Hochmütige vernichtende Katastrophe (Erdbeben) geschildert, womit Jesaja wohl zunächst an sein hochmütiges und trotziges Volk denkt; an der zweiten Stelle wird der Tag als eine geschichtliche Katastrophe geschildert, die die Hauptstadt trifft. An beiden Stellen wird Jahwe als der direkte Urheber der Katastrophe betrachtet (vgl. 29, 3, welchen Vers Frost nicht mitnimmt in seinem Beleg!). Und an beiden Stellen scheint es am natürlichsten, die Beschreibungen mit der Sphäre des Neujahrskultus als Hintergrund zu verstehen. Der Prophet hat das „Schreckensarsenal" dieses Festes verwendet, um die Schrecken zu beschreiben, die am „Tage Jahwes" das Volk treffen sollen: Die Not, in die der König und die Gemeinde im Kultdrama wegen des Übergriffes des Chaos, des Todes, der „Völker" geraten sind, und die Vernichtung dieser Feinde bei der furchtbaren Epiphanie Jahwes fallen zusammen.[34] Der Neujahrskultus, d. h.

[32] Frost will vor dem Exil bei Amos, Jesaja und Zephanja eschatologische Erwartungen finden.

[33] A. a. O., S. 78; [dt. in diesem Bd. S. 83 f.].

[34] Vgl. Psalmenstudien II, S. 250.

der Mythus[35] hat also Jesaja das Material für seine Unheilseschatologie gegeben.

Frost dagegen behauptet, daß die vorexilische Eschatologie gar
nicht den Mythus in Gebrauch nehme. Weil der Mythus, der "an
attempt to expound the ordered nature of the universe just as cult
is directed towards the maintenance and protection of the order",
seiner Natur nach in diametralem Gegensatz zur Eschatologie stehe,
die "looks to an End, a ceasing of the order", deshalb kann die
Eschatologie weder als „Lebenshaltung" ("mode of thought") noch
ihrem Inhalt nach vom Mythus abgeleitet werden.[36] Erst während
des Exils, als der Kultus nicht mehr geübt wurde und als die
Exilierten sich in einer Welt befanden, "where pagan myth was
dominant"[37], nähme die Eschatologie den Mythus in Gebrauch. Mit
Recht erkennt Frost das Vorhandensein einer vorexilischen Eschatologie an, obwohl seine Gründe wohl kaum richtig sind (siehe oben!),
und mit Recht macht er geltend, daß diese Eschatologie als "mode
of thought" nicht vom Mythus, dessen Verbindung mit dem Kultus
er deutlich hervorhebt, abgeleitet werden kann. Die Eschatologie
ist im Gegenteil — wie wir gesehen haben — in Opposition gegen
den Kultus, d. h. den Mythus, der die "mode of thought" des Volkes
beherrschte, entstanden. Aber die Eschatologie als "mode of
thought" begann eben nicht im Volke, als Volkseschatologie, sondern
unter den Gerichtspropheten, als Gerichtseschatologie! Oder um es
mit Th. C. Vriezen auszudrücken: Die Eschatologie ist nicht da entstanden, "where people began to doubt the actuality of the cult,
but where the prophets were confronted with the actuality of their
own faith in God and where this realism of faith was directed
critically at the life of people".[38] So ist in der Tat für die Frage
nach der wirklichen Genesis der Eschatologie in der israelitischen

[35] Betreffend die enge Verbindung zwischen Mythus und Kultus, siehe
insbesondere: Psalmenstudien II, S. 80; Offersang og sangoffer, S. 166 ff.;
Widengren, Religionens värld (1945), S. 134—154 [dt. Übersetzung Religionsphänomenologie (1969), S. 150 ff.].

[36] A. a. O., S. 72; [dt. in diesem Bd. S. 75].

[37] A. a. O., S. 80; [dt. in diesem Bd. S. 87].

[38] Suppl. to Vetus Vestamentum (1953), S. 228 [dt. in diesem Bd.
S. 127].

Religionsgeschichte die Diskussion gleichgültig, wann der Kultus seine Aktualität im Volke verlor und toter Gewohnheitskultus wurde.[39] Und obwohl der Kultus die breite Bevölkerung wahrscheinlich bis zum Untergang beherrschte — was auch Frost meint —, konnte das nicht die Gerichtspropheten verhindern, den Mythus von seinem „Sitz im Leben" loszureißen; denn sie opponierten ja eben gegen den Kultus, wie er von ihren Zeitgenossen geübt wurde, und waren also eben nicht von der im Volke kultisch verwurzelten "mode of thought" beherrscht.

Bevor wir unsere prinzipiellen Erwägungen zur Frage der Eschatologie der vorexilischen Propheten schließen, wollen wir folgendes Problem berühren: Gibt es auch Verheißungen in der vorexilischen Gerichtsverkündigung? Im obigen haben wir eine bejahende Antwort auf die Frage schon angedeutet. Ist aber eine bejahende Antwort darauf nicht durch unsere Bestimmung der vorexilischen Eschatologie als aktueller Gerichtseschatologie ausgeschlossen? Steht das Vorhandensein der Verheißungen nicht im Widerspruch mit der „Psychologie" der Gerichtspropheten? Diese Fragen sind von modernen Vorstellungen aus gestellt, die den Hintergrund der literarischen „Hyperkritik" bildeten — und noch bilden. Schon Greßmann und nicht weniger Sellin versuchten dieser „Hyperkritik" den Todesstoß zu geben. Es würde in diesem Aufsatz zu weit gehen, traditionsgeschichtliche Probleme in Verbindung mit den Prophetbüchern zu berühren, es wird aber den Lesern dieses Jahrbuches bekannt sein, daß viele Forscher sich in der neuesten Zeit — insbesondere in Skandinavien — gegen die literarische „Hyperkritik" und deren Voraussetzungen gewendet haben.[40] Symptomatisch in dieser Beziehung ist die Forschung Ivan Engnells,

[39] Vgl. Psalmenstudien II, S. 317 ff.; Profeten Jesaja, S. 70; Jesajadisiplene, S. 92 ff.; Hölscher, Die Ursprünge der jüdischen Eschatologie, S. 12 ff., und von Gall, BASILEIA TOU THEOU, S. 20 ff.

[40] Vgl. Engnell, Profetia och tradition. Några synpunkter på ett gammaltestamentligt centralproblem, in: Svensk exegetisk Årsbok XII (1947), S. 94—123, und Eduard Nielsen, Oral Tradition. A Modern Problem in Old Testament Introduction (Studies in Biblical Theology No 11) 1954.

der in seinen Publikationen sehr nachdrücklich für die mündliche Tradition, und wohl zu bemerken, die Glaubwürdigkeit dieser Tradition plädiert, und der die messianische[41] Linie in der Verkündigung des israelitischen Prophetismus pointiert. Diese zwei fruchtbaren Gesichtspunkte können als Brennpunkte in der Ellipse der Propheten-Forschung Engnells betrachtet werden.

Nun, steht dann nicht das Vorhandensein einer gerichtsprophetischen Heilseschatologie im Widerspruch mit der negativen Einstellung der Gerichtspropheten dem Kultus, insbesondere dem Neujahrskultus, gegenüber? Hier müssen wir uns wieder daran erinnern, daß die Gerichtspropheten gegen den *aktuellen* Kultus, nicht gegen den Kultus als solchen opponierten, wie sie auch das aktuelle Volk und den aktuellen König, nicht das Volk als solches und den König als solchen[42], verurteilen. Aus der Verkündigung der Gerichtspropheten geht es deutlich hervor, daß sie überzeugt waren, daß Israel (bzw. Juda) als Volk, d. h. als empirisches, aktuell demoralisiertes Volk zugrunde gehen wird. Das Land wird verödet, verwüstet werden. Das war die *aktuelle* und unbarmherzige Botschaft! Das bedeutet aber nicht, daß die Gerichtspropheten nicht jenseits dieses vernichtenden Gerichtes sehen konnten, im Glauben an den Jahwe, der wie im Neujahrsfest alles aufs neue schaffen kann.

Also gibt es auch einen positiven Gegenpol zur Unheilsverkündigung bei den Gerichtspropheten. Jahwe will ein neues Israel jenseits des Gerichtes aufrichten, ein geläutertes und gerechtes Volk, an dem er alle seine Verheißungen erfüllen will, und er will einen neuen Herrscher aus der Daviddynastie einsetzen. Das Hauptgewicht in den Schilderungen dieses Zukunftsreiches und dieses Zukunftskönigs liegt in der Verlängerung derjenigen Forderungen, die die Gerichtspropheten dem abfälligen Volke vorhielten: Gerechtigkeit (ṣᵉdaqā) und Recht *(mišpāṭ)*, Verhaltensweisen, die aus dem

---

[41] Vgl. insbesondere Gamla Testamentet I, 1945 (Sachregister: Messianism), den Artikel ›Messias‹, in: Svenskt bibliskt Uppslagsverk, II, Sp. 245—263 [vgl. Critical Essays by Ivan Engnell (1970), S. 215—236], und die in Note 30 und 40 angeführten Studien Engnells.

[42] Vgl. Hammershaimb, Ezekiel's View of the Monarchy, in: Studia Orientalia Ioanni Pedersen ... dicata (1953), S. 137.

Jahwebund, „Erkenntnis Gottes" *(da^c at ^ᵃlohîm)* und Glaube *(^ᵃmûnā)* entspringen.[43] Und vom Messias wird es gesagt: „Gerechtigkeit *(ṣædæq)* wird der Gürtel seiner Lenden und Treue *(^ᵃmûnā)* der Gurt seiner Hüften sein" (Jes 11, 5), und sein Name wird „Jahwe, unsere Gerechtigkeit" *(Jahwæ ṣidqenû,* Jer 23, 6). Es ist der Bund mit Jahwe, der das herrliche Reich begründet — nicht kultische Leistungen. Die Gerichtspropheten haben in ihre Verheißungen das kultische Bundesmotiv reingezüchtet und das ethische Volks- und Königsideal in die nach dem Gericht kommende Zukunft hineinprojiziert.

---

[43] Vgl. Lindblom, Profetismen i Israel, S. 420 ff.; Hvidberg, Tro og Moral. Den israelitiske Religions Historie, S. 333 f. (Haandbog i Kristendomskundskab II), 1943.

Georg Fohrer, Studien zur alttestamentlichen Prophetie. BZAW 99. Berlin 1967, S. 32—58
(zuerst erschienen in: ThLZ 85 [1960], 401—420).

DIE STRUKTUR
DER ALTTESTAMENTLICHEN ESCHATOLOGIE

Von Georg Fohrer

I

Den wesentlichen Grundzug aller eschatologischen Erwartung enthüllt das in Hag 1, 15 a; 2, 15—19 überlieferte Wort, das der Prophet am Tag der neuen oder erneuerten Grundsteinlegung am Tempel im September 520 v. Chr. gesprochen hat.[1] In ihm ruft er dazu auf, den Blick auf die Zukunft zu richten, auf sie zu achten und sie mit den bisherigen Verhältnissen, die nun der Vergangenheit angehören sollen, zu vergleichen. Er verkündet für die Jerusalemer Gemeinde einen Wendepunkt, den der gegenwärtige Tag als Grenzscheide zweier Zeitalter bildet. In die Vergangenheit zurückblickend, schildert er die bisherige Not, die — in einem auf allen Nahrungsmitteln ruhenden Fluch bestehend — die Gemeinde verzweifeln ließ. Vorausblickend sieht er die Zeit des Segens in Wachstum und Gedeihen, die ihren Grund in dem Jahwewort hat: „Von diesem Tage an will ich segnen!" Das Heute dieses Worts am Tag der Grundsteinlegung ist für Haggai der große Umschwung aller Dinge, die Wende der Zeiten im Abschluß des alten und im Beginn eines neuen Zeitalters.

In grundsätzlich gleicher Weise nimmt Sacharja einen solchen Einschnitt vor. In seinem ersten Wort 1, 1—6 weist er in der auf die Mahnung 1, 3 folgenden und sie begründenden Geschichtsbetrachtung 1, 4—6 auf die vorhergehende Zeit hin, die nach dem großen

---

[1] Der ursprüngliche Textbestand ist durch die Hinzufügung mehrerer Glossen gestört worden: Hag 2, 17 ist nach Am 4, 9 gebildet, der Text von 2, 18 b durch drei kleinere Glossen ersetzt worden. Jedoch beeinträchtigen diese Störungen das Verständnis des Textes nicht.

Eingriff Gottes durch sein Gericht über Juda und durch das Exil abgeschlossen vorliegt. Sie ist zugleich verstehbar und beurteilbar. Es zeigt sich dem Betrachter, daß sie eine Geschichte der verwirklichten Worte und Beschlüsse Gottes ist, wie die früheren Propheten sie verkündigt haben. Daher muß die nunmehrige Mahnung zum Tempelbau als Voraussetzung für den Beginn einer neuen Zeit ernsthaft beachtet werden, damit die in den folgenden Visionen enthaltene Heilszusage sich gleichfalls verwirklicht. Dementsprechend unterscheidet Sach 8, 14 f. zwischen zwei Zeitaltern, die durch Jahwes Unheils- bzw. Heilsvorhaben gekennzeichnet sind.

Diese Unterscheidung und Trennung der Zeitalter läßt sich rund zwei Jahrzehnte bis zu Deuterojesaja zurückverfolgen. Bei ihm wird sie in den drei einleitenden kurzen Sprüchen Jes 40, 1—2. 3—5. 6—8, die den Berufungsbericht ersetzen, erstmalig angedeutet. Die Sprüche skizzieren kurz das Ende der vergehenden Zeit der Schuld und Not und den Beginn der künftigen Zeit der Erlösung und des Heils. Deutlicher ist die Unterscheidung dort, wo der Prophet das „Neue" dem „Früheren" und „Vergangenen" gegenüberstellt (Jes 43, 18 f.) [2] und als „Zeit des Wohlgefallens" und „Tag des Heils" bezeichnet (Jes 49, 8) oder den Gegensatz mit Hilfe des Bildes vom Zorneskelch und Taumelbecher beschreibt (Jes 51, 17—23). [3]

In diesen und anderen Worten unterscheiden die späteren Propheten zwischen zwei Zeitaltern; sie sehen sich am Ende des einen und an der Schwelle des anderen stehen. Ihr Heute gilt ihnen als der Augenblick, in dem sich der große Wandel der Dinge abzuzeichnen oder zu vollziehen beginnt. Darin liegt der wesentliche

[2] Vgl. N. Rabban, The "Former and the Latter Things" in the Prophecies of Deutero-Isaiah, Tarbiz 14 (1942), S. 19—25; A. Bentzen, On the Idea of "the Old" und "the New" in Deutero-Isaiah, StTh 1 (1947), 1948, S. 183—187 (ferner: Actes du XXIᵉ Congrès International des Orientalistes, 1949, S. 115); C. R. North, The "Former Things" and the "New Things" in Deutero-Isaiah, in: Studies in Old Testament Prophecy, 1950, S. 111—126.

[3] Auch Jes 60, 10 beschreibt im Anschluß an Deuterojesaja die beiden Zeitalter mit den Begriffen Zorn und Wohlgefallen; der Gegensatz wird in 60, 15 ff. im einzelnen ausgeführt.

Grundzug der eschatologischen Erwartung,[4] nicht aber in der Ankündigung vom Ende der Welt oder der Menschheitsgeschichte, die höchstens als Voraussetzung der verheißenen Neuschöpfung unter den verschiedenen Strukturelementen begegnen kann (vgl. III, 6), und nicht in dem transzendenten, übernatürlichen und wunderbaren Charakter der erwarteten Ereignisse, da dem alttestamentlichen Menschen alles geschichtliche Geschehen als „transzendent" gewirkt und beim unerwarteten Eintreten als „wunderbar" erscheint.[5] Gewiß wird eine ausdrückliche begriffliche Unterscheidung zwischen dem gegenwärtigen und dem zukünftigen Zeitalter mittels des Ausdrucks עולם erst im frühen Judentum unter dem Einfluß des griechischen Begriffs αἰών vorgenommen;[6] doch liegen im Alten Testament immerhin Ansätze dazu in der Abwandlung zweier Redewendungen vor. Der Ausdruck באחרית הימים, der ursprünglich die „nachfolgende, hinterdreinfolgende" Zeit im allgemeinen Sinn bezeichnet hat (vgl. Gen 49, 1; Num 24, 14; Dtn 4, 30), wird als eschatologische Formel verwendet, die sich auf das Ende des gegenwärtigen Zeit-

---

[4] So mit J. Lindblom, Gibt es eine Eschatologie bei den alttestamentlichen Propheten?, StTh 6 (1952), 1953, S. 79—114 [in diesem Bd. S. 31—72]. Dagegen betont S. B. Frost, Old Testament Apocalyptic, 1952, der (ähnlich wie H. Greßmann) von der volkstümlichen Erwartung des Tages Jahwes und ihrer Umwandlung in eine Unheilseschatologie durch die vorexilischen Propheten ausgeht, zu einseitig Ende und Abschluß des bisherigen Zeitalters. Th. C. Vriezen, Prophecy and Eschatology, in: Supplements to VT I, 1953, S. 199—229 [in diesem Bd. S. 88 bis 128] (ferner: Hope in the Old Testament, Hervormde Teologiese Studies 10, 1954, S. 145—155), faßt den Begriff der Eschatologie in einem möglichst weiten Sinn und bezeichnet von da aus die vorexilischen Propheten, denen er manche umstrittenen Worte zuschreibt, als "proto-eschatological", Deuterojesaja und seine Nachfolger als "actualeschatological" und die Apokalyptik als "transcendentalizing eschatology". Vgl. auch W. Vollborn, Innerzeitliche oder endzeitliche Gerichtserwartung, Diss. Greifswald 1938; J. H. Grønbæk, Zur Frage der Eschatologie in der Verkündigung der Gerichtspropheten, Sv Ex Arsb 24 (1959), S. 5 bis 21 [in diesem Bd. S. 129—146].

[5] Vgl. L. Köhler, Der hebräische Mensch, 1953, S. 119.

[6] E. Jenni, Das Wort ᶜôlām im Alten Testament, 1953 (Sonderdruck aus ZAW 64, 1952, S. 197—248; 65, 1953, S. 1—35).

alters und auf die mit dem Beginn des zukünftigen sich ereignenden Vorgänge bezieht (Jes 2, 2; Jer 23, 20; 48, 47; 49, 39; Ez 38, 16; Hos 3, 5; Dan 10, 14).[7] Und der Ausdruck ביום ההוא, der vor allem als Zeitadverb die Gleichzeitigkeit zweier Begebenheiten betont oder den Tag eines Geschehens als wichtigen Tag gekennzeichnet und dann verschiedene Begebenheiten oder Aussagen äußerlich miteinander verknüpft hat,[8] wird gern benutzt, um den Tag des eschatologischen Umschwungs der Dinge anzugeben (Jes 4, 2; 10, 20. 27; 11, 10 f.; 17, 7 u. ö.).[9]

Diese Unterscheidung zweier Zeitalter und das Bewußtsein, an der Grenze zwischen ihnen zu stehen, unterscheidet die eschatologische Prophetie seit Deuterojesaja nicht nur von dem herkömmlichen Jahweglauben national-kultisch-gesetzlicher Art, der Israel in einem vorgegebenen Heilszustand erblickt, den es zwar durch einzelne Verfehlungen stören, durch entsprechende Sühnemaßnahmen aber jederzeit wiederherstellen kann, sondern auch und noch tiefgehender von den großen Einzelpropheten der vorexilischen Zeit. Nach deren Botschaft, die den Menschen wegen seiner Sünde in einer grundsätzlichen Unheilssituation sieht, geht nicht ein notvolles Zeitalter seinem Ende und dem Anbruch eines besseren zu, sondern wird das schuldverhaftete Dasein Israels oder anderer Völker und Menschen zunichte, während die übrige Welt ihren Gang weitergeht. So erwartet Jesaja von seiner Berufung an den Untergang seines Volkes (Jes 6, 11), das sündig („unreiner Lippen") ist wie er selbst (6, 5), im Gegensatz zu ihm aber nicht entsündigt,

---

[7] In allen Fällen eschatologischer Verwendung handelt es sich um Worte oder Zusätze aus nachexilischer Zeit.

[8] Vgl. P. A. Munch, The expression bajjôm hāhūʾ, 1936.

[9] Die voll ausgebildete Vorstellung von zwei Zeitaltern findet sich später z. B. in IV Esr 7, 5; 1 QS 3, 13—4, 26. Eine Einteilung in vier Perioden findet sich in Dan 2; 4; äth Hen 85—90, in anderer, nichteschatologischer Weise in der priesterschriftlichen Geschichtseinteilung (Schöpfung-Noah-Abraham-Mose). Eine Einteilung in zehn, ursprünglich vielleicht in sieben Perioden liegt äth Hen 93; 91, 12—17 zugrunde. Vgl. im einzelnen W. Bousset-H. Greßmann, Die Religion des Judentums im späthellenistischen Zeitalter, ³1926, S. 242—249; P. Volz, Die Eschatologie der jüdischen Gemeinde im neutestamentlichen Zeitalter, ²1934.

sondern immer tiefer in Schuld verstrickt wird (6, 9 f.). Und schon
Amos bezieht andere Völker in die Strafe ein (Am 1, 3 ff.). Auch
wenn die Gerichtszeit als zeitlich begrenzt gedacht und wie in Jer
25, 11 ff.; 29, 10 auf siebzig Jahre festgesetzt wird, gilt dies nur
als angemessene Strafzeit, nach deren Ablauf die sündige und verurteilte Generation ausgestorben ist.[10] Es handelt sich um die Ver-
hängung einer lebenslänglichen Strafe über die Verbrecher und nicht
um die Vorstellung von einem die Heilszeit einleitenden Ende eines
Zeitalters.[11] Angesichts dieses drohenden Untergangs sehen die
großen Einzelpropheten eine mögliche Rettung in der inneren und
äußeren Wandlung des schuldigen Menschen oder Volkes mittels der
Umkehr zu Gott (Jes 6, 10; Ez 18, 30 f.) oder der Erlösung durch
ihn (Hos 14, 2—9).[12] Sie sprechen demnach nicht von zwei Zeitaltern, sondern vom Entweder-Oder der Vernichtung oder der
Rettung. Für dieses Entweder-Oder ist Jes 1, 19 f. charakteristisch:
„Wenn ihr willig seid und gehorcht, / sollt ihr das Gut des Landes
essen. / / Wenn ihr euch aber weigert und widerspenstig seid, / müßt
ihr das Schwert ‚fressen‘."[13] Das ist keine eschatologische Situation,
sondern die tägliche und immer wiederkehrende Entscheidungsfrage
an das Volk und alle einzelnen in ihm.[14]

[10] Vgl. R. Borger, An additional Remark on P. R. Ackroyd, JNES
XVII, 23—27, JNES 18 (1959), S. 74, mit Hinweis auf eine Inschrift
Asarhaddons; ferner die Auseinandersetzung zwischen C. F. Whitley und
A. Orr in VT 4 (1954), S. 60—72; 6 (1956), S. 304—306; 7 (1957),
S. 416—418; E. Vogt, 70 anni exsilii, Bibl 38 (1957), S. 236.

[11] Dagegen versteht bereits Sach 1, 12 die siebzig Jahre als das nun zu
Ende gehende Zeitalter der Strafe und Not.

[12] Vgl. im einzelnen J. J. Stamm, Erlösen und Vergeben im Alten
Testament, 1940; G. Fohrer, Umkehr und Erlösung beim Propheten
Hosea, in: Studien zur alttestamentlichen Prophetie (1949—1965), 1967,
S. 222—249.

[13] Oder es ist zu lesen: „sollt ihr ‚vom‘ Schwert gefressen werden".

[14] Auch Jes 1, 21—26 handelt nicht von zwei Zeitaltern, sondern von
der Möglichkeit praktischen Zustandekommens der geforderten Umkehr.
J. Lindblom, a. a. O. S. 84—88 [S. 36—42], nennt eine längere Reihe
von Gründen für die fälschliche Interpretation vorexilischer Prophetenworte im eschatologischen Sinn durch die Exegeten. Hinzuzufügen sind

Die eschatologische Prophetie gründet auf einer Umdeutung des
Entweder-Oder in ein zeitliches Vorher-Nachher. Diese aus dem in
zeitlichen Kategorien sich vollziehenden Denken und Vorstellen des
alttestamentlichen Menschen [15] zu erklärende Umdeutung erfolgte
während des babylonischen Exils — unter dem nachwirkenden Einfluß der alten, von den großen Einzelpropheten schroff abgelehnten
Heilsprophetie, die besonders in kultprophetischen Kreisen beheimatet war.[16] Wie sie nach wie vor mit einer grundlegenden Heilssituation rechnen und einseitig den göttlichen Heilswillen allein betonen zu dürfen glaubte, so verstand man zugleich den Untergang
Judas und das Exil als das von den großen Einzelpropheten ange-
drohte Gericht (vgl. Jes 40, 1 f.). Und da es nicht mehr als ständig
drohende Möglichkeit, sondern als einmaliges geschichtliches Ereignis
galt, konnte nach seinem Ablauf, der eine mit Amos und Hosea vor
Jahrhunderten begonnene Epoche beendete, nur mehr eine endgültige
und ewige Heilszeit folgen [17] — ein „ewiger Bund" (Jes 55, 3; 61, 8)

---

ihnen vor allem, daß die universale Geschichtsbetrachtung seit Amos
(gegenüber dem Erwählungsglauben) und die Erlösungsverheißung neben
der Umkehrforderung seit Hosea nicht genügend beachtet werden; daraus
folgt bei Lindblom selbst die Annahme wenigstens einiger vorexilischer
eschatologischer Prophetenworte. Aus dem Nichtbeachten nahezu aller
Punkte folgt bei H. Greßmann, Der Ursprung der israelitisch-jüdischen
Eschatologie, 1905, S. 151 f.; Der Messias, 1929, S. 74—77, die Anschauung,
daß die Eschatologie der Vorläufer der Prophetie, älteren volkstümlichen
Ursprungs und von Amos an zur Unheilseschatologie abgewandelt worden
sei. Dagegen stellt S. Mowinckel, He that cometh, 1956, S. 132 (Han
som kommer, 1951, S. 93), zu Recht fest, daß "the eschatological sayings
in the strict sense all belong to the later strata, and come from the age
of postexilic Judaism".

[15] Vgl. Th. Boman, Das hebräische Denken im Vergleich mit dem Griechischen, [4]1965.

[16] Vgl. das Auftreten eines Kultpropheten, der die Nähe der Heilszeit
verkündet, in Ps 85, 9—14.

[17] H. Greßmann, Der Ursprung der israelitisch-jüdischen Eschatologie,
1905, S. 157, skizziert die durch das Exil eingeleitete Entwicklung grundsätzlich richtig, wenn man von seiner fragwürdigen Annahme hinsichtlich
des Alters der Eschatologie absieht: Nach dem Exil herrscht in der Pro-

mit „ewigem Zeichen" (Jes 55, 13), „ewigem Heil" (Jes 45, 17; 51, 6. 8), „ewiger Verbundenheit" (Jes 54, 8) und „ewiger Freude" (Jes 51, 11).[18]

II

Außer der Vorstellung von den beiden sich ablösenden Zeitaltern, die für die Struktur der eschatologischen Prophetie grundlegend ist, entwickelt diese von Anfang an bestimmte Grundzüge des eschatologischen Geschehens, die sich manchmal geradezu als die Akte des eschatologischen Dramas voneinander abheben.[19] An Hand der umfangreicheren Textüberlieferungen lassen sich sechs Grundformen dieses Dramas erfassen, die sich am deutlichsten in der unterschiedlichen Behandlung, die den anderen Völkern zugedacht ist, voneinander unterscheiden. Zahlreiche kurze Texte beziehen sich auf einen oder mehrere Ausschnitte aus einer der Grundformen.

1. Die älteste Grundform bei Deuterojesaja läßt dank der umfangreichen Überlieferung alle möglichen Einzelheiten — nicht immer ohne Widersprüche — erkennen. Da jedoch der Blick des Propheten jeweils vorwiegend auf diese Einzelheiten gerichtet ist, muß die von ihm erwartete Abfolge des ganzen Geschehens, das durch den es begleitenden eschatologischen Jubel der Erlösten, der

phetie die Heilseschatologie vor, wie es durch die Lage der Dinge notwendig gegeben war. Nach dem Gericht mußte die Zukunftshoffnung die Drohung verdrängen. „Die Mission der älteren Prophetie war erfüllt, eine neue Zeit heischte gebieterisch eine Wendung der Prophetie. Mit der Heilsprophetie hält die alte volkstümliche Eschatologie wieder ihren Einzug ..." Richtig muß es heißen: In der Eschatologie setzt sich die alte Heilsprophetie durch.

[18] Vgl. die unter ähnlichen katastrophenartigen Umständen wie dem Zusammenbruch Judas entstehende eschatologische Erwartung bei den Dajak auf Borneo nach H. Schärer, Die missionarische Verkündigung auf dem Missionsfeld, 1946, wie sie C.-M. Edsman in RGG III³, 1958, Sp. 654 f., schildert.

[19] Vgl. auch G. Hölscher, Die Ursprünge der jüdischen Eschatologie, 1925; J. Lindblom, Profetismen i Israel, 1934, S. 516 ff., 577 ff.; P. Volz, a. a. O. S. 135 ff.; G. Pidoux, Le Dieu qui vient, 1947, S. 26—38.

Natur oder der Völker zusammengehalten wird (vgl. Jes 42, 10—12; 44, 23; 49, 13; 51, 3; 52, 9), in erster Linie aus einem Gesamtüberblick über die Worte Deuterojesajas erschlossen werden. Daraus ergeben sich folgende Akte des eschatologischen Dramas: a) die Überwindung der Macht des Unterdrückers Babel (41, 11—13; 46, 1 f.) durch Jahwe (42, 14 f.; 43, 14; 47, 3 f.; 49, 24—26; 50, 2; 51, 23), sein Werkzeug Kyros (41, 25; 44, 28; 45, 1—3. 4. 13; 46, 11; 48, 14 f.) oder Israel selbst (41, 14—16); [20] b) die Erlösung Israels durch Befreiung (49, 25 f.; 51, 22) mit oder ohne Lösegeld (43, 3 f.; 45, 13), Auszug oder Flucht (48, 20; 52, 11 f.; 55, 12), Heimführung durch die sich verwandelnde Wüste (41, 17—20; 42, 16; 43, 16—21; 48, 20 f.; 49, 9—11; 55, 13), Ankunft in Jerusalem (40, 9—11), Sammlung der in alle Welt Verstreuten (41, 8 f.; 43, 5—7; 49, 12. 22 f.) und ewiger Bund (54, 7 f. 9 f.; 55, 3); [21] c) die Heimkehr Jahwes nach Zion ·(40, 9—11 und 52, 8 in merklicher Abwandlung von Ez 43, 1 ff.); d) die Umwandlung der irdischen Verhältnisse in Wiederaufbau (44, 26; 49, 8; 54, 11 f.), paradieshaftem Segen (51, 3) und Vermehrung der Gemeinde (44, 1—5; 49, 19—21; 54, 1—3), [22] besonders in Abwandlung von Ez 36, 29 ff.; e) die Einsicht der Menschen in die Untauglichkeit ihrer Götter und die Bekehrung zu Jahwe (45, 3. 14. 22—25; 51, 4 f.). [23] Einzelne Momente der Akte b, d und e finden sich in mehreren der von Deuterojesaja beeinflußten Worte von Jes 56—66, [24] während andere dieser Worte

[20] Vgl. auch Jes 21, 1—10; 34; Jer 50 f.; Mi 7, 8 ff.; Ps 146, 6—9.

[21] Vgl. auch Jes 11, 11 f. 16 f.; 14, 1 f.; 35; Jer 3, 14; 16, 14 f.; 23, 3; 29, 14; 30, 3; 31, 7 f. 10 f.; 32, 37. 40; Mi 2, 12 f.; 4, 6; Zeph 3, 18 aβ—20. Die Behauptung von H. Greßmann, a. a. O. S. 193, daß die Motive von Befreiung und Heimkehr zurücktreten, trifft demnach nicht zu.

[22] Vgl. auch Jes 4, 2—6; 35; Jer 3, 16; 23, 3; 30, 18 f.; 31, 12 f. 38—40; Am 9, 13 f.; Mi 4, 7; später erweitert um den großisraelitischen Gedanken der Wiedervereinigung Nord- und Südisraels und der Wiederherstellung des davidischen Reiches in Jes 11, 13 f.; Jer 3, 17; Am 9, 11 f.; Ob 19—21.

[23] Vgl. auch Jes 2, 2—4; 17, 7 f.; Jer 3, 17; 16, 19—21; Zeph 3, 9 f.

[24] Zu b vgl. Jes 60, 4 ff.; 61, 8; 66, 12, zu d: 58, 12; 60, 10. 17 ff. 22; 61, 4 ff., zu e: 56, 1—8; 60, 11 ff.; 66, 18 ff. Zu Tritojesaja vgl. W. Zimmerli, Zur Sprache Tritojesajas, Schweiz. Theol. Umschau 20 (1950), S. 62—74 (Gottes Offenbarung, 1963, S. 217—233); W. Kessler, Studie

Vorstellungen aus anderen Grundformen des eschatologischen Dramas enthalten.[25]

2. Einander ähnlich sind die Auffassungen Haggais und Sacharjas (520 v. Chr.). Für Haggai ist das erste die Segenszusage am Tag der Grundsteinlegung (2, 19; vgl. 2, 9) mit der Reinhaltung der Gemeinde durch die Ausschließung Unreiner (2, 10—14). Als nächstes erwartet er die Erschütterung der Naturwelt (2, 6. 21) und der Völker (2, 7) mit der Vernichtung ihrer Macht (2, 22) und dann die Einsetzung Serubbabels als messianischen Herrscher (2, 23). Bei Sacharja[26] scheint die Reihenfolge etwas anders zu sein, obwohl das Nacheinander seiner Visionen nicht unbedingt eine gleiche zeitliche Abfolge der geschauten Ereignisse einschließt. Das erste ist wohl die Vernichtung der Macht der Völkerwelt (2, 1—4), die am Unglück Israels eigentlich schuld ist (1, 15)[27] und eine Beute ihrer bisherigen Untertanen wird (2, 13). Es folgen die Schaffung wunderbarer Verhältnisse für die Jerusalemer Gemeinde (1, 17; 2, 5—9; 8, 4 f. 12), bei der Gott schützend Wohnung nimmt (2, 14. 16; 8, 3), ferner die Vernichtung der Sünder in Juda (5, 1—4) und die Entsündigung der Gemeinde (5, 5—11), danach die Sammlung und Rückkehr der Diaspora (6, 1—8; 8, 7 f.). Dazu treten weiter die Einsetzung der messianischen Regierung (3, 1—7; 4; 6, 9—15) und der Anschluß vieler Menschen und Völker (2, 15; 8, 20—22).[28] Neu gegenüber Deuterojesaja sind vor allem: die Ausdehnung der Machtvernichtung von Babel auf die Völker, die Reinigung der Gemeinde[29] und der messianische Gedanke unter Nennung bestimmter Personen.

zur religiösen Situation im ersten nachexilischen Jahrhundert und zur Auslegung von Jesaja 56—66, WZ Halle-Wittenberg 6 (1956/7), S. 41 bis 73.

[25] Völkergericht: 63, 1—6; 66, 10 f.; Reinigung der Gemeinde: 57, 20 f.; 59, 15 b—20; neuer Kosmos, Langlebigkeit und Friede: 65, 17 ff.

[26] Vgl. auch L. G. Rignell, Die Nachtgesichte des Sacharja, 1950; K. Galling, Studien zur Geschichte Israels im persischen Zeitalter, 1964, S. 109—126.

[27] Vgl. auch Jes 10, 24—27 a; 34; Jer 12, 14; 30, 16 f.

[28] Vgl. auch Jer 12, 14—16 mit der Verbindung Gericht-Heil.

[29] Vgl. auch Jes 57, 20 f.; 59, 15 b—20; Mal 2, 17—3, 5; 3, 13—21.

3. Die sog. Jesaja-Apokalypse Jes 24—27 [30] stammt zum größten
Teil aus dem 5. Jh. Sie enthält vor allem drei ursprünglich selbständige prophetische Liturgien. Von diesen kündigt 24, 1—20 das
eschatologische Weltgericht über die Erde mit ihren Bewohnern unter
Auflösung der städtischen Lebensform und über den Himmel an —
wegen der Versündigung der Menschen gegen die für alle geltenden
noachitischen Gebote (in Zeph 1, 3. 17 f.; 3, 8 zum Untergang aller
Bewohner der Erde gesteigert).[31] 24, 21—25, 12 erwartet die Ent-
machtung der Feinde Jahwes unter Zerstörung ihrer Hauptstädte,
für die (noch lebenden) Völker gefolgt von dem universalen Bundesmahl mit Jahwe auf dem Zion als Beginn der Gottesherrschaft.[32]
Israel wird jedoch laut 27, 1—6. 12—13 nach dem endzeitlichen
Kampf Jahwes beschützt und beschirmt und seine Diaspora aus aller
Welt gesammelt.[33]

4. In der zweiten Hälfte des 4. Jh.[34] teilt Deuterosacharja in
Sach 9, 11—17; 10, 3—12 mit den bisher genannten Grundformen
die Erwartung der Freigabe und Rückkehr der Gefangenen und
Verstreuten und der Schaffung paradiesischer Fruchtbarkeit. Ebenso
wird zur Ermöglichung der Heilszeit wie bei Deuterojesaja das

[30] Zur Literatur vgl. G. Fohrer, Der Aufbau der Apokalypse des Jesajabuchs (Jes 24—27), in: Studien zur alttestamentlichen Prophetie (1949
bis 1965), 1967, S. 170—181.

[31] Vgl. auch Jes 13, 9—12; Jer 4, 23—26, ferner Ps 76, 8—13; 144,
6—8. Für Ps 144 ist es schwerlich angängig, die offensichtliche literarische
Abhängigkeit von anderen alttestamentlichen Texten mit A. Weiser, Die
Psalmen, [5]1959, S. 569, durch die Annahme einer allen gemeinsamen festgeprägten liturgischen Tradition zu ersetzen.

[32] Vgl. auch Jes 65, 17 ff.

[33] Das Vorbild des Mahls ist im Bundesmahl der Ältesten Ex 24, 11
gegeben, wie 24, 23 an Ex 24, 10 anknüpft. Dagegen ist nicht das Krö-
nungsmahl Jahwes als des Weltkönigs gemeint, wie H. Greßmann, a. a. O.
S. 300 (Der Messias, 1929, S. 214) behauptet.

[34] Zur geschichtlichen Einordnung vgl. K. Elliger, Ein Zeugnis aus der
jüdischen Gemeinde im Alexanderjahr 332 v. Chr., ZAW 62 (1949/50),
S. 63—115; A. Malamat, The Historical Setting of two Biblical
Prophecies on the Nations, IEJ 1 (1950), S. 149—154; M. Delcor, Les
allusions à Alexandre le Grand dans Zach 9, 1—8, VT 1 (1951), S. 110
bis 124.

herrschende Weltreich besiegt, jedoch durch Israel selbst (vielleicht im Anschluß an Jes 41, 14—16, vgl. Mi 4, 13 f.),[35] das in der Entscheidungsschlacht von dem in der Theophanie nahenden Gott unterstützt wird. Doch scheint nicht nur an die Vernichtung der Macht des Weltreichs, sondern auch an die Vernichtung des die Macht tragenden Volkes selbst gedacht zu sein. Dies wäre noch deutlicher, wenn Sach 11, 4—16 in der vorliegenden Gestalt vom gleichen Verfasser herrühren sollte. Denn dieser Abschnitt steigert das Gericht zu einem Kampf aller gegen alle (11, 6) und zur Bedrückung durch einen ruchlosen Tyrannen (11, 16). Schließlich teilt Deuterosacharja mit anderen Einzelworten die Erwartung eines Friedensreiches unter messianischer Regierung (9, 9 f., vgl. Jes 9, 1—6; 11, 1—9; Jer 23, 5; 33, 14 ff.).

Eine vereinheitlichende Zusammenfassung der drei ersten Grundformen liegt in der Erwartung eines allgemeinen Völkergerichts (Jes 63, 1—6; 66, 15 f.; Ob 15 a. 16—18; Zeph 3, 14 f.) oder der Vernichtung der Weltmacht durch Gott vor (Jes 14; 33).

5. Der dem Deuterosacharja etwa gleichzeitige Joel (4. Jh.) schildert zwei Phasen[36]: a) Jahwe selbst entbietet die Völker zum eschatologischen kriegerischen Ansturm gegen sich und Israel vor Jerusalem (4, 2. 9 f.), tatsächlich aber zum Endgericht wegen ihrer Sünden gegen Israel (4, 2 f. 12);[37] darin wird unter anderem Ez 38 f. aufgenommen und abgewandelt. Das Gericht findet in Gestalt einer unter dem Bild der Ernte geschilderten Vernichtungsschlacht bei Jerusalem statt (4, 13—17)[38] und erweist dessen Unantastbarkeit (4, 16 f.), die im Anschluß an die Jesajalegenden (Jes 36 f.) von Jes 52, 1 und Sach 2, 9 proklamiert worden war. Darin sind die von

---

[35] Vgl. auch Mi 5, 7.

[36] Joel 3 ist eine spätere Erweiterung durch drei Fragmente. Zum Buch vgl. A. S. Kapelrud, Joel Studies, 1948; M. Treves, The Date of Joel, VT 7 (1957), S. 149—156; O. Plöger, Theokratie und Eschatologie, 1959, S. 117—128.

[37] Diese Vorstellung der eschatologischen Bedrohung Jerusalems wendet Joel 1—2 auf die Bedrohung durch Heuschrecken und Dürre an, um sie als Zeichen des nahenden Gerichtstags zu deuten (vgl. 1, 15; 2, 1—11. 20).

[38] Zum Völkersturm und Endgericht vgl. auch Jes 8, 9 f.; 17, 12—14; Mi 4, 9. 11 f.; 5, 4 f.

Haggai und Sacharja vorgenommene Ausdehnung auf die Völker
und die von Deuterosacharja vertretene Annahme einer Vernichtungsschlacht unter Verwendung älterer Motive miteinander verbunden. b) Auf das Endgericht folgen paradiesischer Segen und
Frieden (4, 18—21), die wiederum unter Anschluß an ezechielische
Motive geschildert werden. Dieselben beiden Phasen finden sich auch
in Sach 14, jedoch mit zwei Unterschieden gegenüber Joel: Jerusalem ist nicht unantastbar, sondern wird zunächst erobert, geplün-
dert und seiner Einwohner beraubt, bis nach Theophanie und Einzug Jahwes in Jerusalem die teilweise Vernichtung der Völker erfolgt; ferner soll ihr Rest am Heil teilhaben.

6. Dagegen scheinen die sehr jungen Worte Sach 12, 1—13, 6;
13, 7—9 [39] bereits den Anbruch der Heilszeit vorauszusetzen, der
dann wohl in friedlicher Weise und ohne Niederwerfung der Weltmacht oder der Völker vor sich gegangen sein müßte. Jedoch folgt
nunmehr zu einem späteren Zeitpunkt die Bedrohung Jerusalems
und der Heilsgemeinde durch den Ansturm der Völker, in dem
Jahwe selber noch einmal alles in Frage stellt. Der Niederlage der
Völker und der Rettung Jerusalems folgt die Reinigung der Gemeinde von den Sündern [40] zum endgültigen Heil.

Als gemeinsame Grundzüge dieser verschiedenen Formen ergeben
sich: a) Vernichtung der Macht des Weltreiches bzw. der Völker oder
weitgehende Vernichtung dieser selbst; b) Erlösung und Befreiung
Israels als der eschatologischen Heilsgemeinde mitsamt der Reinigung
der Gemeinde und der Sammlung aller Verstreuten in Jerusalem;
c) Schaffung wunderbarer und paradiesischer Lebensverhältnisse für
die Heilsgemeinde; d) Beginn der unmittelbaren Gottesherrschaft
oder der Messiasregierung; e) Bekehrung der Völker oder ihres
Restes. Es ist deutlich, daß ein Teil dieser Erwartungen unauflöslich
mit dem antiken Weltbild verbunden ist und mit ihm steht und fällt.
Vor allem liegt in ihnen weithin die eschatologische Umwandlung
und Umprägung der Verkündigung der vorexilischen Heilsprophetie
vor, wie ein Vergleich mit Nahum, Habakuk und Chananja (Jer 28)
als Vertretern jener Strömung zeigt.

[39] Vgl. O. Plöger, a. a. O. S. 97—117.
[40] Vgl. auch Jes 10, 20—23.

III

Die Auffassung und Darstellung des eschatologischen Geschehens und der erhofften neuen und ewigen Heilszeit sind in der eschatologischen Prophetie und Theologie durch eine größere Zahl von strukturellen Einzelelementen bestimmt, die vom Ganzen nicht losgelöst werden dürfen, sondern es im einzelnen festlegen sollen. Jedes dieser Einzelelemente kreist um zwei polare Motive, die miteinander verbunden werden (Nr. 1, 5, 8) oder zwischen denen Übergänge bestehen können (Nr. 2, 7).

1. Das Urteil über das bisherige, sich dem Ende zuneigende Zeitalter ist weithin von Deuterojesaja bestimmt worden: Es ist das Zeitalter der Sünde und der dadurch bedingten Strafe (Jes 40, 2; 51, 17; 57, 17). Mit der zeitlichen Festlegung der Strafe (Untergang Judas und Exil) ist der Gedanke verbunden, daß sie den Sünden der früheren Zeit gilt; darin schließt das Urteil sich letztlich an die bitter-spöttische Beschwerde der Deportierten in Ez 18, 2 an.[41] Demgegenüber schildert Jes 9, 1 die bisherige Zeit allgemein als chaotisches Treiben, so daß über dem Volk das „Dunkel" als Unheil und Tod lastet und es sozusagen im „Land der Finsternis", in der Unterwelt der Todesschatten, dahinsiecht. Diese beiden Auffassungen werden in der Weise miteinander verbunden, daß die notvolle Situation der Finsternis und Krankheit, in der die Gemeinde des Lichts und der Heilung bedarf, nicht mit der früheren, sondern mit der gegenwärtigen Sünde begründet wird (Jes 59, 1. 8). Das bisherige Zeitalter ist durch die ständige und daher auch gegenwärtige Sünde der Menschheit in Übertretung der noachitischen Gebote gekennzeichnet (Jes 24, 5. 20; 26, 21). Ja, der Anbruch der Heilszeit kann sich wegen dieser gegenwärtigen Sünde verzögern — sei diese nun das Unterlassen des Tempelbaus (Haggai) oder Blutschuld und Ungerechtigkeit (Jes 59, 1—4). Zweifellos schließt sich diese Begründung — von der kultischen Bezugnahme bei Haggai abgesehen —

---

[41] Eine bezeichnende Nachwirkung heilsprophetischer Gedanken liegt in Sach 1, 15 vor: Während Jahwe nur „ein wenig" gezürnt hat, haben die Völker dem Unglück Israels „nachgeholfen" und sich dadurch schuldig gemacht.

in treuerer Weise an die Botschaft der großen Einzelpropheten an
als die Auffassung Deuterojesajas. Stets aber liegt eine durchaus
monistische Betrachtungsweise vor, die sich von der dualistischen der
Apokalyptik wohl unterscheidet.[42]
   2. Den Anbruch des neuen Zeitalters sieht Deuterojesaja als nahe
bevorstehend an. So klingt es immer wieder aus seinen Worten (vgl.
Jes 42, 10—17), besonders aus denjenigen über Kyros, dessen Taten
die Heilszeit herbeiführen helfen sollen. Der Prophet kann das Bevorstehende sogar als gegenwärtig (48, 20) oder in fingierter Rückschau als schon geschehen betrachten (40, 9—11; 48, 2). Folgt er darin
strukturell der früheren prophetischen Verkündigung, die sich stets
mit der Gegenwart und nächsten Zukunft befaßt hat, so spiegelt sich
in den beiden letzten Worten über den Knecht Jahwes in Jes 50,
10 f.; 52, 13—53, 12, sofern sie sich auf Deuterojesaja selbst beziehen,[43] schon die Tragödie des Scheiterns der hochgespannten Erwartungen wider. Dennoch wird später der Anbruch der Heilszeit
wieder als nahe bevorstehend verkündet (Jes 56, 1 f.; 61, 2; Ps 85,
10) und geradezu als das „Nahen Gottes" bezeichnet (Jes 58, 2) oder
als schon erfolgend hingestellt (Hag 2, 19; Jes 57, 14). Die immer
neue Verzögerung dessen jedoch führt nicht nur zu leidenschaftlichem
Drängen (Jes 62, 1. 6 f.), sondern auch entweder zu einem mit der
gegenwärtigen Sünde begründeten Hinausschieben (Jes 59) oder

---

[42] In dem Kyroswort Jes 45, 4—7 scheint Deuterojesaja sich ausdrücklich gegen die dualistische persische Religion zu wenden, wenn er erklärt,
daß Jahwe Licht und Finsternis, Heil und Unheil schafft.

[43] Zur Auseinandersetzung über das Problem des „Knechtes Jahwes"
und zu den verschiedenen Deutungen vgl. außer der geschichtlichen Übersicht von C. R. North, The Suffering Servant in Deutero-Isaiah, ²1956,
für die neuere Literatur vor allem S. Mowinckel, Neuere Forschungen zu
Deuterojesaja, Tritojesaja und dem ᶜÄbäd-Jahwe-Problem, ActOr 16
(1937), S. 1—40; O. Eißfeldt, Neue Forschungen zum ᶜEbed-Jahwe-
Problem, ThLZ 68 (1943), Sp. 273—280 (Kleine Schriften, II 1963,
S. 443—452); G. Fohrer, Neuere Literatur zur alttestamentlichen Prophetie, ThR NF 19 (1951), S. 301—304; 20 (1952), S. 231—240; Zehn
Jahre Literatur zur alttestamentlichen Prophetie, ebd. 28 (1962), S. 243
bis 247; H. Haag, Ebed-Jahwe-Forschung 1948—1959, BZ NF 3 (1959),
S. 174—204.

zum Absehen von der Bestimmung eines Zeitpunkts, so daß der Beginn der Umwälzung als eine Möglichkeit erscheint, die sich an jedem Tag verwirklichen kann und für die es sich durch die Erfüllung der kultischen und ethischen Pflichten vorzubereiten gilt (Maleachi). Das ist der Übergang zu dem wegen der wiederholten Enttäuschungen schließlich erfolgenden Hinausschieben in eine unbestimmte Ferne.

3. Die eschatologischen Propheten sehen die große Umwälzung der Zeitenwende oft mit einer begrenzten oder umfassenden Welterschütterung verbunden. Bei Deuterojesaja betrifft sie die herrschende babylonische Macht (vgl. auch Jes 13; 21, 1—10; Jer 50 f.), die mit der alten Welt als deren Symbol zerbrochen wird und die er aus verständlichen Gründen manchmal nur bildhaft-verhüllend umschreibt (Jes 42, 10). Es ist die Tat Jahwes, der nach alter Vorstellung als Krieger den Kampf ausficht (Jes 42, 13),[44] oder des von ihm als König eingesetzten und beauftragten Kyros (nach Jes 13, 17 der Meder).[45] Bei Haggai trifft die Welterschütterung sogar Natur und Völker (Hag 2, 6 f. 21 f.), bei Sacharja alle Völker (Sach 1, 15; 2, 1—4). Später richtet sich die Erwartung wieder mehr gegen die herrschende Weltmacht (Sach 9, 1 ff.; 11, 1 ff.), die öfters symbolisch mit geschichtlichen Namen als „Assur" (Jes 10, 24—27 a),[46] „Babel" (Jes 14, 22),[47] „Moab" (Jes 25, 10) oder „Edom" (Jes 34, 5—15)

---

[44] Vgl. die zusammenfassende Untersuchung von H. Fredriksson, Jahwe als Krieger, 1945.

[45] Vgl. E. Jenni, Die Rolle des Kyros bei Deuterojesaja, ThZ 10 (1954), S. 241—256.

[46] Daß Jes 10, 24—27 a nicht von Jesaja stammt, legt sich allein auf Grund der zahlreichen Entlehnungen dar; v. 24 benutzt Jes 10, 5; 30, 19. 31; v. 25: Jes 26, 20; 29, 17; v. 26: Jes 9, 3; Jdc 7, 25; Ps 83, 10 ff. Ebenso ist Jes 10, 16—19 zu verstehen.

[47] Der Rahmen von Jes 14 (v. 1—4 a. 22 f.) stammt aus nachexilischer Zeit, da sein Verfasser nach dem einleitenden „denn" das gegen das geschichtliche Babel gerichtete Kap. 13 vorgefunden und sich außer an Jes 49, 22 f. vor allem an Jes 56, 1—8; 61, 4—9; Sach 2, 12—16; 8, 20—23 angeschlossen hat. Zum Inhalt vgl. die tiefschürfende Untersuchung von G. Quell, Jesaja 14, 1—23, in: Festschrift F. Baumgärtel, 1959, S. 131 bis 157.

bezeichnet wird. In alledem wird die Linie der gesamten früheren
Prophetie — nicht zuletzt auch der Heilspropheten — aufgenommen, die Jahwe in Zusammenhang mit politischen Krisen am Werk
sieht, seit Jesajas ursprünglicher Beurteilung der Assyrer eine fremde
Macht als sein Vernichtungswerkzeug versteht und sie besonders seit
den Kultpropheten Nahum und Habakuk sein Urteil an der herrschenden Weltmacht vollstrecken glaubt. Eine ganz andere Tradition wirkt in dem Motiv des endzeitlichen Völkersturms gegen
Israel oder Jerusalem nach. Es ist sowohl aus Ezechiels Wort gegen
Gog (Ez 38 f.), das seinerseits an Jeremias Drohung mit dem Feind
aus dem Norden anknüpft (Jer 4—6),[48] eschatologisch abgewandelt
(vgl. Joel 2, 10: „der Nördliche"), als auch aus ursprünglich mythischen Vorstellungen hergeleitet (vgl. IV, 1) und teilweise mit heils-
prophetischen Gedanken durchsetzt worden. Gegenüber diesen Erwartungen und Befürchtungen einer gewaltsam-kriegerischen Umwälzung tritt das polare Motiv eines wundersamen Hereinbrechens
der Heilszeit ohne solche äußeren Ereignisse zurück. Zumindest
denkt man an Eingriffe Jahwes in die endzeitliche Gemeinde. Während sie sich für Sach 5, 1—4 zusätzlich zur Welterschütterung in
der Vernichtung der diebischen und meineidigen Eingesessenen ereignet,[49] scheinen Jes 59, 17 f.; 65, 11 ff. nur an die Beseitigung der
Frevler und Götzendiener aus der Gemeinde Israels selbst zu
denken.

4. Der Grund für die eschatologische Umwälzung liegt für Deuterojesaja ausschließlich im Erlösungswillen Gottes. Bei ihm erfährt
der von Hosea über Jeremia und Ezechiel zu verfolgende Erlösungsglaube innerhalb der prophetischen Theologie seine Vollendung und
Krönung. Demgemäß ist die „Umkehr" weder Voraussetzung noch

---

[48] Vgl. dazu im einzelnen G. Fohrer-K. Galling, Ezechiel, 1955, S. 212
bis 216. Zur Bedeutung von Zaphon-Norden vgl. O. Eißfeldt, Baal
Zaphon, Zeus Kasios und der Durchzug der Israeliten durchs Meer, 1932;
A. Lauha, Zaphon, der Norden und die Nordvölker im Alten Testament,
1943; B. S. Childs, The Enemy from the North and the Chaos Tradition,
JBL 78 (1959), S. 187—198. Neuerdings G. Wanke, Die Zionstheologie
der Korachiten in ihrem traditionsgeschichtlichen Zusammenhang, 1966.

[49] Vgl. K. Elliger, Das Buch der zwölf Kleinen Propheten, II ³1956,
z. St.

Mittel der Vergebung, sondern ihre Folge; weil Gott vergeben hat und vergibt, kann und soll der Mensch umkehren (Jes 44, 21 f.; 55, 6 f.). Gerade umgekehrt verhält es sich in Sach 1, 3: „Kehrt zu mir um, so werde ich mich (wieder) zu euch kehren." Dabei bedeutet die als Voraussetzung und Bedingung für den Anbruch der Heilszeit geforderte Umkehr in der Situation Sacharjas die Abkehr von der bisherigen Vernachlässigung des Tempelbaus und die Hinwendung zu eifriger Arbeit. In dieser kultischen Beziehung liegt der größte Unterschied zur früheren Prophetie. In Jes 56, 1—8 sind es das Halten des Sabbats und das Vermeiden des Bösen (als Ausschluß der Fremden und Eunuchen aus der Gemeinde), in Jes 58 ist es die tätige Nächstenliebe an Stelle des rituellen Fastens, in Jes 59 die Abkehr von der Sünde, die als zu erfüllende Bedingungen für den Anbruch der Heilszeit und die Teilhabe an ihr genannt werden; ja, in Jes 61, 8 wird der „ewige Bund" geradezu als der „Lohn" für das treue Ausharren bezeichnet. So stehen einander zwei verschiedene Auffassungen gegenüber.

5. Die Verwirklichung der eschatologischen Wende kann in partikularistisch-nationaler oder in universaler Art vorgestellt werden,[50] wobei in der ersteren, die besonders häufig erscheint, die frühere nationale Heilsprophetie am kräftigsten nachwirkt. Nach ihr vollstreckt Jahwe bei der kommenden Welterschütterung (Nr. 3) zugunsten Israels das Gericht an der Weltmacht oder den Völkern, vor allem sofern sie die endzeitliche Gemeinde bedrohen. Dieses Gericht, das Jahwe oder Israel selber vollstreckt, spielt in allen eschatologischen Erwartungen eine bedeutende Rolle. Jahwe wird sogar ganze Völker als Lösegeld für die Befreiung und Sammlung der Deportierten und Verstreuten hingeben oder sie der Heilsgemeinde künftig dienen lassen. Von den außerdem erhofften materiellen Heilsgütern abgesehen (vgl. Nr. 8), haben diese nationalen Verheißungen insofern auch einen universalen Aspekt, als andere oder

[50] C. Steuernagel, Die Strukturlinien der Entwicklung der jüdischen Eschatologie, in: Festschrift A. Bertholet, 1950, S. 479—487, befaßt sich mit dem nationalen, dem individuellen und dem universalen Element und zeigt ihre verschiedenen Kombinationen auf. Vgl. auch W. Coßmann, Die Entwicklung des Gerichtsgedankens bei den alttestamentlichen Propheten, 1915.

alle Völker von der Verwirklichung des künftigen Zeitalters betroffen werden. Im Sinne der nationalen Heilsprophetie, die das
Heil primär und eigentlich für Israel erwartet, sollen die Völker
jedoch durch Gericht und Vernichtung betroffen werden. Nur als
Gerichtete und durch das endzeitliche Geschehen Bekehrte erhalten
sie einen gewissen Anteil am Heil (vgl. Nr. 10). Demgegenüber
steht — viel seltener! — im Anschluß an die Theologie der großen
Einzelpropheten der Gedanke einer echt universalen Verwirklichung
des Heils zugunsten aller Menschen. Am deutlichsten findet er sich
in Zeph 3, 9 f.: Jahwe wird den Völkern neue, reine Lippen geben,
so daß sie ihn anrufen, ihm gemeinsam dienen und aller Welt Gaben
darbringen. Auch Deuterojesaja denkt einmal an die unmittelbare
Zuwendung des Heils an die harrenden Völker (Jes 51, 4—6), die
der Dichter von Jes 52, 13—53, 12 durch das stellvertretende Leiden
des Knechtes Jahwes vollzogen sieht, während Jes 17, 7 f. auf Grund
des Schöpfungsgedankens von der endzeitlichen Bekehrung aller
Menschen ohne weitere Geschehnisse spricht. Häufiger ist eine Verbindung der nationalen und universalen Art der Verwirklichung,
indem das Heil in universaler Art aller Welt zugesagt wird, aber am
national-religiösen Mittelpunkt Israels, in Jerusalem, zu erlangen
ist (Jes 2, 2—4; 25, 6 ff.; 56, 7; Jer 3, 17; Sach 8, 20 ff.; mit drohen-
dem Aspekt in Sach 14, 16 ff.).

6. Die bisherigen Beispiele zeigen, daß die eschatologische Prophetie gewöhnlich nicht ein Ende der Welt und der Geschichte überhaupt meint, sondern die eschatologischen Geschehnisse sich im
Rahmen der Völkerwelt abspielen sieht. Überwiegend wird sich das
Heil des neuen Zeitalters in diesem Rahmen verwirklichen — sei es
wie bei Deuterojesaja oder Sach 1, 7—15 im Anschluß an politische
Gegebenheiten oder zeitgeschichtliche Anknüpfungspunkte (vgl. Sach
9, 1 ff.; 10, 3 ff.), sei es im Ausspinnen theologischer Überlegungen
ohne solche Anknüpfungspunkte (vgl. Joel 4; Sach 12—14).[51] Demgegenüber finden sich mehrfach Anschauungen, in denen der Kosmos
in die eschatologischen Ereignisse einbezogen oder diese gar als ein
kosmisches Geschehen vorgestellt werden. Den Ansatzpunkt dafür
liefert die Einbeziehung der Natur durch Deuterojesaja auf Grund

[51] Vgl. K. Elliger, a. a. O. zu Sach 12—14.

des für ihn wichtigen Schöpfungsglaubens.[52] So erwarten Hag 2, 6. 21 die Erschütterung der Natur neben derjenigen der Völkerwelt, Jes 13, 10. 13; 24, 1 ff. 18 ff.; Jer 4, 23—26 kosmische Auswirkungen des Endgerichts, die das Ende der bestehenden Welt herbeiführen können (Jes 34, 4; 51, 6); dabei werden im einzelnen zahlreiche Motive der vorexilischen prophetischen Verkündigung verwertet.[53] Dem Ende des alten entspricht die Schaffung eines neuen Kosmos (Sach 14, 6 in Aufhebung von Gen 8, 22), der dann unvergänglich sein (Jes 65, 17 f.; 66, 22) und in dem Jahwe als ewiges Licht leuchten wird (Jes 60, 19 f.).[54]

7. Ihrer Art nach wird die künftige Heilszeit häufig als Wiederherstellung des Früheren erwartet. Diese restaurative Eschatologie, die von der deuteronomischen Theologie ausgeht, wird äußerlich in Sach 10, 6; Ps 85, 5 durch das dort zu lesende שׁוּב Hiphil „wiederherstellen" gekennzeichnet,[55] vor allem aber durch den Ausdruck שׁוּב שְׁבוּת/ית „das Geschick wenden (im Sinn der Wiederherstellung)", dessen Bedeutung als Wiederherstellung sich eindeutig aus Ez 16, 53 (parallel zu: „in den früheren Zustand zurückkehren" v. 55) und Hi 42, 10 (Wiederherstellung Hiobs) ergibt.[56] Der Ausdruck be-

[52] Vgl. R. Rendtorff, Die theologische Stellung des Schöpfungsglaubens bei Deuterojesaja, ZThK 51 (1954), S. 3—13; C. Stuhlmueller, The Theology of Creation in Second Isaias, CBQ 21 (1959), S. 429—467.

[53] Vgl. J. Lindblom, Die Jesaja-Apokalypse, 1938, S. 105—107.

[54] Aus der Ausdrucksweise und dem Zusammenhang ergibt sich, daß an eine wirkliche Neuschöpfung und nicht bloß an eine Welterneuerung gedacht ist, wie J. Lindblom, Gibt es eine Eschatologie bei den alttestamentlichen Propheten?, StTh 6 (1952), 1953, S. 106 [S. 63], annimmt.

[55] In Sach 10, 6 ist es anstelle der Mischform aus שׁוּב und יָשַׁב, beeinflußt durch יָשַׁב Hiphil in v. 10, zu lesen, in Ps 85, 5 entsprechend der Bitte um tatsächliche Wiederherstellung, im politischen Sinn in Ps 80, 4. 8. 20; zu Ps 85 vgl. zuletzt auch H.-J. Kraus, Psalmen, II ²1961, S. 588 ff.

[56] Daher ist der Auffassung von E. L. Dietrich, שׁוּב שְׁבוּת, die endzeitliche Wiederherstellung bei den Propheten, 1925, gegenüber derjenigen der Aufhebung einer Schuldhaft durch E. Baumann in ZAW 47 (1929), S. 17—44, zuzustimmen. Zur Form des Ausdrucks vgl. R. Borger in ZAW 66 (1954), S. 315 f. (mit weiterer Literatur).

gegnet fast ausschließlich[57] in der eschatologischen Theologie und
scheint ihr geradezu als stehender Ausdruck für die eschatologische
Wiederherstellung zu dienen.[58] Ebenso häufig aber meint die eschatologische Prophetie nicht das Wiederherstellen, sondern das Neu-
werden des Alten. Die Heilszeit bedeutet wesenhaft eine Welterneuerung. Das wird in der Gegenüberstellung des „Früheren" und
des „Neuen" bei Deuterojesaja besonders klar. Auch und gerade
Jerusalem wird neu werden, wie Sach 2, 5—9 und die Parallelisie-
rung mit der Schöpfung in Jes 60, 1 f. zeigen. Noch einen Schritt
weiter gehen Jes 62, das von einem neuen Namen und damit von
einer neuen, heilvollen Wesensart Jerusalems spricht, und Jes 2, 2,
das mit Hilfe ursprünglich mythischer Vorstellungen die Stadt als
Gottesberg und Mittelpunkt des Paradieses schildert. Und die Erwartungen gipfeln in der Ankündigung einer Neuschöpfung des
Kosmos (Nr. 6).

8. Das Heilsgut des neuen Zeitalters wird teils infolge der ganz-
heitlichen Denkweise des alttestamentlichen Menschen, für den
Äußeres und Inneres eine Einheit bilden und das Erstere ein Symbol
des Letzteren darstellt, teils infolge der Weiterführung der heils-
prophetischen Erwartungen als wirkliche Segensfülle und materielles
Gut (Sach 1, 17: טוב) verstanden.[59] Grundlegend ist der erwartete
Wiederaufbau Jerusalems, seines Tempels und der israelitischen
Städte (Jes 44, 26; 45, 13; 54, 11 f.; 58, 12; 60, 10. 13; 61, 4), wobei
Jerusalem zum Mittelpunkt der Welt und des ewigen Königreichs

[57] Ausnahmen bilden nur Hos 6, 11; Thr 2, 14; Hi 42, 10. Demnach
stammen, einschließlich der eschatologischen Verwendung (Anm. 58), alle
Vorkommen mit Ausnahme von Hos 6, 11, das nicht unbestritten ist, aus
exilischer und nachexilischer Zeit. Das spricht gegen die Herleitung des
Ausdrucks aus dem alten Kultus durch A. Weiser, a. a. O. S. 31.

[58] Dtn 30, 3; Jer 29, 14; 30, 3. 18; 31, 23; 32, 44; 33, 7. 11. 26; 48, 47;
49, 6. 39; Ez 16, 53; 29, 14; 39, 25; Joel 4, 1; Am 9, 14; Zeph 2, 7; 3, 20;
Ps 14, 7 (53, 7); 85, 2; 126, 4. Keine dieser Stellen rührt aus vorexilischer
Zeit her.

[59] Vgl. die Zusammenstellung von L. Dürr, Ursprung und Ausbau der
israelitisch-jüdischen Heilandserwartung, 1925, S. 101—103; über die
Aufnahme von Paradiesvorstellungen N. Messel, Die Einheitlichkeit der
jüdischen Eschatologie, 1915, bes. S. 85—88.

Gottes werden wird (Jes 2, 2; 24, 23; 60, 10 f.).[60] Ein gewaltiger Reichtum fließt für den Bedarf des Tempels oder der Heilsgemeinde dorthin, wie umgekehrt von der Stadt ein Segensstrom ausgeht, von dem man im Anschluß an Ez 47, 1—12 auf Grund tatsächlicher Verhältnisse und mythischer Paradiesvorstellungen spricht (Joel 4, 18; Sach 14, 8).[61] Teils als Wirkung dessen, teils als Folge der Welterneuerung (vgl. Nr. 7) wird erstaunlich häufig eine paradiesische Fruchtbarkeit des Landes verheißen (z. B. Jes 30, 23—25; 51, 3; Am 9, 13; Joel 4, 18; Ps 144, 13 f.).[62] Zur Segensfülle gehören ferner das Wachstum Israels durch zahlreiche Nachkommen (Jes 44, 3 f.; 49, 19—21; 54, 1—3; 60, 22), die Behebung körperlicher Gebrechen (Jes 29, 18; 32, 3 f.; 33, 23; 35, 5 f.), die Langlebigkeit der Menschen entsprechend der alttestamentlichen Auffassung des Lebens (Jes 65, 10; Sach 8, 4) bis zur Vernichtung des Todes (Jes 25, 8) und der ewige Friede in Menschen- und Tierwelt (Jes 2, 4; 9, 4; 11, 6—9; 65, 25; Sach 9, 10; Ps 46, 10).[63] Demgegenüber steht das religiös-geistige Heilsgut: die Beseitigung der Unreinheit (Sach 13, 1 ff.), die Sündlosigkeit (Jes 60, 21; 65, 25; Sach 5, 5—11), so daß nichts Böses mehr geschieht (Jes 11, 9) und Israel „heilig" heißt, d. h. dem bisherigen Leben entnommen und Gott geweiht (Jes 4, 3; 62, 12). Demgemäß empfängt Israel den Geist prophetischer Begabung, der eine unmittelbare Beziehung zu Gott ermöglicht (Joel 3, 1 f.).[64] Darin wirkt — freilich vergröbert — der Erlösungsglaube

[60] Vgl. auch H. Groß, Weltherrschaft als religiöse Idee im Alten Testament, 1953. Für die Darstellung der zentralen Rolle Jerusalems in diesem „Zionismus" vgl. meinen Beitrag zu Σιων in ThW VII, 1964, S. 291—318.

[61] Vgl. im einzelnen G. Fohrer-K. Galling, a. a. O. S. 242.

[62] Vgl. A. De Guglielmo, The Fertility of the Land in Messianic Prophecies, CBQ 19 (1957), S. 306—311. Gewöhnlich wird daran gedacht, daß die Heilsgemeinde das Land selbst bebaut (vgl. Jes 62, 8 f.; 65, 21 f.; Am 9, 14), während sie sich nach gelegentlichen Äußerungen einer rein religiös-priesterlichen Tätigkeit widmen und anderen die Sorge für ihren Lebensunterhalt überlassen soll (Jes 23, 18; 61, 6).

[63] Vgl. W. Eichrodt, Die Hoffnung des ewigen Friedens im alten Israel, 1920; G. Fohrer, Glaube und Welt im Alten Testament, 1948, S. 230 bis 258; H. Groß, Die Idee des ewigen und allgemeinen Weltfriedens im Alten Orient und im Alten Testament, 1956.

[64] Der Geistbesitz Jes 11, 2 vermittelt dem Messias außerdem über-

der früheren Prophetie nach. Letztlich aber lassen sich beide Aspekte,
äußere Segensfülle und religiöses Heil, nur künstlich voneinander
trennen; für das damalige Verständnis gehören sie zusammen, wie
ihre Verbindung in Jes 11, 6—9; 58, 11 f.; Ps 85, 11—13; 90,
13—17 zeigt. Alles dies wird Freude und Jubel wecken, die sowohl
das Echo auf die gewährten Heilsgüter als auch selber ein letztes
Heilsgut darstellen (Jes 42, 10—22; 44, 23; 48, 20; 49, 13; 51, 11;
52, 8 f.; 61, 3; 65, 13 f. 18; 66, 10).

9. Es ist deutlich, daß es sich um zwar ewige, aber durchaus diesseitige Heilsgüter handelt, da ja das neue Zeitalter nicht das Ende
der Welt, sondern ihre Wiederherstellung, Erneuerung oder höchstens Neuschöpfung einschließt. Auch die Toten sollen nach Dan
12, 2 offenbar zu einem neuen diesseitigen Leben auferweckt
werden. Nur in nichtkanonischen Schriften wie der Weisheit
Salomos mit ihrer jenseitigen Frömmigkeit[65] wird ein jenseitiges,
nicht-irdisches Heilsgut erwartet.

10. Die Teilhabe am Heil kommt zunächst der israelitischen
Gesamtgemeinde des neuen Zeitalters in und um Jerusalem als
ihrem Mittelpunkt zu,[66] die häufig als der „Rest" Israels bezeichnet
wird.[67] Dieser Ausdruck, der ursprünglich dasjenige bezeichnet, was
als weniger wichtiger Teil nach der Vernichtung übrigbleibt (vgl.
Ex 10, 12; Lev 5, 9; Jos 11, 22)[68] oder vor der Gefahr völliger

menschliche und göttliche Fähigkeiten. Die Geistausgießung Sach 6, 1—8
bewirkt die Rückkehr der babylonischen Diaspora nach Jerusalem. Dagegen ist der Gottesgeist in Jes 32, 15; 44, 3 als göttliche Lebenskraft
gemeint, die äußeren Segen bringt. Zum eschatologischen Gebrauch des
Begriffs Geist vgl. auch R. Koch, Geist und Messias, 1950.

[65] Vgl. R. Schütz, Les idées eschatologiques du Livre de la Sagesse,
1935; H. Bückers, Die Unsterblichkeitslehre des Weisheitsbuches, 1938; A.
Dupont-Sommer, De l'immortalité astrale dans la « Sagesse de Salomon »,
Revue des Études Greques 62 (1949), S. 80—87.

[66] Damit wird der prophetische Personalismus Jeremias und Ezechiels
wieder rückgängig gemacht.

[67] Jes 4, 3; 10, 20—23; 11, 11. 16; 28, 5 f.; 37, 31 f.; 46, 3 f.; Jer 23,
3; 31, 7; Mi 2, 12 f.; 7, 18; Zeph 2, 7. 9; 3, 13; Hag 1, 12. 14; 2, 2; Sach
8, 6. 11; 9, 7. Zu Sach 9, 7 vgl. K. Elliger, a. a. O. z. St

[68] Vgl. ferner in der Prophetie Jes 17, 3; Jer 8, 3; 15, 9; 21, 7; 24, 8 f.;
38, 4. 22; 40, 6; 42, 2. 15; Ez 5, 10; 6, 12; 9, 8; 11, 13; 17, 21.

Vernichtung gewarnt werden soll (vgl. Jes 7, 3; Am 5, 3), wird vom ausgehenden Exil an zur demütig-stolzen Bezeichnung der vom Untergang Verschonten, die sich damit nicht mehr als unwerte Übriggebliebene, sondern als ausersehene Träger der Heilszukunft kennzeichnen. Darin liegt ein eindeutiger Fall heilsprophetisch-eschatologischer Umprägung vor.[69] Die Teilhabe dieser „Rest"-Gemeinde am Heil kann exklusiv ausgelegt werden, zur eigenen Absonderung und zum Ausschluß anderer führen (Hag 2, 10—14; Jes 61, 9). Umgekehrt kann die Aufnahmewilligkeit der Gemeinde für andere gefordert werden, wobei die Aufzunehmenden sich freilich den kultisch-gesetzlichen Forderungen fügen müssen (Jes 56, 1—8; Sach 9, 1—8). Gewöhnlich wird den Völkern als einem zweiten, weiteren Kreis die Teilhabe am Heil zugesprochen. Daß sie zu dem „Volk" der Jahweverehrer gehören werden (Sach 2, 15), beruht dann auf ihrer Bekehrung angesichts des Erlebten (Jes 2, 2—4; 45, 3. 5 f. 14—17), ihrer Einsicht auf Grund der Aufforderung Jahwes (Jes 45, 20—25), der Mission unter ihnen, die Deuterojesaja erstmalig und nachdrücklich als prophetische Aufgabe nennt (Jes 42, 1—4. 6; 49, 6),[70] oder des anzueignenden stell-

---

[69] Vgl. auch R. de Vaux, Le « Reste d'Israël » d'après les Prophètes, RB 42 (1933), S. 526—539; W. E. Müller, Die Vorstellung vom Rest im Alten Testament (Diss. Leipzig 1938), 1939; O. Schilling, „Rest" in der Prophetie des Alten Testamentes, Diss. Münster 1942 (Masch.schr.); S. Garofalo, La nozione profetica del Resto d'Israele, 1942. Die Überprüfung aller Vorkommen zeigt klar, daß der theologische oder eschatologische Restgedanke nicht auf Jesaja zurückgeht; anders F. Dreyfus, La doctrine du reste d'Israël chez le prophète Isaïe, RScPhTh 39 (1955), S. 361—381. Daß es sich um einen festgeprägten Ausdruck der eschatologischen Theologie handelt, zeigen Mi 4, 7: „Rest" parallel zu „zahlreiches Volk" und 5, 7: Vergleich mit dem raubenden Löwen.

[70] Zu den verschiedenen Aspekten der Missionsfrage vgl. M. Löhr, Der Missionsgedanke im Alten Testament, 1896; H. H. Rowley, The missionary Message of the Old Testament, 1944; F. M. Th. de Liagre Böhl, Missions- und Erwählungsgedanke in Altisrael, in: Festschrift A. Bertholet, 1950, S. 77—96; J. Hempel, Die Wurzeln des Missionswillens im Glauben des AT, ZAW 66 (1954), S. 244—272; R. Martin-Achard, Israël et les nations, 1959.

vertretenden Leidens (Jes 52, 13—53, 12). Die Teilhabe kann
ebenso in ihrer Belehrung über den von Gott gewollten Lebensweg
(Jes 2, 3) oder der Beteiligung am Bundesfestmahl (Jes 25, 6 ff.)
wie in dem verlangenden Anklammern an ein Glied der Heilsgemeinde (Sach 8, 23) oder der unter Strafandrohung erzwungenen
Pilgerfahrt nach Jerusalem bestehen (Sach 14, 16 ff.). So zeigen sich
wieder partikularistisch-nationale und universale Motive (vgl.
Nr. 5). Stets aber ist die Teilhabe Israels und der Völker kollektiv
oder korporativ gedacht; der einzelne hat am Heil nur als Glied der
Gemeinde oder seines Volkes Anteil, auch in der Auferstehung.

11. Schließlich wird die Ausübung der Herrschaft in der Heilszeit
in verschiedener Weise erwartet.[71] Teilweise glaubt man, daß Gott
selbst als König herrschen wird (Jes 24, 23; 33, 22; 43, 15; 44, 6;
Ob 21; Mi 2, 13; 4, 7; Zeph 3, 15; Sach 9, 1—8; 14, 9; Mal 3, 1;
Ps 47; 96—99; 146, 10; 149, 2).[72] Andere, davidisch-königstreue
Kreise dagegen nehmen an, daß an Stelle Jahwes ein von ihm ein-
gesetzter eschatologischer König aus davidischem Geschlecht als sein
Statthalter oder sein „Wohlfahrts-, Friedensbeamter" (Jes 9, 5)

---

[71] Entgegen dem Zweifel G. von Rads in ThW I, 1933, S. 566 f., lassen
sich die beiden im folgenden genannten Vorstellungen von Jahwe-
herrschaft und Messiasregierung klar voneinander trennen, sofern man
nicht unkritisch schon dem Jesaja eschatologische Erwartungen beider
Arten zuzuschreiben sich bemüht, nur weil nun einmal derartige Worte
unbekannter Propheten in das nach ihm benannte Buch aufgenommen
worden sind.

[72] Vgl. O. Eißfeldt, Jahwe als König, ZAW 46 (1928), S. 81—105
(Kleine Schriften, I 1962, S. 172—193); G. von Rad, a. a. O. S. 566 bis
569; A. Alt, Gedanken über das Königtum Jahwes, in: Kleine Schriften
zur Geschichte des Volkes Israel, I 1953, S. 345—357; M. Buber, König-
tum Gottes, [3]1956. Gegenüber der These vom Thronbesteigungsfest
Jahwes (S. Mowinckel, Psalmenstudien, II. Das Thronbesteigungsfest
Jahwäs und der Ursprung der Eschatologie, 1922, mit der Herleitung der
Eschatologie aus diesem Fest), mit dem oft ein Zusammenhang hergestellt
wird, vgl. neuerdings die bedeutsamen Einwände von L. Köhler, Syn-
tactica III, VT 3 (1953), S. 188 f.; D. Michel, Studien zu den sogenannten
Thronbesteigungspsalmen, VT 6 (1956), S. 40—68; ferner H.-J. Kraus,
Die Königsherrschaft Gottes im Alten Testament, 1951, der freilich ein
anderes, nicht weniger unsicheres Fest an Stelle des bestrittenen annimmt.

regieren wird,[73] indem er die Tätigkeit des „Richtens" ausübt (Jes 9, 5 f.; 11, 1—5. 10; 16, 4 f.; Jer 23, 4 f.; Ez 17, 22—24; Sach 9, 9 f.).[74] Hag 2, 20—23 bezeichnet sogar den zu seiner Zeit in Jerusalem lebenden Davididen Serubbabel als messianischen König, ebenso Sach 6, 9—15 in der ursprünglich auf Serubbabel bezogenen Krönungshandlung. Daneben zieht Sach 4 den Hohenpriester Josua hinzu und verteilt die Messiaswürde auf einen weltlichen und einen geistlichen Repräsentanten.[75] Stets ist Jahwe der Bringer, der Messias der Verwalter des Heils.

IV

Die Struktur der eschatologischen Prophetie und Theologie ist endlich durch die häufig verwendeten Entsprechungsmotive gekennzeichnet, auf Grund deren gern die „Endzeit" der „Urzeit" gleichgesetzt wird. Sie sind zwar nicht auf die Eschatologie beschränkt, sondern längst vor ihr in anderen Zusammenhängen benutzt worden, begegnen in ihr aber in besonders großem Umfang.[76]

[73] Außer E. Sellin, Die israelitisch-jüdische Heilandserwartung, 1909; L. Dürr, a. a. O.; H. Greßmann, Der Messias, 1929, vgl. aus der Fülle der neueren Literatur S. Mowinckel, He that cometh, 1956 (Han som kommer, 1951), und den Überblick bei G. Fohrer, Messiasfrage und Bibelverständnis, 1957.

[74] H. W. Wolff, Herrschaft Jahwes und Messiasgestalt im Alten Testament, ZAW 54 (1936), S. 168—202, möchte im Messias eine Erscheinungsform Jahwes wie Feuersäule oder Engel erblicken, während H. Groß, Weltherrschaft als religiöse Idee im Alten Testament, 1953, S. 110, in seiner Herrschaft richtiger die Königsherrschaft Jahwes in Erscheinung treten sieht. Das ist insoweit der Fall, wie in der Regierung eines Statthalters oder Beamten die Herrschaft seines Oberherrn in Erscheinung tritt.

[75] Auf das Nachwirken dieses Gedankens in der späteren jüdischen Erwartung zweier Messiasse ist das Augenmerk neuerdings durch die Qumrantexte gelenkt worden. Das Problem muß in diesem Rahmen ebenso außer acht bleiben wie die Frage nach der ursprünglichen Bedeutung des in Dan 7, 13. 27 auf die eschatologische Gemeinde gedeuteten „Menschensohns".

[76] Vgl. H. Gunkel, Schöpfung und Chaos in Urzeit und Endzeit, ²1921; allgemeiner M. Eliade, Le mythe de l'éternel retour, 1949; G. van der

Obwohl die Übergänge gelegentlich fließend sind, müssen sie doch
von der bloßen Bildrede (vgl. z. B. das Bild vom Taumelbecher
Jes 51, 17—23) und den aus Mythos und Märchen entlehnten Vorstellungen (z. B. in den Visionen Sacharjas) unterschieden werden.

1. Als „urzeitliche" Entsprechungsmotive zieht die eschatologische
Prophetie Schöpfungs- und Paradiesvorstellungen heran;[77] für das
alttestamentliche Denken spiegeln sie durchaus geschichtliche Geschehnisse und Verhältnisse wider. Als Entsprechungsmotiv aus dem
Schöpfungsgeschehen dient ausschließlich das Verhältnis von Chaos
und Schöpfung.[78] Wie der Anbruch des kommenden Zeitalters für
Babel oder die Welt den Rückfall ins Chaos bedeutet (Jes 13, 9 ff.;
Jer 4, 23—26), so für Israel den endgültigen Sieg über es analog
dem Sieg des Lichts über das chaotische Dunkel (Jes 9, 1). Gewöhnlich wird dabei die mythische Vorstellung eines Kampfes der Gottheit mit dem Chaosmeer benutzt, das als Rahab, Leviatan, Tannin,
Jam oder flüchtige, gewundene Schlange[79] personifiziert ist und

---

Leeuw, Urzeit und Endzeit, in: Eranos-Jb 17 (1949), 1950, S. 11—51.
Nichteschatologische Entsprechungen liegen vor, wenn Josua aus dem
Diener Moses wie dieser zum Knecht Jahwes wird (Jos 1, 1; 24, 29), der
Einzug in Palästina dem Exodus entspricht (Jos 2, 10; 4, 23 f.), Elia als
neuer Mose erscheint (vgl. G. Fohrer, Elia, ²1967), Jes 63, 11—14 sich auf
die Gnadentaten der Mosezeit und Ps 83, 11 f. auf diejenigen der Richterzeit berufen oder Ps 46, 3—7; 48, 3—8; 76, 4—7 die Vorstellungen von
Chaos- und Völkersturm bzw. -vernichtung, Gottesberg und Paradies
kultisch verwenden.

[77] Vgl. auch H. A. Brongers, De scheppingstradities bij de profeten,
1945; A. Peter, Das Echo von Paradieserzählung und Paradiesesmythen im
Alten Testament unter besonderer Berücksichtigung der prophetischen
Endzeitschilderungen, Diss. Würzburg 1947; B. J. van der Merwe,
Pentateuchtradisies in die Prediking van Deuterojesaja, 1955; H. Schmid,
Jahwe und die Kulttraditionen von Jerusalem, ZAW 67 (1955), S. 168
bis 197; L. I. Ringborn, Paradisus Terrestris, 1958.

[78] Jes 44, 26—28 bezieht sich nicht auf das Schöpfungswort, sondern
auf die Prophetenworte, die das bevorstehende Heil ankündigen.

[79] Beide Ausdrücke finden sich schon im ugaritischen Text 67, I, 1 f.
nebeneinander (Zählung nach C. H. Gordon, Ugaritic Textbook, 1965):
bṯn brḥ bṯn ᶜqltn. W. F. Albright, The Psalm of Habakkuk, in: Studies

dessen Bekämpfung durch die Gottheit mittels Waffengewalt oder
„Schelten" erfolgt (Jes 27, 1; 50, 2; 51, 9).[80] Es wird sowohl auf
die babylonische Macht (Jes 44, 27; Jer 51, 55) als auch auf den
kriegerischen Ansturm der Völker gegen Jahwe und Jerusalem bezogen (Jes 8, 9 f.; 17, 12—14 mit „brausen", „tosen" und „schelten";
vgl. ferner Ps 144, 7) oder für die friedliche Völkerwallfahrt abgewandelt (Jes 2, 2). Die Paradiesvorstellungen als Entsprechungsmotive stammen teils aus der alttestamentlichen Erzählung, teils
wieder aus mythischen Überlieferungen: Jerusalem wie der Gottesberg im Paradiesgarten (Jes 2, 2, vgl. 11, 9), die Umwandlung des
Zion in Eden und den Jahwegarten (Jes 51, 3) mit Paradiesquelle
oder -strom (Jes 33, 21; Joel 4, 18; Sach 14, 8, vgl. Gen 2, 10—14;
anklingend im Völkerstrom Jes 2, 2), die paradiesischen Verhältnisse der Heilszeit (Jes 27, 6; 30, 23—25; Am 9, 13; Joel 4, 18;
Sach 14, 6, vgl. ferner Jes 4, 2; Hag 2, 19), Friede zwischen den
Tieren (Jes 11, 6 f.; 65, 25, Weidetiere wie Gen 1, 30), zwischen
Mensch und Tier (Jes 11, 8 gegenüber Gen 3, 15) und zwischen den
Menschen (Jes 2, 4; 9, 6; Sach 9, 10; umgekehrt angewendet Joel
4, 10).[81]

2. Einige Entsprechungsmotive stammen aus der Vätergeschichte.
Die Heilszeit bringt Ruhe, wie man sie von Noah erwarten durfte
(Jes 14, 3, vgl. Gen 5, 29), und einen Friedensbund wie mit ihm

in Old Testament Prophecy, 1950, S. 1—18, bestreitet die Deutung von
בריח als „flüchtig" und ersetzt sie mit Vorbehalt durch „urzeitlich".

[80] Zwar enthalten die alttestamentlichen Stellen auch Anklänge an den
mesopotamischen Mythos, in dem Tiamat die Chaosmacht verkörpert; an
die besonders von H. Gunkel, a. a. O., vertretene ausschließliche Herleitung von dort ist aber nach Bekanntwerden der ugaritischen Texte nicht
mehr zu denken. Vielmehr ist mit starken Einwirkungen der aus Ugarit
bekannten kanaanäischen Meereskampfmythen zu rechnen. Vgl. zuletzt
O. Kaiser, Die mythische Bedeutung des Meeres in Ägypten, Ugarit und
Israel, ²1962 (mit weiterer Literatur). Zur nichteschatologischen Verwendung vgl. Ps 74, 14; 89, 10 f.; Hi 3, 8; 7, 12; 9, 13; 26, 12 f.; 38, 8 ff.

[81] Vgl. auch die Darstellung von H. Greßmann, Der Ursprung der
israelitisch-jüdischen Eschatologie, 1905, S. 193—250; Der Messias, 1929,
S. 149—192, wozu allerdings auch nichteschatologisches Material herangezogen worden ist.

(Jes 54, 9 f., vgl. Gen 8, 20 ff.; 9, 8 ff.), wenn die neue Sintflut vorüber sein wird (Jes 24, 18). Das eschatologische Gericht entspricht
der Vernichtung von Sodom und Gomorra (Jes 34, 9 f.; Jer 50, 40),
die künftige Vermehrung Israels derjenigen Abrahams (Jes 51,
1 f.).[82]

3. Häufig werden die Überlieferungen der Mosezeit als Entsprechungsmotive für die eschatologischen Geschehnisse herangezogen: für die neue Befreiung aus der harten Fron (Jes 9, 3;
14, 3), den neuen Exodus (Jes 49, 9; Mi 2, 13; 7, 15; Sach 8, 11)[83]
mit Jahwe als Vor- und Nachhut entsprechend der Wolken- und
Feuersäule (Jes 52, 12),[84] die eilige oder gerade nicht „hastige"
Flucht und Heimkehr (Jes 48, 20; 51, 11, vgl. Ex 12, 11), bei der
sich fremdes Volk anschließt (Jes 14, 1, vgl. Ex 12, 38), die Rettung
wie beim Durchzug durchs Schilfmeer (Jes 10, 26; 11, 15; Jes 17, 14
mit Ausdrücken wie Ex 14, 27; Jes 51, 10 b[85]) einschließlich der
Verwirrung (Sach 14, 13, vgl. Ex 14, 24) und Vernichtung der Be-
dränger (Jes 43, 16 f.). Den Überlieferungen der Mosezeit entsprechen ferner die eschatologische Theophanie (Sach 9, 14 mit
Posaunenschall wie Ex 19, 16; von Jahwes Wohnung im Süden her
wie Jdc 5, 4; Hab 3, 3) mit mächtigem Weltbeben (Jes 13, 13; Hag
2, 6. 21), die neue Erwählung (Jes 14, 1; Sach 1, 17; 2, 16) mit dem
ewigen Bund (Jes 55, 3 u. ö.),[86] der Lichtglanz vor den Ältesten
und das künftige Bundesmahl (Jes 24, 23; 25, 6, vgl. Ex 24, 10 f.),

[82] Zur späteren Erlöserrolle Noahs und Abrahams vgl. W. Staerk, Die
Erlösererwartung in den östlichen Religionen, 1938, S. 44—46, 48—50.

[83] Vgl. auch G. Edwards, The Exodus and Apocalyptic, in: A Stubborn
Faith, Festschrift W. A. Irwin, 1956, S. 27—38.

[84] Auf Grund dieser Entsprechung ist in Jes 4, 5 sogar eine den ursprünglichen Text umdeutende Glosse hinzugefügt worden.

[85] Jes 51, 10 b bezieht sich auf den Durchzug durchs Schilfmeer, wird
aber mit dem Entsprechungsmotiv aus der Schöpfung in 51, 9—10 a durch
den Ausdruck „austrocknen" und den Namen „Rahab", der sowohl für
die Chaosmacht als auch für Ägypten (Jes 30, 7; Ps. 87, 4) verwendet
wird, verknüpft.

[86] Zur Erwählung vgl. H. H. Rowley, The Biblical Doctrine of
Election, 1950; R. Bach, Die Erwählung Israels in der Wüste, Diss.
Bonn 1952; Th. C. Vriezen, Die Erwählung Israels nach dem Alten Testa-
ment, 1953; K. Koch, Zur Geschichte der Erwählungsvorstellung in Israel,

das Spenden von Wasser während der Wüstenwanderung (Jes 41, 18; 43, 20; 49, 10; 48, 21 „aus dem Felsen" wie Ex 17 und Num 20) und die so oft erwähnte Heimführung der Deportierten oder Verstreuten nach Palästina.

4. Auch die Richter- und Königszeit hat Entsprechungsmotive geliefert. Jahwe wird nochmals wie einst dem Gideon am Midianitertag helfen (Jes 9, 3; 10, 26, vgl. Jdc 7) und Israel wie Barak in der Deboraschlacht die Fänger fangen (Jes 14, 2, vgl. Jdc 5, 12). Das eschatologische Reich wird mit der Vereinigung aller Israeliten und mit seinen Grenzen dem davidischen Reich als dem geschichtlich größten israelitischen Staatswesen entsprechen (Jes 11, 13 f.; Jer 3, 18; Am 9, 11 f.; Ob 19—21; Mi 4, 8), Israel selbst die Weltmächte überwinden wie David den Goliat (Sach 9, 13). Und der Herrscher der Heilszeit wird wie David sein. Wie dieser Vergleich sich nicht auf die sog. Natanweissagung 2 Sam 7 mit der Verheißung ewigen Bestandes der davidischen Dynastie, sondern auf das Ansehen Davids als des bedeutendsten und idealen Königs gründet, so darf aus der Benutzung anderer Entsprechungsmotive aus dem Bereich des Königtums zur Kennzeichnung des messianischen Herrschers nicht gefolgert werden, daß die Messiaserwartung überhaupt aus dem israelitischen Königtum erwachsen sei; das hieße die geschichtliche Entstehung einer Erwartung mit den zu ihrer Verdeutlichung benutzten Entsprechungen verwechseln. Wo man einen Messias erwartet, geschieht es, weil ein Volk und Reich nach alter Vorstellung einen Herrscher benötigt; da der Messias dieser König sein wird, der als Gottes Stellvertreter die Regierung ausübt, kann er mit Entsprechungsmotiven aus dem Königtum beschrieben werden. Nach Jes 9, 5 wird er als Sohn geboren, wie der König bei der Inthronisierung von Jahwe legitimiert wird (Ps 2, 7),[87] kommt

ZAW 67 (1955), S. 205—226; E. Rohland, Die Bedeutung der Erwählungstradition Israels für die Eschatologie der alttestamentlichen Propheten, Diss. Heidelberg 1956; P. Altmann, Erwählungstheologie und Universalismus im Alten Testament, 1964. Zum Bund vgl. J. Hempel in RGG I[3], 1957, Sp. 1513—1516 (mit weiterer Literatur); Št. Porúbčan, Il Patto nuovo in Is. 40—66, 1958.

[87] Damit vermischen sich Elemente des Geburtsorakels, wie die Ausdrücke „Kind" und „für uns" (statt für Gott) zeigen.

die Herrschaft auf seine Schultern wie mit der Übergabe des Zepters (vgl. Jes 22, 22 vom Schlüssel des Ministers) und erhält er Thronnamen wie der König beim Herrschaftsantritt (ihnen entsprechen auch die drei Wortpaare in Jes 11, 2). Nach Sach 9, 9 zieht er auf dem Esel als dem Reittier des Königs der alten Zeit ein; allerdings wird dies auf seine Demut uminterpretiert.[88] Aus der älteren vorexilischen Zeit stammt schließlich die Vorstellung vom „Tag Jahwes", die als eschatologisches Entsprechungsmotiv verwendet wird (Jes 13, 6. 9;[89] 34, 8; Joel 1, 15; 2, 1 f. 11; 3, 4; 4, 14; Ob 15; Sach 14, 1). Während sie sich ursprünglich auf eine Jahwe-Theophanie bezog, deren katastrophenartige Begleiterscheinungen die Feinde Israels treffen und deren heilvolle Wirkungen Israel zugute kommen sollten, und dann in Am 5, 18—20; Jes 2, 12—17 in eine Drohung gegen Israel selbst uminterpretiert wurde, benutzt die eschatologische Prophetie sie wieder im alten, für Israel heilvollen Sinn.[90]

5. Sogar einige der älteren Prophetenworte werden in der Art von Entsprechungsmotiven aufgegriffen: Jes 24, 13 bezieht sich auf 17, 6 mit dem Bild des Olivenklopfens für das Gericht; 27, 3 f. und 60, 21 gegensatzartig auf das Weinberglied 5, 1—7; Sach 10, 8 f. auf Jahwes Herbeipfeifen Jes 5, 26 und 7, 18. Jes 34, 5; Jer 50, 35—37 und Sach 13, 7 wenden das Schwertlied Ez 21, 13—22 eschatologisch an, wie das Motiv des endzeitlichen Völkersturms außer an mythische Vorstellungen auch an Jeremias Drohung mit dem Feind aus dem Norden und Ezechiels Wort gegen Gog anknüpft (Jer 4—6; Ez 38 f.).

6. Außerdem finden sich eine Reihe versteckter Entsprechungen,

[88] Vgl. auch S. I. Feigin, Babylonian Parallels to the Hebrew Phrase "Lowly, and riding upon an ass", in: Studies in Memory of M. Schorr, 1944, S. 227—240.

[89] In Jes 13, 1 ff. verbunden mit dem Jahwekrieg, in 13, 9 ff. mit Erscheinungen, die ursprünglich Anzeichen der Theophanie sind.

[90] Zur Diskussion der älteren Auffassungen vgl. L. Černý, The Day of Yahweh and some relevant Problems, 1948; ferner S. Mowinckel, Jahves dag, NTT 59 (1958), S. 1—56; J. Bourke, Le jour de Yahvé dans Joël, RB 66 (1959), S. 5—31, 191—212; G. von Rad, The Origin of the Concept of the Day of Yahweh, JSS 4 (1959), S. 97—108.

die mehr angedeutet als ausgeführt sind, z. B. Jes 24, 1 (Zerstreuen wie Gen 11, 8); 60, 13 (Anspielung auf den salomonischen Tempel); 60, 17 (gegenüber 9, 9); 61, 3 (gegenüber 3, 16 ff.); 62, 8 (gegenüber 1, 7) und 63, 9 (gegenüber der Bedeutung des Jahweengels vor allem in der älteren Erzählungstradition).

Aus dem Überblick ergeben sich zwei Erkenntnisse: a) Die Entsprechungsmotive sind durchweg dem geschichtlichen Bereich entnommen und nur in den Bezugnahmen auf Schöpfung und Paradies um ursprünglich mythische Vorstellungen ergänzt und erweitert worden, weil diese allein dem erwarteten eschatologischen Geschehen entsprachen. Die mythischen Vorstellungen sind also mit der geschichtlichen Auffassung kombiniert worden.[91] — b) Überwiegend handelt es sich um direkte Entsprechungen. Nur verhältnismäßig selten liegt eine Uminterpretation (Jes 2, 2; 52, 11 f.; Sach 9, 9; 10, 8 f.) oder eine gegensätzliche Verwendung vor (Jes 52, 11 f.; Joel 4, 10; ferner bei den versteckten Entsprechungen).

Es bleibt die Frage nach Grund und Absicht der Verwendung von Entsprechungsmotiven. Zunächst ist darauf zu verweisen, daß sich nach der Annahme der eschatologischen Prophetie die frühere geschichtliche Situation im eschatologischen Geschehen wiederholen wird. Der Ansturm der Chaosmacht und der siegreiche Kampf Jahwes gegen sie wiederholen sich, wenn die neue Schöpfung ins Leben gerufen werden soll und die Völker den Anbruch des neuen Zeitalters verhindern wollen. Diese Auffassung beruht weder auf einem zyklischen noch auf einem teleologischen, sondern auf einem mit typischen Ereignissen rechnenden Denken. In früherer Zeit erfahrene Situationen werden als typisch für das Handeln Jahwes (vgl. Hos 13, 4) und für das Verhalten und Geschick von Welt und Menschheit betrachtet, so daß sie in entsprechender Weise wieder erwartet werden können (vgl. die Klage und Bitte Ps 74, 10 ff.). Die Wiederholbarkeit erlaubt es dann, das noch Unbekannte und Unsichtbare mit Hilfe des Bekannten und Erfaßbaren zu schildern.

Demgemäß ist als weiterer Grund die konkrete und bildhafte

---

[91] Vgl. zum Problem S. B. Frost, Eschatology and Myth, VT 2 (1952), S. 70—80 [in diesem Bd. S. 73—87]; J. Hempel, Glaube, Mythos und Geschichte im Alten Testament, ZAW 65 (1953), S. 109—167; J. L. McKenzie, Myth and Old Testament, CBQ 21 (1959), S. 265—282.

Denk- und Ausdrucksweise des alttestamentlichen Menschen zu
nennen. Wie er sonst durchweg alle möglichen Bilder dazu verwendet, um seine Gedanken und Vorstellungen konkret verdeutlicht
darzustellen,[92] so wählt er bestimmte geschichtliche Ereignisse, um
die erahnten künftigen Dinge im voraus bildhaft zu beleuchten.
Anstatt sich in blassen Abstraktionen zu ergehen, führt er das
Unbekannte durch die Ankündigung, daß es sich wie schon Be-
kanntes vollziehen wird, plastisch vor Augen.

Besonders für Deuterojesaja ist auf einen letzten wesentlichen
Gesichtspunkt hinzuweisen. Für diesen Propheten begründet das
Schöpfungshandeln und Schicksalslenken Jahwes, auf das er sich
bezieht, dessen erlösendes Handeln. Alles gehört zusammen und
bildet eine Einheit. Weil Jahwe einst schöpferisch tätig war und
seither die Völker gelenkt hat, will und kann er von neuem schaffen
und lenken, indem er erlöst. Und er erlöst, was er geschaffen und
geleitet hat und was deshalb nicht vernichtet und ausgelöscht
werden darf (vgl. z. B. Jes 43, 1—7). So zeigen die Entsprechungsmotive die Kontinuität des göttlichen Heilswillens für Israel, der
die Kontinuität der Erwählung Israels zum Knecht Jahwes entspricht (Jes 41, 8; 44, 21).

Nach alledem ist es nötig, von der einfachen Gleichsetzung
„Urzeit — Endzeit" — τὰ ἔσχατα ὡς τὰ πρῶτα — abzugehen. Statt
dessen ist genauer zu sagen: Die Entsprechungsmotive drücken aus,
daß das künftige, eschatologische Handeln Jahwes wie sein früheres
und bisheriges Handeln und die eschatologischen Erfahrungen des
Menschen wie die früheren und bisherigen geschichtlichen Erfahrungen sein werden.

V

Die grundlegende Unterscheidung zweier Zeitalter und zahlreiche Einzelheiten zeigen, daß die eschatologische Prophetie und

---

[92] Vgl. z. B. J. Hempel, Jahwegleichnisse der israelitischen Propheten,
ZAW 42 (1924), S. 74—104 (Apoxysmata, 1961, S. 1—29); R. Mayer,
Zur Bildersprache der alttestamentlichen Propheten, Münchner ThZ 1
(1950), S. 55—65.

Theologie eine exilisch-nachexilische Uminterpretation der Botschaft der vorexilischen großen Einzelpropheten darstellt, die mit Hilfe der von diesen längst in Frage gestellten einlinigen und unverbrüchlichen Heilserwartung für Israel erfolgt und die — vorwiegend kultprophetische — Heilsverkündigung auf einer neuen Ebene fortsetzt. Diese Heilserwartung und -verkündigung für Israel aber wird dem alttestamentlichen Gottesbild nicht gerecht, sondern vereinfacht und vereinseitigt es durch die Vernachlässigung anderer Aspekte oder verfälscht es durch die Zuweisung des Heils an Israel und des Unheils an die Völker im national-religiösen Sinn. Der Unterschied gegenüber den großen Einzelpropheten wird dadurch vertieft, daß die eschatologische Prophetie gewöhnlich nicht eine wesenhafte Wandlung und neue Daseinshaltung des Menschen, sondern ein neues Zeitalter und eine neue Gestalt der Umwelt erhofft. Jahwe wandelt nach ihr nicht den Menschen und durch ihn die Welt, sondern die Welt und erst auf diesem Umweg über sie oder in Zusammenhang mit ihr den Menschen, sofern dieser nicht gar für fähig gehalten wird, sich die Teilhabe am Heil zu verdienen. Dieser verhängnisvollen Umkehrung, die Gott nur noch mittelbar über die äußeren Lebensverhältnisse auf den Menschen einwirken und — von wenigen Ausnahmen abgesehen — nicht mehr unmittelbar in sein Leben und Wesen eingreifen sieht, entspricht es, daß die erhofften Heilsverhältnisse von ewiger Dauer sein sollen. Damit entnimmt die eschatologische Prophetie den Menschen der Notwendigkeit einer immer neuen Entscheidung, sobald er sich im Heilszustand befindet, und versetzt ihn in einen Ruhestand des Genießens.

Gründet sich die eschatologische Prophetie also auf die Mißdeutung der Botschaft der großen Einzelpropheten und die heilsprophetische Illusion des ausschließlichen göttlichen Heilswillens für Israel, so ist sie zugleich von Anfang an eine Theologie der scheiternden Hoffnung und der vergeblichen Erwartung. Sie hält ja darin an einem Grundmoment des alttestamentlichen Glaubens fest, daß sie die Zeitenwende als nahe bevorstehend betrachtet. Diese Verkündigung des in aller Kürze hereinbrechenden neuen Zeitalters entspricht völlig dem Nachdruck, den das Alte Testament auf das Hier und Jetzt des Menschen legt, und daher auch dem Anspruch aller übrigen prophetischen Tätigkeit, sich mit Fragen der jeweiligen

Gegenwart und allernächsten Zukunft zu befassen. Erst die Fern-
erwartung fällt aus dem Rahmen des alttestamentlichen Glaubens
überhaupt heraus. Die Naherwartung aber zieht als unerwartete
und unbeabsichtigte Folge die Erkenntnis nach sich, daß das verheißene Heil sich nicht verwirklicht, und damit die Enttäuschung
über sein Ausbleiben und die neue Vertröstung auf die demnäch-
stige Zukunft. Schon die eigentlich eschatologischen Erwartungen
Deuterojesajas, die über die auch politisch vorauszusehenden Erfolge
des Kyros und ihre Auswirkungen hinausgehen, haben sich nicht
verwirklicht, vielmehr zu jenem tragischen Ende des Propheten
beigetragen, dem ein Anhänger in Jes 52, 13—53, 12 dennoch einen
Sinn abzugewinnen sucht. Genauso sind die eschatologischen Hoffnungen Haggais und Sacharjas, die sich mit dem Tempelbau verknüpfen, vor der Wirklichkeit verflogen und haben durch ihr
Scheitern zum zeitweiligen Sieg der konkurrierenden kultisch-
rituellen Frömmigkeit nichteschatologischer Art geführt, aus deren
Ungenügen sich dann die Krise entwickelt hat, die das Buch Maleachi
widerspiegelt und die Esra durch eine streng gesetzliche Frömmigkeit
zu beheben bemüht gewesen ist.

So bildet die eschatologische Prophetie und Theologie gewiß
einen tiefen Einschnitt und eine große Umwandlung des alttestamentlichen Glaubens — wie vorher die Infragestellung der
grundsätzlichen Heilssituation durch die großen Einzelpropheten
und später die Verpflichtung auf das Gesetz durch Esra. Wie dieses
Vorgehen Esras jedoch den alttestamentlichen Glauben verfälscht
und in bedenkliche Bahnen gelenkt hat, so ist die eschatologische
Prophetie das Ergebnis der epigonalen Entartung der vorexilischen
Prophetie.[93] Die Apokalyptik als jüngere und sozusagen modernere
Form der Eschatologie ist grundsätzlich nicht anders zu beurteilen.

---

[93] Von dieser grundsätzlichen Beurteilung abgesehen, ist weiter zu
beachten, daß es in der Reinheit des eschatologischen Glaubens zweifellos
Abstufungen gegeben hat; darauf weist P. Volz, Der eschatologische
Glaube im Alten Testament, in: Festschrift G. Beer, 1935, S. 15 f., mit
Recht hin.

Trierer Theologische Zeitschrift. 70 (1961) S. 15—28.

DIE ENTWICKLUNG
DER ALTTESTAMENTLICHEN HEILSHOFFNUNG

Von Heinrich Gross

Wie falsch es wäre, die theologischen Aussagen des AT in einem dogmatischen System vorzulegen, läßt sich nirgendwo so leicht ersehen wie am Problem der eschatologischen Erwartungen. Sie nehmen wie kaum ein anderer Offenbarungsgehalt im AT eine Stellung ein, die für die fortschreitende Entwicklung der Offenbarung kennzeichnend ist; sie bieten überhaupt das augenfälligste Anzeichen dafür, daß die Offenbarung im AT eine Entwicklung durchläuft, die in die Zukunft und zum Eschaton hindrängt und darauf ausgerichtet ist. Daher versteht es sich von selbst, daß nicht schon zu Beginn des Heilsweges Gottes in der Offenbarung ein fertiges, differenziertes und detailliertes eschatologisches Gebäude vor uns stehen kann, daß die Heilshoffnung vielmehr von kleinen Grundgegebenheiten her — sozusagen Kristallisationskernen für den weiteren Verlauf der Offenbarung — zu einer entfalteten Eschatologie auswächst. Das hat auch den unübersehbaren Vorteil, daß in den Wachstumslinien dieser Hoffnung Wesensgesetze für das Verständnis des göttlichen Heilsplanes enthüllt und damit für die Aneignung des angebotenen Heils normative Handreichungen sichtbar werden.

Doch diese weite Fassung des Begriffs Eschatologie im AT darf keineswegs auf eine geschlossene Annahme bei den Fachleuten rechnen. Wenn man auch allgemein ablehnt, den entfalteten Begriff der Eschatologie in der Dogmatik im AT wiederzufinden, so hält eine Reihe von Forschern an einem engeren und gefüllteren Begriffsverständnis fest, wonach erst in der nachexilischen Prophetie von Eschatologie wirklich die Rede sein könne. Denn sie setze notwendig die Ansicht von zwei Weltzeitaltern voraus.[1] Dagegen wird auf den

[1] So z. B. J. Lindblom, Gibt es eine Eschatologie bei den alttestament-

folgenden Seiten die Auffassung vertreten, daß auch die Entwicklung, die u. a. zu dem Ziel der Annahme von zwei Weltzeitaltern
führt, schon mit in die Betrachtung der aufgeworfenen Frage gehört
und mit zu Klärung und Bestimmung dessen, was Eschatologie nun
eigentlich ist, beiträgt.[2]

lichen Propheten? StudTheol 6 (1952) 79—114 [in diesem Bd. S. 31
bis 72]; S. Mowinckel, He That Cometh, Oxford 1956, 125—154 und
neuestens G. Fohrer, Die Struktur der alttestamentlichen Eschatologie,
TheolLitZeit 85 (1960) 401—420 [in diesem Bd. S. 147—180]. Er sagt
Sp. 403 [S. 148 f.]: In der Lehre von den zwei Weltzeitaltern „liegt der
wesentliche Grundzug der eschatologischen Erwartung, nicht aber in der
Ankündigung vom Ende der Welt oder der Menschheitsgeschichte, die
höchstens als Voraussetzung der verheißenen Neuschöpfung unter den
verschiedenen Strukturelementen begegnen kann ..." Diese Unterscheidung der zwei Weltzeitalter, die sich voll ausgebildet erst 4 Esr 7, 50;
Q(umran) S(ektenregel) 3, 14—4, 26 nachweisen läßt, trennt die eschatologische Prophetie seit Deut-Jes nach Fohrer gewaltig von den vorexilischen Propheten. In vorexilischer Zeit gebe es „keine eschatologische
Situation, sondern die tägliche und immer wiederkehrende Entscheidungsfrage an das Volk und alle Einzelnen in ihm. — Die eschatologische
Prophetie gründet auf einer Umdeutung des Entweder-Oder in ein zeitliches Vorher-Nachher" (Sp. 404 f. [S. 151 f.]. Weiter unten soll dargetan
werden, wie diese begriffliche Festlegung der Eschatologie mit einer abge-
stuften Bewertung der einzelnen Phasen der atl. Prophetie verbunden ist,
ja notwendig auf sie abgestellt ist. — Daß in der begrifflichen Festlegung
keine Einigkeit herrscht, beweist auch A. Jepsen, Eschatologie II. Im AT,
Religion in Geschichte und Gegenwart[3] II 655—662 und G. v. Rad,
Theologie der AT II, München 1960, 127 f.

[2] Ein weiteres Verständnis der atl. Eschatologie findet sich z. B. bei
H. Greßmann, Der Messias, 1929. Dort wird allerdings im Gegensatz zu
der hier vorgelegten Auffassung ihr Ursprung in Ägypten gesucht. Auch
E. Jacob, Théologie de l'Ancien Testament, Neuchâtel-Paris 1955, 255
bis 275; W. Eichrodt, Theologie des Alten Testaments I[5], Stuttgart-
Göttingen 1957, 320—341; Th. C. Vriezen, Prophecy and Eschatology,
VetTest Suppl I, Leiden 1953, 199—229 [dt. in diesem Band S. 88—128]
sind der Ansicht, daß Anfänge der eschatologischen Erwartung sich schon
in vorexilischer Zeit abzeichnen. St. B. Frost, Old Testament Apocalyptic.
Its origins and growth, London 1952, der sich zwar weithin in seinen

So gesehen, ist nach der hier vertretenen Auffassung in einem weiten Umfang das Augenmerk auf alle die atl. Aussagen zu richten, die über eine nähere überschaubare Zukunftserwartung hinaus von einer *Wende im gegenwärtigen Lauf der Geschichte,* von einem *wesentlich neuen, veränderten Zustand der Dinge* künden.[2a] Sachlich betreffen diese Aussagen zunächst weniger das Geschick des einzelnen als vielmehr das Israels und der Völker ganz allgemein. Schon äußerlich heben sie sich aus dem Kontext ab durch Ausdrücke wie „am Ende der Tage" (Gen 49, 1; Num 24, 14; Jes 2, 2; Jer 23, 20; 48, 47; 49, 39; Ez 38, 16; Dan 10, 14; Hos 3, 5)[3] oder „an jenem Tage" (Jes 4, 2; 10, 20. 27; 11, 10 f.; Hos 2, 20; Joel 4, 18), sie weisen also auf eine kommende Wende und Wandlung hin und markieren zum wenigsten einen Hiatus zur gegenwärtigen Zeit und Situation.

Ausführungen an Mowinckel anschließt, betont aber auch die vorexilische Stufe der eschatologischen Prophetie, die bei den Propheten des 8. Jahrhunderts einsetze. In Babylon werde dann von Ezechiel die Apokalyptik geboren, die in ihren mythischen Elementen mit gekünsteltem Symbolismus babylonischen Einfluß aufweise; bei Daniel seien schließlich dazu noch iranische Züge aufgenommen worden. Auch J. H. Grönbæk, Zur Frage der Eschatologie in der Verkündigung der Gerichtspropheten, Svensk Exegetisk Arsbok 24 (1959) 5—21 [in diesem Bd. S. 129—146] ist der Ansicht, daß sich eschatologische Äußerungen in der vorexilischen Prophetie vorfinden.

[2a] Längst nachdem dieser Beitrag abgeschlossen war (25. Juni 1960), finde ich eine Bestätigung für das hier vorgelegte Verständnis von Eschatologie des AT bei G. v. Rad, Theologie des AT II, München 1960, 129—132.

[3] Fohrer a. a. O. 403 [in diesem Bd. S. 150] Anm. 7 meint zu dieser Redewendung apodiktisch: „In allen Fällen eschatologischer Verwendung handelt es sich um Worte oder Zusätze aus nachexilischer Zeit."

[4] Bei der Behandlung der inhaltlichen Komponenten der eschatologischen Erwartung gesteht Fohrer mindestens eine indirekte Bindung an die Geschichte zu, wenn er feststellt, daß „die Entsprechungsmotive (gemeint ist: in der nachexilischen eschatologischen Prophetie) durchweg dem geschichtlichen Bereich entnommen sind"; mit folgender zutreffender Bemerkung schließt er den Abschnitt ab: „Die Entsprechungsmotive drücken aus, daß das künftige eschatologische Handeln Jahwes wie sein früheres und

Kennzeichnend für die atl. Auffassung ist vor allem, daß die
eschatologische Erwartung an *die Geschichte gebunden* ist,[4] ja, die
Eschatologie bestimmt deren Verlauf, führt sie zur Erfüllung und
begabt sie mit Sinn. Dadurch unterscheidet sich die biblische Eschatologie von den außerisraelitischen Erwartungen, z. B. von den
„ägyptischen Prophetien"[5], die nicht in die eschatologische Zukunft
gerichtet sind, sondern im Grunde nach rückwärts schauen und eine
besondere Ausbildung der Anschauung von der naturzyklischen
Wiederkehr des ewig Gleichen mit einer fast gesetzmäßigen Ablösung von Heils- und Unheilszeiten darstellen; auch distanziert sie
sich von der stoischen Vorstellung der verschiedenen Weltperioden.

I. Quellpunkt der Eschatologie

Die einzigartige fortgesetzte Begegnung Israels mit Gott, die aus
den Umweltreligionen „nicht weiter ableitbare göttliche Offenbarung"[6], die für Werden, Erwählung und Gang Israels durch die

bisheriges Handeln und die eschatologischen Erfahrungen des Menschen
wie die früheren und bisherigen geschichtlichen Erfahrungen sein werden",
a. a. O. Sp. 418 [in diesem Bd. S. 178]. Für Eichrodt, a. a. O. 258—260 gilt
diese Verbindung als selbstverständlich. „Damit ist schon gesagt, daß diese
neue Geschichtsbetrachtung unabtrennbar verbunden ist mit der *Gewißheit eines endgültigen Abbruchs der Geschichte und ihrer Aufhebung in
einem neuen Äon*" (258). Daß von Hause aus die Eschatologie aus der Geschichte hervorgeht und im Gegensatz zum Mythus steht, ist Ziel der
Untersuchung von St. B. Frost, Eschatology and Myth, VetTest 2 (1952)
70—80 [dt. in diesem Bd. S. 73—87.]

[5] Vgl. H. Groß, Die Idee des ewigen und allgemeinen Weltfriedens im
Alten Orient und im Alten Testament, Trier 1956, 14—17. Auch das Beispiel für das Entstehen einer Eschatologie in unseren Tagen bei den Daja-
ken auf Borneo, auf das C.-M. Edsman, Religion in Geschichte und Gegenwart[3] II, 654 f. hinweist, ist seiner Struktur nach nicht anders gelagert;
man erwartet nämlich die Rückkehr der alten Ordnungen.

[6] W. Eichrodt und E. Jenni, Altes Testament und Religionsgeschichte,
in: Lehre und Forschung an der Universität Basel zur Feier des 500jähri-
gen Bestehens, Basel 1960, 13—21, 14 .

Geschichte entscheidend werden, lassen sich bis zu dem Beginn seiner
Existenz in Abraham[7] zurückverfolgen; bereits dort (Gen 12, 1—3)
werden sie in einer zukunftsträchtigen Verheißung von Gott selbst
begründet und gedeutet. Von diesem ersten entscheidenden Eingriff
Gottes in das Leben Abrahams und von dem darin enthaltenen
normativen Anfang des „neuen Heilsweges" an steht Israel in seiner
Geschichte unter dem Gesetz von *Verheißung und Erfüllung*[8], einem
Strukturgesetz der Offenbarung überhaupt. Es bestimmt und überlagert den Verlauf seiner empirisch feststellbaren Geschichte, es führt
als immanente göttliche Antriebskraft Israel zielstrebig auf das von
Gott von Anfang an intendierte, der menschlichen Vernunft jedoch
entzogene und nur dem Glauben zugängliche Ziel der eschatologischen Vollendung[9] hin. Das geschieht aber nicht in einem
unmittelbaren jähen Anstieg, sondern stufenweise über vorläufige
historische Ziele, die wie Wegsteine als Erfüllung neue Verheißung
bedeuten und die so die allmähliche, nach bibeleigenen Gesetzen
erfolgende Entwicklung des göttlichen Heilsplanes offenlegen und

[7] Gegenüber der noch immer vertretenen und zur Zeit in Fachkreisen
heftig umstrittenen Unterbewertung der Historizität der Patriarchenüber-
lieferungen — siehe z. B. M. Noth, Der Beitrag der Archäologie zur Geschichte Israels, VetTest Suppl VII (Congress Volume Oxford 1959), Leiden 1960, 262—282 — vgl. R. de Vaux, Die hebräischen Patriarchen und
die modernen Entdeckungen (3 Aufsätze aus der Revue Biblique 1946.
1948. 1949 in deutscher Übersetzung), Düsseldorf 1959 und J. Bright,
A History of Israel, London 1960, 41—93, besonders 78—91.

[8] Siehe dazu H. Groß, Zum Problem Verheißung und Erfüllung, Bibl
Zeitschr NF 3 (1959) 3—17, wo in Diskussion mit modernen Auffassungen zu dieser Lebensfrage der Bibel der Nachweis versucht wird, daß das
Strukturgesetz Verheißung und Erfüllung nicht nur zwischen AT und NT
waltet, sondern in der Entwicklung der atl. Offenbarung selbst oft anzu-
treffen, ja eine ihrer Wesens-Determinanten ist.

[9] Mit Recht weist K. Rahner, Theologische Prinzipien der Hermeneutik
der eschatologischen Aussagen, ZeitschrkathTheol 82 (1960) 137—158
nachdrücklich darauf hin, daß Eschatologie nicht die antizipierende Reportage später erfolgender Ereignisse sein kann, sondern vielmehr der Vorblick des Menschen, der in seiner heilsgeschichtlichen Situation aus der
Glaubensentscheidung handelt, auf die endgültige Vollendung ist. Genau
das Gegenteil davon ist das Anliegen der Apokalyptik.

im Volke eine dynamisch gespannte Ausrichtung auf das Ziel wecken sollen.[10] Im Verlauf der singulären Entwicklung der Offenbarungsgeschichte, die sich in einer unberechenbaren und folglich unverfügbaren Kontinuität vollzieht, wird das Strukturgesetz von Verheißung und Erfüllung dann *Quellpunkt und Geburtsstätte der alttestamentlichen Eschatologie.*

Verdeutlicht und vorerst konkretisiert wird die programmatische Zusicherung an Abraham Gen 12, 1—3 durch die Verheißung des „Landes, da Milch und Honig fließt" an Mose Ex 3, 8, die fortan den Pentateuch wie ein roter Faden durchzieht und in Israel Gottes besonderen Hulderweis in der Befreiung aus Ägypten bewußt machen und lebendig erhalten soll Ex 3, 17; 13, 5; Lev 20, 24; Num 13, 17; 14, 8; Dtn 6, 3; 11, 9 und öfter. Mit den Erweiterungen Gen 49, 8—12; Num 23 f.; Dtn 33, 13—17 stellt sie dem Volk das Glück eines weiten, fruchtbaren Landes mit reichen Regenfällen, Mehrung von Mensch, Vieh und Besitz, Sieg über die Feinde dank „Jahwes selbst in seiner Mitte" (Num 23, 21) in Aussicht.

Es entspräche griechisch-abendländischem, nicht indes semitischem Denken, wollte man die Erdgebundenheit und Diesseitigkeit dieser Verheißungen überbewerten, denn dem Israeliten ist die ganze Welt ein einziger unteilbarer Kosmos, an dessen Spitze Gott steht, der in den beiden großen Räumen der Geschichte und der Schöpfung in Wort und Tat tätig wird und sein Heilshandeln ins Werk setzt. Dem israelitischen Denken ist die uns geläufige, stark exklusive Einteilung des Lebens in religiöse und profane Sphäre, in einen öffentlichen und privaten Bereich fremd. Hielte Israel sich an Gottes Weisungen im Gesetz und zöge es die Folgerungen aus der ihm widerfahrenen geschichtlichen Führung durch Gott seit dem Auszug aus Ägypten, so könnte man die Zeit nach der Landverleihung, die absolute Theokratie in der Richterzeit,[11] recht verstanden, als Epoche

[10] Nach Eichrodt, a. a. O. 320 besitzt die prophetische Eschatologie ihre Vorstufe in der altisraelitischen Heilshoffnung.

[11] Besonders M. Buber, Königtum Gottes, Heidelberg ³1956, ist es darum zu tun, vom Richterbuch her das Verständnis des Königtums Gottes zu entfalten, weil dort die Theokratie in ihrer reinsten Form auftrete. Siehe dazu noch M. Buber, Die Erzählung von Sauls Königswahl, VetTest 6 (1956) 113—173.

einer „*realisierten Eschatologie*" bezeichnen, die auf diese anfanghafte, „primitive" Stufe des AT herabgestimmt wäre. Jedoch der Abfall Israels und die von daher verständliche Klage: „Zu jener Zeit gab es noch keinen König in Israel: ein jeder tat, was er wollte", z. B. Ri 17, 6; 21, 25, aber auch die durch Feindesnot und inneren staatlichen Zerfall motivierte Einführung des irdischen Königtums (1 Sam 8—12) beweisen, daß das Volk den hohen Anforderungen und Verpflichtungen der absoluten Theokratie (Lev 26; Dtn 28) nicht gerecht wird. Doch die damit geschaffene neue Lage im Verhältnis Israel—Gott wird von Gott dann in einer neuen Weise der Zukunftshoffnung dienstbar gemacht. Sie wird nunmehr gebunden an die Person des zukünftigen Heilskönigs — eine neue Konkretisierung des Abrahamssegens — und so zu engst mit der Daviddynastie verknüpft 2 Sam 7, aus der dieser König hervorgehen soll.

II. Fehlgeleitete Erwartung des „Tages Jahwes"

Obwohl die Bundessatzungen immer wieder mißachtet werden und Israel mit der verdienten Strafe rechnen müßte, faßt im Volk ein falsches Verständnis der Zukunfterwartung Wurzel, das auf irdische Machtausdehnung, ja auf Israels Weltherrschaft abzielt. Die Erfahrung der Geschichte hat dem Volk gezeigt, daß in früheren Notzeiten Jahwe ihm im heiligen Krieg[12] zur Hilfe eilte, Israels Schlachten schlug und ihm den sicheren Sieg bescherte. Dieses in der Vergangenheit oft erfahrene Eingreifen Jahwes projizierte man nun in einem überstiegenen Vertrauen in die Zukunft, und im Volk bildete sich die Vorstellung des „Tages Jahwes" heraus, der Israel in einem ungewohnten Maße gesteigertes Glück bereithalten sollte, weil an ihm Gott in einem außergewöhnlichen Werk — so glaubte

---

[12] Vgl. G. v. Rad, Der heilige Krieg im alten Israel, Zürich 1951, und ders., The origin of the concept of the Day of Yahweh, Journal of Semitic Studies 4 (1959) 77—109. — Über eine Umgestaltung der Vorstellung des heiligen Krieges, ja seine Verkehrung ins Gegenteil Dtn 1—3, handelt neuestens N. Lohfink, Darstellungskunst und Theologie in Dtn 1, 6—3, 29, Bibl 41 (1960) 105—134, bes. 110—114. Das läßt die hier behauptete Korrektur dieser Einrichtung durch Amos verständlicher erscheinen.

man mit fast magischer Gewißheit — Gericht über die Feinde des Volkes halten und so die Vormachtstellung Israels vorbereiten werde. Doch diese unbegründete Erwartung wird von den Propheten unbarmherzig desillusioniert, vgl. vor allem Am 5, 18—20. Statt Heil wird Israel selber am Tage Jahwes das Gericht und die längst verwirkte Strafe treffen.

In der fehlgeleiteten Erwartung des Tages Jahwes, der aus der Einrichtung und nach Art des heiligen Krieges verstanden wurde, und der ernüchternden göttlichen Korrektur ist sozusagen ein Musterbeispiel der wirklichen Kontinuität der Heilsgeschichte und -hoffnung gegeben. Sie folgt nicht einlinig menschlicher Berechnung, ihr Weiterverlauf läßt sich nicht mathematisch aus der bisher erlebten Geschichte ermitteln, vielmehr spottet sie jeder menschlichen Logik. Und doch steht sie mit ihren „Brüchen und Sprüngen" — ähnlich wie etwa eine geologische Schicht Verwerfungs- und Bruchlinien aufweist — in einer tieferen, dem Menschen unerreichbaren und entzogenen Kontinuität, die sich erst am relativen oder absoluten Zielpunkt ganz klar als solche erweist.

Ähnlich, wie das in seiner Einführung Gott mißfallende irdische Königtum schließlich Träger einer neuen Konkretisierung der Heilshoffnung wird, hat Israel mit der Idee des Tages Jahwes ein Element geschaffen, das von den Propheten (z. B. Jes 2, 11 f.; 13, 6. 9; Jer 46, 10; Ez 7, 19; 13, 5; Joel 1, 15; 2, 1 f. 11; 3, 4; 4, 14; Ob 15; Zeph 1, 14—18; Sach 14, 1) im Gegensatz zur Erwartung des Volkes umgedeutet, auf ein ethisches Niveau transponiert und bald Träger der wahren endzeitlichen Hoffnung wird. Schon Amos übersteigt den engen nationalistischen Horizont seiner Zeitgenossen, weitet den Blick auf die universale Sicht Gottes aus und bereitet damit der „proteschatologischen Periode" den Weg.[13]

---

[13] Th. C. Vriezen, Theologie des Alten Testaments in Grundzügen, Wageningen-Neukirchen 1956, 318 f. Den Ausführungen dort S. 302—322 „Das Königsreich Gottes in der Zukunftserwartung" verdanke ich entscheidende Einsichten.

III. Proteschatologische Periode

Jesaja durchbricht die Hoffnung auf erneuertes Heil, das sich in der laufenden historischen Zeit ereignen soll; die erwartete Wende erleidet bei ihm eine Verschiebung hin zur Endzeit. Erst in der *endzeitlichen Wende* wird dem Volke durch den überirdischen Einsatz des messianischen Heilsmittlers (Jes 7—12) die Erfüllung der Heilserwartung zuteil. Damit gebührt Jesaja schon in vorexilischer Zeit das Verdienst, als erster das erstrebte Heil in *ausgesprochen eschatologischem Licht* zu sehen. Ein nach ethischen Grundsätzen abgehaltenes Gericht über Israel wie über die Heidenvölker leitet jene Wende ein, aus der dann Israel nicht als Ganzes, nicht also als völkische Größe, sondern nur der „heilige Rest" [14] (Jes 4, 3; 6, 13; 11, 11; 37, 31 f. u. ö.) hervorgeht und Anteil am Heil erhalten wird. Auf diesen Rest, die Brücke zwischen dem drohenden Strafgericht und der kommenden Heilserfüllung, der qualitativ durch Glauben und Heiligkeit, nicht quantitativ nach seiner zahlenmäßigen Größe bestimmt ist, gehen alle *Vorrechte des auserwählten Volkes* über.

---

[14] Vgl. zu dieser Vorstellung R. de Vaux, Le « Reste d'Israël » d'après les prophètes, RevBibl 42 (1933) 526—539; W. E. Müller, Die Vorstellung vom Rest im Alten Testament (Diss.), Borsdorf-Leipzig 1939; F. Dreyfus, La doctrine du Reste d'Israël chez le prophète Isaïe, Rev-SciencesPhilTheol 39 (1955) 361—386. — Gerade die Vorstellung des „heiligen Restes" als tragendes Element der Zukunftserwartung durchläuft eine Entwicklung, die einen Einblick in die Entwicklung der atl. Heilshoffnung überhaupt gewährt. Oder besser, der „heilige Rest" bestimmt und enthüllt auf den verschiedenen Stufen der eschatologischen Erwartung des AT den Weg der atl. Eschatologie. Drei Stufen verschiedener Ausprägung der Restvorstellung sind festzuhalten: a) die Zeit der vorexilischen Prophetie, in der Amos, Micha, vor allem aber Jesaja von einem Rest künden, der wegen seines Glaubens das drohende Gericht übersteht. So wird aus dem quantitativen Israel ein qualitativ auserwähltes Volk der Gläubigen und Heiligen. b) Nach dem Exil werden die Ehrenprädikate des „heiligen Restes" auf die Heimkehrer aus der Babylonischen Gefangenschaft übertragen. c) Später wird dann die Identifikation des „heiligen Restes" mit der unter Nehemia und Esra neukonstituierten nachexilischen Gemeinde vollzogen.

Vor allem wird er Träger der Heilsverheißungen; an und in ihm
wird sich der in die Endzeit hinausragende Heilsplan Gottes verwirklichen. Auf dem so erreichten Niveau bewegt sich auch die
eschatologische Verkündigung von Hosea, Micha, Zephanja und
Jeremia. Vor allem Jer 31, 31—34 verdanken wir die Konkretion
der Erwartung in der Gestalt des Neuen Bundes, der auf höherer
Ebene als der Sinaibund das kommende Gottesvolk spontan und
mit größerer Festigkeit und Sicherheit an Jahwe bindet. Daß, wenn
auch in gewandelter, vertiefter und intensivierter Form für die in
Aussicht gestellte zukünftige Gottesgemeinschaft der Bund gewählt
wird, eröffnet von einer neuen Seite einen Einblick in die gott-
gelenkte Kontinuität des Heilshandelns.

IV. Totale Umgestaltung im Eschaton

Neu und mit besonderer Dringlichkeit stellt sich die Frage der
eschatologischen Erwartung angesichts des politischen Untergangs
von Israel und Juda. War sie nicht damit auch hinfällig geworden?
Doch gerade weil sie zu neuem Leben erweckt werden konnte, leisten
die Propheten des Exils und der nachexilischen Zeit das in der Völkergeschichte einzig dastehende Werk, Israel *allein aus den Kraftquellen seiner Religion* unter Verzicht auf jeden politischen Rahmen
wieder aufzubauen. Eine neue völkische Existenz Ez 36 f. gibt Gott
die Möglichkeit, den Neuen Bund im gewandelten Herzen der umgeschaffenen Menschen zu befestigen Ez 36, 24—28. Vor allem aber
in Deut-Jes wird die umfassende und totale Umgestaltung der Menschen und Dinge (16mal wird hier das gleiche Verb *bārā'* für die
schöpferische Tätigkeit Gottes wie Gen 1 verwandt. Dies Verbum
hat im AT nur Gott als Träger der Handlung; schon daraus mag
ersichtlich werden, daß die erwartete Wende nicht mehr und nicht
weniger als eine volle Neuschöpfung bringt.) in naher Zukunft und
mit heißer Sehnsucht erwartet 41, 20; 44, 24; 48, 6 f.; 51, 9—11.
Jahwe wird erneut und endgültig seine allumfassende Königsherrschaft auf dem Sion antreten 52, 7. Doch dieses neue Reich wird
nicht mit äußerer Pracht und irdischem Prunk aufgerichtet, sondern
durch die stille und unverdrossene Arbeit des Gottesknechtes, durch

das stellvertretende Sühneleiden des Ebed Jahwe[15] — die exilische Metamorphose der Messiasgestalt —, der nicht nur den Bund mit dem neuen Israel schließt, sondern darüber hinaus der Heidenwelt das Licht der Gottesoffenbarung bringen wird 42, 6; 49, 6. In dem von Deut-Jes vor allem vorbereiteten geistigen Klima ist es nun das Anliegen des chronistischen Geschichtswerkes (1 und 2 Chronik, Esra, Nehemia), darzutun, daß und wie in der Restitution der nachexilischen jüdischen Gemeinde diese brennende Zukunfterwartung verwirklicht wird, die „Eschatologie sich realisiert". Wieder wie in der Richterzeit scheint mit der neu eingerichteten absoluten Theokratie das Eschaton hereingebrochen. Einmal habe man dafür auf die *uneschatologische Geschichtsauffassung der Priesterschrift* zurückgegriffen, die die Weltgeschichte ihr Ziel im Bundesschluß am Sinai erreichen lasse, darüber hinaus habe man die Zeit bis zur Neugründung der Gemeinde unter Esra mit der herkömmlichen prophetischen Eschatologie überbrücken und nach der „enteschatologisierten Auffassung des Chronisten"[16] habe man in der neukonsti-

---

[15] Die Diskussion über die Rätsel des Ebed Jahwe wird mit unvermindertem Interesse bis in die neueste Gegenwart geführt, ohne daß auch nur ein Weg der Annäherung der verschiedenen Standpunkte sich abzeichnen würde. Über die jüngste Geschichte des Problems orientiert gut mit reichen bibliographischen Angaben C. R. North, The Suffering Servant in Deutero-Isaiah, London ²1956. Als neue katholische Arbeit ist vor allem die Dissertation von V. de Leeuw, De Ebed-Jahweh-Profetieen, Assen 1956, zu erwähnen, die den Ebed als individuelle Gestalt der Heilszukunft nicht nur mit prophetischen, sondern auch mit königlichen Zügen ausgestattet sieht. Einen Ausgleich zwischen kollektiver und individueller Deutung versucht J. Coppens, Le Serviteur de Yahvé. Vers la solution d'une énigme, Sacra Pagina I, Paris-Gembloux 1959, 434—454. Dagegen vertritt die mir bekannte neueste protestantische Untersuchung von O. Kaiser, Der königliche Knecht, Göttingen 1959, den kollektiven Standpunkt. Zur neueren Literatur vgl. H. Haag, Ebed Jahwe-Forschung 1948—1958, BiblZeitschr NF 3 (1959) 174—204. Siehe auch noch LThK ²III 622—624.

[16] O. Plöger, Theokratie und Eschatologie, Neukirchen 1959, 132. P. versucht Licht in die letzte Epoche der israelitischen Geschichte zu werfen; er weist neben den Trägern der restaurativen Theokratie auf eine andere Strömung im Volke hin, die vor der Heraufführung der endgültigen Gottesherrschaft von neuen Bedrängnissen wußte und deswegen eine neu-

tuierten Theokratie die eschatologische Spannung abfangen und zur
Ruhe bringen wollen.

Jedoch vermag auch diese neu eingerichtete Theokratie die Endzeiterwartung der Propheten nicht zu erfüllen und die Hoffnung
auf den vollendeten Endzustand zufriedenzustellen.. So bricht sich
im Volke das Bewußtsein des Unvollendeten auch dieses Zustandes
Bahn. Und nicht zuletzt durch Anstöße wie Hag 2, 6, der von einer
neuen kosmischen Erschütterung weiß, erhält die eschatologische Erwartung, die sich noch so vielen unerfüllten Hoffnungen gegenüber-
sieht, neuen Auftrieb.

V. Verlagerung der eschatologischen Erwartung
in die Transzendenz

Die Folge davon ist, daß in einer letzten Epoche die bei stark verkürzter prophetischer Perspektive für bald erhoffte und bei Deut-
Jes in leuchtenden Farben geschilderte eschatologische Erwartung in
einer neuen, nunmehr qualitativ grundverschiedenen Veränderung
aus dem irdischen Kosmos herausgenommen und auf die *„transzendenteschatologische"* (Vriezen) *Höhenstufe* verlagert wird. In der
nachexilischen Zeit wird nach Hag 2, 15—19; Mal 3, 6—12 das verheißene Heil zwar in unmittelbarer Nähe im neu erbauten Tempel
erwartet. Aber Ez 38 f.; Joel 4, 9—17; Sach 13, 7—9 wird vor
seinen Anbruch der Endkampf gegen die verbündete Völkerkoalition gestellt. Mit der Verlagerung der Heilserwartung nimmt auch
der bisher gegen das Gottesvolk auftretende jeweils verschiedene
historische Feind metahistorische Züge an: aus dem greifbar indivi-

geartete Eschatologie ausbildete, die eine grundsätzliche, analogielose Neu-
gestaltung der Dinge erhoffte. Doch, glaube ich, übersteigert P. die
Spannung zwischen den beiden aufgezeigten nachexilischen Grundhaltun-
gen so sehr, daß sie gegensätzlichen und exkludierenden Charakter annehmen. Eher dürfte es sich dabei um eine polare Spannung zwischen den
beiden Strömungen handeln, die später sowohl dem chronistischen Werk
wie Daniel Aufnahme in den jüdischen Kanon des AT gewährt. (Vgl.
dazu die Besprechung zu Plöger, TThZ 69 [1960] 179—181.)

duellen Feind wird in der transzendierten Erwartung der typische Gegner des Gottesvolkes, wie es z. B. die Zeichnung des Nabuchodonosor im Buch Judith zeigt, der sich dazu versteigt, sich sogar göttliche Vorrechte anzumaßen. Damit wird dann aber auch klar, daß die eschatologische Vollendung nicht in einer plötzlichen wunderbaren Rückkehr des Paradieses auf diese Erde Gestalt gewinnt, in dem eitel Friede und Wonne herrschen werden, daß es dabei vielmehr nicht nur um Ende und Verwandlung Israels und des Gelobten Landes, sondern der ganzen Erde, um Sinn und Ziel der Geschichte überhaupt geht. In dem Maße, wie das vor allem am Schlußstein dieser letzten Entwicklungsphase, bei Daniel, offenbar wird, erscheint auch die Erwartung und der Raum ihrer endgültigen Verwirklichung in die Transzendenz erhoben. Nach und an Stelle der vier irdischen Weltreiche [17] wird sich in dem vom Himmel (= aus der Transzendenz) stammenden Gottesreich (Dan 2. 7) Form und Gestalt der Endvollendung enthüllen. In der sogenannten JesajaApokalypse (Jes 24—27) ist das bei Dan entworfene Bild weiter ausgeführt.

Hier setzt nun die apokalyptische Zeichnung der Enderwartung an, die zur entfalteten Vorstellung der beiden Zeitalter führt, wie sie sich 4 Esr 7, 50; 1 QS 3, 13—4, 26 vorfinden. Eine Einteilung in zehn Perioden läßt sich äthHen 93 feststellen.[18] Ganz allgemein ist zu sagen, daß in der nachbiblischen apokalyptischen Literatur der „kommende Äon" im Detail und zum Teil mit mythischen Farben ausgemalt wird, daß man stellenweise ein doppeltes Hoffnungsziel entwickelt, man wartet auf ein wiedergekehrtes „Goldenes Zeitalter" auf Erden und daneben auf den „kommenden Äon" im Himmel.

[17] Es kann nicht der Sinn der vorliegenden Untersuchung sein, in die Diskussion um die Deutung der Weltreiche einzutreten. Es spricht vieles dafür, daß damit keine bestimmbaren Weltreiche, sondern die Gesamtzahl aller irdischen Weltreiche im Gegensatz zum Gottesreich gemeint sind; vgl. dazu Hubert Junker, Untersuchungen über literarische und exegetische Probleme des Buches Daniel, Bonn 1932, vor allem 7—10; 34—65.

[18] Zur Fortführung der atl. Enderwartung vgl. P. Volz, Die Eschatologie der jüdischen Gemeinde im neutestamentlichen Zeitalter, Tübingen 1934.

VI. Wert oder Unwert der eschatologischen Hoffnung

Man kann natürlich mit Recht darüber diskutieren, wieviel Phasen der Zukunftserwartung im AT unterschieden werden können. Nach der Ansicht Fohrers[19] lassen sich insgesamt sechs Grundformen des eschatologischen Dramas erfassen, wobei das eschatologische Geschehen nach ihm an die Vorstellung der beiden sich ablösenden Zeitalter gebunden ist; sie seien grundlegend für die Struktur der eschatologischen Prophetie. Dabei umfassen diese sechs Phasen nur den Zeitraum von Deut-Jes (6. Jahrhundert) bis Jes 24—27 (nicht vor dem 4. Jahrhundert).

Die oben gegebenen Stufen der atl. Heilshoffnung folgen nicht mit einer menschlich feststellbaren Notwendigkeit und in logischer Zwangsläufigkeit aufeinander, sondern nur gebrochen — was besonders offensichtlich bei der Erhöhung auf die transzendenteschatologische Stufe wird — und in einer der rationalen Berechenbarkeit entzogenen Weise. Aber sie stehen doch miteinander derart in Verbindung, daß man bei aller Verschiedenartigkeit, bei aller Uminterpretation, der einzelne Motive unterworfen werden, von einer, wenn auch weit gefaßten, Kontinuität sprechen kann, die begreiflicherweise keine volle Identität darstellt. Eine solche verlangen, hieße die Entwicklung, die die Hoffnung durchläuft, leugnen und sie auf ein gleich bleibendes Niveau bannen wollen. Und da es hier zudem um eine geschichtliche Entwicklung geht, die in ihrem Endziel den Rahmen von Raum und Zeit ganz sprengt und die Erdgebundenheit voll transzendiert, muß es sich um eine Kontinuität eigener Art handeln.[20] Aber es ist einseitig, weil unsachlich, einen vollendeten Bruch und eine totale Diskontinuität zwischen der vorexilischen und der „eschatologischen" Prophetie anzunehmen, eine Anschauung, die hinter folgender Behauptung Fohrers[21] steht:

[19] Siehe Fohrer, a. a. O. Sp. 405—408 [S. 153—158].

[20] So versteht H. W. Wolff, Das Geschichtsverständnis der alttestamentlichen Prophetie, EvTheol 20 (1960) 218—235 den Verlauf der atl. Geschichte: *„Geschichte ist für die Prophetie als kontinuierliche Einheit erkennbar, weil sie im kommenden Gotteshandeln die Anfänge der Heilsgeschichte wiedererkennt."* (S. 229.)

[21] A. a. O. Sp. 419 [S. 179].

„Diese (gemeint ist die eschatologische) Heilserwartung und -ver
kündigung für Israel aber wird dem alttestamentlichen Gottesbild
nicht gerecht, sondern vereinfacht und vereinseitigt es durch die
Vernachlässigung anderer Aspekte oder verfälscht es durch die Zuweisung des Heils an Israel und des Unheils an die Völker im
national-religiösen Sinn ...[22] Die eschatologische Prophetie entnimmt den Menschen der Notwendigkeit einer immer neuen Entscheidung, sobald er sich im Heilszustand befindet, und versetzt ihn
in einen Ruhestand des Genießens." Überdies wird sie gegenüber
dem vermeintlichen „Ideal" der vorexilischen Prophetie stark ent-
wertet, wenn Fohrer fortfährt: „Gründet sich die eschatologische
Prophetie also auf die Mißdeutung der Botschaft der großen Einzelpropheten und die heilsprophetische Illusion des ausschließlichen
göttlichen Heilswillens für Israel, so ist sie zugleich von Anfang an
eine Theologie der scheiternden Hoffnung und der vergeblichen Erwartung." [23]

Eine solch abwertende Beurteilung der nachexilischen Prophetie
gründet letztlich in dem lange Zeit herrschenden Vorurteil, das für
die Vertreter der extremen Literarkritik als feststehendes Dogma
galt: die vorexilische Zeit der großen Einzelpropheten, der Gerichtspropheten, ist die Zeit der klassischen Prophetie nicht nur nach der
literarischen, sondern auch nach der offenbarungsmäßig-inhaltlichen
Seite.[24] Wer nur die vorexilische Prophetie als Norm für die theologischen Fragen ansieht und von ihr her allein die Entscheidung
„alttestamentlich", „nicht alttestamentlich" fällt, wie es an dem
oben wiedergegebenen Zitat sichtbar wird, der mag natürlich auch
den Satz wagen: „... so ist die eschatologische Prophetie das Ergebnis der epigonalen (wohl besser epigonenhaften) Entartung der
vorexilischen Prophetie." [25] Eine solche abschließende Äußerung

---

[22] Gegen die letzte Behauptung vgl. Jes 25, 5—8; Sach 8, 23.

[23] A. a. O. Sp. 419 [S. 179].

[24] Siehe dazu etwa H. Greßmann, Der Messias, 269, der am Schluß der
Behandlung von Sach 9, 9—10 dem Propheten bescheinigt: „Alle diese
Unebenheiten, um es milde auszudrücken, sind das deutliche Merkmal des
Epigonen."

[25] Fohrer, a. a. O. Sp. 420 [S. 180].

dürfte jedoch nur aus der angegebenen vorgefaßten Grundeinstellung erklärlich und verständlich sein.

Sicher ist nicht zu verkennen, daß vor allem bei den letzten Stufen des gezeichneten Entwicklungsganges Akzentverschiebungen und Nuancierungen, ja tief greifende Wandlungen gegenüber den ersten Stufen zu verzeichnen sind. Doch handelt es sich, wie dargetan wurde, nicht um einen totalen Bruch und völlige Diskontinuität in der exilischen und nachexilischen Prophetie zu den vorexilischen Propheten, denn hinter der Entwicklung steht derselbe Gott, der sie zwar nicht nach menschlich vorausberechenbaren, sondern nach Gesetzen der göttlichen Teleologie lenkt und von Anfang an schon zielstrebig ausrichtet.[26] Dabei wird das angestrebte Ziel selber im Lauf der Entwicklung mehr und mehr in der Offenbarung enthüllt, seine anfangs schemenhaften Konturen werden im Lauf der Entwicklung zu greifbaren Zeichnungen.

Auch stimmt es nicht, daß der Mensch der Notwendigkeit der Entscheidung entnommen wird, denn Dan 7, 18. 22. 27 wird dreimal, also nachdrücklich, behauptet, daß die „Heiligen des Höchsten" teilhaben werden an der Endherrschaft. Es ist demnach sogar festzustellen, daß auch hier eine Fortbildung gegenüber der Annahme zu verzeichnen ist, daß das auserwählte Volk als blutmäßige Größe mit der Zukunftsherrschaft beliehen wird. Bei Daniel ist also nur noch die ethische Qualität der Heiligkeit maßgebend für die Inbesitznahme der Endreichherrschaft.[27] Diese Heiligkeit setzt jedoch die Entscheidung für Gott voraus. Natürlich wird mit dem Eintreten der eschatologischen Endzeit, mit dem „neuen Himmel und der neuen Erde" (Jes 65, 17) auch in der Beziehung der Menschen zu Gott ein gewandeltes und gefestigtes Verhältnis anheben, das die für Gott erfolgte Entscheidung des Menschen fixiert.

Schließlich dürfte das „Epigonenhafte" der nachexilischen Prophetie größtenteils in der Motivübernahme von den vorexilischen

---

[26] Vgl. dazu H. W. Wolff, a. a. O. 222 ff., der mit Recht in der „Selbigkeit Gottes" die Einheit der atl. Geschichte, ihre Finalität, ihre teleologische Ausrichtung auf die eschatologische Zukunft begründet findet.

[27] Siehe dazu H. Groß, Weltherrschaft als religiöse Idee im AT, Bonn 1953, 68 f.

Propheten begründet sein. Aber diese Motive werden weithin nicht einfach nur übernommen, sondern der Entwicklung der Offenbarung entsprechend auf neue Stufen transponiert und dort neu interpretiert — eine durchaus eigenständige und anerkennenswerte Leistung der nachexilischen Prophetie. Zudem ist nicht zu verkennen, daß in vorexilischer Zeit eine „innerweltliche" Erwartung sich leichter in sprachliche Ausdrücke und Formeln der menschlichen Alltagserfahrung kleiden ließ, als die transzendente Erwartung. Hier versagt die eigentliche Ausdrucksmöglichkeit, es stehen nur irdische, analog verwendbare Ausdrücke zur Verfügung. Doch auch die Tatsache, daß man dafür auf die früheren Aussagen zurückgreifen kann, beweist von einer neuen Seite die Kontinuität der aufgezeigten Entwicklung.[28]

Es sollte hier nur die innerbiblische Entwicklung[29] der atl. Heilshoffnung von den ersten Keimen an bis hin zur transzendenteschatologischen Höhenstufe nachgezeichnet und die ihr von Gott eingegebene Kontinuität aufgewiesen werden. An eine Darstellung des Inhalts der komplexen Erwartung war nicht gedacht. Daher werden auch nur gelegentlich einzelne Züge davon berührt.

[28] Anhangweise sei vermerkt, daß G. Fohrer in: Messiasfrage und Bibelverständnis, Tübingen 1957, ähnlich fragwürdige Grundansichten zum Verständnis des AT äußert. Vgl. dazu die berechtigte Kritik von S. Herrmann, TheolLitZeit 85 (1960) 662—666.

[29] C. Steuernagel, Die Strukturlinien der Entwicklung der jüdischen Eschatologie, Festschrift A. Bertholet, Tübingen 1950, 479—487, ist es nicht um die Entwicklung „eines Systems", wohl aber um die Entwicklung von Einzellinien (scil.: nationale, individuelle, universale E.) zu tun. — Hier sollte auch nicht auf die verschiedenen vorgetragenen Entstehungsweisen der Eschatologie eingegangen werden. Die Auffassung Mowinckels, die: Psalmenstudien II, Kristiania 1922 und: He that Cometh, Oxford 1956, dargestellt und als mythisch-psychologisch zu bezeichnen ist, ist neuestens in etwa von V. Maag, Malkût JHWH, VetTest Suppl VII (Congress Volume Oxford) Leiden 1960, 129—153, bes. 150—153 wieder vorgelegt worden.

Bibel und Leben. 5 (1964), S. 180—194.

DAS ENDE DER TAGE

Die Botschaft von der Endzeit
in den alttestamentlichen Schriften*

Von JOSEF SCHREINER

Vom „Ende der Tage" spricht das AT etwa zwölfmal. Die Stellen, in denen die Wendung vorkommt, verteilen sich ungleichmäßig auf die einzelnen Bücher. Ein paar stehen im Pentateuch; einige finden sich bei den Propheten und eine taucht im Buch Daniel auf, das im hebräischen Kanon bekanntlich den Schriften zugerechnet wird. Alle Schichten des atl. Schrifttums haben somit teil an diesem Ausdruck und, so will es scheinen, auch an seinem Ideengehalt. Zweimal ist er zu der einleitenden Formel erweitert: „Am Ende der Tage wird es geschehen." In Jes 2, 2 (= Mich 4, 1) und Ez 38, 16 ist sie vor eine wichtige prophetische Ankündigung gestellt.

Wenn wir diese Einleitungsformel zu weissagendem Prophetenwort vernehmen, mag es vielleicht geschehen, daß wir unwillkürlich an die Jüngerfrage denken, die den Herrn bestürmte: „Sag uns, wann wird das geschehen, und was ist das Zeichen, daß sich das alles vollenden wird?" (Mk 13, 4). Aber wir sind noch nicht bei dem endgültigen Wort Jesu über das Ende, sondern mitten im Alten Bund. Wir stehen mit der Formel „Am Ende der Tage wird es geschehen" noch in einer Zeit, die dem Wort unseres Herrn (Mk 13 par) vorausläuft. Es ist die Aufgabe, die diesem Thema gestellt ist, zu überlegen, ob sie nach ihm ausblickt.

---

* Vortrag, gehalten auf der Tagung des Kath. Bibelwerkes und der Domschule Würzburg: „Das Ende der Tage."

Ende aller Tage?

Wenn Jesaja oder Ezechiel in der genannten Formulierung ihre Stimme erheben, erhalten die Hörer von selbst den Eindruck, daß in den folgenden Worten eine Erwartung ausgesprochen werden soll, die auf ein künftiges Geschehen hinausblickt. Tage — oder anders ausgedrückt — ein (bestimmter) Zeitraum geht zu Ende. Danach wird ein Ereignis heraufziehen, das nicht alltäglich ist. Soviel läßt sich unschwer aus einem wörtlichen Verständnis des Einleitungssatzes erschließen. Aber das will demjenigen, der die Sprache der Bibel ein wenig kennt, nicht genügen. Das AT hat nämlich mancherlei Möglichkeiten, Zeitbestimmungen künftigen Geschehens auszusagen. Es spricht viel von der Zukunft. Aber es gebraucht nicht gerade häufig die Wendung „am Ende der Tage". Darum möchte man folgern, es müsse etwas Besonderes in ihr liegen, das über die einfache Markierung kommender Ereignisse hinausgeht. Sie redet vom Ende. Meint sie damit die äußerste Grenze der Zeitlichkeit? Zielt sie auf das Eschaton? Man hat herausgefunden, daß im Akkadischen[1] der gleiche Ausdruck vom Ende der Tage in derselben Prägung gebräuchlich ist. Manche vertreten die Ansicht, daß er dort eschatologischer Terminus sei. Ob dies nun zutrifft oder nicht, sei dahingestellt. Die Frage ist für uns die, ob die Wendung im AT aussagen will, daß einmal aller Tage Abend ist und daß dann ein anderes kommt, das mit dieser Weltzeit nicht mehr gemessen werden kann.

Der Aussagegehalt der einzelnen Stellen

Um unsere Frage beantworten zu können, müssen wir die einschlägigen Texte befragen. Sie allein vermögen Auskunft zu geben. Die erste Stelle ist Gen 49, 1. Sie steht gegen Ende der Josephsgeschichte. Die Erzählung über die Patriarchen ist mit ihr bis in die Todesstunde Jakobs gelangt. Der sterbende Erzvater — so wird

---

[1] Siehe Gesenius - Buhl, Hebräisches und aramäisches Handwörterbuch über das AT, Leipzig [17]1921, S. 27; Koehler - Baumgartner, Lexicon in Veteris Testamenti Libros, Leiden 1953, S. 33.

berichtet — ruft seine Söhne herbei und spricht zu ihnen: „Versammelt euch, daß ich euch kundtue, was euch ‚am Ende der Tage' widerfahren wird!" Dann folgt sein Segenswort über die einzelnen Stämme. Dieser sogenannte Jakobssegen ist natürlich dem sterbenden Erzvater nur in den Mund gelegt. Er enthält Sprüche über das Zwölfstämmevolk und seine geschichtliche Lage, wie sie in der Königszeit bestand. Teilweise ist er als Weissagung von Künftigem stilisiert; teils enthält er Fluch und Tadel über bereits Geschehenes; teils beschreibt er als künftig, was schon eingetreten ist. Er gibt keinerlei Auskunft über die „Letzten Dinge". Vielmehr sind die Sprüche über Israels Stämme als prophetische Vorhersage ihres Vaters aufgefaßt, die nicht das Ende, sondern eine kommende Zeit ankündigen will, eine bestimmte Epoche israelitischer Geschichte.

Ebenso liegt der Sachverhalt Num 24, 14. Der Seher Bileam ergreift das Wort und spricht zu Israels Feind Balak: „Weil ich nun zu meinem Volke zurückkehre, so komm, ich will dir künden, was dieses Volk deinem Volk ‚am Ende der Tage' antun wird!" Sein Seherwort aber ist nichts anderes als eine Beschreibung des Jahwevolkes der Königszeit. Von einem Ende der Geschichte ist überhaupt keine Rede. Wiederum ist die literarische Fiktion deutlich. Ein von Gott bevollmächtigter Sprecher soll eine Epoche israelitischer Geschichte wie in der Zukunftsschau darstellen, damit sie als Werk Gottes dastehe.

In die gleiche Linie gehören die beiden Deuteronomiumstellen. Der Deuteronomist, der hier schon das Exil vor Augen bzw. sogar erlebt hat, läßt Mose seine große heilsgeschichtliche Predigt halten, die das deuteronomische Gesetzeskorpus einrahmt. In ihr redet der Gottesmann von Israels Zerstreuung unter die Völker und von der großen Wende, die dann Wirklichkeit wird, und sagt: „Wenn du in Not bist und all dies ‚am Ende der Tage' dich trifft, so wirst du zu Jahwe, deinem Gott, zurückkehren und ihm gehorsam sein" (4, 30). Und in seinem Schlußwort schaut er, vom Standpunkt des Deuteronomisten aus gesehen, weissagend um Jahrhunderte zurück und spricht: „Ich weiß, daß ihr nach meinem Tode ganz verwerflich handeln und von dem Wege abweichen werdet, den ich euch gewiesen habe. So wird denn das Unglück ‚am Ende der Tage' über euch

hereinbrechen . . ." (Dtn 31, 29). Es ist klar, daß die Babylonische
Gefangenschaft nicht am Ende aller Zeiten stehen kann. Es ist ebenso
sicher, daß der Deuteronomist die Wendung des Schicksals seines
Volkes in nicht allzu ferner Zukunft ersehnt hat. „Ende der Tage"
ist hier von Mose anvisiert und soll gewiß nichts anderes als einen
weit abliegenden Zeitraum bezeichnen.

Auch Jeremia gebraucht die Wendung nicht im eschatologischen
Sinn. Seiner Drohung gegen die falschen Propheten und die Gottlosen fügt er den Spruch an: „Am ‚Ende der Tage' erkennt ihr es
klar!" (23, 20; 30, 24). Gemeint ist die Erkenntnis, daß Jahwes
richtendes Einschreiten gegen die Bösen bis zum bitteren Abschluß
kommt. Steht das Wort an seinem jeweiligen richtigen Ort, kann die
darin liegende Absicht nur sein, daß die Betroffenen es noch erleben
und wahrnehmen. Dann muß der Prophet mit ihm auf eine nahe
Zukunft anspielen. Kaum anders verhält es sich bei der Heilszusage
für Moab und Elam (Jer 48, 47; 49, 39). Obwohl mit dem Begriff
„am Ende der Tage" angesagt, will die Verheißung die beiden Völker doch nicht allzu lange warten lassen. Darum setzen die Kommentare vielfach das zwar unbestimmte, aber nicht hinauszögernde
„hernach".

Einen Schritt weiter führt Hos 3, 5. Dort spricht der Prophet,
nachdem er die unglückliche Ehe, die ihm der Herr auferlegt hat, als
Zeichen für Israel ausgedeutet hat: „Doch danach werden sich die
Israeliten bekehren und Jahwe, ihren Gott (und David, ihren Kö-
nig), suchen und sich voll Ehrfurcht Jahwe unterwerfen und sein
Heil umfangen (am Ende der Tage)." Offensichtlich sind hier zwei
Glossen in den Text eingefügt worden: „und David, ihren König",
„am Ende der Tage". Die Absicht ist deutlich. Die messianische
Hoffnung sollte in das Hoseawort hineingebracht, die Heilserwartung aber hinausgeschoben, in einen unbestimmt schwebenden Zeitpunkt hinausverlagert werden. Deswegen wurde die Wendung „am
Ende der Tage" angehängt. Für den Glossator enthielt sie demnach
einen Aussagegehalt im Sinne einer weit draußen liegenden Zukunft, die nicht mehr sichtbar wird. Vielleicht will er sie gar nicht in
den Blick bekommen, da er keine Anzeichen für eine Änderung zum
Guten hin zu sehen glaubt. Eine solche Umdeutung des Propheten-
wortes wäre in der persischen Epoche wohl begreiflich, da das Ge-

schick Israels in Enge und Ärmlichkeit festgefahren und dennoch in
der kleinen Theokratie hinreichend gesichert erschien.[2]

In ähnlicher Absicht wie Jer 23, 20; 30, 24 scheint auch Dan
10, 14 den Ausdruck zu verwenden. Am Ufer „des großen Stromes"
(nach erklärendem Zusatz: am Tigris) erscheint der Engel Gabriel
dem apokalyptischen Seher Daniel in gewaltiger Vision und spricht:
„Ich bin gekommen, um dir Verständnis zu geben über das, was
deinem Volke begegnen wird ‚am Ende der Tage'." Die folgende
Offenbarung (Dan 11; 12) gibt zunächst in Form einer Weissagung
einen Rückblick auf die Geschichte der Seleukiden und Ptolemäer
(11, 5—39), wobei die Perserkönige und Alexander der Große am
Anfang kurz gestreift werden (11, 1—4). Erst in Vers 40 („und in
der Zeit des Endes") kommt sie zum eigentlichen Thema. Von hier
an schaut die enthüllende Geschichtsdeutung wirklich in die Zukunft:
Antiochus IV. Epiphanes wird (nach 167 v. Chr.) einen schrecklichen
Krieg anzetteln, aber vor den Toren Jerusalems „zu seinem Ende
gelangen". Dann kommen Tage der „Drangsal, wie keine war"
(12, 1). Für die Gerechten aus Gottes Volk jedoch wird darauf die
Zeit des Heiles anbrechen (12, 2 f.). Es ist klar, daß „das Ende der
Tage" nach der Erwartung des Verfassers zu seinen Lebzeiten einsetzt, also in naher Zukunft anhebt. Das endzeitliche Heil aber liegt
im fernen Dunkel des Geheimnisses Gottes (12, 7—10. 13), das
durch das Wort von der Auferstehung eher schwerer als lichter wird.

Ebenso in der Schwebe gehalten ist der Zeitpunkt des Eintreffens
bei den beiden Stellen, die noch zu betrachten übrig sind. Die zwei
noch kurz zu streifenden Stellen finden sich im Jesaja- bzw. Michabuch und bei Ezechiel. Ez 38, 16 spricht der allmächtige Herr bei der
dunklen Schauung über Gog aus Magog, der wie ein Ungewitter
gegen Gottes Volk heranzieht, aber auf Israels Bergen vernichtet
wird: „Am ‚Ende der Tage' wird es geschehen, daß ich dich gegen
mein Land herbeiführen werde, damit die Völker mich erkennen,
wenn ich mich vor ihren Augen an dir, Gog, als heilig erweisen
werde." Längst ist zu dieser Zeit das Volk Jahwes in sein Land zurückgekehrt. Es lebt dort in Wohlergehen unter dem göttlichen

---

[2] Vgl. O. Plöger, Theokratie und Eschatologie, WMANT 2 (1959),
Kapitel III.

Segen. Da erscheint irgendwann „am Ende der Tage" die gottfeindliche Weltmacht mit einem gewaltigen Aufgebot. Mit ihren Heeren, die aus vielen Völkern zusammengebracht sind, tritt sie zum Angriff auf das Gottesvolk an. In diesem Augenblick fährt auf sie das Gottesgericht herein. Im Zorneseifer Gottes, in der lohenden Glut seines Grimmes, unter Erdbeben, Feuer- und Schwefelregen, mit Pest und Schwert wird sie vernichtet, ein grausiges Schauspiel unvorstellbaren apokalyptischen Ausmaßes. Zwar ist völlig offengelassen, wann dies sich ereignen wird. Es geschieht nach der Heimkehr Israels, ohne daß freilich sichtbar würde, wie groß der Abstand ist.

Bei Jes 2, 2 fehlt aber auch diese scheinbare Zeitbestimmung. Hier ist alles in zeitlicher Schwebe gelassen. Zudem ist sie von ganz anderer Art. Sie ist vom Glanz göttlichen Heiles umflossen und vom Strahlen ewigen Friedens umspielt: „Am ‚Ende der Tage' wird es geschehen, daß der Berg des Hauses Jahwes festgegründet dasteht als Haupt der Berge, erhaben über die Höhen. Dann strömen zu ihm alle Völker zusammen. Viele Nationen wallen dorthin und sprechen: ‚Kommt, laßt uns hinaufziehen zum Berge Jahwes, zum Haus des Gottes Jakobs. Er lehre uns seine Wege. Wir wollen auf seinen Pfaden wandeln!'" Bei dieser Prophetie besteht noch weniger als bei den zuvor angeführten Ezechielworten die Möglichkeit einer zeitlichen Festlegung. Das Eintreffen des Wortes ist in eine so ferne Epoche verlegt, daß ihre Umrisse und ihre Gestalt völlig verschwimmen. Ein Haftpunkt in der Geschichte des Gottesvolkes ist nicht mehr erkennbar. Ist dies die Endzeit; sind diese beiden oder doch die letztgenannte Prophetenstelle eschatologisch? Spricht nicht wenigstens Daniel vom Ende der Zeiten, vom Ende der Welt?

So läßt sich als Ergebnis festhalten: Die Überprüfung der mit der Wendung „am Ende der Tage" versehenen atl. Schriftstellen scheint ein unbefriedigendes Ergebnis gezeitigt zu haben, weil sie keine klare Antwort ergab. Aber einige wesentliche Hinweise zum Thema „alttestamentliche Eschatologie" gibt sie dennoch:

a) Eschatologie im Sinne des dogmatischen Traktates „de novissimis" gibt es im AT nicht. Aber es dürften Bausteine für ihn bereits vorhanden sein und Grundlinien, die endlich auf die Lehre von den Letzten Dingen hinauslaufen, sich zu bilden beginnen.

b) Das AT weiß davon zu berichten, daß in einer nicht festlegbaren Zukunft Dinge geschehen werden, die sich im jetzigen Lauf der Welt erfahrungsgemäß nicht begeben.

c) Diese Geschehnisse enthalten Gottes Gericht und Heil.

d) Bei diesen gewaltigen Ereignissen hat Gott nicht nur seine Hand im Spiele, sondern er führt sie herauf.

e) Sie werden durch bevollmächtigte Sprecher Gottes im voraus angesagt. Auch Bileam der Seher, Mose, der im Deuteronomium als Prophet gezeichnet ist, und Jakob, der nach Auffassung der Genesis in seiner Todesstunde unter prophetischer Inspiration steht, gehören in ihre Reihe.

f) Allerdings bleiben ihre Worte oft — man möchte manchmal sagen: absichtlich — dunkel. Sie verhüllen geradezu den Zeitpunkt des Kommens jener Dinge, statt daß sie ihn offenbaren.

g) Die Geschehnisse, die unter dem Blickwinkel „Ende der Tage" angepeilt werden, liegen alle in der Zukunft. Aber sie stehen in recht unterschiedlicher Nähe oder Ferne. Eine Grenze der Unterscheidung zwischen geschichtlichen und nachgeschichtlichen Ereignissen wird allem Anschein nach häufig nicht gezogen.

Nah- oder Enderwartung?

Dieses anscheinende Ineinanderübergehen von Geschichte und Endzeit in den Aussagen des AT, die die Zukunft betreffen, ist tatsächlich in großem Umfang festzustellen. Die Propheten scheiden nicht scharf, was Jahwe bald tun wird, von jenem anderen, das er „am Ende" wirkt. Sie sehen zwar die Gottestaten nacheinander wie Gipfel aufragen. Aber die weiten dazwischenliegenden Täler der Zeiten sind ihnen oft genug verborgen. Der prophetische Blick ist dazu veranlagt, daß er die zeitlichen Abläufe zusammenrafft. Die Tatsache ist bekannt. Sie bedeutet aber, daß die Erfassung des Eschatologischen im Alten Bund recht schwierig wird. Wohl ist allenthalben von einem zukünftigen Handeln Jahwes die Rede. Wer will jedoch mit Sicherheit heraushören, daß dieses oder jenes Tun Gottes erst „am Ende" erfolge? Auch auf den scheinbar bezeichnenden Ausdruck „am Ende der Tage" ist, wie die Befragung der Texte ergeben hat, kein Verlaß. Man hat darum vorgeschlagen,[3] von atl. Eschatologie am besten überhaupt nicht zu sprechen. Es gelinge ja doch nicht, sie in den Griff zu bekommen. Wahrscheinlich stehe das AT auch in dieser Hinsicht ganz in der Welt des Alten Orients, der den Begriff Eschatologie und seinen Inhalt nicht kenne. Aber gegen eine solche Auffassung wehren sich die prophetischen Schriften. Es geht nicht alles, was sie künden, innerhalb dieser Welt und Zeitlichkeit auf. Eschatologische Farben sind nun einmal manchen Worten zu kräftig aufgetragen, als daß sie einfach übersehen werden könnten. Das Gefälle zu einer Enderwartung hin ist im AT zu groß, als daß es mit der Ausdeutung in eine Heilszeit, die noch im Alten Bund liegt, eingeebnet zu werden vermöchte. Daher erfolgte der Pendelschlag ins Gegenteil. Man sagte, alle Schrifttexte, die irgendwie die Erwartung künftigen, von Gott in irgendeiner Weise veranlaßten Geschehens aussprächen, seien als eschatologisch zu betrachten. Wo diese Meinung verfochten wird, schwimmt in dem Sammelbecken atl. Eschatologie die so ungenau bezeichnete sogenannte messianische Heilszeit ebenso umher wie jegliches vorherverkündigende Prophetenwort. Wiederum aber sträubt sich das AT selbst gegen diese Theorie. Denn es kann kaum bezweifelt werden, daß viele aus den Prophetensprüchen ein Eingreifen Gottes ansagen, das sich in naher Zukunft, oft noch zu Lebzeiten der Menschen, denen sie zugesprochen sind, ereignen wird. Eschatologisch darf man sie gewiß nicht nennen.

Was ist dann atl. Eschatologie? Die vorhin durchgesprochenen „Am-Ende-der-Tage"-Stellen bieten einen Anhaltspunkt für die Erfassung des Sachverhaltes. Zwar zeigen sie unmißverständlich, daß es nicht möglich ist, jedes weissagende Wort mit Sicherheit begrifflich einzuordnen, weil es in den Zukunftshoffnungen des Alten Bundes reichlich Übergänge von nah über fern zu endzeitlich gibt. Aber sie machen innerhalb der Zukunftserwartung einen merklichen Einschnitt. Sie heben spürbar durch die Art der Darstellung ein künf-

---

[3] Vgl. knapp zusammenfassend zur Diskussion, ob es eine atl. Eschatologie gebe: A. Jepsen, in: RGG [3]II 655 (Lit: 622); J. Lindblom, Gibt es eine Eschatologie bei den atl. Propheten, in: Studia Theologica 6 (1953), 79—144 [in diesem Bd. S. 31—72].

tiges göttliches Handeln heraus, das eine Umwandlung des Bestehenden bewirkt, so daß „man wirklich von einem neuen Zustand der Dinge von etwas ‚ganz anderem' reden kann"[4]. Es ist ratsam, diesen Hinweis aufzugreifen und mit „eschatologisch" jene atl. Aussagen zu bezeichnen, die von solch einer radikalen Veränderung der Welt, der Zeit und der Menschheit sprechen, daß man das darauf Folgende als etwas Neues, als ein Sein in andersartiger Zuständlichkeit ansehen muß. Dieses Verständnis von Eschatologie dürfte ihrer inneralttestamentlichen Entwicklung wie dem Aussagegehalt der einschlägigen Texte am ehesten gerecht werden.

Ursprung und Grund endzeitlicher Erwartung

Alttestamentliche Eschatologie ist nicht von ungefähr geworden. Sie wurde nicht durch den Druck der übermächtigen Nachbarn auf das Jahwevolk erzeugt. Sie ist auch keine aus dem frommen Sehnen der gequälten Volksseele nach Gottes Hilfe erflossene Vorstellungswelt. Läge ihr Ursprung so, dann hätte sie allenthalben im altorientalischen Raum erwachen können. Ein Kenner der Ideenwelt des Alten Orients wie S. Mowinckel[5] aber sagt: „Eine altorientalische Eschatologie gibt es nicht."[6] Ebensowenig kann sie aus einer Übernahme des Zeit- und Weltverständnisses, wie es im Zweistromland und wohl auch in Kanaan lebendig war, in die israelitische Religion abgeleitet werden. Dort war man des Glaubens, daß Zeit- und Weltverlauf in ständiger zyklischer Bewegung sich befänden. Sie wurden von den Göttern in jährlicher oder weltenzeitlicher Erneuerung und Wiederkehr im ausgewogenen Gewicht des Kreislaufes gehalten. Von einem kommenden letzten Ereignis zu sprechen, hätte dieser Religion unmöglich und widersinnig erscheinen müssen.

Israel aber war eine ganz andere Auffassung von Zeit und Geschichte beigebracht worden. Es war von seinem Gott aus Ägypten

---

[4] J. Lindblom, a. a. O., S. 81 [S. 34].

[5] Vgl. Psalmenstudien II, Nachdruck Amsterdam 1961, S. 221 f.; He that Cometh, Oxford 1956, S. 127. 460 f.

[6] So formuliert von Th. C. Vriezen, Theologie des Alten Testaments in Grundzügen, Neukirchen 1956, S. 305.

in das Land der Verheißung geführt, aus einem Zustand der Knechtschaft ins Heil versetzt worden.

Damit war von Anfang an in das Leben dieses Volkes eine Bewegung gekommen, die auf ein Ziel hinstrebte. Seine Geschichte
hatte nicht die Gestalt eines Kreislaufes, sondern die einer Linie. Es
war die heilsgeschichtliche Linie der göttlichen Führung, die durch
die Jahrhunderte fortlief. Jedes Ereignis war ein fortlaufend Hinzu-
tretendes, ein von Gott oder unter seiner Leitung neu Hinzu-
gefügtes, nicht ein Wiederauftauchen von bereits Gewesenem. Dieses
lineare Geschichtsverständnis ist die Grundvoraussetzung für das
Entstehen der Eschatologie. Ohne es ist eine Ausschau in die Zukunft, vor allem eine endzeitliche Erwartung, nicht denkbar.

Israel hatte seine Geschichtsauffassung nicht durch eigenes Mühen
oder Nachdenken erworben. Sie ist ihm von seinem Gott geschenkt
worden. So ist er es, der den Urgrund in Geist und Herz dieses
Volkes hineingesenkt hat, aus dem eschatologisches Denken und
Hoffen entsprossen ist. Durch ihn ist der Glaube des atl. Bundesvolkes zukunftshaltig geworden. Freilich kam noch ein wichtiger
Faktor hinzu, der die Endzeiterwartung erst eigentlich weckte. Es
war die Tatsache, daß das Jahwevolk von seinem Gott durch Groß-
taten des Heiles oder des Gerichtes im Lauf seiner Geschichte immer
wieder überrascht wurde. So wurde es daran gewöhnt, beständig
mit seinem Eingreifen in der Zukunft zu rechnen. So lernte es ausschauen nach dem, der mit seinem Tun stets neu im Kommen war.
Von ihm waren alle Geschehnisse geplant, herbeigeführt oder zugelassen. Er kannte Ziel und Ende. Auf ihn mußte sein Volk warten.
Er vermochte künftiglich Gewaltiges zu vollbringen.

Der Tag Jahwes

Der Glaube des atl. Bundesvolkes hat allem Anschein nach aus
jahrhundertelanger Erfahrung einen Begriff geschaffen, in den es
seine Zukunftserwartung niederlegte. Es ist das Wort vom „Tage
Jahwes".[7] An diesem „Tage des Herrn" bringt Gott Hilfe für seine

---

[7] Vgl. G. v. Rad, Theologie des Alten Testaments II, München 1960,
S. 133—137.

Getreuen, Unheil über seine Feinde. In diesem Sinn redet das Buch
Exodus (8, 18; 12, 17. 41. 51; 14, 30) von jenem Tage, an dem
Jahwe die Israeliten aus der Gewalt der Ägypter errettete. Jes 9, 3
legt nahe, daß der Sieg Gideons über die Midianiter ebenfalls als
ein „Tag Jahwes" begangen wurde. Ähnlich wird man es nach Jes
28, 21 mit dem Gedächtnis des Sieges Davids über die Philister gehalten haben. An diesen Tagen hatte Jahwe den Seinen wunderbar
geholfen, die Gegner aber verdorben. Noch mehr von diesem Tag
des Herrn, den Israel jeweils im Heiligen Krieg zur Behauptung
und Gewinnung des von Gott verliehenen Landes erleben durfte,
wußte das Buch Josua zu erzählen. Es konnte auch von den wunderbaren Zeichen berichten, die er mit sich brachte: Lähmender Gottes-
schrecken, vom Himmel fallende Steine, Finsternis und Gewitter.

Es ist leicht begreiflich, daß das Volk in Not und Bedrängnis
immer wieder nach einem solchen Tag Jahwes ausschaute, schien er
doch außerordentliche göttliche Hilfe zu versprechen, wie Gott sie
so oft geschenkt hatte. Wahrscheinlich hat man jenen Tag in kultischer Festfeier erfleht und mit drängenden Bitten versucht, ihn
herbeizuziehen. Auch den Propheten muß er in erster Linie Symbol
für die Gewährung göttlichen Heils gewesen sein. Denn zwei Drittel
aller Stellen, an denen sie die Formel „an jenem Tage" verwenden,
sind Heilsverheißungen.

Aber „der Tag Jahwes" ist durchaus keine harmlose Angelegen-
heit. Er birgt eine Gefahr in sich, die auch Jahwes Volk bedrohen
kann. Er hat eine dunkle Seite, die ihre Schatten gegebenenfalls
unerbittlich auch über das Gottesvolk wirft. Dies ist eben sein
charakteristisches Gepräge, daß er Heil für Gottes Getreue, Unheil
für seine Feinde bringt. Wenn nun Israel den Willen Jahwes nicht
tut und so die Erfüllung der Bundespflichten in Wort und Leben
aufkündigt, tritt es in die Reihe der Gegner Gottes. Der Herr aber
muß folgerichtig „an jenem Tage", wenn er den Widerstand seiner
Feinde zerbricht, auch gegen sein eigenes Volk mit aller Härte vorgehen. Amos hat dies klar erkannt und mit aller Schärfe ausgesprochen: „Wehe denen, die den Tag Jahwes herbeisehnen! Was
ist der Tag Jahwes denn für euch? Finsternis ist er und nicht Licht!
Es wird sein, wie wenn einer vor dem Löwen flieht, aber auf einen
Bären stößt. Er entkommt vielleicht in sein Haus und stützt seine

Hand an die Wand. Doch da beißt ihn die Schlange. Wahrlich Finsternis ist der Tag des Herrn und nicht Helle" (5, 18—20).

Eines auslegenden Wortes bedarf dieses eindrucksmächtige Bild nicht. „Jener Tag" ist ein Tag umfassenden göttlichen Gerichtes, das nicht nur über die anderen hereinbricht, sondern auch Gottes Volk, d. h. die Übeltäter in ihm nicht verschont. An ihm gibt es kein Entrinnen. Mit diesem Amoswort sind die Grundlinien des weltweiten unheilvollen Gerichtstages Jahwes vorgezeichnet. Seine düsteren Umrisse haben spätere Propheten mit eschatologischen Farben bis zum Gemälde des „Dies irae" ausgemalt.

Tag des Gerichts

Der sprachgewaltige Jesaja ist der erste, der den kommenden Gerichtstag Jahwes, da der alleinige Herr die ganze Erde richtet, beschreibt: „Ein Tag ist von Jahwe der Heerscharen bestimmt über alles Stolze und Hohe, über alles Erhabene, daß es niedrig werde" (2, 12). Er zerbricht alles, was auf Erden Größe und Namen besitzt und verschont nichts und niemanden. „Da wird der Hochmut des Menschen gebeugt. Jahwe allein ist erhaben an diesem Tage" (2, 17).

Etwa 100 Jahre später erhebt Zephanja, der wohl der Prophetenschule des Jesaja entstammt, seine Stimme: „Still vor Jahwe, dem Allherrn! Denn der Tag Jahwes ist nahe ... Nahe ist der Tag Jahwes, der große, nahe und überaus eilig ... Ein Tag des Zornes ist jener Tag, ein Tag der Not und Bedrängnis, ein Tag des Krachens und des Dröhnens, ein Tag von Dunkel und Finsternis, ein Tag von Gewölk und Düsternis" (1, 7. 14. 15). Da erschallen Posaune und Kriegslärm. In allen Stadtteilen Jerusalems wird Getöse und Jammer sein. Da wird panische Angst über die Menschen kommen, daß sie umherlaufen wie Blinde. Niemand wird sich retten können; denn im Feuer des Eifers Gottes wird die Erde verzehrt. Es wird soviel Blut fließen, daß der Prophet das grausame Wort von einem Schlachtfest Jahwes gebraucht. Zwar geht in die Schilderung dieses bitteren Tages die Ankündigung eines Gerichtes über Juda mit ein. Aber die Auswirkungen und Verheerungen jenes Tages ziehen die ganze Erde in Mitleidenschaft. Zephanja bietet vielleicht die eindrucksvollste Schilderung des großen Weltgerichtes. Nicht umsonst hat das „Dies irae" sich seinen Worten angeschlossen.

Auch Jeremia weiß von einem Tag der Rache für den Herrn Jahwe der Heerscharen, da er sich an seinen Feinden rächt (46, 10): „Da frißt das Schwert und sättigt sich und wird trunken von ihrem Blut." In bohrender Eindringlichkeit ruft Ezechiel (Kap. 7) seinen Hörern das Wort vom Ende in die Ohren. An jenem Tage wüten Hunger, Schwert und Pest. Alle Hände werden schlaff, und Schauder erfüllt die Menschen. Aller stolzen Pracht wird ein Ende bereitet, und jeglicher Reichtum wird wie Schmutz hinausgeworfen. Denn Jahwe wird seinen Grimm und Zorn ausgießen; er wird nicht mitleidig blicken, noch Schonung üben, sondern jeden richten nach seinem Wandel. Dann wird Bestürzung sein und Unheil über Unheil. Zwar gilt diese Weissagung zuerst dem Lande Israel. Aber es fließen auch universelle Züge mit ein: „Das Ende kommt, das Ende über die vier Säume der Erde" (7, 2).

Aus dem 5. Jahrhundert und wahrscheinlich aus jesajanischer Schule stammt die große Gerichtsverkündigung über Babel (Jes 13), in die auch Züge des Weltgerichtes mit eingewoben sind: „Wehklaget! Denn nahe ist der Tag Jahwes! Wie Gewalt vom Allgewaltigen bricht er herein" (13, 6). Da befallen Krämpfe und Wehen die Menschen; einer starrt den anderen an, hilflos vor Angst und Ratlosigkeit. Der Himmel erbebt, und die Erde wankt. Jahwes Zornesglut macht sie zur Wüste. Die Schuld der Bösen wird geahndet, und die Sünder werden durch Jahwes Zornesglut hinweggetilgt. Dieser grausame Tag zieht auch den Kosmos in Mitleidenschaft. „Die Sterne des Himmels und seine Sternbilder lassen ihr Licht nicht mehr schimmern. Die Sonne verfinstert sich bei ihrem Aufgang, und der Mond läßt sein Licht nicht mehr leuchten" (13, 10). Hier ist das Weltgericht zu einer kosmischen Katastrophe ausgeweitet.

Die Entwicklung der Gerichtseschatologie schreitet weiter zu Joel, der wohl um 400 seine Prophetie mitten in eine geruhsame Zeit, da auch das Gottesverhältnis durch den geordneten und ungestörten Kultbetrieb gut geregelt schien, als einen aufrüttelnden Weckruf erschallen ließ. Er nimmt das Wort aus Jes 13 wieder auf: „O wehe des Tages! Denn nahe ist der Tag Jahwes! Wie Gewalt vom Gewaltigen kommt er" (1, 15). Die schreckenerregenden Veränderungen am Himmel und an den Gestirnen werden hier als Vorboten dafür betrachtet, daß jener Tag heranrückt: „Zeichen laß ich entstehen am Himmel und auf der Erde: Blut, Feuer und Rauchsäulen. Die Sonne verwandelt sich in Finsternis und der Mond in Blut, wenn der Tag Jahwes kommt, der große und furchtbare" (3, 3 f.). Eine Bildersprache wird hier gebraucht, wie sie die Apokalyptik gern anwendet. In derselben Epoche kommt ebenfalls der Prophet Maleachi einmal beiläufig auf „den Tag" (3, 2) zu sprechen. Er vergleicht ihn mit einem Ofen, in dessen Glut alle Frechen und alle Übeltäter verbrennen.

Schließlich ist die sogenannte Jesaja-Apokalypse zu nennen (Jes 24—27). Vielleicht hat sie im AT die letzte Hand an die Schilderung vom Gerichtstag Jahwes gelegt. Sie wird heute mit beachtlichen Gründen zum Teil in den Anfang der Makkabäerzeit datiert.[8] Doch ist die Sache keineswegs entschieden. Sie bringt kaum noch neue Züge bei, faßt aber zusammen und hebt dies oder jenes hervor. An jenem Tag verheert Jahwe selbst die Erde und verwüstet sie. Da welkt sie hilflos dahin. Die ganze Welt zerfällt. Der Fluch Gottes frißt die Erde. Die Bewohner müssen ihre Schuld büßen, und nur wenige bleiben übrig. Unter Erdbeben zerbirst die Erde; sie taumelt und schwankt. Auch das Heer der Höhe, d. h. die Gestirne, wird in das Gottesgericht hineingezogen. Veränderungen geschehen an Sonne und Mond. Ein gewaltiger sintflutartiger Regen macht die Bedrängnis aller Wesen vollends schwer (Jes 24).

So handelt Jahwe an jenem letzten Tag in furchtbarem Tun. Nimmt man alle prophetischen Aussagen zusammen, die eben nur flüchtig angedeutet wurden, so erhält man im Zusammenklang eine Weissagung von bedrückender Wucht. Wer kann da bestehen vor dem Antlitz des Herrn?, möchte man fragen. Jesaja sagt: „Jahwe allein ist erhaben an jenem Tage" (2, 11. 17).

---

[8] O. Plöger, a. a. O., S. 96; O. Ludwig, Die Stadt in der Jesaja-Apokalypse. Zur Datierung von Jes 24—27, Diss. Bonn 1960/61.

Der weltweite Aspekt

Wenn wir uns fragen würden, was denn das Auffallende an der prophetischen Sicht vom Tage Jahwes sei, so sollte die Antwort nicht schwerfallen.

Es ist nicht die drastische Ausmalung der schreckhaften Einzelzüge. „Feuer, Gewitter, Sturm, Hagel, Überschwemmung, Erdbeben, Pest, Hunger, Dürre, Schwert, Blutvergiessen, wilde Tiere, Verdunkelung der Sonne, Mist und Nebel — das gehört alles zum Arsenal Jahwes, wenn er hinauszieht, um seine Strafgerichte auszuführen." [9] Vieles aus ihm hat seinen Platz in den Berichten über den Heiligen Krieg; das Deboralied (Ri 5, 20) z. B. singt sogar davon, daß die Sterne in die Schlacht von Taanak eingegriffen hätten. Anderes hat Israel in Kanaan oft genug am eigenen Leib verspürt. Prophetische Begeisterung und dichterischer Schwung konnten bei der Aufzählung der Strafwerkzeuge des Herrn leicht steigern und überhöhen.

Auffallend aber ist wirklich der weltweite Aspekt dieser eschatologischen Gerichtsschilderungen. Sind sie doch in einem kleinen unbedeutenden Volk entstanden, das niemals zur Weltherrschaft gelangte. Woher nahmen seine Propheten die Kühnheit, so zu sprechen? Sie schöpften sie ohne Zweifel aus dem Glauben an die Königsherrschaft Jahwes. Israel war davon überzeugt, daß diese alle Welt und alle Völker umspanne. Es kam nicht erst im Exil darauf, so zu denken, als ihm die ganze babylonische Götterpracht vor Augen stand. Die Glaubensvorstellung von der Weltherrschaft seines Gottes war ihm unter fruchtbaren Anregungen, die es aus der kanaanäischen Religion aufnehmen durfte, bereits aufgegangen, nachdem Jerusalem Mittelpunkt des Zwölfstämmevolkes und der Ort göttlicher Gegenwart geworden war. Da erkannte es, daß nicht El oder Baal oder irgendein angeblich „Höchster Gott", sondern Jahwe Herr und Schöpfer der Welt war. So war die Voraussetzung für eine universale Eschatologie gegeben. Es ist eine alte Streitfrage, ob sie schon den ursprünglichen Gehalt der alten Jahwe-Königs-

---

[9] J. Lindblom, a. a. O., S. 86 [in diesem Band S. 40].

lieder ausmache. Jedenfalls tritt sie bei dem Jerusalemer Propheten Jesaja deutlich zutage.

Völkergericht

Ein wichtiges Element, das nach dem Befund der betreffenden Texte anscheinend von jeher in ihr seinen Platz hat, haben wir bisher noch nicht berührt. Es ist die Idee von einem Völkergericht, das vor den Toren Jerusalems stattfinden wird. Wahrscheinlich geht diese auf eine vorisraelitische, in alter Zeit schon in den Mythus hineingehobene Überzeugung von der Uneinnehmbarkeit Jerusalems zurück.[10] Vor ihren Toren — so meinten bereits die Jebusiter — werde jeder Ansturm irgendwelcher Völker zerschellen. Israel formte den heidnischen Glaubenssatz von der Unbezwinglichkeit der Stadt nach seinem Glauben so um: Jahwe wird den Völkersturm zerbrechen. Es ist leicht zu verstehen, daß dieses Thema in die Schilderung des großen Gerichtstages Jahwes einging. Denn mit ihm war die Durchsetzung der Königsherrschaft Gottes über die ganze Welt am besten zu veranschaulichen. Darum hat es Ezechiel in der schon zitierten Schau über Gog aus Magog aufgegriffen. Besonders in nachexilischer Zeit scheint es in prophetischen Weissagungen wie z. B. Jes 34, Mich 4 immer wieder durch. Joel aber hat es in gewaltigen Worten seinem Bild vom Tag Jahwes eingefügt: „Ruft's aus unter den Völkern: Rüstet zum Krieg, entbietet die Helden! Auf und heran, ihr Kriegsleute alle . . . Beeilt euch und kommt, all ihr Völker ringsum, versammelt euch dort. Aufbrechen sollen alle Völker und heranziehen zum Tal Josaphat, denn dort nehme ich Platz, ringsum alle Völker zu richten. Die Sichel setzt an. Denn die Ernte ist reif! Kommt und tretet, denn die Kelter ist voll, die Kufen laufen über, denn ihre Bosheit ist groß. Massen auf Massen im Tal der Entscheidung. Denn nahe ist der Tag des Herrn" (4, 9—14).

---

[10] Vgl. J. Schreiner, Sion — Jerusalem, Jahwes Königssitz. Theologie der Heiligen Stadt im Alten Testament, München 1963, S. 223 f.

Zeit weltweiter Heilsverleihung

Aber das atl. Gotteswort bedroht nicht nur und sieht nicht nur Unheil für die Völker in jener Endzeit. Gericht fährt auch bei ihnen nur über die herab, die sich der Herrschaft des Herrn nicht unterstellen wollen. Wer sich ihr aber beugt, wer Jahwe dienen will, erfährt genauso das endzeitliche Heil wie das Gottesvolk. Auch hier kam eine alte Tradition den eschatologischen Aussagen zu Hilfe.

Schon in alter Zeit erlebte es das Jahwevolk an den großen Festen der glanzvollen Königszeit, daß Menschen aus anderen Völkern, sei es als Gesandte, sei es als Pilger an der Kultfeier zu Ehren seines Gottes teilnahmen und so zusammen mit Israel des Herrn Heil empfingen. Ein Zeugnis dafür ist Ps 47, 10: „Die Edlen der Völker versammeln sich als Volk des Gottes Abrahams." Da Israel von seinen Anfängen an wesensmäßig offen sein mußte für alle, die sich Jahwe anschließen und zum Gottesvolk gehören wollten — der Nachweis dafür kann jetzt nicht geführt werden —,[11] senkte sich die Idee vom Kommen der Völker zum Dienste Gottes und zum Heilsempfang in seine Glaubenstradition ein.

Nicht erst Deuterojesaja geriet auf den Gedanken, daß die Völker sich zu Jahwe hinwenden, sich bekehren und von ihm mit seinen Heilsgütern beschenkt würden. Die Vorstellung ist bei ihm nur sehr stark und wiederholt ausgeprägt. Die Völker werden, aufmerksam gemacht durch Gottes endzeitliches Heilshandeln an Israel, sich an Jahwes Volk anschließen und mit diesem zusammen zu Gott heimgeführt. Tritojesaja darf das bekannte Wort sprechen: „Auf, werde licht! Denn dein Licht kommt und die Herrlichkeit Jahwes erstrahlet über dir. Denn siehe, Finsternis bedeckt die Erde und Dunkel die Völker. Doch über dir erstrahlt Jahwe, und seine Herrlichkeit erscheint über dir. Völker eilen hin zu deinem Licht und Könige zu deinem Strahlenglanz" (60, 1—3). In diesem Zusammenhang aber darf die Stelle nicht vergessen werden, die eingangs angeführt wurde: Jes 2, 2—4. Deuterosacharja (14, 16) sei der Kürze

---

[11] Vgl. J. Schreiner, Segen für die Völker in der Verheißung an die Väter, in: BZ NF 6 (1962), 1—31; Schmaus - Läpple, Wahrheit und Zeugnis, Düsseldorf 1964, S. 438.

halber übergangen. Jedoch auf die leuchtende Weissagung der Jesaja-Apokalypse (25, 6—8) von dem Königsmahl, das Jahwe allen Völkern in seiner Heiligen Stadt bereiten wird, soll noch verwiesen werden. Dann wird Gott geistige Blindheit und Irrtum von ihnen nehmen: „Er vernichtet auf diesem Berg die Hülle, die alle Stämme verhüllt, und die Decke, die alle Völker bedeckt. Er vernichtet den Tod für immer. Der Herr Jahwe wird abwischen die Tränen von jedem Antlitz."

Dieser letzte Satz aber strahlt in die Geheime Offenbarung des NT (7, 17) hinüber.

Gottes Volk in besonderer Weise unter Jahwes Gerichts- und Heilshandeln

Es ist mehr als selbstverständlich, daß in den eschatologischen Aussagen des AT Israel eine besondere Stellung hat. Das gilt sowohl hinsichtlich des endzeitlichen Heils wie des Gerichtes. Die Belege sind sehr zahlreich. Doch ist es bei ihnen zuweilen schier unmöglich, Endzeit und innergeschichtliche Erwartung zu trennen. Der Heilswille Gottes ist eben jederzeit unvermindert seinem Volke zugewandt. Sollen die Hauptvorstellungen wenigstens herausgehoben werden, so dürften es diese sein: Gottes Gericht erreicht alle Gottlosen und Übeltäter im Volk des Herrn. Darum wird es gereinigt und geläutert und als reine Gemeinde nach „jenem Tage" dastehen. Der Herr schenkt geistige Erneuerung nach Reue und Umkehr durch die Sündenvergebung. Er verleiht ein neues Herz, das fähig macht und bereit, dem einzigen Gott in Glaube und Treue wahrhaft zu dienen. Dann wird das Gottesvolk in einem neugestalteten Lande durch die bleibende heilsverleihende Nähe des Herrn Segen, Freude, Sicherheit und Frieden erfahren. Ein echter Davidssohn wird über sie in wahrer Gerechtigkeit nach dem Willen des Herrn herrschen. Ja, eigentlich ist Gott es selber, der durch ihn seine Königsherrschaft für alle Zeiten ausübt. Dann wird die Erwählungszusage sich ganz erfüllen: „Ihr mein Volk und ich euer Gott!"

Alttestamentliche Eschatologie redet nie von einem Weltende in dem Sinne, daß hernach nichts mehr bestehe. Weltgericht ist nur ein

Durchgang zu einem neuen Heilszustand. Seine Beschreibung ist zwar versucht, aber in mancherlei Bildern doch eigentlich nur erahnt. Jahwe schafft „einen neuen Himmel und eine neue Erde. Dann wird man des Früheren nicht mehr gedenken" (Jes 65, 17). *Wie* das geschehen wird, bleibt trotz der Menge endzeitlicher Aussagen verborgen, verborgen auch den Kindern des Neuen Bundes. Der Glaube aber weiß, daß Gott König ist und daß er kommen wird, sein Reich zu vollenden.

Anima. XX (1965), S. 213—219.

DIE ESCHATOLOGIE IM ALTEN BUND [1]

Von Heinrich Gross

1. Vorbemerkungen

Die in den letzten Jahrzehnten besonders gepflegte Arbeit an einem rechten theologischen Verständnis [2] des AT läßt eindeutig erkennen, daß es falsch ist, biblische Aussagen in einem dogmatischen System vorzulegen. Das gilt in erster Linie für den Komplex der eschatologischen Erwartungen. Aber gleich erhebt sich die Frage, kann man überhaupt und in welchem Sinne kann man im AT von Eschatologie sprechen? Wenn man etwa G. Fohrer [3] Glauben schenken darf, liegt der wesentliche Grundzug der atl. eschatologischen Erwartung in der Lehre von den zwei Weltzeitaltern. Diese Lehre, die sich nach ihm voll entfaltet erst in der nachalttestamentlichen Literatur nachweisen läßt, trennt die eschatologische Prophetie seit DeutJes grundsätzlich von den vorexilischen Propheten, für die es „keine eschatologische Situation gibt".

[1] Der Verfasser stützt sich bei folgenden Ausführungen auf seine beiden Beiträge zu diesem Thema in: LThK III [2], 1084—1088 und in: Trier. Theol. Zeitschr. 70 (1961) 15—28 [in diesem Bd. S. 181—197]; dort auch ausführliche Literaturangaben.

[2] Vgl. dazu die neuen Theologien zum AT von W. Eichrodt, Theologie des Alten Testaments I [5], II/III [4], Stuttgart—Göttingen 1957—1961; E. Jacob, Neuchâtel—Paris 1955; G. v. Rad, Theologie des Alten Testaments I [4], II [1], München 1960—1962; Th. C. Vriezen, Theologie des Alten Testaments in Grundzügen, Neukirchen 1956.

[3] Die Struktur der alttestamentlichen Eschatologie, Theol. Lit. Zeit. 85 (1960) 401—420 [in diesem Bd. S. 147—180]; ähnliche Auffassung vertreten auch J. Lindblom, Gibt es eine Eschatologie bei den alttestamentlichen Propheten? Stud. Theol. 6 (1952) 79—114 [in diesem Bd. S. 31 bis 72]; S. Mowinckel, He That Cometh, Oxford 1956, 125—154.

Hier soll in einem weiteren Verständnis von atl. Eschatologie gesprochen werden. Gibt es doch bereits in der Frühzeit Israels Aussagen, die über eine überschaubare Zukunftserwartung hinaus von einer *Wende* im gegenwärtigen Lauf der Geschichte, von einem veränderten *neuen Zustand der Dinge,* von einem für die Zukunft verheißenen besonderen Eingreifen Jahwes sprechen, das jenseits der Grenze der derzeitigen Geschichte liegt.[4] Schon äußerlich heben sich solche Vorstellungen, die während der ganzen atl. Offenbarung lebendig bleiben, aus dem Kontext ab durch Einleitungsformeln, wie „am Ende der Tage" (Gen 49, 1; Num 24, 14; Jes 2, 2; Jer 23, 20; 48, 47; 49, 39; Ez 38, 16; Dan 10, 14; Hos 3, 5) und „an jenem Tage" (Jes 4, 2; 10, 20. 27; 11, 10 f.; Hos 2, 20; Joel 4, 18), weisen also auf eine künftige Wandlung hin und markieren zweifellos einen Hiatus zur gegenwärtigen Zeit und Situation.

Die genannten Texte sind das augenfälligste Anzeichen dafür, daß die Offenbarung im AT eine Entwicklung durchläuft, die in die Zukunft und zum Eschaton hindrängt und darauf ausgerichtet ist. Sie stellen an ihren ältesten Fundstellen sozusagen Kristallisationskerne für Richtung und Verlauf der Offenbarung dar; aus ihnen entsteht dann nach und nach ein entfaltetes eschatologisches Gebäude. Jene Entwicklung bildet nämlich im Laufe der Zeit echte eschatologische Aussagen aus, die jenseits des Horizonts geschichtlicher Erfahrungen liegen. Die Entwicklung selbst gehört nach der hier vertretenen weiteren Auffassung mit zum Thema atl. Eschatologie. Daher will der hier versuchte Weg, die atl. Eschatologie darzustellen, vor allem jenen Entwicklungsgang nachzeichnen.

Eigentümlich und kennzeichnend für die atl. Auffassung von Eschatologie ist überdies, was schon angeklungen ist, daß die biblische Zukunftserwartung an die *Geschichte gebunden* ist;[5] mehr

[4] Ein weiteres Verständnis der atl. Eschatologie findet sich z. B. bei H. Greßmann, Der Messias, Göttingen 1929; S. B. Frost, Old Testament Apocalyptic, London 1952; Th. C. Vriezen, Prophecy and Eschatology, Vet. Test. Suppl. I, Leiden 1953, 199—229 [dt. in diesem Bd. S. 88—128]; J. H. Grönbæk, Zur Frage der Eschatologie in der Verkündigung der Gerichtspropheten, Svensk. Exeg. Arsbok 24 (1959) 5—21 [in diesem Bd. S. 129—146].

[5] Siehe G. v. Rad, Theologie des AT II, 125—132 und vor allem O.

noch, die eschatologische Erwartung bestimmt den Verlauf der Offenbarungsgeschichte, führt sie zur Erfüllung und verleiht ihr Sinn. Hierin unterscheidet sich die biblische Eschatologie grundlegend von außerisraelitischen Erwartungen, z. B. von den „ägyptischen Propheten" [6], die nicht auf eine zukünftige Vollendung, vielmehr rückwärts auf die Goldene Zeit am Anfang schauen. Dort handelt es sich, genau gesehen, um eine besondere Ausbildung der Anschauung von der naturzyklischen Wiederkehr des ewig Gleichen, nach der sich Heils- und Unheilszeiten fast wie nach Art und Notwendigkeit eines Naturgesetzes ablösen. Auch distanziert die biblische Auffassung sich ähnlich von der stoischen Vorstellung der verschiedenen Weltperioden.

2. Quellpunkt der Eschatologie

Die einzigartige fortgesetzte Begegnung Israels mit Gott, die aus seiner Umwelt nicht ableitbare Offenbarung, die Israels Gang durch die Geschichte maßgeblich beeinflussen und entscheiden, lassen sich bis zum Beginn seiner Existenz in Abraham zurückverfolgen (Gen 12, 1—3). Von diesem ersten entscheidenden Eingriff Gottes an steht der Weg Israels in der Geschichte unter dem göttlichen Strukturgesetz von *Verheißung und Erfüllung*. Als göttliche Antriebskraft bestimmt und überlagert dieses Gesetz den Verlauf der israelitischen Geschichte. Es führt Israel auf das von Gott von Anfang an intendierte, der menschlichen Berechnung jedoch entzogene und nur dem Glauben zugängliche Ziel der eschatologischen Vollendung bei und in Gott zu. [7] Das geschieht aber nicht in einem un-

Cullmann, Christus und die Zeit, Zürich [3]1962 und: Heil als Geschichte, Tübingen 1965.

[6] Darüber informiert ausführlich G. Lanczkowski, Ägyptischer Prophetismus, Wiesbaden 1960.

[7] K. Rahner, Theologische Prinzipien der Hermeneutik der eschatologischen Aussagen, Zeitschr. kath. Theol. 82 (1960) 137—158 weist mit Recht und nachdrücklich darauf hin, daß Eschatologie nicht antizipierende Reportage später erfolgender Ereignisse sein kann, sondern vielmehr der

mittelbaren und jähen Anstieg, sondern nur allmählich und stufenweise über vorläufig historische Ziele, die wie Wegsteine als
Teilerfüllung neue Verheißung bedeuten und so im Volke die
dynamisch gespannte Ausrichtung auf das Ziel lebendig erhalten
wollen. In diesem einzigartigen, gerichteten und unverfügbaren
Entwicklungsverlauf ist damit auf dem Felde der werdenden Offenbarung der *Ursprungsort der atl. Eschatologie* angegeben. So wie
Abraham von Verheißung zu Erfüllung pilgert, wird auch das Volk
Israel zum Wandern in das Land, „da Milch und Honig fließt"
(Ex 3, 8) aufgerufen. Aber trotz der Gemeinschaft mit Jahwe „in
seiner Mitte" (Num 23, 21) und der damit eigentlich auf einer
niederen Stufe bereits „realisierten Eschatologie", die in der absoluten Theokratie der Richterzeit erreicht ist,[8] fällt Israel von
seiner einsamen Höhe ab und genügt den hohen Anforderungen und
Verpflichtungen der absoluten Theokratie (Lev 26) nur unzureichend
oder gar nicht. Die damit geschaffene Lage macht Gott mit seinen
unbegrenzten Möglichkeiten in einer neuen Weise der Zukunftshoffnung dienstbar, indem er sie an die Person des künftigen Heilskönigs bindet, den er ganz eng mit der Daviddynastie verknüpft
(2 Sam 7).

Obwohl die Bundessatzungen auch weiterhin mißachtet werden
und Israel mit verdienter Strafe rechnen müßte, entstehen im Volk
neue Fehlhaltungen, was die Zukunftserwartung angeht, die auf
irdische Machtausdehnung, ja Israels Weltherrschaft abzielen. Am
„Tage Jahwes" erwartet man mit fast magischer Gewißheit natio-
nales Glück in der Vormachtstellung Israels und dem Vernichtungs-
gericht über seine Feinde. Diese fehlgeleitete Erwartung wird Am
5, 18—20 unbarmherzig desillusioniert und korrigiert. Die Vorstellung des Tages Jahwes aber wird von den Propheten aufgegriffen, ihres falschen Beiwerks entkleidet und auf ein ethisches
Niveau transponiert (z. B. Jes 2, 11 f.; 13, 6; Jer 46, 10; Ez 7, 19;

Vorblick des Menschen, der in seiner heilsgeschichtlichen Situation aus der
Glaubensentscheidung handelt, auf die endgültige Vollendung ist.

[8] Besonders M. Buber, Königtum Gottes, Heidelberg [3]1956 entfaltet
vom Richterbuch her das Verständnis der atl. Theokratie, weil sie dort in
ihrer reinsten Ausprägung auftrete.

Joel 1, 15; 3, 4; Ob 15; Zeph 1, 14—18; Sach 14, 1) und damit bald
Träger echter endzeitlicher Hoffnung. Ähnlich wie das in seiner
Einführung Gott zunächst mißfallende irdische Königtum (1 Sam 8)
Träger neuer Konkretion der Heilshoffnung werden konnte, wird
es auch die von den Propheten gereinigte und gewandelte Vorstellung des Tages Jahwes. Mit seiner Umwertung des Tages Jahwes
übersteigt Amos den verengten nationalistischen Horizont seiner
Zeitgenossen und bereitet der eigentlichen eschatologischen Erwartung im AT den Weg.

3. „Proteschatologische Periode" [9]

Im engeren Sinn kann man den Terminus eschatologisch erst bei
Jesaja anwenden. Denn er durchbricht die Hoffnung auf erneuertes
Heil in historischer Zeit vollständig, führt also die genannte
Korrektur des Amos zu Ende. Das Heil erleidet bei Jesaja eine
Verschiebung hin zur Endzeit. Erst in der *endzeitlichen Wende* wird
dem Volke durch göttlichen Einsatz in der Gestalt des messianischen
Heilskönigs (Jes 7—12) die Erfüllung der Zukunftserwartung zuteil. Damit gebührt Jesaja das Verdienst, als erster, schon in vorexilischer Zeit, das Heil in *ausgesprochen eschatologischem Licht* zu
sehen. Ein nach ethischen Grundsätzen abgehaltenes Gericht über
Israel wie über die ganze Welt leitet jene Wende ein, aus der dann
das auserwählte Volk nicht als völkische Größe, sondern nur ein
heiliger Rest [10] (Jes 4, 3; 6, 13; 11, 11; 37, 31 f. u. ö.) hervorgeht
und Anteil am Heil erhalten wird. Auf diesen Rest, der allein den
Abgrund zwischen Strafgericht und kommendem Heil überbrückt
und qualitativ durch Glauben und Heiligkeit bestimmt ist, gehen
alle Vorrechte des auserwählten Volkes über. Vor allem wird er für
die Folgezeit Träger der Verheißungen; an ihm wird sich der in die
Endzeit hinausragende Heilsplan Gottes verwirklichen.

---

[9] Das hier gebrauchte Einteilungsschema lehnt sich an Th. C. Vriezen,
Theologie des AT, 302—322 an.
[10] Zu dieser Vorstellung siehe H. Groß, Bibeltheologisches Wörterbuch,
hrsg. v. J. B. Bauer, Graz—Wien—Köln ²1962, 1000—1003.

Auf dem bei Jesaja erreichten Niveau bewegt sich in ähnlicher Weise die eschatologische Verkündigung von Micha, Zephanja und Jeremia. Vor allem Jer 31, 31—34; 32, 26—42 verdanken wir die Konkretion der Erwartung im verheißenen Neuen Bund, der auf höherer Ebene als der Sinaibund das künftige Gottesvolk spontan und mit größerer Festigkeit an Jahwe bindet.

4. Totale Umgestaltung im Eschaton

Neu und besonders dringlich stellt sich die Frage nach den eschatologischen Verheißungen angesichts des staatlichen Untergangs von Israel und Juda im Exil. Doch gerade deswegen vermögen die Propheten der exilischen und nachexilischen Zeit das in der Völkergeschichte einzig dastehende Werk zu leisten, Israel allein aus den Kraftquellen seiner Religion unter Verzicht auf jeden politischen Rahmen wieder aufzubauen, weil sie die tragenden eschatologischen Erwartungen wieder zu neuem Leben erwecken können. Eine neue völkische Existenz (Ez 36 f.) gibt Gott die Möglichkeit, den Neuen Bund im gewandelten Herzen der umgeschaffenen Menschen zu befestigen (Ez 36, 24—28). Nach DeutJes vor allem wird eine umfassende und totale Umgestaltung der Menschen und Dinge in naher Zukunft und mit heißer Sehnsucht erwartet (41, 20; 44, 24; 48, 6 f.; 51, 9—11). Ähnlich wie in Gen 1—9 wird hier nicht weniger als 16mal für Gottes schöpferische Tätigkeit das Verbum *bārā'* verwendet. Schon aus dieser Tatsache wird ersichtlich, daß die erwartete Umgestaltung nicht mehr und nicht weniger als eine *völlige Neuschöpfung* bedeutet. Jahwe wird wiederum und endgültig seine allumfassende Königsherrschaft auf dem Sion antreten (52, 7). Dieses neue Reich wird aber nicht mit äußerer Pracht und irdischem Prunk aufgerichtet, sondern durch die stille und unverdrossene Tätigkeit und das stellvertretende Leiden des Ebed Jahwe[11], der nicht nur den Bund mit dem neuen Israel schließt, sondern darüber

---

[11] Auf die sehr komplimentierte Frage nach dem Ebed Jahwe kann hier nicht eingegangen werden; es sei verwiesen auf H. Groß, LThK III², 622—625 und: „Knecht Gottes" im AT, in: SEINE Rede geschah zu mir, hrsg. v. F. Leist, München 1965, 409—433; dort auch Literatur.

hinaus allen Völkern das Licht der Gottesoffenbarung bringen wird (42, 6; 49, 6).

Das chronistische Geschichtswerk (die beiden Chronikbücher, Esra, Nehemia) versucht in dem besonders von DeutJes vorbereiteten geistigen Klima darzutun, daß und wie sich in der Restitution der nachexilischen Gemeinde diese brennende Zukunftswartung verwirklicht, die Eschatologie sich erneut realisiert. Wieder wie zur Richterzeit scheint mit der neu eingerichteten absoluten Theokratie das Eschaton hereingebrochen. Dazu greift man zurück auf die uneschatologische Geschichtsauffassung der Priesterschrift, die im Bund am Sinai die Weltgeschichte ihr Ziel erreichen läßt. Die enteschatologisierte Auffassung des Chronisten will durch die neukonstituierte Theokratie die eschatologische Spannung abfangen und zur Ruhe bringen.[12]

Doch vermag die neu eingerichtete Theokratie die noch ausstehende Endzeiterwartung der Propheten nicht zu erfüllen. So bricht sich im Volk das Bewußtsein des Unvollendeten auch dieses Zustandes Bahn. Und durch Anstöße wie Hag 2, 6, der von einer noch ausstehenden kosmischen Erschütterung weiß, erhält die eschatologische Erwartung neuen Auftrieb.

5. Verlagerung der Erwartung in die Transzendenz

In einer letzten Epoche wird die bei stark verkürzter prophetischer Perspektive für bald erhoffte, von DeutJes in leuchtenden Farben geschilderte eschatologische Erwartung in einer neuen qualitativen Veränderung aus dem irdischen Kosmos herausgenommen und auf die „transzendenteschatologische" (Vriezen) Höhenstufe verlagert. Zwar erwarten Hag 2, 15—19; Mal 3, 6—12 das verheißene Heil unmittelbar nahe bevorstehend im neu erbauten Tempel, aber Ez 38 f.; Joel 4, 9—17; Sach 13, 7 ff. wird ein neuer Kampf — das Ringen im Exil war nicht das letzte unmittelbar vor dem

---

[12] Vor allem O. Plöger, Theokratie und Eschatologie, Neukirchen 1959, versucht diese letzte Epoche der Geschichte Israels nach ihren gestaltenden Ideen und Mächten zu durchleuchten.

Anbruch der Endzeit —, der Endkampf gegen die verbündete Völkerkoalition vor das Hereinbrechen des Eschaton gestellt. Mit der Verlagerung der Heilserwartung nimmt auch der bisher gegen das Gottesvolk auftretende jeweils konkrete historische Feind *übergeschichtliche Züge* an: aus dem individuellen Feind wird in der transzendierten Erwartung der *typische Gegner* des Gottesvolkes, wie z. B. Nabuchodonosor im Buche Judith [13] gezeichnet ist, der sich dazu versteigt, sich sogar göttliche Vorrechte anzumaßen. Damit wird aber auch klar, daß die endzeitliche Vollendung nicht in einer plötzlichen wunderbaren Rückkehr des Paradieses auf die Erde Gestalt gewinnt, daß es dabei nicht nur um die Verwandlung Israels und des Gelobten Landes, sondern der ganzen Erde, um Sinn und Ziel der Geschichte überhaupt geht. In dem Maße, wie das vor allem am Endpunkt der letzten Entwicklungsphase, bei Daniel, offenbar wird, erscheint auch die Erwartung und der Raum ihrer endgültigen Verwirklichung in die Transzendenz erhoben. Nach und an Stelle der vier Weltreiche [14] wird sich in dem vom Himmel stammenden Gottesreich (Dan 2. 7) Form und Gestalt der Endvollendung enthüllen. In der Jesaja-Apokalypse (Jes 24—27) ist das in Dan entworfene Bild nach verschiedenen Einzelzügen weiter ausgeführt.

6. Inhalt der atl. Eschatologie

Als geschichtlicher Anknüpfungspunkt für das Entstehen der Enderwartung im AT konnte der Tag Jahwes hervorgehoben werden. Er hat vermutlich seinen ursprünglichen „Sitz im Leben" in der alten Institution des heiligen Krieges.[15] Der Tag Jahwes erhält im Verlauf der aufgezeigten Entwicklung wachsende Bedeutung für das göttliche Eingreifen im Gericht (Jes 2, 12—22; Jer 30, 7; Ez 22, 14;

[13] Aufschlußreich dazu ist die Monographie von E. Haag, Studien zum Buch Judith, Trier 1963.

[14] H. Junker, Untersuchungen über literarische und exegetische Probleme des Buches Daniel, Bonn 1932, kann immer noch mit großem Nutzen für diese Frage herangezogen werden.

[15] Vgl. dazu G. v. Rad, Der Heilige Krieg im alten Israel, Göttingen ³1958.

Joel 1, 15). Er eröffnet eine neue Ära auf Erden, denn er zeigt den Triumph Jahwes, der über Israel und die Völkerwelt nach unbestechlichen sittlichen Grundsätzen Gericht hält. Besonders an seinem Tage ahndet Gott jegliches Unrecht und stellt das verletzte Recht wieder her (Jes 34, 8; 47, 3). Er straft den frevlen Hochmut Israels (Jes 5, 14), Assurs (Jes 10, 5—19; Nah; Hab), Ägyptens (Ez 30, 6), Moabs (Jes 16, 6), aller Völker und Reiche (Dan 2. 7). Er greift mittelbar durch Assur (Jes 10) und Babel (Jer 27) gegen Israel ein, oder er handelt unmittelbar (Jes 14, 24—27; Ez 38 f.; Sach 14). Der Tag Jahwes ist ein Tag der Angst und des Schreckens (Jes 2, 17; Zeph 1, 14—18), selbst kosmische Zeichen begleiten ihn (Jes 34, 4; Joel 3, 3 f.).

Doch dieses Gericht bedeutet nicht das Ende, sondern die *Wende universalen Ausmaßes* zu einem gewandelten Dasein in einem neuen Himmel und auf einer neuen Erde (Jes 65, 17; 66, 22). Als Neuer Bund (Jer 31 f.), der als Friedensbund Israel und alle Völker umfaßt (Jes 2, 2 ff.; Mich 4, 1—4), wird das endzeitliche Gottesreich in Erscheinung treten. Ungekannte Fruchtbarkeit (Jes 35; Hos 2, 23 f.; Joel 4, 18; Am 9, 13 f.) zeugt von der totalen Umwandlung. Die Kriege werden ausgerottet (Jes 2, 4; Hos 2, 20; Mich 4, 3; Sach 9, 10); Tierfrieden wird eintreten (Jes 35, 9; Ez 34, 25; Hos 2, 20; Jes 11, 6 ff.). Dank der innerlichen Umwandlung der Menschen wird ihr Abfall in der Sünde geheilt (Jes 4, 4; 11, 9; 32, 15—20), werden die Völker in dauerhaftem Frieden auch untereinander leben (Jes 2, 2 ff.). In einer bis dahin unerhörten, engsten Gottesgemeinschaft werden sich Israel und alle Völker der überreichen Huld und Gnade Gottes erfreuen dürfen (Hos 2, 21 f.; Jes 25, 6 ff.), da nun der ganze Kosmos voll ist von der Erkenntnis Gottes (Jes 11, 9; Hab 2, 14). Selbst der Tod, die alte Sorge der Menschen, wird vernichtet sein (Jes 25, 8; 26, 19; Dan 12, 2). —

Entwicklung und Inhalt weisen demnach die eschatologische Erwartung des AT nicht als einen Vorgang einseitiger unbiblischer Spiritualisierung, sondern als eine *restitutio in integrum et novum* aus.[16]

---

[16] Entwicklung und Inhalt der atl. Endzeiterwartung lassen sich daher auch nicht erschöpfend mit dem Verständnis G. Fohrers von Eschatologie

erfassen. A. a. O. 404 f. [S. 151 f.] behauptet er, in vorexilischer Zeit gebe es „keine eschatologische Situation, sondern die tägliche und immer wiederkehrende Entscheidungsfrage an das Volk und an alle Einzelnen in ihm. — Die eschatologische (scil. nachexilische) Prophetie gründet auf einer Umdeutung des Entweder-Oder in ein zeitliches Vorher-Nachher". In dieser Auffassung tritt ein unsachgemäßer übergroßer Hiatus zwischen vorexilischer und nachexilischer Prophetie zutage, der die trotz allen Wandels vorhandene Kontinuität der Propheten nicht genügend berücksichtigt. Ähnlich „ungeschichtlich" versteht H. v. Reventlow, Amos, Göttingen 1962, 109 die atl. Eschatologie mit folgender Feststellung: „Eschatologisch ist das Leben Israels nicht so sehr in zeitlicher Determination, als vielmehr in der ständigen Begrenzung seiner Existenz durch Jahwe. Es ist in erster Linie eine *existentielle*, nicht eine historische Eschatologie."

Eine solche Meinung nimmt der fortschreitenden Offenbarung ihre Gerichtetheit und auf die Zukunft hinausgehaltene Spannung. Sie appelliert nicht so sehr an die Erwartung des Menschen, der seiner Vollendung entgegengeht, als vielmehr an seinen jederzeit zu verwirklichenden Glauben an Gott. Mit diesem Verständnis von Eschatologie steht R. der Bultmann-Schule nahe.

Wort und Botschaft. Hrsg. von Josef Schreiner. Würzburg: Echter Verlag 1967, S. 308—318.

ISRAELS HOFFNUNG AUF GOTT UND SEIN REICH

Zur Entstehung und Entwicklung
der alttestamentlichen Eschatologie

Von FRIEDRICH DINGERMANN

Die Frage nach dem spezifisch Eschatologischen[1] im Alten Testament führt uns in ein Gelände, auf dem sich viel für das Selbstverständnis wie für das christliche Verstehen des Alten Bundes entscheidet. Das Alte Testament enthält eine mächtige Zukunftshoffnung und spricht oft von dem, was geschehen wird. Diese Zukunftsschau beherrscht den Weg, den Gott mit Israel gegangen ist, so sehr, daß er geradezu zur Strecke der ständig wachsenden Erwartung geworden ist. Keine Erfüllung in der Geschichte wäre jemals imstande gewesen, diese Heilserwartungen zur Ruhe und zu einem Ende zu führen. Immer wieder ergingen neue Weissagungen von einem künftigen Heilshandeln Jahwes an Israel, so daß das Zeugnis von Israels Geschichte mit seinem Gott nicht anders als eine ins Ungeheure anwachsende Heilserwartung gelesen werden kann. Dabei ist zu beobachten, daß diese Zukunftshoffnungen mehr als andere alttestamentliche Offenbarungsinhalte auf ihrem Weg durch die Geschichte nicht nur fortschreiten, sondern auch vertieft und bereichert werden. Die alttestamentliche Heilshoffnung durchläuft eine Entwicklung, die auf ein Ende gerichtet ist und auf dieses hindrängt. Sie ist aber uneingelöst über dem Alten Bunde stehengeblieben. Dies ist der Punkt, an dem die junge neutestamentliche Gemeinde anknüpft und durch den ihr Verstehen des Alten Testaments seine Recht-

---

[1] J. Lindblom, Gibt es eine Eschatologie bei den alttestamentlichen Propheten?, in: Studia Theologica 6 (1953), S. 79—114 [in diesem Bd. S. 31—72].

fertigung findet. Hier liegt auch die entscheidende Ansatzmöglichkeit für den rechten Umgang des Christen mit dem Buch des Alten Bundes.

Dem Ursprung und der Entwicklung dieser Zukunftserwartungen, sofern sie Gegenstand der alttestamentlichen Eschatologie sind, soll hier nachgegangen werden.

1. *Begriffsklärung.* Bei diesem Vorhaben ist zunächst die Frage zu stellen, ob und wieweit die Zukunftserwartungen innerhalb des Alten Testaments überhaupt als „eschatologische" Aussagen angesprochen werden dürfen. So allgemein die Tatsache solcher Erwartungen für die Zukunft bejaht wird, so sind wir doch in der Bestimmung dessen, was dabei als „eschatologisch" bezeichnet werden kann, von einer Übereinstimmung auch heute noch weit entfernt. Je nach Fassung des Begriffs fallen alle, einige oder auch gar keine Zukunftserwartungen darunter. Legen wir die Etymologie des Wortes (Eschatologie = Lehre vom Eschaton) zugrunde und verstehen wir Eschaton mit S. Mowinckel[2] und G. Hölscher[3] als *Ende der Weltzeit* im Sinne einer Geschichtsvollendung, also als ein Ereignis, das außerhalb des Historischen liegt, dann kann von Eschatologie im Alten Testament nur ganz am Rande, eigentlich nur, und auch da mit Einschränkung, in der *Apokalyptik* die Rede sein. — Eine Eschatologie gar im Sinne eines allgemeinen Weltuntergangs findet sich nicht; ist doch immer zugleich mit dem Ende der bestehenden Weltverhältnisse auch der Anfang einer neuen Welt gegeben (vergleiche Jes 65, 17 f.; 66, 22). Bei solcher Begriffsbestimmung ist ein Zeitbegriff in Anwendung gebracht und als Maßstab genommen, der hebräischem Denken völlig fremd ist. Dieses weiß nicht zwischen „innerzeitlichem" und „endzeitlichem" Handeln zu unterscheiden und mißt auch jenen Ereignissen, die wir als „innergeschichtlich" bezeichnen, den Charakter des Endgültigen zu. Auch ein solch innergeschichtliches Geschehen gilt dem Hebräer als ein definitives, ist ihm *ʾaḥᵃrît* im Sinne eines ἔσχατον.[4]

---

[2] S. Mowinckel, He That Cometh, Oxford 1956, S. 149.

[3] G. Hölscher, Die Ursprünge der jüdischen Eschatologie, Gießen 1925.

[4] Vgl. Th. Boman, Das hebräische Denken im Vergleich mit dem griechischen, Göttingen ⁴1965, S. 109 ff.

Weiter faßt G. Fohrer[5] den Begriff Eschatologie, wenn er zum bestimmenden Merkmal die Lehre von den *zwei Äonen*, den zwei Weltzeitaltern macht. Ansätze von Eschatologie in diesem Sinne findet er bei Deuterojesaja und in der nachfolgenden Zeit, während die Lehre von den zwei Äonen erst in der nachalttestamentlichen Literatur voll ausgebildet ist. — Sicherlich könnte man den Gebrauch des Wortes Eschatologie auf solche Vorstellungen einschränken. Aber bliebe dann nicht vieles, was die prophetische Botschaft von der Erwartung des durch Gericht und Gnade kommenden Heils sagt, unerfaßt? Der Terminus hat sich nun einmal fest eingebürgert und bezeichnet einen bedeutenden Tatbestand der prophetischen Verkündigung, für den sonst ein geeigneter Ausdruck fehlen würde.

Entscheidend für den Gebrauch des Wortes sollte aber doch wohl sein, daß Eschatologie alle, aber auch nur jene Aussagen umgreift, die auf eine Zukunft hindeuten, in der die Verhältnisse der Geschichte beziehungsweise der Welt so verändert werden, daß man von einem *neuen Zustand der Dinge*, von etwas „*ganz Anderem*" reden kann, ohne daß damit die endgültige Vollendung der Dinge mitgesetzt wäre. H. W. Wolff[6] spricht von einer „Nullpunktsituation", die scheidend zwischen den beiden Ereignissen steht, G. von Rad[7] von einem „Vakuum, das die Propheten durch ihre Gerichtspredigt ... erst schaffen, in das sie aber das Wort von dem Neuen stellen". In diesem weiteren Sinne ist hier von Eschatologie die Rede. Damit ist die Möglichkeit gegeben, auch Aussagen der Frühzeit Israels zu erfassen, die von einem für die Zukunft verheißenen Eingreifen Jahwes sprechen und den Wendepunkt im Lauf der Geschichte gern mit Formeln wie „am Ende der Tage" (Gen 49, 1; Jes 2, 2) oder „an jenem Tage" (Hos 2, 20; Jo 4, 18) markieren.

[5] G. Fohrer, Die Struktur der alttestamentlichen Eschatologie, in: Theol. Lit. Zeit. 85 (1960), Sp. 401—420 [in diesem Bd. S. 147—180], bes. Sp. 401—405 [S. 147—153].

[6] H. W. Wolff, Dodekapropheton I, Hosea (BK XIV/1), Neukirchen Krs. Moers 1961, S. 78.

[7] G. v. Rad, Theologie des Alten Testaments München, Bd. II, [4]1965, S. 108—133, bes. S. 125.

Eine weitere Schwierigkeit für die Erfassung der Entstehung und Entwicklung alttestamentlicher Eschatologie ist damit gegeben, daß gerade eschatologische Aussagen in den älteren Prophetentexten als spätere Zusätze erkannt sind und damit nicht ohne weiteres für die Zeit des jeweiligen Propheten verwendet werden können. Es wäre falsch, jede nachträgliche Aktualisierung älterer Prophetenworte durch Kreise, die uns diese Texte überlieferten, von vornherein zurückzuweisen; aber es ist ein ebenso unzulässiges Unterfangen, alle eschatologischen und messianischen Stellen in vorexilischen Schriften als spätere Zusätze zu bezeichnen.[8]

Trotz dieser Schwierigkeiten dürften die Grundzüge der eschatologischen Entwicklung klar erkennbar sein. Wenn ihre Skizzierung hier versucht wird, ist sie der besonders glücklichen Markierung der eschatologischen Epochen und der Terminologie verpflichtet, die Th. C. Vriezen[9] vorgeschlagen hat. Er unterscheidet für die Geschichte der Eschatologie eine *präeschatologische Periode* mit hauptsächlich politisch-nationalen Hoffnungen, die in die Zeit vor den Schriftpropheten fällt, die *proteschatologischen* Verkündigungen der Propheten des achten und siebenten Jahrhunderts, die *aktualisierende Eschatologie,* die durch Deuterojesaja und Ezechiel signalisiert wird, und eine ihr folgende *transzendenteschatologische Periode* im Zeitraum der Apokalyptik.

2. *Ursprung und Anfänge.* Das Alte Testament ist voll von Zukunftsworten. Wie ist es zu der Fülle von eschatologischen Aussagen gekommen? Wo liegt der Quellort all dieser Zukunftshoffnungen? Man hat lange Zeit daran festgehalten, daß Israels Eschatologie außerisraelitischen Ursprungs sei und in der ägyptischen oder babylonischen Religion ihren Wurzelboden habe.

Das ist inzwischen fast allgemein als Irrtum erkannt worden.

---

[8] G. Fohrer, a. a. O., Sp. 404 f. [S. 151 ff.], erklärt alle akut-eschatologischen und messianischen Stellen für exilisch-nachexilisch.

[9] Th. C. Vriezen, Theologie des Alten Testaments in Grundzügen, Wageningen—Neukirchen 1956, S. 302—322, bes. S. 318 f.; ders., Prophecy and Eschatology, in: Vetus Testamentum, Suppl. I, Leiden 1953, S. 199—229 [dt. in diesem Bd. S. 88—128]; ders., Die Hoffnung im Alten Testament, in: Theol. Lit. Zeit. 78 (1953), Sp. 577—586.

Was an Inschriftenmaterial zum Beweis angeführt wurde, zeigt bei kritischer und sachlicher Prüfung nichts von Eschatologie. Das kann nicht überraschen, denn die *ägyptische wie die babylonische Religion* sind ihrem Wesen nach *„uneschatologisch"*. *Israels Eschatologie,* wie sein ganzer Glaube, ist an die *Geschichte* gebunden, richtet sich auf ihren Fortgang und lebt von einmaligen innergeschichtlichen göttlichen Heilstaten. Das ist ihr unterscheidendes Merkmal gegenüber den Erwartungen anderer altorientalischer Religionen, deren Weltbild von einem *mythischen Kreislaufdenken* geprägt und deren sakrales Geschehen vom Rhythmus naturhafter Ordnung begriffen ist. Solches Denken ist geschichtslos. Es ist dem israelitischen an die Geschichte gebundenen Glaubensverständnis überhaupt nicht vergleichbar.

Auch die oft behauptete Abhängigkeit von der *altpersischen,* einer durch und durch eschatologischen Glaubenswelt, ist nicht vorhanden. Es mag eine Berührung und vielleicht auch gegenseitige Bereicherung endzeitlicher Vorstellungen gegeben haben. Eine Abhängigkeit der Eschatologie Israels von der des Zarathustra kann nicht aufgezeigt werden. Der eschatologische Glaube des Jahwevolkes war vor aller Berührung mit dem Parsismus lebendig und ausgeprägt. Zudem ist die iranische Eschatologie erst nachträglich historisiert worden. Die alttestamentliche Zukunftsschau kann nicht aus der religiösen Umwelt Israels abgeleitet werden; ihre geschichtlich-lineare Grundstruktur ist in der Alten Welt einmalig.

Auch Mowinckels [10] Versuch, die Entstehung der Eschatologie des Alten Bundes aus einem Wunschtraum des Volkes zu erklären, das Zweifel an der Kultwirklichkeit bekommen und sich an seinem Kultus satt gesehen habe, trifft den Sachverhalt nicht. O. Procksch [11] hat die Frage nach dem Ursprung der alttestamentlichen Endzeiterwartung richtig mit dem kurzen Satz beantwortet: „Der Gottesglaube Israels ist zukunftshaltig ... Diese Zukunft ist aber für den Glauben ... kein unbekanntes Schicksal voller Unsicherheit, son-

[10] S. Mowinckel, Psalmenstudien II: Das Thronbesteigungsfest Jahwäs und der Ursprung der Eschatologie, Kristiania 1922 (Neudruck Amsterdam 1961).

[11] O. Procksch, Theologie des Alten Testaments, Gütersloh 1950, S. 582.

dern der Sieg Jahves in der Völkerwelt, damit aber auch der Sieg
seines erwählten Volkes." Zur Zeit der bittersten Not haben Jeremia (7, 23 und öfter) und Ezechiel (11, 20 und öfter) ihrem Volk
immer wieder den fundamentalen Inhalt aller Eschatologie mit der
prophetisch gewendeten Bundesformel eingeschärft: „Ich will euch
Gott sein, und ihr sollt mein Volk sein." In diesem Wort kommt
zum Ausdruck, daß jeglicher eschatologische Glaube Israels in dem
Glauben an den einen lebendigen Gott wurzelt, der in einem geschichtlich gewordenen Lebensverhältnis mit seinem Volk steht und
als ein „Gott der Gemeinschaft" erlebt wird. Dieser Gott hat *für
sein Volk ein Ziel,* so wie er es für Abraham hatte, dem er seine Verheißungen gab (vergleiche Gen 12, 1—3). Und so wie Abraham von
Verheißung zu Erfüllung pilgert, ist auch das Volk bestimmt, seinen
Weg aus dem Glauben an die Verheißungen zu gehen; denn Jahwe
hat Israel zu großen Dingen erwählt. Die großen eschatologischen
Erwartungen des Alten Testaments von dem Gott, der zu Gericht
und Heil kommt und die Geschichte vollendet, können nur aus der
mit der Erwählung verknüpften Gotteserfahrung Israels verstanden
werden.

Was aber Jahwe mit seinem Volk im Sinne hatte, war nicht ständig das gleiche. Es war auch nicht immer das, was Israel selbst erwartete. Das zeigen schon die ersten, noch nicht eigentlich eschatologischen Erwartungen. Diese fallen in eine Zeit, die vor den klassischen Propheten des achten und siebenten Jahrhunderts liegt und
die Th. C. Vriezen als die Periode der *präeschatologischen Erwartung* bezeichnet. Er nennt sie *prä*eschatologisch, da es sich noch nicht
um echte eschatologische Erwartungen handelt. Es geht um rein
politisch-nationale Belange. Aber auch die Bezeichnung präeschato-
logisch ist berechtigt, da man bei diesen Erwartungen doch schon
auf Elemente und Motive stößt, die in der folgenden Zeit der erwachenden Eschatologie wirksam werden. Gestützt auf das Bewußtsein, Volk Gottes und damit immer neuer Heilstaten Jahwes sicher
zu sein, hat Israel große Erwartungen von Sieg und Glück im nationalen Sinn in sich geweckt und genährt. Man schaute nach einem
„Tag Jahwes" aus und verstand ihn als einen Tag des Heiles und
des Lichtes. An ihm werde Jahwe sein Volk zu voller Herrlichkeit
führen, indem er seine und Israels Feinde vernichte (vgl. Am 5,

18).[12] In der Auseinandersetzung mit solchen Vorstellungen kommt es bei den Propheten zu ersten echten eschatologischen Aussagen.

3. Eschatologische Schau zur Zeit der vorexilischen Propheten[13].

Von Amos bis Jeremia reicht die Periode der „erwachenden Eschatologie"; ihr Hauptvertreter ist *Jesaja*. Es kommt zu einem radikalen Bruch mit den alten gängigen Heilserwartungen, die von dem naiven Optimismus getragen waren, Israel sei auf Grund des bestehenden Gottesverhältnisses ein für allemal gesichert und gerechtfertigt. Unter der alles überragenden Gewißheit von der Heiligkeit der göttlichen Majestät bei Amos, Micha, Hosea, Jeremia, Ezechiel, besonders aber Jesaja (Berufungsvision: Jes 6) und in der Überzeugung, daß *Gott* nicht nur ein schenkender, sondern auch *ein fordernder* ist, erwacht die Erkenntnis, daß das wahre Verhältnis zwischen Gott und Israel keineswegs diesen Vorstellungen eines unbedingten Heilsglaubens entspricht. Jahwes Bundeszuwendung schließt seine Gebote ein.

Die Sittenlosigkeit, die sozialen Gegensätze im Volk und die morsche Frömmigkeit jedoch zeigen, daß Israel den Gotteswillen nicht achtet und nicht besser ist als die Völker, die der Herr vor dem Angesicht seines Volkes vernichtet hat. Mithin muß *auch über Israel das Gericht* hereinbrechen; es kann nicht nur den Feinden Israels gelten. Deshalb wird die fehlgeleitete Vorstellung vom *„Tag Jahwes"* von den Propheten aufgegriffen und einer entscheidenden Korrektur unterzogen (vgl. Am 5, 18—20; Jes 2, 11 f.; Zeph 2 und öfter).[14]

Dem *Amos* war durch Visionen (Am 7, 1—9; 8, 1—3; 9, 1—4) die Einsicht aufgedrängt worden, daß Jahwe den Untergang seines Volkes beschlossen hatte. Er war damit als erster Sprecher Jahwes berufen, im Gegensatz zu der sicheren Heilserwartung den „Tag der Offenbarung Gottes" als einen „Tag der Finsternis, des Dunkels

---

[12] K. D. Schunck, Strukturlinien in der Entwicklung der Vorstellung vom „Tag Jahwes", in: VT 14 (1964), S. 319—330, S. 322.

[13] J. H. Grönbæk, Zur Frage der Eschatologie in der Verkündigung der Gerichtspropheten, in: Svensk Exegetisk Årsbok 24 (1959), S. 5—21 [in diesem Bd. S. 129—146].

[14] K. D. Schunck, a. a. O., S. 322 ff.

und des Untergangs" zu künden. Mit dieser Botschaft bereitete
Amos der eigentlichen Eschatologie im Alten Testament den Weg.
Je deutlicher den Propheten in der Folgezeit wird, daß Israel wegen
seines Ungehorsams reif für das göttliche Gericht ist und untergehen muß, desto mehr wird auch die Eschatologie zum beherrschen-
den Thema ihrer Botschaft. Doch sie können sich nicht mit der Aussage des kommenden Untergangs begnügen. Auch *ein Neuanfang
nach dem Gericht* lag im Blickpunkt ihrer Verkündigung. Sie müssen
für die nahe Zukunft Unheil ankündigen; aber in künftiger Ferne
sehen sie in einer Schau, die Gottes Zusage und Treue eröffnet hat,
die anbrechende Heilszeit, wenn auch nur für einen *„Rest"*, der
übriggeblieben und innerlich durch göttlichen Geist erneuert ist.

Bei Amos steht die *Heilsbotschaft* am Ende seines Buches (9,
11—15), ganz unvermittelt nach seiner Gerichtsaussage, wohl als
Wort, das er nur dem Kreise seiner Jünger weitergegeben hat. Mit
ihm will er dartun, daß Sinn und letztes Ziel allen Geschehens nicht
das Gericht, sondern das Heil ist. Nach *Hosea* wird der Untergang
zur Bekehrung führen (Hos 2, 16—25). Jahwe wird den Fluch, der
auf Israel lastet, in Segen verwandeln und so das sündige Volk durch
Gericht und Gnade umschaffen zum neuen Gottesvolk.

Weit großartiger ist das Bild, das *Jesaja* und sein Jüngerkreis von
dem kommenden Heil zeichnen.[15] Auch sie erwarten eine beinahe
vollständige Vernichtung, danach aber das volle Heil durch ein
wunderbares Eingreifen Gottes, mit dem der Anbruch einer neuen
Zeit erfolgt. Zu diesem Heil gehört ein *Friede,* der auch das Tier-
reich umgreift und im Zusammenhang mit dem *davidisch-messiani-
schen Heilskönig* gesehen wird (Jes 7—12). Empfänger dieses Heiles
ist der *„Rest"* (Jes 4, 3; 6, 13 und öfter), der die Katastrophe überdauert. Er ist durch Teilhabe an der göttlichen Heiligkeit umgestaltet und neu geprägt und so zum Träger aller Vorrechte und Verheißungen des auserwählten Volkes geworden. Dieses neue Heil
nimmt seinen Weg über Israel hinaus in die Welt, bringt die Erneuerung des Reiches Israel, aber auch die Realisierung der *universalen Gottesherrschaft* am „Ende der Tage" (Jes 2, 2 = Mich 4, 1).

---

[15] E. Rohland, Die Bedeutung der Erwählungstraditionen für die Eschatologie der alttestamentlichen Propheten, Diss. Heidelberg 1956.

Mit dieser erwarteten Heilsordnung gehen Jesaja und seine „Schule" über die historische Wirklichkeit hinaus und begreifen das neue Heil als eine „endgültige" Tat Jahwes, das heißt als *eschatologische Wirklichkeit,* bei der es um letzte Dinge geht. — Andere Propheten haben sachlich dem nichts hinzugefügt. Auch bei ihnen bilden das Gericht und das Heil den Mittelpunkt ihrer Botschaft; die große, weltumspannende Weite jesajanischer Weissagungen erreichen sie nicht.

4. *Zukunftshoffnung im Exil.* Für die alttestamentliche Eschatologie bedeutet das Exil eine *große Wende.* Die neue geschichtliche Stunde führte zu neuen eschatologischen Hoffnungen und blendete ein volleres Licht von der Zukunft auf. Die Boten des Gerichts hatten schon von einem Neubeginn gesprochen. Jesajas hohe Erwartungen zielten auf eine totale Erneuerung der Welt nach dem Gericht. Er selbst erlebte in seiner Schau nur die allerersten Anfänge. Von *Jeremia* wird das Kommen Jahwes zum Gericht nicht nur von ferne geschaut, sondern auch *aktuell erlebt,* so daß bei ihm Unheilseschatologie und Geschichte ganz nah aneinandergerückt sind: Der historische Nebukadnezar ist das eschatologische Werkzeug beim Gericht. Die Heilszeit jedoch sieht auch er erst in der Ferne heraufziehen; seine Heilseschatologie ist noch von der alten Art.

Jetzt, da der Untergang der beiden Staaten Israel und Juda das angekündigte Gericht Gottes offenkundig gemacht hat, stellt sich neu und dringend die Frage nach den endzeitlichen Heilserwartungen. Sind sie überholt und hinfällig geworden? Ist Gottes Weg mit Israel ans Ende gelangt? Das Jahwevolk konnte dies ob der ergangenen Verheißungen und der Treue Jahwes zu seinem Wort nicht glauben. Durch die veränderte geschichtliche Situation erfahren die hohen Heilshoffnungen zwar eine Umorientierung, gewinnen aber mächtig an Kraft. Eine Wende in der Endzeiterwartung vollzieht sich. Das Volk hat die *Unheilseschatologie* im Gericht aktuell an sich *erfahren.* Also muß — so glaubte man — auch das Heil in *allernächster Nähe* stehen. Die Heilszeit wird nicht mehr als eine ferne geschaut, sondern als nah bevorstehend gespürt. Der prophetische Glaube sieht nun das Kommen Gottes zur Erlösung Israels und die erwartete Neuschöpfung, also den Durchbruch der Eschata, der

„Letzten Dinge" in ganz naher Zukunft. Vriezen bezeichnet diese neue Epoche eschatologischer Hoffnungen als eine *„naheschatologische"*, eine Zeit der „sich realisierenden" Eschatologie.

Diese eschatologische Neuorientierung ist schon bei *Ezechiel* erkennbar, hat sich aber in besonderer Weise bei *Deuterojesaja* niedergeschlagen. So gewiß Gott sich im Gericht als Herr erwiesen hatte, ebenso sicher werde er jetzt als Schöpfer sein totes Volk zu neuem Leben erwecken. Ezechiel schaut in der großen Vision von der Auferstehung der Totengebeine (Ez 37, 1—14) die Neuschöpfung Israels.

Dieses sein neues Volk wird Jahwe vermehren und auch sein Land mit Fruchtbarkeit segnen, so daß alle Mangelhaftigkeit, die eine Folge der Sünde war — und das bedeutet: des Bundesbruches — (vgl. schon Gen 3), behoben ist (Ez 36, 9. 29 f. 37). In der symbolischen Zusammensetzung zweier Stäbe vollzieht der Prophet — ein beliebtes Thema der exilischen Prophetie — die Wiedervereinigung Judas mit Israel (Ez 37, 15—28). Das vereinte Volk wird wieder eine monarchische Spitze haben, womit auch bei Ezechiel *das messianische Thema* angeschlagen ist (Ez 34, 23 f.; 37, 24 f.). Gott aber wird diesem neuen Israel göttlichen Geist verleihen und es durch einen Eingriff in das menschliche Herz befähigen, seinen Geboten vollen Gehorsam zu leisten (Ez 36, 25—28). So kommt es zu einem neuen Bund und zu wahrer Bundestreue im gewandelten Herzen des umgeschaffenen Menschen.

Was Ezechiel schon recht deutlich ausgesprochen hat, wird bei *Deuterojesaja* voller Inhalt der Botschaft. Er vor allem ist der Prophet, der das Kommen der „letzten Dinge" in naher Zukunft schaut. Seine Botschaft ist auf *das Hereinbrechen einer neuen Zeit* ausgerichtet, die „Zeit des Wohlgefallens" und „Tag der Erlösung" ist (Jes 49, 8) In ihr wird das verbannte Israel nach einem wunderbaren Exodus zurückkehren, um im wiedererstandenen Reiche zu herrschen. Deutlich wird die vergangene Zeit von der anhebenden, kommenden unterschieden (Jes 43, 16—21). In ihr sollen paradiesische Zustände herrschen (Jes 41, 18 f.). Für sie wird eine umfassende Umgestaltung der Menschen und der Dinge erwartet (Jes 41, 20; 44, 24; 48, 6; 51, 9—11). Die Verwendung des für das analogielose Schaffen Gottes ausgesparten Verbums *bārā²* und die häufige

Ankündigung des „Neuen", das Jahwe tun wird, beweist, daß für Deuterojesaja das von ihm erwartete Heil nichts Geringeres als eine *„Neue Schöpfung"* ist. Es ist also ein Geschehen, das die historische Ebene weit übersteigt. In jener Zeit werden auch die Heiden durch Israel zur Erkenntnis Gottes gelangen und sich bekehren. Jahwe wird wieder König sein und seine Herrschaft auf dem Sion aufrichten (Jes 52, 7 f.). Dazu sendet er den *Ebed Jahwe,* der die Stelle der messianischen Figur vorexilischer Prophezeiungen einnimmt. Durch sein stellvertretendes Leiden um des Volkes willen veranschaulicht er, daß das *zukünftige Heil nur auf dem Wege der Sühne* für die Sünden verwirklicht werden kann. Damit haben die alten eschatologischen Erwartungen eine weitgehende Umorientierung erfahren. Sie haben aber auch neue Kraft gewonnen, durch die das große Werk des Wiederaufbaus geleistet werden konnte.

5. *Endzeiterwartung in der nachexilischen Zeit.* Alle früheren Formen der Eschatologie, die sich ja nie ganz voneinander trennen lassen, leben zunächst mitsammen fort. Sie werden aber bald weitergeführt, um schließlich durch eine *„transzendentalisierende* Eschatologie" (so Vriezen) abgelöst zu werden.

In der auf das Exil folgenden Zeit waren die hohen Erwartungen Deuterojesajas mit ihrer stark verkürzenden Perspektive nicht in der verkündeten Fülle realisiert worden. Dies führte zu einer verständlichen Unsicherheit hinsichtlich der eschatologischen Heilsgüter und unter den nach Jerusalem Zurückgekehrten zu einer tiefen *Enttäuschung,* so daß man nun resigniert nichts mehr von der Zukunft erhoffte. Etwas von dieser Stimmung ist in den Schriften der Propheten *Haggai* und *Sacharja* spürbar. Mehr noch muß sich *Maleachi* mit einer solchen Haltung auseinandersetzen und dem Gedanken wehren, Gott habe Israel aus seiner Liebe entlassen (Mal 1, 2; 2, 17). Aber der Glaube der nachexilischen Gemeinde wurde doch langsam wieder stärker von der Botschaft der Propheten bestimmt, die mahnten, weiterhin auf Gottes Zukunft zu harren. Haggai und Sacharja sehen sich beide an einen Zeitpunkt versetzt, der in nächster Nähe einer neuen Wende steht. Sie wird nach Haggai von kosmischen Erschütterungen begleitet sein. Hintergrund dieser Erwartungen dürften die Wirren gewesen sein, die beim Regierungsantritt

Darius' I. das Perserreich erregten. Ungewöhnlich und im Alten
Testament einmalig ist es, daß sowohl Haggai als auch Sacharja die
Erwartungen eines *kommenden Messias* auf eine *gegenwärtige
historische Persönlichkeit* beziehen und auf sie alle messianisch-
eschatologischen Hoffnungen übertragen. Bei Sacharja 4, 14 werden
sogar völlig gleichrangig der Hohepriester Josua und der davidische
Statthalter Serubbabel nebeneinander gestellt. Sie werden als Öl-
bäume, das heißt als Gesalbte geschaut und somit als zwei Messiasse
verstanden. So ist der Blick wieder auf die große kommende Heils-
wende gerichtet. Als Vorbedingung dafür, daß sie eintreten könne,
wird von Haggai (vgl. 1, 2—11) wie von Sacharja (1, 16 f. und
öfter) die Wiederaufnahme der Arbeiten am *Aufbau des Tempels*
gefordert. Auch Maleachi redet vom Jahwetag, der Gericht und
Heil bringt. Er glaubt, daß mit dem Neubau des Tempels zu Jerusalem das Heil angefangen habe. Er zweifelt nicht daran, daß es
sich immer mehr durchsetzen würde, wenn nur das Volk treu wäre
(Mal 3, 6—12).

Eine eigene Haltung den eschatologischen Erwartungen gegenüber
nimmt das die beiden Chronikbücher und die Bücher Esra und
Nehemia umfassende *Geschichtswerk des Chronisten* ein. Sie unterscheidet sich grundlegend von der allgemeinen prophetischen Linie
durch ein vollständiges Zurücktreten jeglicher Endzeiterwartung.
Für den Chronisten ist in der nachexilischen jüdischen Kultus-
gemeinde so sehr das Ideal der Theokratie verwirklicht, daß es
keiner endzeitlichen Umgestaltung mehr bedarf. Wahrscheinlich
liegen die Keime für diese *uneschatologische Geschichtsauffassung*
im priesterlichen Geschichtsverständnis [16], das mit dem Bundesschluß
am Sinai Gottes Schöpfung als endgültig abgeschlossen betrachtete
und deshalb nicht mehr mit wesentlichen Veränderungen rechnete.
So sah man in der Wiederaufrichtung der jüdischen Gemeinde, die
sich für das potentielle Gesamtisrael hielt (vergleiche Esr 6, 17), die
Zukunftserwartungen Deuterojesajas verwirklicht und die eschatologische Spannung gelöst.

Daneben aber gab es Kreise, die glaubten, daß das Heil auf einem

---

[16] O. Plöger, Theokratie und Eschatologie (WMANT 2), Neukirchen
1959, vgl. S. 48 f.

anderen Wege kommen müsse. Sie sahen sich auch jetzt noch vielen
unerfüllten Hoffnungen gegenüber. Ihre Verwirklichung hielten sie
allein in der *zukünftigen Welt* für möglich. Damit kommt es zu einer
völligen Neuprägung der Endzeiterwartungen. Zeugnisse für diesen neuen Endzeit-Glauben finden sich in vielen jüngeren Schriften
und auch in mancherlei Zusätzen zu älteren.[17] Mit dieser Entwicklungsstufe bricht das *Zeitalter der Apokalyptik* an, der hier nicht
weiter nachgegangen werden soll. Ein eigener Beitrag (Kapitel XXII
[in diesem Bd. nicht abgedruckt]) beschäftigt sich mit dieser letzten
Form eschatologischen Glaubens, in der die vielgestaltigen alttestamentlichen Heilserwartungen zu ihrem offenen und ausstehenden
Ende geführt werden.

Zusammenfassung. Als eschatologisch sind alle Aussagen im Alten
Testament anzusehen, die auf eine Zukunft hindeuten, in der die
Verhältnisse der Geschichte und der Welt so verändert werden, daß
von einem „neuen Zustand" der Dinge, von „etwas ganz anderem"
die Rede sein kann. Die so verstandene alttestamentliche Eschatologie ist ein genuin israelitisches Phänomen. Sie ist in der Glau-
benserfahrung begründet, daß sich Jahwe in der Geschichte als Herr
und Lenker erwiesen hat. Auf eine präeschatologische Periode in der
Zeit vor den Schriftpropheten mit hauptsächlich politisch-nationalen
Hoffnungen folgt die proteschatologische Verkündigung der Propheten des achten und siebenten Jahrhunderts. Die Botschaft vom
Gericht steht im Vordergrund; aber auch die Erwartung des auf das
Gericht folgenden Heils fehlt nicht. Mit dem realen Erleben des
Gerichts beginnt eine naheschatologische Zeit, in der die Heilszeit
nicht mehr von ferne geschaut, sondern als unmittelbar bevorstehend
erspürt wird. In der Zeit nach Deuterojesaja leben alle Formen der
Eschatologie weiter, werden aber daneben abgelöst von einer
transzendentalisierenden Eschatologie mit ihrem ausgeprägten
Dualismus. Sie entfaltet sich in der Apokalyptik, der letzten Entwicklungsstufe alttestamentlichen eschatologischen Glaubens.

---

[17] K. Schubert, Die Entwicklung der eschatologischen Naherwartung im
Frühjudentum, in: ders. (Hrsg.), Vom Messias zum Christus, Wien 1964,
S. 1—54.

Norbert Lohfink, Bibelauslegung im Wandel. Frankfurt a. M.: Verlag Josef Knecht 1967, S. 158—184.

ESCHATOLOGIE IM ALTEN TESTAMENT

Von Norbert Lohfink SJ

Kommt man vom durchgängigen und üblichen christlichen Escha-
tologiebegriff her, dann wird man ernsthaft zweifeln müssen, ob das
Alte Testament Eschatologie enthalte oder mit Eschatologie etwas
zu tun habe.

Eschatologie — das ist doch das, was wir bekennen, wenn wir
sagen: „Ich erwarte die Auferstehung der Toten und das Leben der
kommenden Welt." Für das Alte Testament, von seinen allerletzten
Zeugnissen abgesehen, gibt es aber keine Hoffnung auf die Auferstehung der Toten. Nach dem Tod erwartet der Mensch nichts mehr,
ihn erwartet nur die Schattenexistenz in der Scheol, die er fürchtet,
auch wenn er ein Gerechter ist. Der Glaube des Menschen bezieht
sich nur auf diese Welt — und schon diese Formulierung ist irreführend, denn der Begriff „diese Welt" ist erst gebildet worden, als
man auch den Gegenbegriff „kommende Welt" bildete. Die beiden
Begriffe finden sich im Alten Testament noch nicht, sie erscheinen
erst in der späteren jüdischen und christlichen Literatur.

Daher wird man in den traditionellen Traktaten „de novissimis"
unserer dogmatischen Handbücher dem Alten Testament auch kaum
begegnen — vielleicht werden einige Stellen aus Daniel, den Makkabäerbüchern und der Weisheit Salomos für den Schriftbeweis der
Lehre von der Auferstehung oder der Unsterblichkeit der Seele
herangezogen, aber mehr sicher nicht. So wäre der Begriff des Eschatologischen im Bereich alttestamentlicher Theologie fast überflüssig.

Das Bild ändert sich jedoch, wenn man sich dem neutestamentlichen Befund zuwendet.

Das Neue Testament über das Eschatologische
des Alten Testaments

Vom Neuen Testament her, dessen eigene Eschatologie hier natürlich vorausgesetzt werden muß und nicht entfaltet werden kann, ist es geradezu ein Postulat, daß das Alte Testament eschatologisch ausgerichtet ist.

Das Neue Testament betrachtet das Ende der Zeit nicht als das noch schlechthin Ausstehende und Zukünftige. Vielmehr ist in Jesus von Nazareth die Endzeit da. Christus und seine Kirche sind schon eschatologische Wirklichkeiten. Zwar gilt zugleich, daß auch für uns das Ende der Zeit noch aussteht und wir Jesu Kommen noch erwarten, aber die Hauptaussage bleibt, daß das Ende schon gekommen ist. Und als schon angekommenes Ende setzt es ein Vorher voraus, das dieses Ende erwartete und vorgreifend schon von ihm lebte. Deshalb ist das Neue Testament in allen seinen Schichten und Büchern der Meinung, die eschatologische Wirklichkeit Jesus Christus sei vorher angesagt und erwartet worden. Das Zeugnis dieser — eschatologischen — Erwartung aber sei das Alte Testament.

So postuliert das Neue Testament geradezu, daß das Alte Testament Eschatologie enthält, wenn nicht sogar ist. Eschatologie im Sinne des Neuen Testaments betrifft eben keineswegs nur eine andere, kommende Welt, sondern vor allem diesen Menschen und diese Geschichte. Hier ereignet sich schon „Letztes", hier bahnt sich dieses „Letzte" vorher an, und man lebt auf es hin. Nimmt man diese Voraussetzung an, dann ist es sinnvoll, auch in der alttestamentlichen Theologie den Begriff des Eschatologischen zu gebrauchen.

Allerdings ist damit nur das Grundprinzip gesichert. Schwierig wird es sofort, wenn man fragt, welche Aussagenbereiche des Alten Testaments man denn nun konkret als „Eschatologie" bezeichnen könne. Unter den Alttestamentlern herrscht in dieser Hinsicht eine wahrhaft babylonische Sprachenverwirrung. Jeder gebraucht die Worte anders, und so kommt auch jeder zu anderen Aussagen des Alten Testaments, die er dann eschatologisch nennt. Der schwedische Forscher Johannes Lindblom schrieb 1952: „Ein jeder, der auf dem Gebiet der alttestamentlichen Prophetenforschung arbeitet, muß über die Verwirrung staunen, die sich geltend macht, sobald die

Eschatologie zur Sprache kommt. Paul Volz hat einmal gesagt: Alle Propheten des Alten Testaments sind Eschatologiker. Sigmund Mowinckel behauptet in seinem Buch ›Han som kommer‹ ohne weiteres, daß keiner von den vorexilischen Propheten eine Eschatologie verkündet hat . . .“ Lindblom bringt dann noch eine ganze Reihe sich kraß widersprechender Ansichten über die Eschatologie im Alten Testament, und schließlich faßt er folgendermaßen zusammen: „Offenbar hängt diese Verworrenheit in der Beurteilung der prophetischen Weissagungen mit einer verhängnisvollen Unklarheit betreffend den Begriff Eschatologie . . . eng zusammen.“ Uns fällt dabei auf, daß Lindblom offenbar das Eschatologische nur im Bereich des Prophetischen sucht. Vom Neuen Testament her ist nicht einmal das ohne weiteres sicher.

Deshalb soll im folgenden einmal der Reihe nach vorgeführt werden, welche Aussagenbereiche des Alten Testaments von heute noch anerkannten Forschern als eschatologisch bezeichnet worden sind oder bezeichnet werden. Erst nach diesem Überblick soll dann nochmals vom Neuen Testament her die Frage gestellt werden, wo der Begriff im Rahmen christlicher Theologie (die ja vom Neuen Testament ausgehen sollte) sinnvoll gebraucht werden könnte, wo nicht.

Eschatologie vor dem Alten Testament?

Nur ganz kurz ist zunächst zu erwähnen, daß man natürlich fragen kann, ob es nicht auch außerhalb des Alten Testaments im Alten Orient Eschatologie gegeben habe und ob Israel mit seiner Eschatologie nicht vielleicht an einem umfassenderen religionsgeschichtlichen Phänomen partizipiere. So hat Hugo Greßmann 1905 in seinem einflußreichen Buch ›Der Ursprung der israelitisch-jüdischen Eschatologie‹ die Meinung vertreten, es habe im ganzen Orient eine ursprünglich naturmythologische Erwartung endzeitlicher Wiederkehr des urzeitlichen Paradieses gegeben. Skandinavische und angelsächsische Exegeten glaubten in jüngerer Zeit eine Kultideologie des Neujahrsrituals entdeckt zu haben, die über den ganzen alten Orient verbreitet gewesen wäre. Sie hätte im Zusammenhang mit dem Gedanken der an jeder Jahreswende sich vollziehenden Vernichtung

und Neuschöpfung des Kosmos sowohl Gerichts- als auch Heilserwartung für die Zukunft aus sich entlassen können. Aber beide
Theorien beruhen auf viel zu großzügigen Extrapolationen aus einzelnen Texten.

Ernsthaft läßt sich höchstens die Frage nach der Entlehnung ein-
zelner eschatologischer Motive aus der nichtisraelitischen Mythologie
stellen. Aber diese Motive und Vorstellungen wurden dann in Israel
in neue Aussagenzusammenhänge eingeordnet. Für die letzten Phasen der alttestamentlichen Eschatologie ist iranischer Einfluß wahrscheinlich. Aber auch hier werden wir fragen müssen, wie weit er
die Aussage selbst beeinflußte, wie weit er nur neue Möglichkeiten
des Ausdrucks und der begrifflichen Fassung herbeiführte.

Ursprung der Eschatologie in der Patriarchenzeit?

Die älteste Zeit Israels, die wir als die Patriarchenzeit bezeichnen
können, ist vor allem durch die sogenannten Patriarchenverheißun-
gen zukunftsträchtig geworden. Aber im ganzen ist sie für uns zu
undurchsichtig, als daß es sich lohnte, darüber zu diskutieren, ob
man den aus diesen Verheißungen zweifellos resultierenden Erwartungen sinnvollerweise das Beiwort „eschatologisch" geben könne.

Die These wird zwar immer wieder vorgetragen, hier beginne
jede Eschatologie Israels. Aber entweder handelt es sich dann um
Autoren, die sich noch nicht um die weithin angenommenen Ergebnisse der Pentateuchkritik kümmern, also etwa das schon als Gedankenwelt der Patriarchenzeit registrieren, was weiter unten als
Theologie des Jahwistischen Geschichtswerkes zu erwähnen ist,
oder es wird noch die literarkritisch und formgeschichtlich zu ihrer
Zeit sorgfältig erarbeitete, inzwischen aber in manchem zu revidie-
rende Theorie von Albrecht Alt über die Religion der Erzväter
übernommen, von der in einem früheren Kapitel dieses Buches die
Rede war [in diesem Bd. nicht abgedruckt]. Nach dieser Theorie
wäre die Nachkommenschaftsverheißung die ältere und die Landverheißung die jüngere bewegende Kraft im Verhalten der Patri-
archensippen gewesen, und beide auf jeden Fall ungefähr das
Sicherste, was wir überhaupt aus der Väterzeit wissen. Aber in

dieser ausgebauten Form läßt sich die Theorie heute nicht mehr halten, und so liegt Ursprung, älteste Gestalt und erste Funktion der Väterverheißungen wieder mehr im Dunkel als früher.

Die Bundestheologie und die Zukunft

Nach der Landnahme Israels in Palästina gewannen Gottesverhältnis und Gottesdienst in Israel ihre bleibende Gestalt: die Gestalt eines Bundes zwischen Jahwe, dem Gott Israels, und Israel, Jahwes Volk. Den historischen Fragen um die Tradition vom Bundesschluß am Sinai brauchen wir in unserem Zusammenhang nicht nachzugehen. Wohl aber müssen wir fragen: waren in Bundeskult und Bundesgedanken eschatologische Erwartungen mitgegeben?

Zunächst scheint das nicht der Fall zu sein. Das im Gottesbund stehende Israel schaut nicht hoffend in die Zukunft, von der es ein Heil erwartet, sondern es steht im Heil und schaut zurück in die Vergangenheit, in der das Heil errichtet wurde. Man schaut zurück an den Anfang der Volksgeschichte, wo Jahwe seine großen Taten an Israel vollbrachte: die Befreiung aus dem Sklavendasein in Ägypten und die Hereinführung in das gute Land Kanaan. Diese Taten Gottes bekennt man im Glaubensbekenntnis. Und nun wohnt man im Land und genießt das Heilsgut der „Ruhe". Man hat nur Jahwes Gebote zu beobachten, um sich dieser Heilsgabe immer erfreuen zu können. So konzentriert der Bund Israels Aufmerksamkeit auf Vergangenheit und Gegenwart. Er ruft nicht auf, erwartend und hoffend in die Zukunft zu blicken. Denn muß man sich nach der Zukunft sehnen, wenn die Gegenwart schon alles bietet?

Dennoch tritt nach G. von Rad mitten im Bundesdenken eschatologische Haltung auf. G. von Rad möchte sie in dem Dokument finden, das vielleicht am reinsten die Bundestheologie spiegelt, im Buch Deuteronomium. Das Deuteronomium gibt sich als Rede, die Mose im Lande Moab, vor dem Einzug Israels in sein Land und damit vor der Erlangung des Heilsguts der „Ruhe", vor Israel gehalten hat. Aber wir wissen, daß dieses Buch in Wirklichkeit nicht von Mose stammt, sondern aus späterer Zeit, als Israel längst im Lande saß. Zu einer Zeit, als Israel die „Ruhe" schon hatte, wurde also die

Fiktion geschaffen und beim kultischen Gebrauch der deuteronomischen Texte immer wieder aktualisiert, als habe Israel sie noch nicht, und aus dieser Fiktion heraus wurden dann neu die Gebote verkündet. Das ist nach G. von Rad für die Frage nach einer Eschatologie im Deuteronomium bedeutsam. Er schreibt: „Da nun aber das Deuteronomium literarisch gewiß aus der Zeit nach der Landnahme stammt und also in einer einzigen großen Fiktion das längst im Lande wohnende Israel noch einmal an den Horeb stellt, so geht doch ein deutlicher eschatologischer Zug durch das Ganze. Alle die Heilsgüter, von denen es redet, auch und gerade das Leben in der ‚Ruhe‘, sind als Verheißung wieder vor die Gemeinde hingelegt, die nun in die Entscheidung für Jahwe gerufen ist. Wir stehen hier vor einem der interessantesten Probleme der alttestamentlichen Theologie: Verheißungen, in der Geschichte erfüllt, werden dadurch nicht entaktualisiert, sondern bleiben auf neuer Ebene und in teilweise gewandelter Gestalt als Verheißungen stehen. Gerade die Landverheißung wurde auch nach ihrer Erfüllung immer wieder als zukünftiges Heilsgut verkündet."

Das eigentümliche Ineinander von Jetzt-schon und Noch-nicht, das für den neutestamentlichen Begriff des Eschaton typisch ist, wäre also schon in der Bundestheologie Israels dagewesen. Das Deuteronomium in seiner jetzigen Gestalt spiegelt zwar erst die Bundestheologie der ausgehenden Königszeit, aber gerade in seiner inneren Struktur (und zu ihr gehört ja wohl die Fiktion der Mosesrede) spiegelt es die alten und nie veränderten Strukturen des Bundeskultes.

Tatsächlich gab es in Israel mindestens seit dem Augenblick, in dem das Bundesdenken mit der Gattung des „Bundesformulars" verbunden war, im Zusammenhang des Bundes auch immer die Ausschau in die Zukunft. Denn bei der kultischen Verlesung, Erneuerung und Bestätigung des Bundes mußte sich die Gemeinde Israels immer wieder feierlich unter Segen und Fluch stellen. Segen rief sie auf sich herab für den Fall der Bundestreue, Fluch für den Fall des Bundesbruches. Damit richtete sie ihre Existenz auf noch zukünftiges Handeln ihres Bundespartners Jahwe aus, der je nach dem Verhalten Israels die Gaben des Heiles neu gewähren oder entziehen konnte. So ist es nur sachgemäß, wenn Israel in diesem

Zusammenhang sich immer wieder neu als das noch gar nicht ins Land Kanaan eingezogene Volk Jahwes verstand, wenn es sich im Kult immer wieder sagen ließ, daß ihm die „Ruhe" noch nicht sicher gegeben war, sondern erst bevorstand.

Diesem Selbstverständnis Israels entspricht auch das wichtigste religiöse Phänomen der Königszeit, das Prophetentum. Denn die Propheten kommen ja von Gott zu seinem Volk, um es im Hinblick auf seine Zukunft, im Hinblick auf eine mögliche Gefährdung des zukünftigen Heils vor dem Abfall zu warnen. Israel blickt also in seiner Bundesreligion erwartend in die Zukunft.

Doch muß man sich fragen, ob es sinnvoll ist, diesen Typ von Erwartung schon eschatologisch zu nennen. Von einer Endzeit ist hier keine Rede. Nicht einmal wird die Zukunft als wesentlich größer als die Gegenwart gedacht. Die Zukunft ist einfach offen. Israel hat schon alles und erwartet auch wieder alles. Ob es ihm zukommt, hängt von ihm selbst und seinem Gott ab. G. von Rad hat also geglaubt, hier schon von Eschatologie reden zu sollen.

Die heilsgeschichtlich-universale Zukunftserwartung

Etwa um das Jahr 1000 vor Christus, zur Zeit Davids oder Salomons, entsteht ein literarisches Werk, in dem uns ein neuer Typ der Zukunftserwartung begegnet. Da wird zunächst einmal zukünftiges Heil nicht nur für Israel, sondern für die ganze Menschheit erwartet. Außerdem ist hier das Heil der Zukunft wohl größer als das der Gegenwart gedacht. Es handelt sich um den Geschichtsentwurf des Jahwisten.

Für uns ist das Werk des Jahwisten nicht mehr unversehrt greifbar. Es ist eine der Quellenschriften, die im jetzigen Pentateuch zu einer einzigen Erzählung über die Ursprünge der Welt und des Volkes Israel zusammengearbeitet sind. Aber durch literarkritische Analyse kann man doch die einzelne Quellenschrift mit hinreichender Sicherheit isolieren. Das gilt mindestens vom Jahwisten und von der Priesterschrift, weniger vielleicht vom sogenannten Elohisten. Man kann nicht nur den Umfang des Jahwistischen Werkes bestimmen, sondern auch nach seinem besonderen Zweck und nach seiner Geschichtsschau fragen. Dabei ist zu beachten, daß der Jahwist einerseits vor allem Sammler ist, Übermittler der alten, ursprünglich nur mündlich weitergegebenen Überlieferungen seines Volkes, daß er aber zugleich ganz neu über die Geschichte nachdenkt. Während das alte Israel in seinem kultischen Glaubensbekenntnis bei den Taten Gottes an den Patriarchen begann und dann nur noch die Geschichte des eigenen Volkes bis zur Hereinführung ins Land Kanaan entlangging — ein Geschichtshorizont, den auch das elohistische Geschichtswerk nach dem Jahwisten noch nicht verlassen wird —, stellt der Jahwist die Geschichte Israels in den umfassenden Horizont der gesamten Völkerwelt. Deshalb beginnt er sein Werk nicht mit Abraham, sondern baut vor die Patriarchengeschichte noch die Urgeschichte, die mit den Anfängen der Menschheit schlechthin beginnt: mit Erschaffung, Paradies und Sündenfall. In der ihm gegebenen Weise referiert er auch über die Geschichte der gesamten Menschheit, bis er dann am Ende des elften Kapitels der Genesis zu Abraham kommt. Dann spricht er nur noch von den Nachkommen Abrahams, aber selbst dann bleibt die Gesamtmenschheit noch für ihn im Blick: ihr gilt die Zukunft. Der von ihm selbst formulierte eigentliche Schlüsseltext seines Werkes verheißt Abraham (und seinen Nachkommen): „In dir können Segen gewinnen alle Sippen der Erde" (Gen 12, 3; Übersetzung: H. W. Wolff). Hier wird doch eine auch für die Leser des Jahwistischen Geschichtswerks selbst noch ausstehende Zukunft sichtbar gemacht, in der durch die Vermittlung der Abrahamssippe universaler Segen einziehen wird.

Die Geschichte der Menschheit ist für den Jahwisten zunächst einmal eine Geschichte des wachsenden Fluches. Sofort am Anfang der Geschichte tritt die Sünde auf, und aus ihr folgt der Fluch. Sünde und Fluch breiten sich mit der Menschheit selbst aus. Da erwählt Gott Abraham und setzt in ihm den Samen des Segens in die Geschichte ein. Im Volk Israel soll der Segen heranwachsen, aber in der Zukunft soll er für alle Völker Frucht bringen. Dieses Hauptthema seines Werkes läßt der Jahwist sofort in der ersten Szenenfolge seiner Geschichtsschau anklingen, indem er Gott da, wo er zum erstenmal den Fluch ausspricht, auch schon dessen Ende ankündigen läßt. Denn schon im Paradies sagt Gott zur Schlange:

„Feindschaft will ich stiften zwischen dir und der Frau, zwischen deinem Samen und ihrem Samen. Er wird dir den Kopf zerstoßen, weil du nach seiner Ferse stößt" (Gen 3, 15; Übersetzung: J. Haspecker—N. Lohfink). Als Hinweis auf den universalen Segen der Zukunft möchte der Jahwist wohl auch die älteren Stammesorakel verstanden wissen, die er in sein Werk einbaut, vor allem den archaischen, für uns nur noch schwer übersetzbaren Vers über den Stamm Juda: „Nie weicht das Szepter von Juda noch der Führerstab von seinen Füßen, bis daß der Herrscher kommt, dem die Völker gehorchen" (Gen 49, 10; Übersetzung: Zürcherbibel). Zwar wird der Jahwist gedacht haben, dieses Wort habe sich schon in David erfüllt. Aber im Lichte seiner Verheißung vom universalen Völkersegen müssen wir doch zugleich annehmen, daß er auch dieses Wort nochmals in die Zukunft weisen ließ.

Nach dem Jahwisten begegnet uns noch oft in den verschiedensten Schichten des Alten Testaments dieser Typ der heilsgeschichtlich-universalen Zukunftsschau, und zwar oft gerade in der Gestalt, daß Jerusalem oder die Davidsdynastie als Mittelpunkt des zukünftigen Heils gedacht wird.

So sang man im Jerusalemer Tempelkult unter bewußter Bezugnahme auf die Abrahamsgestalt am Ende des Jahwe-Königs-Hymnus Ps 47: „König ist Jahwe über die Völker. Jahwe sitzt auf seinem heiligen Thron. Die Edlen der Völker sind versammelt als Volk des Gottes Abrahams. Denn Jahwe gehören die Schilde auf Erden. Hoch erhaben ist er." Nach Josef Schreiner liegt die überlieferungs-geschichtliche Priorität sogar in dieser Jerusalemer Tempeltheologie. Von ihr hätte der Jahwist die Anregung für seine Geschichts-konzeption empfangen.

In diesen Zusammenhang gehört auch das bei Jesaja wie bei Micha überlieferte Zukunftswort von der Völkerwallfahrt nach Jerusalem: „In zukünftigen Tagen wird es geschehen: da steht der Berg mit dem Hause Jahwes festgegründet an der Spitze der Berge und über-ragt die Hügel. Alle Völker strömen zu ihm, viele Nationen pilgern und sprechen: Kommt, laßt uns hinaufziehen zum Berge Jahwes, zum Hause des Gottes Jakobs, daß er uns seine Wege lehre und wir wandeln auf seinen Pfaden. Denn Weisung geht aus von Zion, das Wort Jahwes von Jerusalem. Er wird Recht sprechen zwischen den

Völkern und entscheiden für viele Nationen. Sie werden ihre Schwerter zu Pflugscharen schmieden und ihre Spieße zu Rebmessern. Kein Volk wird wider das andere das Schwert erheben, sie werden den Krieg nicht mehr lernen" (Jes 2, 2—4, vgl. Mi 4, 1—3).

Auch die mit Sicherheit Jesaja zuzuordnende Zukunftsschau gehört weithin in diesen Zusammenhang, wobei bei ihm die David-Jerusalem-Motive besonders stark hervortreten. Vor allem sind hier, in Weiterführung des zunächst auf eine konkrete zeitgeschichtliche Situation gehenden, dann aber von Jesaja selbst eschatologisch neuinterpretierten Immanuel-Orakels von Jes 7, die beiden Lieder Jes 8, 23—9, 6 („Ein Kind ist uns geboren, ein Sohn ist uns gegeben, und die Herrschaft kommt auf seine Schulter . . .") und 11, 1—16 („Ein Reis geht hervor aus dem Stumpfe Isais . . .") zu nennen. Vor allem in Jes 11 sammeln sich nun zur Darstellung des Zukunftsbildes die verschiedensten Motive. Wir begegnen der altorientalischen Königsideologie, dem Paradiesesmotiv des Tierfriedens, Motiven des Heiligen Krieges, schließlich Themen aus der vergangenen Heils- und Unheilsgeschichte Israels (Loskauf von Ägypten, Hindurchführung durch das Meer, Dualität zwischen Nord- und Südreich). Allerdings tauchen in diesem Text nun auch schon Elemente auf, welche die beim Jahwisten erstmalig auftretende Form der heilsgeschichtlich-universalen Zukunftserwartung übersteigen: es fällt das Wort vom „Rest" Israels, und es ist wichtig, daß an eine Art Wiederholung der alten Heilssetzungen der Vergangenheit in der Zukunft gedacht wird. Das weist schon auf einen neuen Typ der Eschatologie Israels hin, von dem sofort gesprochen werden muß. Im übrigen besteht aber immer noch der Rahmen, den schon der Jahwist kannte. Es wird gesprochen von einem Gesamtplan Gottes für die Geschichte. Am Ende der Geschichte — durchaus noch innerhalb der Geschichte, aber am Ende all des Geschehens, das durch menschliche Schuld und göttliche Antworten auf diese Schuld entfesselt und vorangetrieben wird, soll der reine Raum des Segens stehen. Dieser Segen kommt von Gott, wird aber im Gang der Geschichte durch Israel, genauer: durch das von Davids Dynastie in Jerusalem gelenkte Israel den Völkern vermittelt. In den Raum dieser Erwartung gehört also auch ein davidischer Herrscher, ein

„Gesalbter" (hebräisch *māšî°ḥ*, „Messias"). Vor allem Jesaja kann seine Eschatologie von der Messiasgestalt her entfalten.

Dieser Typ der Zukunftsschau wird von den meisten Forschern schon als Eschatologie betrachtet. Andere zögern aber auch hier noch, denn es gibt nun weitere Entwicklungen in Israel, die neue, bisher unbekannte Züge zur Zukunftserwartung hinzufügen.

Die Periodisierung
von Gericht und Heil

Entscheidend sind für die Weiterentwicklung des Zukunftsbildes die Propheten etwa vom Einsetzen der Schriftprophetie bis zu Jeremia und Ezechiel. Genauer können wir sagen: die Propheten, die kurz vor dem Zusammenbruch des Nord- und Südreiches und in der Anfangszeit des babylonischen Exils selbst auftraten.

War es immer die Aufgabe der Propheten gewesen, die Gefährdung des Bundes durch die Sünde Israels aufzudecken und Israel durch Gerichtsandrohung zur Bundestreue zurückzuführen, so wurden die Propheten mit zunehmender Verhärtung Israels reine Boten des kommenden Gerichts. Es entstand die Gerichtsprophetie im strengen Sinn, die wohl schon mit Amos und Hosea einsetzt. Die Zukunft Israels wird als hereinbrechendes Dunkel gesehen. So sagt Amos, indem er ein leitendes Motiv der alten Heilserwartung, das Motiv vom „Tag Jahwes", aufgreift: „Wehe euch, die ihr den Tag Jahwes herbeisehnt! Was soll euch denn der Tag Jahwes? Er ist Finsternis, und nicht Licht! Es wird sein, wie wenn einer dem Löwen entflieht, da begegnet ihm der Bär, und dann flieht er ins Haus und stützt die Hand an die Wand, da beißt ihn die Schlange. Der Tag Jahwes ist Finsternis und nicht Licht, dunkel und ohne Glanz" (Am 5, 18—20).

Aber die Verschärfung der Gerichtsandrohung war nur das eine. Hand in Hand ging eine neue Einsicht auf über ein hinter dem totalen Gericht dann doch wieder wartendes Heil. Bei Jesaja dient der Gedanke des „Restes" zur Verbindung der beiden Wirklichkeiten. Ein „Rest Israels" wird dem Gerichte entgehen, weil er glaubend an Jahwe festgehalten hat. Ihm wird dann aus dem

Stumpf des umgehauenen Baumes der Daviddynastie der neue König der Heilszeit als Reis emporsprossen.

Man kann sich den hier gemeinten Umbauprozeß in der Zukunftserwartung am leichtesten vom alten Bundesdenken her deutlich machen. Im Bundeskult rief Israel Fluch und Segen auf sich herab. Israel rief beides herab. Beides stand als gleiche Möglichkeit der Zukunft vor ihm. Entweder das eine oder das andere würde eintreten. Nun war das Kommen des Fluches sicher geworden. Zugleich wurde den Propheten aber deutlich (und vielleicht hat dazu gerade die heilsgeschichtlich-universale Geschichtsschau des Jahwisten und der Jerusalemer Tempeltraditionen beigetragen), daß dennoch für die Freiheit und Liebe Jahwes der Segen das Umfangende und Letzte war. So wurde nun aus dem Nebeneinander von Fluch und Segen ein Hintereinander. Hinter die auf jeden Fall und bald zu erwartende Zeit des Gerichtes, in der sich der Fluch auswirkte, trat die dennoch zu erhoffende, dennoch gewährte Zeit neuen Segens.

In einem späten Text des Deuteronomiums, der wohl erst im Babylonischen Exil geschrieben wurde, ist dieses neue Schema der Zusammenordnung von Segen und Fluch, die Historisierung der ursprünglich nebeneinander stehenden Möglichkeiten der Zukunft, sogar in den führenden Bundestext selbst eingedrungen. Da heißt es: „Wenn du Kinder und Kindeskinder zeugst und ihr eingelebt seid im Land; wenn ihr dann verderbt und ein Gottesbild anfertigt in der Gestalt irgendeines Wesens; wenn ihr tut, was böse ist in den Augen Jahwes, deines Gottes — ich rufe heute gegen euch den Himmel und die Erde zu Zeugen an, daß ihr dann aus dem Lande verschwinden werdet, in das ihr jetzt über den Jordan hinüberzieht, es zu besetzen. Ihr werdet euch nicht lange darin halten, sondern vertilgt werden. Jahwe wird euch unter die Völker zerstreuen. Gering an Zahl wird euer Rest sein unter den Nationen, zu denen Jahwe euch führen wird ... Von dort aus werdet ihr dann Jahwe, euren Gott, suchen, und du wirst ihn finden, wenn du nach ihm fragst mit ganzem Herzen und mit ganzer Lebendigkeit. Wenn du in Not bist, dann werden alle diese Worte dich finden, in den späteren Tagen. Du wirst umkehren zu Jahwe, deinem Gott, und wirst auf seine Stimme hören. Denn ein barmherziger Gott ist Jahwe, dein Gott. Er läßt dich nicht fallen, er verdirbt dich nicht, er vergißt nicht den Bund mit deinen Vätern, den er geschworen hat" (Dtn 4, 25—31).

Durch die vor- und frühexilischen Propheten haben wir nun also in Israel die Erwartung eines Nacheinanders von Gericht über Israel und kommendem Heil. Dabei tritt nun noch eine andere, äußerst wichtige Verschiebung auf. Da das in der Vergangenheit, beim Auszug aus Ägypten und bei der Hereinführung ins Land Kanaan von Gott gesetzte Heil in der Katastrophe eines alles aufzehrenden Gerichtes endet und dann ein neues Heil von Gott her gesetzt werden muß, waren jene alten Setzungen offenbar schwach, und alles Interesse des Glaubens richtet sich auf die neuen Setzungen, die nach dem Gericht kommen werden. Die werden dann neu, stark und endgültig sein. Man kann sie zwar typologisch in Beziehung zu den alten Setzungen bringen: dem alten Exodus wird ein neuer Exodus entsprechen, dem alten Land Israels ein neues Land (wie die letzten Kapitel des Buches Ezechiel es beschreiben), dem alten Bund ein neuer Bund (wie Jer 31 verkündet), und ein neuer David wird auftreten (vergleiche etwa Ez 34). Aber zwischen dem alten und dem neuen Heil herrscht nicht nur Entsprechung, sondern Überbietung. Das Alte hat sich als vergänglich und vorläufig erwiesen. Das Neue wird größer sein, ja es wird endgültig und unübertrefflich sein.

Damit mußte sich aber eine Grundhaltung ändern. Wenn Israel bisher über die Zukunft nachdachte, gründeten doch die Wurzeln der Existenz in der Vergangenheit. Man lebte aus der Vergangenheit, von ihr aus entwarf man Gegenwart und Zukunft. Jetzt wurden die Gewichte verlagert. Der Anker des Glaubens wurde in die Zukunft ausgeworfen. Das wirkliche Heil steht noch aus. Die Hoffnung wird zur entscheidenden Haltung. Die normale Blickrichtung des Menschen wird um 180 Grad gewendet.

Von dieser neuen Haltung, die nicht nur Zukunft kennt, sondern von ihr her lebt, hat G. von Rad im zweiten Band seiner ›Theologie des Alten Testaments‹ gesagt, da sei nun der Begriff des Eschatologischen im strengen Sinn am Platze. Vom Eschatologischen müsse man in dem Augenblick reden, wo der große Abbau alles Bisherigen erwartet wird, und hinter ihm das Neue, Endgültige, von Jahwe Gewirkte in Sicht kommt, aus dem man jetzt schon lebt, gleichgültig, ob man es nah oder fern, innergeschichtlich oder geschichtlich vorstelle. Doch auch hier stimmen nicht alle Alttestamentler zu. Einige verlangen, um von Eschatologie reden zu können, noch ein weiteres Element, das erst bei den spät- und nachexilischen Propheten beobachtet werden kann, das Moment der Naherwartung.

Die spät- und nachexilische Naherwartung

Typische Vertreter dieser Form der Zukunftsausschau sind Deutero-Jesaja, Haggai und Sacharja. Diese Propheten leben in dem Bewußtsein, die Zeit des Gerichtes sei schon fast ganz abgelaufen, und nun sei unmittelbar der Einbruch des Wunders zu erwarten, der Beginn der neuen Zeit des Heils. „So spricht Jahwe, der einst einen Weg bahnte im Meer und einen Pfad in mächtigen Wassern, der ausziehen ließ Wagen und Rosse, Streitmacht und Gewaltige zumal — da liegen sie, stehen nimmer auf, sind ausgelöscht, wie ein Docht verglommen —: Gedenket nicht mehr der früheren Dinge, und des Vergangenen achtet nicht! Siehe, nun schaffe ich Neues. Schon sproßt es, gewahrt ihr es nicht? Ja, ich lege durch die Wüste einen Weg und Ströme durch die Einöde. Mich werden ehren die Tiere des Feldes, Schakale und Strauße; denn ich schaffe in der Wüste Wasser und Ströme in der Einöde, damit ich tränke mein erwähltes Volk, das Volk, das ich mir gebildet habe" (Jes 43, 16—20). Deutero-Jesaja, von dem dieses Wort stammt, fühlt sich unmittelbar an der Schwelle eines neuen Weltzeitalters. Vor allem die Kapitel 51 und 52 muß man daraufhin lesen. Immer wieder ertönen Befehle, Aufrufe, Weckworte. Die Zeit, da Gott Israel den Taumelbecher zu trinken gab, ist nun vorbei. Schon kommen auf den Bergen die Freudenboten, die den Frieden verkünden, die gute Botschaft, das Heil.

Zwei Jahrzehnte später leben Haggai und Sacharja aus der gleichen Erregung der Nähe des Kommenden, und auch später bricht diese Naherwartung im nachexilischen Israel immer wieder auf, so etwa in der Zeit der Makkabäerkämpfe, dann etwa um 100 vor Christus, als die Gemeinde von Qumran sich bildete, dann zur Zeit Jesu selbst.

Wenn dieses existentielle Moment der unmittelbaren Bereitschaft die generelle Erwartung einer Heilszeit im Anschluß an die Zeit des

Gerichts zu höchster Aktualität steigert, dann haben wir — so
schrieb etwa Georg Fohrer 1960 in einem Aufsatz über die „Struktur der alttestamentlichen Eschatologie" — überhaupt erst das, was
wir „Eschatologie" nennen dürfen. Aber ehe wir dazu Stellung nehmen, ist noch ein letzter Typ der Zukunftserwartung zu nennen, für
den allein einige Forscher das Wort „Eschatologie" reservieren
möchten.

Transzendente Eschatologie und Apokalyptik

Um ihm zu begegnen, müssen wir recht weit in der Geschichte
Israels herabgehen. Die Zukunftserwartung läuft inzwischen kräftig
weiter, ja sie wird jetzt eigentlich erst richtig literarisch produktiv.
Die bisher betrachteten Typen sind alle weiterhin da, sie vermischen und kombinieren sich in oft recht eigentümlichen Formen.
Bisweilen ist es auch schon schwer, genau zu sagen, welchem Typ
der Erwartung ein bestimmter Text angehört, etwa das Buch Joel.
Haben wir hier Naherwartung oder gerade Distanzierung von der
Naherwartung? Die Antwort fällt so schwer, weil die alten Bilder
und Motive immer mehr Gemeingut werden, als Chiffren und Rück-
verweise auf frühere Prophetentexte eingesetzt werden und wohl
damals schon oft nur dem Eingeweihten verrieten, wohin eigentlich
ihre Sinnspitze wies. Doch solche literarischen Entwicklungen bedeuten nicht ohne weiteres auch einen sachlich neuen Typ der Haltung
zur Zukunft.

Ein solcher erscheint erst am unteren Rande der Zeit des Alten
Testaments, praktisch im Buche Daniel. Hier begegnet uns zum
erstenmal literarisch die Gattung der Apokalyptik, inhaltlich die
Verkündigung eines diese Welt und diese Geschichte übersteigenden
Heils.

Vieles, was die Apokalyptik von der alten Prophetie abhebt,
dürfte zunächst rein literarisch sein. Es liegen hier völlig neue Aus-
drucks- und Darstellungsformen vor, die zwar die alten prophetischen Motive aufgreifen, sie aber nun ganz neu einordnen. Himmels-
reisen finden statt, die Helden der Apokalypsen haben symbolische
Träume oder Visionen und bekommen dieselben dann durch Deute-
engel interpretiert, geschichtliche Aussagen werden in Tier- und

Zahlensymbolen verschlüsselt, viel Bildungs- und Wissensstoff wird am Wegrand abgeladen, Allegorie türmt sich auf Allegorie, alles wird als eine geheime Offenbarung ausgegeben, die einem berühmten Mann der fernen Vergangenheit zuteil wurde — soweit zu der uns vielleicht seltsam anmutenden literarischen Form. In sie wird die alte Zukunftserwartung nun umgesetzt und dabei neu zur Naherwartung aktualisiert.

Dabei allerdings geschieht nun oft auch ein sachlicher Wandel. Das endgültige Heil wird nicht mehr innergeschichtlich erwartet, sondern aus einem Bereich, der unserer Geschichte transzendent ist. Bei Daniel deutet sich das erst skizzenhaft im zweiten, siebten und zwölften Kapitel an. Eindeutig wird in dieser Hinsicht erst die apokalyptische Literatur der Jahrhunderte vor und nach der Geburt Christi sein, die aber nicht mehr zum Kanon der Heiligen Schrift des Alten Testaments gehört und — von einem Sonderfall, der Johannesapokalypse, abgesehen — auch nicht ins Neue Testament aufgenommen wurde. Erst diese transzendent-eschatologische apokalyptische Literatur steckt den geistes- und religionsgeschichtlichen Kontext Jesu und des Neuen Testamentes ab. Im Danielbuch wird der transzendente Charakter der Endereignisse gerade nur angedeutet. Im siebten Kapitel erscheint die endzeitliche Gestalt des aus dem Himmel kommenden präexistenten „Menschensohnes", der dann die neue Welt beherrscht: „Ihm verlieh man Herrschaft, Würde und Königtum; alle Völker, Stämme und Sprachen dienten ihm. Seine Herrschaft ist eine ewige, unvergängliche Herrschaft, sein Königtum wird nie zerstört" (7, 13).

In der späteren Apokalyptik wird beim großen Weltgericht dieser Kosmos selbst vernichtet. Ein neuer Kosmos tritt hervor, in dem das Heil verwirklicht wird.

In dem geistigen Raum, in dem die Apokalyptik gepflegt wird, entwickelt sich nun auch die Hoffnung auf eine Auferweckung der Toten, damit alle Anteil am Leben der kommenden Welt haben. Auch davon findet sich in den kanonischen Schriften des Alten Testaments nur das allererste Zeugnis, bei Dan 12, in den Makkabäerbüchern und in der Weisheit Salomos. Es ist nicht nötig, darauf genauer einzugehen, wir befinden uns am äußersten Rand des alttestamentlichen Kanons.

Aber es gibt Forscher, etwa Hölscher und Mowinckel, aber auch Fohrer in seinen älteren Veröffentlichungen, die überhaupt nur dies als Eschatologie bezeichnen würden. Denn, so definieren sie, „eschatologisch" sind nur Erwartungen, die sich auf Ereignisse jenseits dieser Zeit und dieser Geschichte beziehen.

Das Eschatologische im Alten Testament

Unser Überblick über die verschiedenen Typen der Zukunftserwartung im Alten Testament war zugleich eine Andeutung der Entwicklung, die die Einstellung zur Zukunft in Israel durchgemacht hat. Allerdings sollte man das Wort „Entwicklung" nur mit Vorsicht gebrauchen. Denn ältere Haltungen ziehen sich weiter, auch wenn neue Sichten sich danebenstellen. Vor allem in der nachexilischen Zeit wird das Bild außerordentlich kompliziert. Noch gefährlicher wäre es, von einer Aufwärtsentwicklung zu reden oder gar diese „Aufwärtsentwicklung" als „langsame Vergeistigung und Entmaterialisierung" zu charakterisieren. Würde da nicht ein Geistbegriff des vorigen Jahrhunderts, wenn nicht gar der Aufklärungszeit zum Maßstab gemacht? Und ist die Apokalyptik selbst im Sinne dieses Geistbegriffs wirklich vergeistigter als die sparsame Segenstheologie des Jahwisten? Auch sollte uns ein inspirationstheologisches Faktum zu denken geben, das Vertreter von Entwicklungstheorien immer in Verlegenheit bringen muß: Wenn wirklich die eschatologische Offenbarung im Alten Testament eine stetige Entwicklung durchmachte und wenn diese Entwicklung in der Apokalyptik gipfelte — warum hat Gott dann zugelassen, daß alle großen jüdischen Apokalypsen außerhalb des Kanons der Heiligen Schrift blieben? So mag es genügen, wenn wir feststellen, daß die Erwartungen Israels in der Zeit des Alten Testaments in verschiedenen Grundgestalten auftraten, die langsam zueinanderkamen, einander zum Teil ablösten, zum Teil sich nebeneinanderstellten oder ineinander verflochten.

Welche Typen der Erwartung den Namen „Eschatologie" verdienen, wollten wir nun im Rahmen christlichen Theologisierens vom Neuen Testament her bestimmen, das sich selbst als Zeugnis des eingetretenen Eschaton versteht und im Alten Testament die Verheißung und Erwartung seiner selbst sucht. Welche der gekennzeichneten und unterschiedenen Typen der Zukunftserwartung des Alten Testaments fügen sich in diesem vom Neuen Testament her bestimmten Rahmen ein?

Zweifellos vor allem die zuerst beim Jahwisten begegnende Erwartung eines universalen Segens, der am Ende einer durch Sünde und Fluch gekennzeichneten Menschheitsgeschichte durch die Sippe Abrahams vermittelt wird. Insofern gerade in diesem Typ der Zukunftserwartung die Gestalt eines Davididen eine zentrale Rolle spielt, können wir nicht nur von Eschatologie, sondern zugleich von Messianismus reden. In gleicher Weise fügt sich die mehr von Israel her denkende, von den vor- und frühexilischen Propheten geschaffene Erwartung einer innergeschichtlichen Heilszeit nach dem Ablauf des zunächst über Israel fälligen Gerichtes hier ein. Hierhin gehört etwa der Terminus „Neuer Bund", den Jesus im Abendmahl für sich und sein Werk beansprucht. Auch hier haben wir Eschatologie im Sinne des Neuen Testaments.

Wie aber, wenn diese Erwartung im Alten Testament als Naherwartung auftrat? Indem sie sich nicht bewährte, scheint sie doch zugleich das eigentlich zu Erwartende, das erst später kommende Christusereignis, verfehlt zu haben! Hierzu wäre viel zu sagen, aber vielleicht genügt eine kurze Andeutung. Wahrscheinlich lag „Naherwartung" in Wirklichkeit auch vor, wo wir es aus den literarischen Zeugnissen nicht immer deutlich herausanalysieren können. Es dürfte überhaupt keine echte, auf Gottes Zukunft gerichtete Erwartung geben, die sich im menschlichen Bewußtsein nicht mehr oder weniger drängend und damit — sobald sie objektiviert wird — mehr oder weniger deutlich als „Naherwartung" äußert. Deshalb brauchen wir nicht zu zögern, auch da, wo prophetische Zukunftsschau sich als Naherwartung äußerte, die objektiv den Ereignissen vorgriff und insofern „falsch" war, dennoch eine Erwartung zu sehen, die sachlich auf die Wirklichkeit des Neuen Testamentes ging und deshalb auch in dessen Sinn echte Eschatologie genannt werden muß.

Dagegen kann die am unteren Rand des Alten Testaments auftretende transzendente Erwartung der Apokalyptik nicht ohne weiteres in unserem Sinne eschatologisch genannt werden. An ihr ist gerade die Kritik anzubringen, die das Neue Testament an jeder Apokalyptik anbringt. Das Heil ist nicht völlig transzendent. Die Welt muß nicht zusammenbrechen, ehe eine neue erscheint. Der Menschensohn erscheint nicht nur in Herrlichkeit vom Himmel her, sondern zunächst in der Schwachheit unseres Fleisches. Der Menschensohn muß zunächst einmal leiden und sterben, dann erst wird er am dritten Tage auferstehen. Natürlich: im Maße, in dem das Neue Testament die Apokalyptik nun auch wieder aufnimmt und ihr echten Aussagewert zuerkennt, kann man die alttestamentlichen Ansätze zur Apokalyptik auch wieder in unserem Sinn eschatologisch nennen.

So bleibt nur noch die Frage der Zukunftserwartung, die mit dem Bundeskult selbst gesetzt war: das Stehen in der Heilsgabe, das zugleich ein Wissen um das Noch-nicht-Besitzen dieser Gabe war, aber doch so, daß die Zukunft nicht als etwas die Gegenwart grundsätzlich Übersteigendes empfunden werden mußte. Hier dürfte noch keine Eschatologie im Sinne der neutestamentlichen Bestimmung vorliegen. Es fehlt gerade das Bewußtsein, das Eigentliche müsse erst noch kommen. Allerdings ist hier alles auf eine sich entwickelnde Eschatologie hin offen. Es handelt sich um eine Vor- und Rahmenform für eschatologische Erwartung. Und sie hat ja zweifellos echte Formen der Eschatologie aus sich heraus entlassen. Soweit allerdings Menschen in ihrer Offenheit verbleiben wollten und gerade nicht den Ruf hören wollten, sich einer größeren Zukunft zu verschreiben, konnte man aus ihr auch eine Gegenfigur zur Eschatologie machen.

Bibel und Leben. 9 (1968), S. 57—81.

PROPHETIE UND ESCHATOLOGIE
IN DER NEUEREN
ALTTESTAMENTLICHEN FORSCHUNG*

Von WOLFGANG KÖHLER

Das Wort Eschatologie taucht in der alttestamentlichen Wissenschaft erst gegen Ende des vorigen Jahrhunderts auf. *Hugo Greßmann* gebraucht es erstmals im Titel seines Buches: ›Der Ursprung der israelitisch-jüdischen Eschatologie‹ (Göttingen 1905). Zwar sprach man von Messianismus, von messianischen Weissagungen oder Prophetien, von Heils- oder Heilandserwartung usw. — *Julius Wellhausen* und einige seiner Schüler suchten die Probleme entwicklungsgeschichtlich und literarisch zu klären; sie ließen einen Teil der Zukunftserwartung „in der durch die Geschichte krankhaft gewordenen Volksphantasie" wurzeln. — Mit *H. Gunkel*[1] und *H. Greßmann*[2] erhielt die Diskussion neue Aspekte und Hypothesen. Greßmann sieht das wichtigste Ergebnis seiner Untersuchung darin, „daß die Eschatologie der Vorläufer der Prophetie ist, nicht umgekehrt, wie Wellhausen und seine Anhänger behaupten ... Die Eschatologie beruht von Anfang an auf einer, durch die historischen Ereignisse zwar modifizierten, sonst aber längst fertigen Eschatologie" (Ursprung, S. 151 f.). „Unheil und Heil, zwei stark beschädigte Säulen, sind die allein übriggebliebenen Reste des alten Tempels (der Eschatologie) und zeugen noch von der entschwundenen Pracht" (Ursprung, S. 238). Nach Greßmann ist also die Eschatologie älter

---

* Der Beitrag ist ein stark gekürztes Kapitel einer wissenschaftlichen Zulassungsarbeit für das 2. theol. Abschlußexamen 1967. Das Thema erhielt ich von Herrn Prof. Dr. Botterweck, dem ich für mannigfache Hilfe und Anregungen herzlich danke.

[1] Schöpfung und Chaos in Urzeit und Endzeit, Göttingen ²1921.
[2] Der Ursprung der israelitisch-jüdischen Eschatologie, Göttingen 1905.

als die kanonischen Propheten, ihre mythologischen Motive lassen
infolge ihrer Verwandtschaft mit dem babylonischen Schöpfungs-
mythos auf ausländischen Ursprung schließen. Die Parallelität von
Urzeit und Endzeit finden in der vorderorientalischen Weltjahrs-
spekulation ihre Erklärung.

E. Sellin [3] sucht die These Greßmanns zu korrigieren und weiter-
zuführen. „Der Ursprung der ganzen alttestamentlichen Eschatologie beruht in der Offenbarungstat vom Sinai, durch die der Keim zu
der Hoffnung eines künftigen Erscheinens Jahwes zwecks Antritts
des schrankenlosen Weltregiments in das Herz des Volkes hineingesenkt wurde!" (Prophetismus, S. 148). „Israels Heiland ist durch
den ganzen Verlauf der alttestamentlichen Geschichte der Doppel-
gänger des Unheil und Heil dermaleinst bringenden Weltgottes"
(Prophetismus, S. 181). Das von Sellin entwickelte System wurde
von zahlreichen Exegeten (Eichrodt, Caspari, Bleeker u. a.) übernommen und weitergeführt.[4] Einen bedeutsamen Beitrag lieferte
der katholische Exeget L. Dürr [5]: Das Sinaiereignis reicht nicht hin,
um den Ursprung der Eschatologie zu klären; der Glaube an Jahwe
sei die Quelle der Eschatologie und des Messianismus.[6] Dürr weist
die eschatologischen Erwartungen Israels als Proprium Israels nach,[7]
die weder in Babylon noch in Ägypten zu finden seien. Vielmehr
handelt es sich bei den als Parallelen angesehenen Texten um vatici-
nia ex eventu. Allerdings ist die Herleitung der Eschatologie aus
dem Wesen Jahwes als des Helfers seines Volkes nicht ganz befrie-

---

[3] Die israelitisch-jüdische Heilandserwartung, 1909; ders., Der alttestamentliche Prophetismus, Leipzig 1912.

[4] W. Eichrodt, Die Hoffnung des ewigen Friedens im alten Israel: Beiträge zur Förderung der christlichen Theologie, XXV (1920). — W. Caspari, Die Anfänge der alttestamentlichen Weissagung, in: Neue kirchl.
Zeitschrift 1920, S. 455—481.

L. K. H. Bleeker, Over inhoud en oorsprong van Israels heilsverwachting, Groningen 1921.

[5] L. Dürr, Ursprung und Ausbau der israelitisch-jüdischen Heilandserwartung, Berlin 1925.

[6] Vgl. Bleeker, a. a. O., S. 26. Hier stellt Bleeker heraus, daß der
Name Jahwe selbst einen äußerst eschatologischen Sinn hat.

[7] S. Mowinckel, Psalmenstudien II, Kristiana 1922.

digend, da das Alte Testament ja über das Wesen Jahwes fast gar
keine Aussagen macht. Rohland (s. u., S. 289) weist mit Recht darauf
hin, „daß Dürr zur Beschreibung dieses Wesens Jahwes ständig die
alttestamentlichen Zeugnisse von seinem Eingreifen in die Geschichte seines Volkes heranziehen muß". Schließlich soll noch kurz
auf S. *Mowinckel*[8] hingewiesen werden: Ausgehend von der durch
V. Grönbech begründeten Theorie, der Kult bilde das Zentrum aller
alten Religionen, sucht er die Eschatologie in Israel vom Kult her zu
erklären. Die eschatologischen Erwartungen liegen zwar auch für
ihn — wie bei Sellin — in der Hoffnung auf den zukünftigen Herrschaftsantritt Gottes, doch gründe sich nach ihm diese Hoffnung
nicht auf die Sinaioffenbarung, sondern sei in einer Entwicklung zu
suchen, die vom Thronbesteigungsfest Jahwes ausgehe. Das Neujahrsfest habe jedoch mit der Zeit seine Wirkung verloren, da „die
trüben Erfahrungen des Lebens immer das durch die Thronbesteigung inaugurierte Jahr weit hinter den hochgespannten und idealen
Erwartungen, die die Ekstase des Festes genährt hatte, zurückblei-
ben ließen" (S. 317). Das Schisma und die politischen Enttäuschungen kontrastierten mit dem Sinn des Festes. Israel habe aber nicht
den Glauben verloren, „ein zu großen Taten und einer herrlichen
Zukunft erwähltes, mit einem großen Segen gesegnetes Volk zu
sein" (S. 320). „Was dieser Glaube nicht von der Gegenwart haben
könne, müsse und solle er in der Zukunft, womöglich der nächsten,
haben. So sei der heißhungrige, lebensdurstige Glaube eschatologisch
geworden" (Rohland, S. 10). Abgesehen von dem hypothetischen
Neujahrsfest ist auch die Erklärung der geschichtlichen Motive (z. B.
Exodus) als Historisierung des jedes Jahr wiederholten Mythos
unbefriedigend. Die Enttäuschung des Volkes über das Versagen des
kultischen Erlebens ist auch kein hinreichender Grund für die Ent-

---

[8] A. J. Wensinck, The Semitic New Year and the Origin of Eschatology,
in: Acta Orientalia I, 1923, S. 158 ff. G. v. d. Leeuw, Urzeit und Endzeit, in:
Eranos-Jahrbuch XVII, 1949 (1950); H. Schmidt, Die Thronfahrt Jahves
am Feste der Jahreswende im alten Israel, Tübingen 1927; vgl. auch seinen
Artikel in: Theologische Literaturzeitung 1924, S. 77—81; M. Eliade, Der
Mythus der ewigen Wiederkehr, deutsch von G. Spaltmann, Düsseldorf
1935.

stehung der Eschatologie —. Mowinckel vermag wohl einzelne
Elemente der Eschatologie zu erklären, aber gerade nicht den Gesamtkomplex der eschatologischen Vorstellungen. Ähnliches gilt für
ähnliche Versuche von A. Wensinck, G. v. d. Leeuw, H. Schmidt,
M. Eliade u. a.

Nach diesem an markanten Forschern des Alten Testaments dargestellten geschichtlichen Überblick des Problems der Eschatologie
besonders bei den Propheten wenden wir uns jetzt der jüngeren
Vergangenheit zu. Die bisher beherrschende Frage nach dem Ursprung der Eschatologie tritt in den letzten 15—20 Jahren etwas in
den Hintergrund, und man fragt nun einerseits grundsätzlicher danach, was Eschatologie überhaupt ist, wobei man zum Teil auch
Stufen der Eschatologie herauszuarbeiten versucht, andererseits
erforscht man das Wie der eschatologischen Aussagen und ihre
Verwurzelung in alten Traditionen. Daneben versucht man außerdem, eschatologische Aussagen in einer Art Katalog zusammenzustellen.

Immer wieder werden die heutigen Aussagen über die Eschatologie im Alten Testament und bei den Propheten, vom Begriff
Eschatologie selbst ausgehend, in zwei Gruppen eingeteilt.[9] Manche
gebrauchen die Eschatologie in einem engeren Sinn, wie etwa Hölscher, Fohrer, Mowinckel u. a., andere in einem weiteren Sinn, wie
etwa Pidoux, Davidson, Galot, Volz u. a.

Diese Einteilung ist berechtigt, um eine äußere Ordnung im Wald
der Meinungen zu finden, doch genügt sie nicht, um dem gerecht zu
werden, was die einzelnen Forscher an Besonderem bringen. Daher
wird eine andere Einteilung versucht, die dem Kern des Problems
näherzukommen scheint. Bei aller Vielzahl der vorgetragenen Auffassungen, und fast jeder Forscher hat seine eigene, meine ich doch,
drei Gruppen unterscheiden zu können, die sich zwar oft nicht ausschließen und sogar gegenseitig beeinflussen und überschneiden,
deren Akzentsetzung jedoch die folgende Gruppierung rechtfertigt.

---

[9] K.-D. Schunck; in etwa auch Vriezen, Bright u. a.

1. Eschatologie als inhaltsbestimmte Lehre

Zur ersten Gruppe zähle ich alle die Forscher, die den Akzent hauptsächlich auf den Inhalt der Eschatologie legen und versuchen, das Gebäude dieser Lehre möglichst ausführlich und detailliert darzustellen.

G. *Pidoux*[10] sieht eine Fülle von eschatologischen Formulierungen bei den Propheten, die nach ihm das Ende der Welt betreffen. Er geht sogar so weit, sechs Formeln anzugeben, die einem Aussagestück eschatologisches Gepräge gäben. Als diese eschatologischen Formeln zählt er folgende auf (S. 14 f.):

1. An jenem Tage
2. In jenen Tagen (besonders von Jeremia bevorzugt)
3. In jener Zeit
4. In jenen Tagen und in jener Zeit
5. Siehe, es kommen Tage
6. Am Ende der Tage

In einem zweiten Kapitel über ›Die Erscheinungsweisen des kommenden Gottes‹ (S. 16—24) versucht er, näher zu bestimmen, was er als Herz der israelitischen Eschatologie bezeichnet („die Vorstellung von der Rückkehr Gottes am Ende der Zeiten"), und gliedert diese endzeitliche Theophanie nach den verschiedenen Erscheinungsweisen Gottes, des Herrn des Gewitters, des Kriegers, des Richters, des Königs, des Vaters, die alle ihren Höhepunkt fänden im Bild vom Hirten.

Im vierten Kapitel (S. 39—48) stellt er die eschatologischen Ausdrücke und Bilder zusammen, unter die er folgendes zählt:

1. Der Tag Jahwes
2. Der Rest
3. Die große Wende der Dinge
4. Am Ende der Tage
5. Eine dem Paradies entsprechende Fruchtbarkeit
6. Die Rückkehr der Zeiten Moses
7. Die Rückkehr der Zeiten Davids

Mit der Aufzählung des von Pidoux zusammengestellten eschato-

---

[10] G. Pidoux, Le Dieu qui vient, Neuchâtel 1947.

logischen Materials ist es schon deutlich geworden, auf wen er sich bezieht, nämlich auf H. Greßmann, der in seinem ersten Hauptteil: Die Unheilseschatologie, auch auf die verschiedenen Jahwetheophanien eingeht und die eschatologischen Bilder besonders im zweiten Teil: Die Heilseschatologie (S. 193—365), herausstellt. Pidoux beruft sich auf das von Greßmann geprägte Bild und schreibt (S. 49): „Um die neue Ausrichtung zu charakterisieren, die die Propheten diesem (eschatologischen) Glauben gegeben haben, hat man an das sehr glückliche Bild von der Orgel erinnert." Dabei muß allerdings auch anerkannt werden, daß Pidoux gegenüber Greßmann viele Verbesserungen anbringt, indem er z. B. die Eschatologie im wesentlichen auf einen innerisraelitischen Kern zurückzuführen sucht, auf die Tatsache, daß Gott wiederkommen wird, der einzige durchgehende Zug der alttestamentlichen Eschatologie (S. 53). Gegen Ende seiner Arbeit hat er auch viele gute Ansätze, die später von manchen aufgenommen werden; doch der Akzent liegt bei ihm auf der Inhaltsdarstellung der Eschatologie, womit er zum Ausdruck bringt, daß Eschatologie für ihn in gewisser Weise Lehre von den letzten Dingen bedeutet.

Auch in dem Artikel ›Eschatology‹ von *A. B. Davidson* [11] steht der Inhalt der Eschatologie im Mittelpunkt der Betrachtung. Er unterscheidet die „Eschatologie des Volkes" als vorherrschende Idee von der „Eschatologie der einzelnen Person" und bestimmt die „Eschatologie des Volkes" näherhin als „die Lehre von der Vollendung der Königsherrschaft Gottes auf Erden" (S. 735), die „Eschatologie der einzelnen Person" als „die Lehre von der Unsterblichkeit" (S. 735). Besondere Züge, die zum eschatologischen Bild gehören, sind nach Davidson (S. 735—738):

1. Der Tag Gottes
2. Israels Wiederherstellung im eigenen Land
3. Die spirituelle Vollkommenheit und das Glück des Volkes, begründet durch den bei ihnen in seiner Fülle gegenwärtigen Gott.
4. Die Beziehung der Nationen zu Israel und seinem Gott.

[11] A. B. Davidson, Eschatology, Dictionary of the Bible, Bd. I, S. 734 bis 741.

Neben der schon oben gegenüber Pidoux erhobenen Frage, ob Eschatologie im Alten Testament und bei den Propheten wirklich so als eine Lehre von den letzten Dingen anzusehen ist, wäre Davidson noch entgegenzuhalten, ob eine Eschatologie des Individuums nicht ein Widerspruch in sich ist. Ähnliches sagte schon Paul Volz,[12] der „Eschatologie als die Lehre von den letzten Dingen versteht, sofern sie als einheitliche Akte oder Zustände die Gemeinschaft betreffen, Volk oder Welt,"[12] die Eschatologie des einzelnen aber bewußt ausschließt.

Auch *J. Steinmann*[13] versucht in gewisser Weise, die Eschatologie inhaltlich zu bestimmen, indem er von messianischen Themen spricht wie z. B. dem neuen Bund, der Unterdrückung des Krieges, dem ewigen Frieden, einer Zeit der Sicherheit, der Gerechtigkeit und des Rechts, der Liebe und Gotteserkenntnis, einer Zukunft der Treue und der unendlichen Fruchtbarkeit (S. 232 ff.).

A. Neher[14] nimmt hinsichtlich der Eschatologie die Anregung von Gunkel wieder auf und sieht die Eschatologie inhaltlich bestimmt von der Urzeit. Er schreibt: „Die Absolutheit Gottes findet sich am Ende der Zeiten wieder. Die Geschichte erlischt, die Schöpfung verschwindet: Es bleibt nur Gott in seiner Nicht-Zeit. Das ist das Schema des Endes, das als Eschatologie die Wiedergabe der Kosmologie des Ursprungs darstellt" (S. 131 f.). „Dem reschit yamim, dem Beginn der Tage, entspricht der acharit yamim, ... das Ende der Tage" (S. 137 f.). „Die neue Geschichte besteht im Wiederaufleben der alten Geschichte."[15] Hätte Neher diese letzte Aussage nicht so affirmativ inhaltlich formuliert, sondern mehr die formale Seite, d. h. das Wie der neuen Geschichte betont oder noch besser das Wie der Aussagen über die neue Geschichte, wäre er weitergekommen und hätte gewiß ähnliche Erkenntnisse gewonnen wie Rohland, auf dessen Arbeit weiter unten eingegangen werden soll.

[12] P. Volz, Die Eschatologie der jüdischen Gemeinde im neutestamentlichen Zeitalter, Tübingen 1934, S. 1.

[13] J. Steinmann, Le prophétisme biblique des origines à Osee, Paris 1959.

[14] A. Neher, L'essence du prophétisme, Paris 1955.

[15] A. a. O., S. 260. Ähnlicher Auffassung ist auch Jakob, wenn er schreibt: „Die Eschatologie ist eine Rückkehr zu den Ursprüngen, aber mit

Zur ersten Gruppe zählen teilweise noch E. Jacob[16], A. Jepsen[17],
J. Galot[18] und J. Bright[19].

2. Stufen und Arten der Eschatologie

Während die erste Gruppe den Akzent besonders auf die objektive Seite der Eschatologie legte, nämlich ihren Inhalt, und eine
Lehre von den letzten Dingen[20] zu geben versuchte, wendet die
zweite zu erwähnende Gruppe ihre Aufmerksamkeit besonders der

einigen darüber hinausgehenden Zügen, die bei der ersten Schöpfung
fehlten" (S. 115).

[16] E. Jacob spricht von den „Zukunftsvisionen", von den „Gaben des
neuen Zeitalters" (S. 266), von der „Begründung des göttlichen Königtums
über die Welt" (S. 89), vom „endgültigen Heil der Menschheit" (S. 120)
und vom „Tage Jahwes" (S. 185).

[17] A. Jepsen, in: ³RGG II, S. 655—662. Er spricht auch von Haupt-
motiven der Eschatologie wie Gericht und Heil, dem Tag des Herrn am
Ende der Tage als Tag des Zornes, der Rache, aber auch der Hilfe und des
Heils, von den dazugehörenden Naturereignissen, von innerer Erneuerung
und äußerer Wiederherstellung durch Sammlung in Ruhe, Sicherheit, Gerechtigkeit, Wohlstand bis zum Heil von kosmischem Ausmaß. Auf die
Verbindung der innerlich religiösen Worte mit den materiellen Gütern
weist besonders hin: A. Hülsbosch, L'attente du salut d'après l'Ancien
Testament, in: Irénikon 1954, S. 4—20.

[18] J. Galot, in: Dictionnaire de Spiritualité ascétique et mystique IV,
1020—1059. Er nennt als eschatologische Themen vor allem: „Volk der
Zukunft; verheißenes Land; Führer, Retter, König der Zukunft", und das
alles innerhalb des „Rahmens des Bundes".

[19] J. Bright, in: Dictionary of the Bible, Edinburgh ²1963, S. 265—266:
„Obwohl der Terminus (Eschatologie) kein biblischer Terminus ist, bezieht
er sich auf solche Dinge wie den Vollzug des göttlichen Plans in der Geschichte, das Endgericht, den Zustand des einzelnen nach dem Tode und
dergleichen" (S. 265). Allerdings dringt er bei seinen weiteren Ausführungen nach dieser Bestimmung in der allgemeinen Einleitung weiter vor,
so daß wir ihn später noch einmal näher erwähnen müssen.

[20] J. Lindblom, Prophecy, S. 360, geht sogar so weit, hinsichtlich dieser
Auffassung zu sagen: „Wenn Eschatologie eine Lehre vom Ende der Welt

Struktur der eschatologischen Aussagen, dem Wie, den Stufen und Arten der Eschatologie zu.

Als Hauptvertreter dieser Gruppe sehe ich Lindblom und Vriezen an. Beide befassen sich direkt mit dem Thema dieser Arbeit und drücken das auch schon in der Überschrift ihrer Artikel aus.

J. Lindblom [21] stellt zunächst die Verwirrung heraus, die in der alttestamentlichen Forschung hinsichtlich der Eschatologie besteht (S. 79). Als die beiden extremen Pole in der Skala der Meinungen nennt er einerseits Paul Volz, der alle Propheten für Eschatologiker hält, andererseits R. H. Pfeiffer [22], der den Ausdruck Eschatologie vermeidet und von dem poetischen Hochflug und der hemmungslosen Phantasie der Propheten spricht. Lindblom versucht einen neuen Ansatz. Dabei weist er zunächst mit Recht darauf hin, daß nicht die Etymologie des Wortes zugrunde gelegt werden dürfe, wenn man nach einer etwaigen Eschatologie der Propheten frage. [23] Vielmehr bietet seiner Ansicht nach „der Gedanke von den zwei Zeitaltern den besten Ausgangspunkt" (Eschatologie, S. 80). Wenn von den beiden Zeitaltern auch erst in der jüdischen Apokalyptik explizit die Rede sei, [24] sieht Lindblom das Gemeinte selbst schon bei den Propheten getroffen und führt, als die kommende Terminologie vorbereitend, den Ausdruck $b^{e\supset}ah^{a}rît\ hajjāmîm$ an (S. 81). Die Propheten sprächen des öfteren von einer Zukunft, die ganz anders sei und damit „ganz und gar aus dem normalen geschichtlichen Geschehen falle und einen ganz neuen Zustand bringe" (S. 81). So bestimmt Lindblom in einer Art Definition: „Als eschatologisch sind nun, meiner Meinung nach, solche Aussagen zu bezeichnen, die auf

und der Menschheitsgeschichte ist, dann gibt es überhaupt keine Eschatologie bei den alttestamentlichen Propheten."

[21] Lindblom, Gibt es eine Eschatologie bei den alttestamentlichen Propheten?, in: StTh (1952), 79—114 [in diesem Bd. S. 31—72; die im folgenden aufgeführten Belegstellen beziehen sich auf die Seiten des Originals; auf die Angabe der Seiten dieses Bandes wurde verzichtet].

[22] R. H. Pfeiffer, Introduction to the Old Testament, New York 1941 (1957), S. 462—480.

[23] Vgl. A. W. Argyle, The Hibbert Journal 51 (1953), 385 ff.

[24] Vgl. Sasse, in: ThWNT I, 197—209.

eine Zukunft hindeuten, wo die Verhältnisse der Geschichte, bzw.
der Welt, so verändert werden, daß man wirklich von einem neuen
Zustand der Dinge, von etwas *ganz anderem* reden kann" (S. 81).

Allerdings ist sich Lindblom dabei der Schwäche seiner Definition
bewußt und weist selbst auf ihren rein positiven Charakter hin,
indem er kein spezielles Kennzeichen der Eschatologie auszumachen
für möglich hält, auf das sich alle Forscher einigen könnten. Es
gebe eine fließende Zone zwischen dem gewiß Eschatologischen und
dem bestimmt Nicht-Eschatologischen, zwischen Aussagen poetischen
Hochflugs und solchen, die wirklich das neue Zeitalter meinen. Hier
will Lindblom sich einer besonderen Hermeneutik bedienen, nämlich
„in solchen Fällen komme man mit Nachfühlung und Intuition
weiter als mit nüchternen philologischen und motivgeschichtlichen
Feststellungen" (S. 82).

Im Zusammenhang mit der Eschatologie lehnt er außerdem Begriffe wie ‚übergeschichtlich, supranatural, wunderbar, transzendent'
als wenig besagend ab. Hinsichtlich des Inhalts hält er es für unan-
gemessen, Ereignisse anzugeben wie restitutio in integrum, Katastrophen, Universalumwandlungen, kosmologische Umstürzungen
als charakteristisch zu bezeichnen. Zwar könne man Eschatologie
durchaus enger fassen, doch da sich der Terminus so fest eingebürgert
habe, ziehe er es vor, „eine Definition zu formulieren, die etwas
Wesentliches in allem, was man Eschatologie nennt, trifft und zugleich für die Eigenart der prophetischen Verkündigung paßt"
(S. 82).

Bevor er zur Bestimmung der Eschatologie in ihren Formen und
an den einzelnen Stellen übergeht, stellt er eine Reihe exegetischer
Fehlgriffe heraus, die leicht dazu führen könnten, Drohworte bzw.
Heilsweissagungen sogleich als eschatologische Aussagen aufzufassen
(S. 83 ff.). Die Fehlgriffe beruhten nach ihm auf falscher oder
zweifelhafter Einzelexegese,[25] auf dem Orakelstil,[26] auf der Verwechslung von Theophanien und eschatologischen Gerichtskatastrophen, auf der Mythologisierung geschichtlicher Ergebnisse, auf den
Schrecken in den prophetischen Gerichtsschilderungen, auf der visio-

---

[25] Z. B. Jer 4, 23—26; Am 5, 18.
[26] Z. B. Am 5, 27; 6, 14; 7, 17; Jes 7.

nären und poetischen Art der Schilderungen, auf der Eigenart, daß man die in manchen Aussagen vorkommenden mythologischen und phantastischen Motive in der echten Eschatologie und Apokalyptik wiedergefunden hat.

Lindblom geht von dem Grundgedanken der zwei Zeitalter aus, um die Eschatologie zu bestimmen. Dabei unterscheidet er bei den Propheten zwei verschiedene Hauptmotive, einerseits die *neue Menschheit* bzw. die *neue Welt*, zu bezeichnen als universale Eschatologie, andererseits das *neue Israel*, zu bezeichnen als nationale Eschatologie (S. 88).

Der Ursprung der *universalen Eschatologie* liegt bei Jesaja (näherhin Jes 2, 10—21), der auf Grund „seines Glaubens an die erhabene Majestät Jahwes als eines Weltgottes und seiner Gewißheit, daß alles, was eine Kränkung dieser göttlichen Majestät bedeute, sei es Hochmut und Hybris, sei es Abgötterei, dem endgültigen Gericht anheimgefallen sei" (S. 89), diese universaleschatologische Perspektive eröffnet.[27] In diesem Rahmen der universalen Eschatologie nimmt Lindblom auch zu einigen besonderen Fragen Stellung. In bezug auf das Wie des Weltgerichts schreibt er: „Der Handelnde ist Jahwe selbst, die Art seines Handelns ist immer wunderbar und übernatürlich" (S. 96). Im übrigen habe das Gericht nichts Juristisches an sich, vielmehr sei es ein strafendes Handeln Gottes auf Grund der Bosheit der Menschen (Götzendienst, Hochmut, Stolz) mit dem Ziel, seine Hoheit und Heiligkeit zu behaupten. Dies alles sieht Lindblom zusammengefaßt im Begriff des Tages Jahwes (S. 97).

Neben dieser einen Seite der universalen Eschatologie, d. h. dem allgemeinen Weltgericht, stehe noch die andere Seite, nämlich „die Unterwerfung der Menschheit unter Jahwe, den Gott Israels und der Welt".[28]

[27] Hierher gehören nach Lindblom folgende Stellen: Jes 3, 13; 14, 24—27; 18, 1—6; 28, 22; Zeph 1, 2—3; 1, 14—18; 3, 8; nachexilisch: Jes 10, 21—23; 13; 30, 25; 34; Mich 1, 2; 5, 14; 7, 13; Ob 15—16; Joel 4; Sach 11, 1—3; 12, 1—3; 14, 1—3. 12—15. 17—19; Mal 3, 19; Jes 24—27.

[28] A. a. O., S. 97; hier gibt Lindblom folgende Stellen an: Jes 2, 2—4; 11, 10—11; 17, 7—8; Zeph 2, 11; 3, 9; Hab 2, 14; Jer 3, 17; 12, 15—17; 16, 19—21; Sach 2, 15; 8, 20—23; 14, 16; Jes 56, 7; 66, 23.

Eine Sonderstellung weist er in diesem Zusammenhang Deuterojesaja zu, besonders dessen Gottesknechtsliedern [29] und den Weissagungen von der Bekehrung der Heiden.[30] Den Ursprung dieser Weissagungen überhaupt sieht er bei Deuterojesaja, und darum würden letztlich alle Weissagungen, die für die Heiden Heil voraussehen, auf Deuterojesaja aufbauen.[31] „Die universale Heilseschatologie ist also eine Schöpfung Deuterojesajas" (S. 100).

Als Ausdruck der *nationalen Eschatologie* bezeichnet Lindblom „alle die Stellen, wo das Gericht über Israel als ein Moment im universalen Menschheitsgericht dargestellt werde".[32] Die meisten Weissagungen der nationalen Eschatologie seien allerdings heilseschatologischer Natur.[33]

Im Restgedanken an sich sieht er keine eschatologische Aussage, wenn auch bisweilen ein „eschatologischer Anstrich" möglich sei (Jes 1, 27; 7, 21 f.).

Die Weissagung vom Immanuelkind hält er für nichteschatologisch, ebensowenig wie Jes 9, 1—6.

In Zeph 2, 9; 3, 11—17 lägen dagegen wieder eschatologische Aussagen vor.

Die bisher im Rahmen der nationalen Eschatologie behandelten Stellen verweist Lindblom in die vorexilische Zeit, während eine stattliche Zahl aus der Zeit des Exils stammten.[34]

Bei der Beurteilung Deuterojesajas hinsichtlich der nationalen Eschatologie betont er wieder sein grundlegendes Anliegen: „Ist Eschatologie eine Lehre vom Ende der Welt und der Menschheitsgeschichte, gibt es keine Eschatologie bei Deuterojesaja. Wenn man aber unter Eschatologie die Hoffnung auf ein neues Zeitalter versteht, wo alle Verhältnisse in etwas ganz anderes verwandelt sind,

---

[29] Lindblom, The Servant Songs in Deutero-Isaiah, S. 52 ff.

[30] Jes 45, 23; 51, 4—5; 55, 5.

[31] Jes 2, 2—4 = Mich 4, 1—4; Jes 11, 10—11; Zeph 3, 9 f.; Jer 3, 17.

[32] A. a. O., S. 100 f.; vgl. besonders Jes 3, 12—15; 28, 14—22; Zeph 1, 2 ff. usw.

[33] Vgl. Hos 3, 5; 2, 16—17; 14, 5—9; Jes 1, 24—28; 4, 2—6.

[34] Vgl. Jer 3, 14—18; 23, 3—8; 30—31; 32, 36—44; 33; 46, 27—28; Ez 11, 17—21; 16, 59—63; 17, 22—24; 20, 33—44; 28, 25—26; 34, 11—16. 23—31; 36; 37; 38, 1—39, 20; 39, 25—29; 40—48.

so ist das Buch Deuterojesaja vom Anfang bis zum Ende ein eschatologisches Buch." (S. 106) Die Hauptidee bei Deuterojesaja sieht Lindblom in der Rückkehr der Exulanten nach Art eines neuen, wunderbaren Exodus, in der Rückkehr Jahwes zum Sion und im neuen König. Damit berührt er einen für unser Thema ganz wesentlichen Punkt, auf den wir bei der dritten Gruppe noch eingehend zu sprechen kommen. — Tritojesaja bringe nichts Neues und folge in seinen Aussagen über die Welterneuerung im wesentlichen Deuterojesaja.

Nach einer Aufzählung der nach ihm nachexilischen Weissagungen der nationalen Eschatologie [35] und der nachexilischen Zufügungen [36] verweist er abschließend zur nationalen Eschatologie bei den Propheten noch einmal auf ihre Grundidee, nämlich „das in Übereinstimmung mit dem Erwählungsgedanken erneuerte Israel der idealen Zukunft" (S. 111), und bietet eine Art Katalog ihrer Hauptvorstellungen:

> Gericht über Gottlose und Übeltäter
> Rückkehr aus dem Exil und der Diaspora (2. Exodus)
> Rache an feindlichen Völkern
> Israels Triumph
> Wiedervereinigung von Israel und Juda
> Erweiterung der Grenzen
> Wiederherstellung von Davids Reich
> Vermehrung der Bevölkerung
> Hohes Lebensalter
> Wiederaufbau von Jerusalem und dem Tempel
> Fruchtbarkeit, Wohlstand, Segen, Glück, Freude
> Sicherheit, Friede, Idealer König, Ewiges Königtum
> Erneuerung des Volkes

[35] Vgl. Hag 2, 6—9. 23; Sach 1, 17; 2, 4. 8 f. 10—16; 3, 8—10; 4, 14; 5; 6, 1—8. 9—15; 8, 1—8. 11—13; 9, 9—17; 10, 3—12; 12—13, 6; 13, 8—9; 14, 10—11. 20—21; Joel 3, 1—5; 4, 16—21; Ob 17—21; Mal 3, 1—5; 3, 20—21. 23—24; Jes 25, 6—10 a; 26, 19; 27, 2—9. 12 f.

[36] Vgl. Am 9, 11—15; Hos 2, 1—3. 18—25; 11, 10—11; Jes 11, 1—9. 10—16; 14, 1—2; 16, 5; 29, 17—24; 30, 19—26; 32; 35; Zeph 3, 10. 16—20; Mich 2, 12—13; 4, 6—8; 5, 1—5. 6—7. 9—14; 7, 11—12; 7, 14—20.

Reue, Umkehr, Glaube, Sündenvergebung, Neues Herz, Ausgießung des Geistes Gottes

Gott als König und Schutzherr inmitten seines Volkes, Reine
Gemeinde in allgemeiner Heiligkeit mit reinem Kult

Neue Erwählung Jerusalems und Israels, Neuer Bund, Kosmische Phänomene

Abschaffung des Todes und

Auferstehung der toten Israeliten (S. 112).

Als Ergebnis seiner Untersuchung stellt Lindblom sechs thesen-
artige Sätze auf:

1. „Wenn man von Eschatologie bei den alttestamentlichen Propheten reden will, muß man das Wort in einem anderen Sinn
   nehmen als die christliche Dogmatik. Von einem wirklichen Ende
   dieser Welt haben wir im Alten Testament keine oder nur
   schwache Andeutungen. Ich befürworte, den Terminus Eschatologie da zu verwenden, wo von einem neuen Zeitalter mit
   radikal veränderten Verhältnissen im Vergleich mit der Gegenwart gesprochen wird" (S. 112).

2. „Das Wort Eschatologie soll man nicht gebrauchen, wenn die
   Propheten von einzelnen zukünftigen Ereignissen reden, die zu
   der jedesmal aktuellen Geschichte gehören, ohne ein ganz neues
   Zeitalter einzuleiten" (S. 112).

3. Die Grenze zwischen eschatologisch und nicht-eschatologisch sei
   nicht immer scharf zu ziehen, und es bestünden Übergangsformen.

4. Man könne unterscheiden zwischen universaleschatologischen
   und nationaleschatologischen Weissagungen, die sowohl selbständig als auch gemischt vorkämen.[37]

5. Beispiele für beide Formen seien in allen Epochen des alttestamentlichen Prophetismus zu finden. Dabei liege die „Motivierung des Menschheitsgerichts im Glauben an die Gerechtigkeit

---

[37] Steuernagel erscheint diese Einteilung nicht ausreichend und nicht
ganz dem Wesen der Sache entsprechend. Nach ihm muß man unterscheiden: a) nationale, b) individuale, c) universale Eschatologie, außerdem
noch, ob im Rahmen dieser Welt bleibend oder räumlich und zeitlich darüber hinausgreifend.

Jahwes als des Herrn der ganzen Welt" (S. 113), die der nationalen Eschatologie „im Glauben an die Erwählungsliebe Jahwes
zu Israel" (S. 113).

6. Die älteste Form der universalen Eschatologie sei die Gerichtseschatologie, während die Heilseschatologie erst später, wahrscheinlich durch Deuterojesaja, entstanden sei (S. 113).

Den Unterschied zwischen Eschatologie und Apokalyptik sieht
Lindblom nicht in den Motiven, vielmehr in der Darstellungsweise.
So sei Apokalyptik „geoffenbarte Geheimlehre eschatologischen
Inhalts" (S. 113).

Daß Lindblom aber auch eine andere Unterscheidung der Eschatologie als die oben genannte für möglich hält und sie sogar selbst
durchführt, das zeigen uns seine Ausführungen in Rom bei der
Tagung der Society for Old Testament Study (1952), wo er zwischen
einer historischen und einer kosmologischen Eschatologie unterscheidet.[38] 1963 nimmt Lindblom sogar nochmals zur Eschatologie Stellung und bleibt sich im Grundlegenden treu, indem er schreibt:
„Unser Ausgangspunkt muß eher die Vorstellung von den zwei
Zeitaltern als die vom Ende aller Dinge sein."[39] Doch unterscheidet
er hier neben den schon genannten beiden Paaren der nationalen
und universalen, der Heils- (eschatology of salvation) und Unheilseschatologie (eschatology of misfortune) noch zwischen einer positiven Eschatologie — Stellen, die das neue Zeitalter beschreiben —
und einer negativen Eschatologie — Stellen, die nur vom Ende
sprechen — (S. 361 f.). Es ist gewiß zu begrüßen, daß Lindblom
davor warnt, das Prädikat „eschatologisch" einer Aussage zu vor-
eilig zuzusprechen und es dadurch seines genauen Sinnes zu berauben, doch wäre zu fragen, ob „eschatologisch" überhaupt als zu
attribuierendes Prädikat angesehen werden kann. Ist Eschatologie
nicht viel mehr als nur in einigen Aussagen ausgedrückte Weissagung
eines besonderen Inhalts? Es ist ihm gegenüber auch der Einwand zu

---

[38] Vgl. Th. C. Vriezen, Prophecy and Eschatology, in: VTS I (1953),
199—222 [dt. in diesem Bd. S. 88—128; die im folgenden aufgeführten Belegstellen beziehen sich auf die Seiten des Originals; auf die Angabe der
Seiten dieses Bandes wurde verzichtet], hier 200.

[39] Lindblom, Prophecy, S. 360.

erheben, ob er zu Recht den Propheten vor Jesaja jede Heilseschatologie abspricht, wie er es ausdrückt z. B. für Amos: „Die authentischen Offenbarungen des Amos zeigen keine Spuren einer positiven
Eschatologie und noch viel weniger von einer glücklichen Zukunft
für Israel" (Prophecy, S. 361 f.) oder für Amos und Hosea: „Ob
Amos und Hosea irgendeine Vorstellung einer besseren Zukunft für
Juda hatten, ist völlig unklar. Ihre authentischen Äußerungen
machen darüber keine Andeutung (ebd., S. 374, Anm. 162).

In bezug auf Lindbloms Urteil über Jesaja brachte schon Wildberger seine Kritik vor: „Entweder verzichten wir hinsichtlich eines
Propheten wie Jesaja überhaupt auf den Begriff Eschatologie, wozu
man gute Gründe ins Feld führen kann, oder man definiert ihn so
weit, daß er auch auf Jesaja noch anwendbar ist, wofür ebenso gewichtige Gründe namhaft gemacht werden können. Dann muß aber
zugestanden werden, daß die Botschaft Jesajas grundsätzlich und
durchgehend eschatologisch ausgerichtet ist."[40] In dieser Sicht erscheint ihm der Versuch Lindbloms, zwischen die Zukunft betreffenden Worten der Propheten und solchen, die eschatologisch sind, zu
unterscheiden, grundsätzlich falsch.

Als zweiter Vertreter dieser zweiten Gruppe wurde schon *Th. C.
Vriezen*[41] genannt, der allerdings in manchem schon weit über die
Einordnung in diese zweite Gruppe, wo auf Stufen und Arten der
Eschatologie der Akzent liegt, hinausgeht.

Vriezen bringt zunächst in einem ersten Kapitel ›Einige Bemerkungen zum Terminus Eschatologie‹ (S. 200—203) und zeigt die
interessante Geschichte des Wortes Eschatologie, wie es seinen ursprünglichen Ort in der Dogmatik hat als Übersetzung von De
Novissimis und dann auch in der Religionsphänomenologie, der
Religionsgeschichte und der biblischen Theologie[42] gebraucht wird.
Im zweiten Kapitel ›Das Material‹ (S. 203—220) folgt eine recht
aufschlußreiche Untersuchung der einzelnen Schriften der Propheten

---

[40] H. Wildberger, Jesajas Verständnis der Geschichte, in: VTS IX (1962)
83—117, hier 112, Anm. 4.

[41] Vriezen, Prophecy and Eschatology, in: VTS I, 1953.

[42] Zuerst wohl von D. Fr. Strauss, Glaubenslehre II, 1941: Die Lehre
von den letzten Dingen = Die biblische Eschatologie.

im Hinblick auf die Eschatologie. Treffend schreibt er von diesen unabhängigen Gottesmännern: „Ihre Haltung gegenüber der Religion ihres Volkes ist absolut positiv, und gerade deshalb ist ihre Haltung gegenüber dem Volke selbst ebenso absolut kritisch" (S. 203 f.). Die Aufgabe des Amos bestehe daher in der Zerstörung aller falschen Hoffnungen des Volkes, durch die aber gerade erst Wiederherstellung möglich werde. Hosea bringe ein ganz neues Element hinzu: „Die Bestimmtheit, mit der Gottes Gericht angekündigt wird, und die absolute Notwendigkeit der Bekehrung" (S. 207). Jesajas Heilshoffnung gehe noch weit über die des Hosea hinaus, während aber bei Hosea das ganze Volk kollektiv gerettet werde, seien es bei Jesaja nur einzelne, ein Rest, der das Gericht überlebe. Dieser Akt des Gerichtes Gottes erscheine Jesaja eigenartig unverständlich, ja sogar paradox, wie er es in der Parabel vom Bauern zum Ausdruck bringt (Jes 28, 23—29). Daher könne allein noch der Glaube bestehen. „Jesaja ist einerseits sicher, daß Israel (Juda) als Volk in seinen Tagen nicht länger von irgendeinem Wert ist und zugrunde gehen wird, andererseits glaubt er aber fest an die Zukunft seines Volkes, weil er weiß, daß Gott in Israel am Werke ist" (S. 215). — Micha ähnele sehr Jesaja und Amos, künde aber nun expressis verbis die Zerstörung des Tempels an. Jeremia spreche wahrscheinlich von keiner die Völker betreffenden Heilshoffnung (S. 215). Besonders stark betont sei bei ihm die Tendenz, das religiöse Leben immer mehr dem inneren Menschen zuzuschreiben. — Ezechiels Erwartung sei ganz auf Israel als zentrale Figur gerichtet, von dem aber nichts über eine universale Bedeutung ausgesagt werde, vielmehr gehe es um eine innere Erneuerung Israels nach einem Bruch, wobei die im Vergleich zu Jesaja und Jeremia größere Rolle der Vergangenheit auffalle. Seine ganze Hoffnung ist zusammengefaßt in der Beschreibung der Auferstehung vom Tode und erfahren als ein Wunder, „als ein neues, von Gott empfangenes Leben" (S. 216).

Von Deuterojesaja schreibt Vriezen: „Alles hat sich hier gewandelt" (S. 217). Das Heil, das er erwarte und schon teilweise inauguriert sehe, „übersteige bei weitem das, was man ein geschichtliches Ereignis nennen könne" (S. 217). Darauf weise auch der Gebrauch des Verbs *bārāʾ* hin. Darum sehe er neue Dinge kommen und sich

ereignen, die nie gewesen waren verglichen mit der Schöpfung (vgl.
Jes 51, 9 ff.), der Errettung aus Ägypten (vgl. Jes 52, 12), der Verherrlichung Jahwes (vgl. Jes 45, 23), seiner Herrschaft in Jerusalem
(vgl. Jes 52, 7 f.) und dem immerdauernden Bund (vgl. Jes 55,
3—5).

Vriezen ist mit Lindblom einverstanden zu sagen, „daß das, was
die Propheten erwarten, zur gegenwärtigen Geschichte gehöre" (S.
218), aber er glaubt, daß Lindblom der Botschaft des Propheten
nicht gerecht werde, wenn er sagt, „daß dies nicht das Ende der Geschichte sei, sondern ein neuer Akt des geschichtlichen Dramas".
Vriezen will „eher folgende Lesart vorschlagen: Der erneuernde Akt
des geschichtlichen Dramas. In anderen Worten: Was hier geschieht,
hat seinen Platz innerhalb des geschichtlichen Rahmens der Welt,
aber es ist etwas, was diese Welt endgültig verändert, und somit der
ʾaharit hajjamim, obwohl dieser Ausdruck von ihm (Deuterojesaja)
nicht gebraucht wird." [43]

Nach Vriezen würden diese hohen Hoffnungen von den späteren
Propheten übernommen, von Haggai, Sacharja und Tritojesaja,
deren Prophetien es nahelegten, in ihnen die Erwartung einer „absolut entscheidenden, neuen Situation in der Welt" zu sehen.[44] Bei
ihnen seien schon deutlich Elemente der späteren Apokalyptik festzustellen.[45] Bei Joel trete immer mehr das individuelle Heil in den
Vordergrund. Außerdem zeige uns das kosmische Element[46] an,
daß wir hier an der Grenze zur Apokalyptik stehen. „Die transzen-

---

[43] A. a. O., S. 218; in gewisser Weise geht auch der Versuch Vollborns
(Innerzeitliche oder endzeitliche Gerichtserwartung bei Amos und Jesaja?,
Diss. Greifswald 1938, S. 11 ff.) in diese Richtung, wenn er den Begriff
der Endgültigkeit einführt. Auch Bright (Eschatology, in: DB ²1963,
265 f.) tendiert in diese Richtung: „Obwohl die eschatologischen Erwartungen stets einen diesseitig weltbezogenen Kontext haben, werden sie
nicht dargestellt mit Begriffen einer Kontinuität … vielmehr als das Eindringen einer neuen und verschiedenen Ordnung in diese Welt." — Ähnlich auch H.-P. Müller (s. u.), S. 293.

[44] Vgl. Hag 2, 6—9. 20—23; Sach 2, 5—9. 10—17. 1—4; 8, 20—23;
Jes 65, 17—25; 66, 5—24.

[45] Vgl. Sach 8, 4 f.; Jes 65, 20. (65, 17 vermutlich).

[46] Vgl. Joel 3, 3 ff.; Jes 24, 21—23.

dentalisierenden Elemente der späteren Apokalypsen sind das
nächste Stadium" (Prophecy, S. 219). Bei allen bedeutenden Unterschieden zwischen Prophetie und Apokalyptik sei allerdings eine
deutliche Trennung nicht möglich.

Instruktiv sind seine „Folgerungen auf Grund des Materials"
(S. 220—223). Im Rückblick auf den israelitischen Prophetismus
sieht er zwei Höhepunkte: „Jesaja (umgeben von Amos, Hosea,
Micha) und Deuterojesaja, der eine am Eingang des dunklen Tun-
nels, den Israel passieren muß, der andere am Ende dieses Tunnels.
Der erste lebt in der Spannung der Erwartung, der letztere in der
Spannung der Erfüllung" (S. 220).

Die Linie von Amos bis zur Apokalyptik faßt Vriezen so zusammen:

Amos, „der erste, der die schreckliche Entdeckung des Niedergangs
des Volkes machte" (S. 222).

Hosea mit seiner „Gewißheit, daß Jahwe durch sein Gericht den
Weg zum neuen Verhältnis bahnen würde" (ebd.).

Jesaja, der „von Anfang an Gottes eigenartiges Wirken, das eine
schreckliche Drohung für das Auge des Glaubens aber ebenso eine
Verheißung enthält, hervorhob und davon Zeugnis ablegte"
(ebd.).

Deutero-Jesaja mit seinem Ruf: „Die Zeit der Erlösung ist gekommen, Jahwe regiert auf Sion, die Wunder beginnen, die Völkerwelt erhebt sich und hält Ausschau — Gott gibt eine neue Schöpfung" (S. 233).

Haggai und Sacharja (1—8) sähen dies, „Jerusalem als das Zentrum
der neuen Welt und als Thron der Königsherrschaft Gottes" (S.
223), sehr nahe gekommen.

Nach ihnen allerdings komme „die Enttäuschung über die Verzögerung, und dann werde die Königsherrschaft des Heils immer
mehr eine Sache der Zukunft; sie werde kosmisch und transzendent,
so daß eine neue Form der Eschatologie erscheine: die apokalyptische
Form" (S. 223).

In einer abschließenden Beurteilung (S. 223—229) betont er, es
gebe kein besseres Wort in unserem Vokabular, sei es phänomenolo-
gisch oder theologisch, um die Heilserwartung bei den Propheten
zu charakterisieren, als das Wort Eschatologie, wenn es auch wegen

seiner Vieldeutigkeit Einwände dagegen gebe. Prinzipiell könne man diesen Begriff in einem engeren oder weiteren Sinn gebrauchen. „In einem engeren Sinn kann man darunter nur die apokalyptische Form des ᶜolām hazzᵉ gegenüber dem ᶜolām habbā, oder des Lebens im Himmel gegenüber dem Leben auf Erden verstehen. In einem weiteren Sinn bezeichnet Eschatologie den Glauben, der von einer neuen Königsherrschaft weiß, von einer neuen Welt, sogar wenn dabei von keiner Zerstörung des Kosmos die Rede ist und wir sehen, daß alles innerhalb des Rahmens dieser einen Welt Gottes spielt" (S. 223).

Da bei dieser Frage ja immer auch zugleich das Problem von Zeit, Zukunft und Ewigkeit zumindest indirekt anklingt, behandelt Vriezen die entsprechende hebräische Terminologie mit ihrem eigenartig undifferenzierten Inhalt (ʾaḥᵃrît, qædæm, ᶜolām).

Von Carl Steuernagel [47] übernimmt er in gewisser Weise die Feststellung, daß bei der Eschatologie nicht die Entwicklung eines Systems verfolgt werden kann, wohl aber die Entwicklung einer Reihe von Einzellinien, die, aus verschiedenen Zeiten stammend, sich bisweilen miteinander verbinden, bisweilen auseinanderlaufen. So versucht er eine systematische Einteilung und Beurteilung der Eschatologie in Stufen und Arten. „In solch einem fließenden Sinn können wir in Perioden zur folgenden Einteilung der eschatologischen Vorstellungen gelangen":

1. *prä-eschatologisch,* vor den klassischen Propheten: „Diese Form kann nicht eschatologisch im eigentlichen Sinn genannt werden, da diese Erwartung nicht die Erneuerung der Welt betrifft, sondern Israels Größe. Ihre Tendenz ist eher expansiv-nationalistisch als spirituell ausschauend nach einer neuen, von Gott geschaffenen Welt; überdies ist sie ja auch eher in die Vergangenheit gerichtet als in die Zukunft. Dennoch kann man meiner Meinung nach diese Periode prä-eschatologisch nennen, um zum Ausdruck zu bringen, daß es schon in dieser Periode Elemente gab, die man in der nächsten Periode wiederfindet, und Themen, auf denen diese nächste Periode beruht. Ich denke dabei besonders an die Gewißheit Israels,

---

[47] C. Steuernagel, Die Strukturlinien der Entwicklung der jüdischen Eschatologie, Festschrift Bertholet, Tübingen 1950, S. 479—487.

Gottes Volk zu sein, eine Gewißheit, deren Hintergrund nicht nur im Kult, sondern besonders in der Geschichte liegt" (S. 226 f.).

2. *proto-eschatologisch*, Jesaja und seine Zeitgenossen: „Dies ist die Periode, in der die Schau eines neuen Volkes und einer neuen Königsherrschaft eine Rolle zu spielen beginnt, einer Königsherrschaft, die die ganze Welt ergreifen wird und die auf geistigen, von Gott herstammenden Kräften beruht. Ich würde sie gerne die Periode der erwachenden Eschatologie nennen; diese Königsherrschaft ist gewiß ein Eschaton, ,aḥarit', obwohl sie in der Geschichte erscheint" (S. 227).

3. *aktual-eschatologisch*, Deuterojesaja und seine Zeitgenossen: „Diese Periode möchte ich nennen: (sich verwirklichende) Aktual-Eschatologie: Die Königsherrschaft Gottes ist nicht nur gesehen als in Erscheinungen kommend, sondern sie ist als kommend erfahren. Die Welt ist dabei, verändert zu werden: Israel ist nun aufgerufen, ein Licht für die Welt zu sein, und die Nationen sind aufgerufen zu horchen, und das Volk glaubt an die sichere Ehre des Sion, des Berges des Tempels Gottes, wo jedes Knie sich beugen wird und alle Könige Israel wahre Huldigung zollen werden" (S. 227).

4. a) *transzendentalisierende* Eschatologie, „die Form der Eschatologie, in der das Heil nicht als in dieser Welt kommend erwartet wird, sondern entweder spirituell im Himmel oder nach einer kosmischen Katastrophe in einer neuen Welt". b) „neben (und in) dieser transzendentalisierenden Eschatologie bestehen die verschiedenen *geschichtlich eschatologischen Formen* im letzten Stadium weiter" (S. 225):

Das ist „die apokalyptische Periode der dualistischen Eschatologie. Aus verschiedenen Gründen, zuerst und besonders wegen der Enttäuschung nach solch hohen Hoffnungen, und auf Grund des Einflusses eines wachsenden Sinns der Distanz im religiösen Leben, eines Transzendentalisierungsprozesses, aber auch ebenso unter dem Einfluß der neuen Weltsicht des persischen Dualismus und hellenistischen Denkens wurden die ewige Welt Gottes oben und die Wirklichkeit auf Erden unten, die vernichtet werden muß, getrennt; die göttliche Welt wird transzendentalisiert, und das schließt mit ein, daß die Welt säkularisiert wird; Gott und die Welt werden getrennt. Der Unterschied zwischen dieser Periode der Eschatologie

und der vorhergehenden besteht nicht nur darin, daß die eine sich
innerhalb des Rahmens der Zeit verwirklicht und die andere nicht,
sondern es gibt auch einen Unterschied im Handlungsschauplatz und
der Person. Wir können immer sagen, daß zur Zeit der klassischen
Propheten (ebenso wie in der ersten Periode nach dem Exil) Einheit
von Ort, Zeit (diese Welt) und Handlung (der wirkliche Akteur
ist Gott) besteht. In der apokalyptischen Periode wird diese Einheit gebrochen; der Ort, wo die neue Königsherrschaft sich verwirklichen soll, ist verschieden, weil die Welt vernichtet werden
muß und eine neue Welt kommen wird; die Zeit ist verschieden,
weil wir hier in die Ewigkeit eintreten; und die Handlung ist auch
verschieden: Es gibt nicht nur das Handeln Gottes mittels der messianischen Gestalt, sondern es gibt zahlreiche Wesen, die tätig werden und vorbereitende Arbeit leisten, während der Messias der
Bringer des Heils wird" (S. 227 f.).

Auf Grund all dieser Aussagen beurteilt Vriezen die eschatologische Schau der Geschichte als ein spezifisch israelitisches Phänomen,
in dem man allerdings nicht einen Wunschtraum sehen dürfe,[48] sondern einen Ausdruck des echten, ursprünglichen, durch die Kritik
der Propheten von nationalistischen und säkularisierten Erwartungen gereinigten Jahwismus. Eschatologie sei dort entstanden, wo
die Propheten mit der Aktualität ihres eigenen Glaubens an Gott
konfrontiert wurden und wo sich dieser Glaubensrealismus kritisch
auf das Leben des Volkes richtete.[49]

Zunächst seien noch einige Forscher genannt, die etwas zur Frage
der Stufen und Arten der Eschatologie und ihrer Struktur beitragen
und damit zumindest zum Teil der zweiten Gruppe zuzurechnen
sind. Hier sei auf *Masao Sekine*[50] hingewiesen, der das eschatologische Denken der Propheten als dialektisch bezeichnet. Bei den
Propheten werde der Gott Israels zum Gott der ganzen Welt und
aller Völker und damit Israel ein Volk unter anderen, und doch

[48] So stellt es Mowinckel dar in seiner Hypothese von der enttäuschten
Hoffnung.
[49] A. a. O., S. 228; ähnlicher Auffassung ist auch Eichrodt, Theologie des AT, S. 205 f.
[50] M. Sekine, Erwägungen zur hebräischen Zeitauffassung, in: VTS IX
(1962) 66—82.

höre Israel nicht auf, Gottes Volk zu sein. „Dieses Paradox vollzieht sich durch die Existenz, oder genauer durch das existenzielle
Wort des Propheten, der als Individuum, das zwischen dem Gott
als Universalem und dem Volk als Besonderem steht, Gott und
Volk einmal gänzlich trennt, um beide wieder aufs neue zu verbinden. Das ist meiner Ansicht nach die Grundstruktur der alttestamentlichen Eschatologie, die eben das Zentrum der Prophetie ausmacht." „Die prophetische Eschatologie entsteht durch die negative
Meditation der zwischen Gott und Volk befindlichen Problematik
durch den Propheten" (S. 72). Mit dieser etwas überspitzt komplizierten Formulierung drückt Sekine eine richtige Beobachtung aus,
die nicht nur für die Eschatologie der Propheten, sondern für ihre
Verkündigung überhaupt charakteristisch ist. Zu nennen ist hier
auch *Hans-Peter Müller*[51]. Er wendet sich gegen E. Meyer, Gunkel,
Greßmann und von Gall und hält ihnen entgegen, daß Israels
Eschatologie nicht aus einer von außen übernommenen Natur-
mythologie entstanden sei, vielmehr aus dem Erleben der eigenen
Geschichte. Auch Mowinckels Herleitung der biblischen Eschatologie
aus dem Kult hält er für nicht zutreffend. Er sieht den Ursprung
der Eschatologie „im siegesgewissen Enthusiasmus eines seine geschichtlichen Triumphe feiernden Volkes, das den gegenwärtigen
Heilsbesitz als Unterpfand eines unmittelbar bevorstehenden endgültigen Zukunftsheils ansieht" (S. 291). „Sie stammt aus der kraft-
vollen Frühzeit Israels, der Davidsepoche, nicht aus der müden
Spätzeit nach dem Exil, wie dann auch nicht der transzendente,
‚metaphysische‘ Inhalt gewisser nachexilischer Weissagungen im Gegensatz zum ‚geschichtlichen‘ Charakter der vorexilischen Prophetie
für die Eschatologie charakteristisch ist." ... „Allerdings hat die
nachexilische Zeit einen spürbaren Strukturwandel der eschatologischen Hoffnung gebracht: das eigentliche Motiv der Hoffnung ist
nun nicht mehr das vitale Geschichtserleben der Frühzeit, in dem
sich der Glaube der Zukunft seines Gottes unmittelbar gewiß wurde,
sondern lediglich der gegen den lähmenden Pessimismus der Gegenwart aufgebotene literarische Einfluß der älteren Propheten. Dazu

---

[51] H.-P. Müller, Zur Frage nach dem Ursprung der biblischen Eschatologie, in: VT XIV (1964) 276—293.

kamen Einflüsse des iranischen Dualismus" (S. 291 f.). — Daß sich in der nachexilischen Zeit ein spürbarer Strukturwandel bemerkbar macht, läßt sich nicht leugnen, doch ob das Motiv der Hoffnung wirklich nur im literarischen Einfluß der älteren Propheten zu finden ist, das ist ernsthaft in Frage zu stellen.

Georg Fohrer[52] hält die Eschatologie für eine Erscheinung der exilischen und nachexilischen Prophetie, die durch die Unterscheidung von zwei Zeitaltern gekennzeichnet sei. Eine größere Anzahl von strukturellen Einzelelementen (z. B. Entsprechungsmotive: Beschreibung der unbekannten Endzeit mit Hilfe des Bekannten) trete zu bestimmten Grundzügen des eschatologischen Geschehens, die bisweilen als die Akte des eschatologischen Dramas aufeinanderfolgten. Fragwürdig ist allerdings sein Urteil, weil er die eschatologische Erwartung theologisch als eine „heils- und kultprophetische Umdeutung der vorexilischen Prophetie in epigonaler Entartung" (Sp. 420 [S. 180]) beurteilt.

Auch einige Aussagen von *A. Jepsen*[53] gehören in diese zweite Gruppe, wenn er von Grundzügen der Entwicklung der Eschatologie spricht. Bei einer ersten Stufe des Glaubens an die Verheißung des gelobten Landes anfangend gehe die Erwartung über die Gerichtspredigt der Propheten zu einer immer tieferen Heilserwartung von zunehmend universalem Charakter.

3. Eschatologie als Erwartung

Die bisherige Darstellung hat sich mit zwei Gruppen befaßt, die versuchen, die Eschatologie bei den Propheten ihrem Inhalt oder ihrer Art, Stufe, Struktur nach zu fassen. Doch gegenüber diesen sekundären Fragen müßte es doch zunächst darum gehen, *was* Eschatologie bei den Propheten im tiefsten Sinn ist, nämlich
eine aktuelle Erwartung, begründet durch die
geschichtliche Erfahrung Israels mit seinem

---

[52] G. Fohrer, Struktur der alttestamentlichen Eschatologie, in: ThLZ 85 (1960) 401—420 [in diesem Band S. 147—180].

[53] Jepsen, Eschatologie im AT, in: ³RGG II, 655—662.

sich in machtvollen Taten offenbarenden Gott,
als Antworthaltung des gehorsamen Glaubens
in steter Bereitschaft und Offenheit für ein
neues Offenbarungshandeln Jahwes, von dem
auf Grund seiner Verheißung und machtvollen
Gegenwart alles erhofft wird, —
erst von daher dürften die anderen Fragen in Angriff genommen
werden. Hierzu hat *Hans Wildberger*[54] einen sehr wesentlichen
Beitrag geliefert, obwohl er nicht von Eschatologie spricht, wie
Wildberger überhaupt sehr zurückhaltend ist im Gebrauch dieses
Wortes; doch trifft er meiner Ansicht nach genau das Wesentliche
bei den Propheten und sieht sich schließlich doch gezwungen, dafür
den Begriff Eschatologie zu benutzen. Von grundlegender Bedeutung
für das richtige Verständnis der Eschatologie ist zunächst die Einsicht in das, was Zeit und Geschichte für Israel und seine Propheten
bedeuten. In den letzten Jahren ist dies zusammen mit der Eschatologie zu einem zentralen Thema geworden.[55]

Wildberger versteht unter Geschichte „erst einen Komplex von
Ereignissen *(deḇārîm)*, die in ihrem Zusammenhang als sinnvoll
verstanden sind" (S. 83). So untersucht er das Verständnis der Geschichte bei Jesaja; denn gerade der Prophetismus und nicht die
Geschichtsschreibung habe ja den besonderen Beitrag zum Verständnis der Geschichte geleistet. Das Wort der Propheten „gilt der
Gegenwart, ihr Blick richtet sich auf die Zukunft, wobei sie aber
die Gegenwart wie die Zukunft von dem her beurteilen, was in der
Vergangenheit an Israel geschah. So ist ihnen die geschichtliche
Existenz ihres Volkes als Gegenwart, bestimmt durch die Vergangenheit und die Zukunft, voll bewußt" (S. 84).

Wildberger stellt die Geschichte als den Bereich des Handelns
Jahwes heraus (S. 85—89): Da die Propheten immer Ereignisse der
nächsten Zukunft meinen, sollte „der oft gemachte Versuch, zwischen Worten, welche die nähere Zukunft betreffen, und solchen, die
auf die eschatologische Wende hinausblicken, endgültig preisgege-

[54] Wildberger, a. a. O., 83—117.
[55] Vgl. G. von Rad, Theologie des AT II, S. 108 ff.; D. N. Freedmann,
History and Eschatology, in: Interpretation XIV (1960) 143—154, ferner
die oben besprochenen Arbeiten von Pidoux, Jacob u. a.

ben werden" (S. 85, Anm. 2). „Die Geschichte ist das Werk des einen
Jahwe der Heere, der auf dem Zion thront, und sie vollzieht sich
nach dem Plan, der von ihm beschlossen ist" (S. 89).

Jesaja wurzelt in der Ladetradition und der Überlieferung vom
Heiligen Krieg, verschmolzen mit Elementen der Gottesbergtradi-
tion (S. 89—94). Das dem Jesaja Eigene tritt dort in Sicht, wo er
die „Geschichte mit Hilfe der Begriffe ‚Werk' und ‚Ratschluß'
Jahwes umschreibt und damit die Einheit und Universalität des
Wirkens Jahwes in der Geschichte bezeugt" (S. 94). Und dieses
erwartete Geschichtswerk Jahwes sehe Jesaja analog zu Jahwes
Schöpfungswerk. „Der universale Herr der Schöpfung ist ihm zum
universalen Herrn der Geschichte geworden" (S. 97).

Wildberger wirft das Problem des menschlichen Anteils an der
Geschichte auf (S. 100—108) und bezeichnet Verheißung und
Glaube zusammen als „die beiden Elemente, die Jahwe in seinem
Entschluß bestimmen" (S. 101). „Die Geschichte ist gesehen als
Folge menschlichen Tuns, wobei aber dieser Satz nur gelten kann
im dialektischen Gegenüber zum anderen, daß die Geschichte Gottes
Werk ist. Gott bleibt Herr der Geschichte. Aber er ist es in der Begegnung mit dem Menschen, aus der heraus sich sein Ratschluß
formt." [56] Als Verstehensrahmen dafür muß die Institution des Bundes angesehen werden in der Art, wie A. Neher ihn bezeichnet: „Der
Bund ist die innerliche Dimension der prophetischen Zeit. Er ist der
grundlegendste Beitrag des hebräischen Denkens für die Geschichte
der Menschheit." [57]

---

[56] A. a. O., S. 103; vgl. H. W. Wolff, in: EvTh 20, S. 22: „Geschichte
ist für die Prophetie das gezielte Gespräch des Herrn der Geschichte mit
Israel."

[57] Neher, S. 116. — Wenn auch das Wort $b^e r \hat{\imath} \underline{t}$ bei Jesaja nicht zu finden
ist, so ist nach Wildberger doch die Sache selbst als Folie notwendig für
das richtige Verständnis der Propheten. Er mißt Israel an den
Forderungen des Bundes und muß deshalb Unheil ankündigen genau wie
die anderen Propheten. „Darum kann auch der Ratschluß Jahwes nicht
nur eine Aktualisierung der Erwählungszusagen an Israel sein, sondern
hat solchen geradezu irritierenden Inhalt. Darum muß er den Davididen
zu bedenken geben: ‚Wenn ihr nicht glaubt, so habt ihr keinen Bestand.'
(Jes 7, 9) Darum bedeutet die Verheißung über die Gottesstadt keine

In dieser Spannung der Geschichte als Werk Jahwes und Verantwortungsraum des Menschen fragt Wildberger (S. 108—111) nach Sinn und Ziel der Geschichte bei Jesaja: „Ziel der Geschichte ist die Aufrichtung des mit den Verheißungen an Israel (Jerusalem) gemeinten idealen Gottesverhältnisses allem Versagen des Volkes zum Trotz" (S. 108 f.), programmatisch dargestellt im großartigen Gemälde vom kommenden Jahwetag (vgl. Jes 2, 10—21), besonders im Kehrvers ‚Und Jahwe allein soll hoch sein an jenem Tag' (vgl. Jes 2, 11. 17). „Damit sind Durchbruch und Sieg der göttlichen Gerechtigkeit als Sinn und Ziel der Geschichte erkannt" (S. 109).

Dann nimmt Wildberger behutsam Stellung zur Frage der Eschatologie. Gleichsam als grundlegende Feststellung betont er nochmals: „Jede prophetische Erwartung ist Naherwartung, jede Erwartung denkt an ein entscheidendes Eingreifen Jahwes, keine Erwartung der Propheten rechnet mit einem Ende der Zeit oder mit dem Ende auch nur einer Weltepoche, nach welcher eine völlig anders strukturierte ‚Zeit' anbrechen würde" (S. 112, Anm. 4). Zur Erhärtung des Gesagten überprüft Wildberger Ausdrücke wie bajjôm hāhû, $b^{e\,\flat}ah^arît$ hajjāmîm, die der oben genannten Grundthese nicht widersprächen.

Trotzdem könne man nach seiner Ansicht auch schon bei Jesaja von einem eschatologischen Geschichtsverständnis sprechen und zwar im Sinne einer Geschichtsteleologie,[58] die sich in folgenden Punkten äußere:

Sicherung. Wer dort wohnt, muß es sich gefallen lassen, daß an ihn die Normen des Bundes, Recht und Gerechtigkeit, angelegt werden (vgl. Jes 28, 14—22). Und da Jahwe auch die Völker in seinen Plan einbezieht, kann es nicht ausbleiben, daß auch sie daran gemessen werden, ob sie innerhalb der Grenzen des ihnen gesetzten Auftrags geblieben sind (vgl. Jes 10, 5—15)" (S. 108).

[58] Ähnlicher Auffassung ist auch H.-P. Müller (s. o.), nach dem eine Weissagung erst dann eschatologischer Art ist, wenn die Erwartung a) auf etwas Endgültiges, Unüberbietbares zielt (S. 281) und b) dies verstanden ist als das Ankommen am Ziel eines Weges (S. 285); vgl. dazu auch S. B. Frost, Eschatology and Myth, in: VT II (1952) 70—80, hier 70: „Unter eschatologischem Denken verstehe ich eine Form von Erwartung, die durch Endgültigkeit charakterisiert ist." [In diesem Bd. S. 73.]

a) „Das erwartete Gerichtshandeln Jahwes läßt an Umfang und Intensität bisherige Geschichtskatastrophen hinter sich, wenn es sich auch durchaus im Raum der Geschichte vollzieht" (S. 115).

b) „Die erwartete Erfüllung der Heilszusagen bedeutet zugleich deren Korrektur" (S. 115).

c) „Das erwartete Gericht ist insofern ein endgültiges, als aus ihm ein gereinigtes Israel hervorgehen wird" (S. 116).

d) „Jesajas Botschaft ist aber auf keinen Fall in dem Sinn eschatologisch, daß es ihm ein letztes Anliegen wäre, eine bestimmte Reihenfolge der zukünftigen Ereignisse aufzuzeigen oder ein Gemälde zu malen von dem, was sein wird. Dafür hat er viel zu große Ehrfurcht vor Jahwes Souveränität und dem Geheimnis seines Ratschlusses" (S. 116).

Bei allem Wert des bisher Dargestellten sehe ich doch die besonders hoch zu schätzende Feststellung Wildbergers, die mich veranlaßt, ihn an die Spitze der dritten Gruppe zu stellen, in folgendem: „Eschatologisch ist aber seine (des Jesaja) Botschaft allerdings in eminentem Sinn darin, daß sie den Hörer zwingend mit dem kommenden Gott, dem König, dem dreimal Heiligen, dessen Herrlichkeit in den Augen der himmlischen Wesen jetzt schon die ganze Erde erfüllt, konfrontiert, ihm mit letzter Energie das Gewicht der gegenwärtigen Stunde bewußt macht und ihn damit vor die über die Zukunft restlos entscheidende Bedeutung des Hörens, Gehorchens, Vertrauens, Glaubens im jetzigen Kairos hinführt. Damit hat Jesaja gerade das erfaßt, was als Wesen biblischer Eschatologie angesehen werden muß und festzuhalten ist, wie von ihm überhaupt das Wesen der Geschichte als Bereich der Verwirklichung des göttlichen Plans, der Erfüllung seiner Zusagen, wie als Raum der Wahrnehmung und Ausübung menschlicher Verantwortlichkeit in einmaliger und für alle Zukunft wegweisender Klarheit erfaßt ist. Daß das geschehen konnte, liegt im Geheimnis beschlossen, daß Jahwes Hand ihn gepackt hat und Jahwes Wort auf ihn gefallen ist. Indem wir den Gang der Glaubensgeschichte Israels abtasten und dabei in deren Ablauf den historischen Ort Jesajas zu fixieren suchen, erkennen wir, daß es zugleich daran liegt, daß unter dem Bann der glänzend-reichen Persönlichkeit dieses Mannes die verschiedenen und recht disparaten Überlieferungskomplexe Israels und Jerusalems zu einer überaus glücklichen und fruchtbaren Synthese herausgestaltet worden sind" (S. 116 f.).

Eine ähnliche Richtung wie Wildberger vertritt auch *Gerhard von Rad*. Schon im ersten Band seiner Theologie des Alten Testaments läßt er bisweilen das Thema Eschatologie anklingen (S. 81, 124, 379), das im zweiten Band, der der Theologie der prophetischen Überlieferungen Israels gewidmet ist, zum Zentrum wird.[59] — Übrigens ist es sehr interessant festzustellen, daß von Rad außer in einer allgemeinen Überschrift (II, S. 108) nie das Substantiv Eschatologie benutzt, vielmehr offensichtlich adjektivische Bestimmungen vorzieht. Damit beugt er von vornherein einer falschen Auffassung vor, die Eschatologie bei den Propheten als eine Lehre von den letzten Dingen versteht.

Er ist der Meinung, daß allgemein „eine alttestamentliche Aussage zuerst von daher zu verstehen sei, daß sie in der Mitte zwischen einer ganz bestimmten göttlichen Vergangenheit und einer ganz bestimmten göttlichen Zukunft stehe", und daß sich erst von daher bestimmen lasse, „was in diesem Spannungsfeld von Verheißung und Erfüllung der Glaube, der Unglaube, die Gerechtigkeit oder der Bund sei" (II, S. 107). In dieser seiner Sicht des Alten Testaments als „jener ruhelos heilsgeschichtlichen Bewegung von Verheißung und Erfüllung" zeige es sich deutlich, „wie die Erwartungen in ihm immer breiter ausladen" und „es kein in sich geschlossenes Ganzes" sei, vielmehr „ganz und gar offen". Damit „wird die Frage nach seinem Verhältnis zum Neuen Testament zu der Frage schlechthin" (II, S. 7).

Knapp zusammengefaßt vertritt von Rad eine „traditionsgeschichtlich-eschatologische Auffassung des Alten Testaments" (II, S. 8).

Doch was versteht von Rad unter Eschatologie? Wie Wildberger geht es ihm zunächst um Israels Vorstellungen von der Zeit und der Geschichte und um die Entstehung des hebräischen Geschichtsdenkens (II, S. 108—121).

Worin er das Wesentliche und Unterscheidende der Propheten

[59] Ähnlich Schunck.

sieht, zeigt schon die Überschrift ›Die Eschatologisierung des Geschichtsdenkens durch die Propheten‹ (II, S. 121—129). Die Propheten sind in der Geschichte ihres Volkes verwurzelt wie ihre
Zeitgenossen, doch zeige sich gerade im Gegensatz zu diesen an den
Propheten noch etwas Neues, „eine unerhörte Wachsamkeit des
Lauschens auf die großen geschichtlichen Bewegungen und Veränderungen ihrer Gegenwart, ... eine unvergleichliche Beweglich-
keit, eine Biegsamkeit, eine enge Bezogenheit ihrer Botschaft auf die
weltgeschichtlichen Ereignisse" (II, S. 122).

So bezeichnet von Rad „dieses Korrespondenzverhältnis der
Propheten zur Weltgeschichte geradezu als den Schlüssel zu ihrem
rechten Verständnis; denn das von den Propheten wahrgenommene
neue Geschichtshandeln Gottes trat für sie ja völlig gleichrangig
neben die alten kanonischen Geschichtssetzungen; ja es wuchs bei
ihnen die Erkenntnis, daß dieses neue Geschichtshandeln das alte
überbieten und deshalb mehr oder minder ablösen werde" (II,
S. 122).

Von daher kann von Rad das Charakteristikum der prophetischen Botschaft in ihrer Aktualität und Naherwartung sehen und
diesen Tatbestand zum Kriterium für die Verwendung des Begriffs
des Eschatologischen erheben. Entscheidend sei dabei besonders „die
Feststellung des Bruchs,[60] der so tief ist, daß das Neue jenseits davon
nicht mehr als die Fortsetzung des Bisherigen verstanden werden
kann. Es ist etwas wie eine ‚Nullpunktsituation‘, auf die Israel mit
all seinem religiösen Besitzstand zurückgeworfen wird, ein Vakuum,
das die Propheten durch ihre Gerichtspredigt und durch ihr Hinweg-
fegen aller falschen Sicherheiten erst schaffen, in das sie aber dann
das Wort von dem Neuen stellen" (II, S. 125). „Bei dieser Sicht der
Dinge muß von einer eschatologischen Botschaft überall dort gesprochen werden, wo von den Propheten der bisherige geschichtliche
Heilsgrund negiert wird. Darauf sollte man den Begriff dann auch

---

[60] Ob dieser Bruch wirklich so tief anzusehen ist oder nicht doch in
der Botschaft vom Rest eine Brücke geschlagen ist, müßte hier erneut gefragt werden. In diesem Sinne kann Jacob (Theologie, S. 260) schreiben:
„Der Rest ... erscheint stets weniger als der Überrest einer zugrunde
gehenden Vergangenheit als vielmehr als der Keim einer neuen Zukunft,
deren Initiative allein Jahwe haben wird."

beschränken" (II, S. 126). „Das Phänomen des Eschatologischen vereinfacht sich wieder; es reduziert sich auf die gewiß höchst revolutionierende Tatsache, daß die Propheten ein neues Handeln Jahwes auf Israel zukommen sahen, das die alten heilsgeschichtlichen Setzungen mehr und mehr entaktualisierte, weil sich von jetzt ab Leben und Tod für Israel an dem Kommenden entschied" (II, S. 128).

Was dieses Kommende betrifft, ist bei den Propheten noch ein Weiteres zu beachten: „Dieses Neue, dessen Kommen sie weissagen, ist in seiner spezifischen Gestaltung nicht von ungefähr; vielmehr wird es sich mehr oder minder in Analogie zu dem bisherigen Heilshandeln Gottes verwirklichen" (II, S. 127). Daher fordert von Rad, daß den heilsgeschichtlichen Vorstellungen Israels ihr Platz auch innerhalb des eschatologischen Horizonts zurückgegeben werde. Von Rads Verständnis der eschatologischen Weissagungen ist also durch zweierlei charakterisiert: Engste Anlehnung an alte Erwählungstraditionen und kühne Neuinterpretation im Sinne eines Neueinsatzes des göttlichen Heilshandelns. Nur Weissagungen dieser Art sollte man eschatologisch nennen (II, S. 192). Für den Einzelnachweis, wie nun die Propheten, in bestimmten Erwählungstraditionen gründend, das neue Handeln Gottes analog darstellen,[61] verweist von Rad besonders auf die Arbeit seines Schülers E. Rohland, auf die gleich noch einzugehen ist.

Auf einzelne sehr anregende und entscheidende Probleme wie z. B. die Frage nach dem Verhältnis des alttestamentlichen Heilsgeschehens zur neutestamentlichen Erfüllung soll hier jedoch nicht eingegangen werden.

Edzard Rohland[62] will diese Lücke auffüllen und „das Verhältnis der Zukunftserwartung der Propheten zu den Traditionen von den Erwählungstaten Jahwes in der Geschichte eingehend untersuchen" (S. 18). Dabei beschränkt er sich auf die vorexilische Pro-

---

[61] Viele haben zumindest andeutungsweise von den Erwählungstraditionen gesprochen: vgl. Vriezen, Theologie, S. 320; Jacob, Théologie, S. 156; H.-P. Müller, S. 283; Jepsen, S. 661; Bright, S. 265 f.; Gélin, Jours de Jahve et Jour de Jahve, in: Lumen Vitae 1953, S. 39—52.

[62] Die Bedeutung der Erwählungstraditionen für die Eschatologie der alttestamentlichen Propheten, Diss. Heidelberg 1956.

phetie, bezieht jedoch Deutero-Jesaja in seine Untersuchung mit ein. Rohland führt folgende Traditionen an:

1. „die von der Erwählung Israels durch die Herausführung aus Ägypten und die Hineinführung ins Land",
2. „die von der Erwählung des Zion als Wohnung Jahwes in Israel",
3. „die von der Erwählung Davids und seiner Dynastie als des von Jahwe über sein Volk eingesetzten Königshauses" (S. 20).

Die Begründung dafür, daß er die Bundestradition nicht eigens behandelt, erscheint mir unzureichend; es wäre daher zu wünschen, daß sie noch hinzugenommen wird.

Dann führt Rohland eine sehr gründliche exegetische Analyse der genannten Traditionskomplexe und ihrer Verwendung bei den einzelnen Propheten durch: Als *erstes Ergebnis* seiner exegetischen Darlegungen bezeichnet er den Nachweis des großen Umfangs der bei den Propheten gebrauchten *Erwählungstraditionen,* die sich folgendermaßen aufschlüsseln lassen (S. 266):

Exodus-Tradition	*Zions-Tradition*	*Davids-Tradition*
Amos	Amos	Amos
Hosea		
	Jesaja	Jesaja
Micha		Micha
	Zephanja	
Jeremia	Jeremia	Jeremia
Ezechiel	Ezechiel	Ezechiel
Deutero-Jesaja	Deutero-Jesaja	Deutero-Jesaja

Was allerdings die Bedeutung der Erwählungstraditionen hinsichtlich der *Zukunftserwartung* der Propheten betrifft, zeigt folgendes Bild (S. 67):

Exodus-Tradition	*Zions-Tradition*	*Davids-Tradition*
		Amos
Hosea		
	Jesaja	Jesaja
		Micha
	Zephanja	

Von daher bezeichnet Rohland als ein *zweites Ergebnis* seiner Arbeit „die Vermutung dreier verschiedener Überlieferungskreise innerhalb der vorexilischen Prophetie" (S. 268).

Diese ließen sich lokal ziemlich leicht abgrenzen: „Hosea stammt aus dem Nordreich, Jesaja und Zephanja aus Jerusalem, Amos und Micha aus den bäuerlichen Kreisen des Südreichs, die keine unmittelbare Beziehung zur Hauptstadt hatten" (S. 267). „Daß der Jerusalemer Jesaja wie Amos und Micha zugleich auf die Davidstradition zurückgreift, kann nicht wundernehmen, sondern eher das Fehlen dieser Tradition bei Zephanja, das jedoch wiederum die Unabhängigkeit der Zions- von der Davidstradition zeigt" (ebd.). Daraus folgert *Rohland,* daß es auf Grund dieser Verschiedenheit recht abwegig sei, „die eschatologische Erwartung selbst auf einen einzigen, in sich geschlossenen Vorstellungskreis zurückführen zu wollen" (S. 269).

Trotz dieser Verschiedenheit bezeichnet er „die letztlich gemeinte Aussage als außerordentlich gleichbleibend". „Es ging fast immer darum, daß die bisherige Erwählung rückgängig gemacht, danach aber erneuert und erfüllt werden sollte" (S. 269).

Dies zeigt nun Rohland an Amos, Hosea, Jesaja, Micha, Zephanja, Jeremia, Ezechiel und Deutero-Jesaja. Rohland gewinnt einen „überraschend einheitlichen Gesamteindruck".

„In der Aufhebung, Erneuerung und Erfüllung der Erwählung sollte sich die Verwerfung, Neuschöpfung und Vollendung des Volkes Jahwes vollziehen. Dabei bedeutete dies immer einen tiefen Einschnitt in die Geschichte des Volkes, einen neuen Anbruch der Heilsgeschichte, ja, vom israelitischen Standpunkt aus ein neues Zeitalter, und immer sollte die Erfüllung und Vollendung einen letzten, unüberbietbaren Zustand heraufführen, ein Eschaton, über das hinaus mit weiteren, für die Geschichte Jahwes mit seinem Volk wesentlichen Ereignissen nicht gerechnet wurde (wenn auch die Zeit selbst nicht aufgehoben werden sollte)" (S. 273).

Damit ist nach Rohlands Meinung eine hinreichende Handhabe zur klaren Umgrenzung des Begriffs „Eschatologie" gegeben: „Er erstreckt sich auf diejenigen Weissagungen, die — auf dem Hintergrund der von dem jeweiligen Propheten herangezogenen Erwählungstradition — eben diese Aufhebung, Erneuerung und Erfüllung der Erwählung und darin die Verwerfung, Neuschöpfung und Vollendung des Volkes Jahwes ankündigen" (S. 273 f.).

Nach diesem Hauptergebnis seiner Arbeit wirft er noch einen Blick auf die Weissagungen vom Tage Jahwes (S. 275—277), auf die Frage der Herkunft der eschatologischen Verkündigung der Propheten (S. 277—278) und auf das Weiterwirken der eschatologischen Verkündigung in der nachexilischen Zeit (S. 278—283). Er schließt seine Arbeit mit einem Hinweis auf 2 Kor 5, 17, wo Paulus „die universale Erwartung gerade im Sinn der älteren Prophetie" verstehe. So sieht Rohland auch im Neuen Testament „den für die eschatologische Erwartung der alttestamentlichen Propheten konstitutiven Bezug auf die Erwählung, und zwar eben auf die in Christus vollzogene neue Erwählung des Neuen Israel, in der die neutestamentliche Gemeinde das Eschaton erfüllt glaubte".[63]

[63] R. Bultmannn, Theologie der NT, Tübingen 1953, S. 302 f.

Horst Dietrich Preuß, Jahweglaube und Zukunftserwartung (BWANT 87), Stuttgart 1968, S. 205—214.

JAHWEGLAUBE ALS ZUKUNFTSERWARTUNG

Von Horst Dietrich Preuss

Es gilt nun, das Erarbeitete nicht nur in seinen Ergebnissen zusammenzufassen, sondern auch resultierende Folgerungen aufzuzeigen. Beides soll in Zuordnung zu und Abgrenzung von Forschungsergebnissen anderer geschehen, so daß die Fixierung des eigenen Standpunktes noch deutlicher wird.

1. Das Problem der Entstehung der Eschatologie des Alten Testamentes kann niemals nur durch die Frage nach einzelnen oder auch mehreren Texten des Alten Testamentes beantwortet werden, sondern es muß versucht werden, die Grundstruktur des Jahweglaubens selber zu erheben. Bei dem Erfragen dieser Grundstruktur wurde in der vorliegenden Arbeit bewußt von verschiedenen Seiten ausgegangen. Historische, traditionsgeschichtliche und systematische Fragestellungen sollten sich ergänzen. Wie sehr die Frage nach der Eschatologie des Alten Testamentes oft durch ein Befragen bestimmter Texte oder zu eng gefaßter Textgruppen behandelt wird, zeigt die Fülle der Literatur zu den sogenannten „messianischen Weissagungen".

Der Jahweglaube Israels schließt eine Zukunftsbezogenheit als eines seiner Wesensmerkmale ein, und diese Zukunftsbezogenheit ordnet sich in einer solchen organischen Weise den anderen Grundstrukturen des Jahweglaubens zu, daß sie nicht als sekundär zugewachsen angesehen werden muß. Hier im Jahweglauben und seiner Eigenart,[1] und das heißt im Zentrum des Alten Testamentes,

---

[1] Die Wichtigkeit des Gottesbildes für die Entstehung der alttestamentlichen Eschatologie betonen auch: Baumgärtel, Eigenart, 42, 67; ders., Verheißung, 19; Charles, Eschatology, 2 (vgl. 157); Dürr, Heilandserwartung, 52 (dort aber auf Jahwe als den hilfreichen Gott eingeengt); Eichrodt, Hoffnung, 194; Hedinger, Unsere Zukunft, 43 u. ö.; Mildenberger, Gottes Tat im Wort, 73 u. ö.; Moser, Botschaft von der Vollendung, 24;

hat die Zukunftserwartung Israels ihre Wurzel. So und daher ist sie dem Jahweglauben wesenhaft, d. h. „von Anfang an" eingestiftet. Die Eigenart Israels war und ist seine Gottesbeziehung. Sie auch war der bestimmende Faktor für das Werden der alttestamentlichen Eschatologie. Jahwe ist der Gott, der sich in der Geschichte offenbart, der Macht besitzt und sie entfaltet, der sich und seinen Charakter in dieser Geschichte als der die Seinen zum Ziel seines Weges führende Gott durchsetzt. Als dieser Herr ist er — wie es schon die Theophanieschilderungen applizieren — notwendig der Kommende und Zukünftige. Der Gedanke der Zukunft Jahwes und Israels ist für das Gottesvolk des Alten Bundes die notwendige Explikation seiner Gottesbegegnung.[2] Israel hofft daher primär auf Gott, nicht zuerst auf eine glückliche Zukunft, wenn auch beides inneralttestamentlich als nicht trennbar erscheint.

Diese Zukunftsbezogenheit des Alten Testamentes tendiert auf die Erwartung eines kommenden endgültigen[3] Eingreifens Jahwes,

v. Pákozdy, Judaica 1955, 209; Procksch, Theologie, 582; Steuernagel, Festschrift Bertholet, 184; Traub, Bibl.-theol. HWB, 103; Volz, Festschrift Beer, 72; Vriezen, in: Hoffnung in der Bibel, 4; Zimmerli, EvTh 1961, 205 f. u. ö. — Etwas anders Möbius, Aktualität, 6 f.: Eschatologie ist nicht von der Geschichte her zu begründen, sondern von dem Gegensatz her zwischen Gott und Welt, Zeit und Ewigkeit; sie bringe die Entscheidung im Kampf um die Herrschaft über die Welt (26). Eschatologie ist dann aber auch für Möbius „Zeugnis von der Wirklichkeit des lebendigen Gottes" (5). Daher kann Rowley (Faith of Israel, 177) sagen: "Throughout the Old Testament there is a forward look." — Vgl. auch Groß, Anima 1965, 213 ff. [in diesem Bd. 217 ff.].

[2] Ott, Eschatologie, 30 f.

[3] Die Endgültigkeit ist Charakteristikum auch für Amsler, David, 52; Frost, Old Test. Apocal., 32 u. ö.; ders., VT 1952, 70, 76 [dt. in diesem Bd. 73 u. 81]; Groenbæk, SEA 1959, 9 („Abschlußaspekt" — schon in der vorexilischen Prophetie vorhanden und hier innerweltlich verstanden) [in diesem Bd. 133]; Hentschke, ZEE 1960, 48; Jenni, Prophetie, 16 f.; Kraus, BK XV, 83, 92, 265, 526; MacKenzie, Faith and History, 102; Moltmann, Theol. d. Hoffnung, 3. Aufl., 113; v. Rad, EvTh 1952/53, 30; ders., Hommage à W. Vischer, 209; ders., Theol. II, 4. Aufl. 125, 192. — Zu Vollborns Antithesen (in: Gerichtserwartung, passim)

welches die endgültige Aufrichtung seiner Herrschaft über sein Volk und die Welt bringt.[4] Jahwes Name und Wesen, sein „Eifer", die Offenbarung und Erkenntnis seines Namens, seine Königsherrschaft, das Streiten für sein Volk und dessen Erwählung, Israels Weg mit Jahwe unter dem Segen und der zielgerichteten Führung seines Gottes in der Geschichte innerhalb des Bundes involvieren Zukunftsbezogenheit und wollen Vollendung und Abschluß. Die „Eschatologie" des Alten Testamentes im Vollsinn des Wortes ist damit der legitime Ausdruck und die sinnvolle Entwicklung der Zukunftsbezogenheit des Jahweglaubens. Da es sich nämlich um die Erwartung des endgültigen Kommens Jahwes handelt und er zur vollen Gemeinschaft mit den Seinen kommt, kann man von Eschatologie reden, obwohl die terminologische Frage nicht die wirklich entscheidende ist.[5] Die innerhalb des Alten Testamentes sich vollziehende Entwicklung einer immer mehr ausgebildeten Eschatologie ist nur dem Wachstum und der Entfaltung eines am Stamm des Jahweglaubens stets vorhandenen Triebes zu vergleichen. Eschatologie ist für das Alte Testament explizierte Theologie. Dem Jahwe-

---

— endgültig aber nicht innerzeitlich — siehe den berechtigten Widerspruch bei v. Rad, Theol. II, 4. Aufl., 125 f. — Anders Fohrer, ThR 1951, 343; JBL 1961, 317, 319 u. ö. für die Propheten; vgl. oben S. 188 zu Anm. 158 [hier nicht abgedruckt].

[4] So mit: Baumgärtel, Eigenart, 75, 88; Dahl, Volk Gottes, 2. Aufl., 38 ff.; Dürr, Heilandserwartung, 56; Eichrodt, Theol. I, 5. Aufl., 260, 320 ff.; III, 4. Aufl., 318 ff.; ders., Israel, 9 u. ö.; Groß, Weltherrschaft, 118 ff.; Hempel, Der alttest. Gott, 8; Hentschke, ZEE 1960, 48; Jacob, Théologie, 255; Jepsen, RGG, 3. Aufl., II, 661; Kahmann, Bibl. 1951, 76 ff.; König, Mess. Weissagungen, 8, 353 ff.; Kraus, Prophetie und Politik, 61; ders., EvTh 1964, 483; Procksch, Theologie, 591 ff.; Sellin, Prophetismus, 101; Volz, Festschrift Beer, 87; „Hoffnung in der Bibel", These 1; dann auch van Ruler, Die christliche Kirche . . ., passim — wobei auf die sonstige theologische Stellung v. Rulers hier nicht eingegangen werden kann (vgl. dazu EvTh 16, 1956, 387 ff.), und selbst Fohrer, ThLZ 1964, 500.

[5] Vgl. Jepsen, RGG, 3. Aufl., II, 655; v. Rad, Theol. II, 4. Aufl., 123 f.; und die Diskussion bei Herrmann, Prophet. Heilserwartungen, 1 f. (Anm. 1) und 300 ff.

glauben ist nämlich das Drängen auf Zukunft, auf das endgültige und abschließende Sich-Durchsetzen seines Gottes wesenhaft eigen. Jahweglaube ist Zukunftserwartung, da er Jahweerwartung ist.

2. Wenn auch Jahwes endgültiges Kommen und Handeln oft vom Wesen der Sache her nur durch Entsprechungsmotive [6] eines früheren Tuns ausgedrückt werden kann, so wird doch dadurch auch gezeigt, daß es um die Vollendung eines Anfangs, um die Erreichung eines Zieles geht, zu dem man schon jetzt und von eben diesen „Entsprechungen" her unterwegs ist. Die Zukunftsgerichtetheit des Jahweglaubens begegnet hier in der zukunftsgewendeten Interpretation seiner Glaubenstraditionen. Aber doch meint Eschatologie im Alten Testament dann nicht einfache Kontinuität, sondern ein neues Kommen und Handeln des Gottes Israels, das vor allem auch wegen des notwendigen Gerichts nicht nur als eine einfache Fortsetzung seines bisherigen Weges mit seinem Volk verstanden werden kann.[7] Wenn Jahwe sein Volk auf dessen Wege führt, so bringt die Erreichung des Zieles nicht nur die Bestätigung der Erwartung, sondern — wie man auch schon des öfteren auf dem geschichtlichen Weg mit Jahwe hatte erfahren können — Korrekturen und Überraschungen, bringt Größeres als das Erhoffte und auch anderes als das Erwartete. Gott löst seine Verheißungen herrlicher ein, als ihr Wortsinn herzugeben schien. So bringt auch das kommende und entscheidende Handeln Gottes nicht das „Ende der

---

[6] So oft bei Fohrer: ThLZ 1960, 415, 417 [in diesem Bd. S. 171, 177] u. ö. — Zur Sache auch Elinor, JBR 1963, 9 ff., allerdings mehr die Apokalyptik des Spätjudentums betreffend.

[7] Den Bruch mit dem Bisherigen, den neuen Eingriff Jahwes, sein neues Handeln, das das endgültige ist, betont v. Rad, Hommage à W. Vischer, 207, 209; ders., Theol. II, 4. Aufl., 121 ff., 191 f. Von einer Negierung des bisherigen geschichtlichen Heilsgrundes (Theol. II, 4. Aufl., 128; vgl. 192), sollte man aber nicht sprechen (vgl. selbst v. Rad, a. a. O., 310!). — Vgl. auch Lindblom, StTh 1952, 88 [in diesem Bd. 42]: „Wenn die Propheten von einer Zukunft reden, die nicht nur eine Fortsetzung der in dieser Zeit waltenden Verhältnisse bedeutet, sondern etwas Neues und ganz anderes mit sich bringt, da haben wir das Recht, den Terminus Eschatologie zu verwenden." — Auf die Frage des Ursprungs der Eschatologie im AT geht Lindblom jedoch leider nicht ein.

Welt" oder der Zeit,[8] sondern es ist ein neues Kommen Jahwes, der
sein altes Ziel auf eine neue Weise erreichen will,[9] der jedoch nicht
den Abschluß, sondern die Vollendung seiner Geschichte schafft.
Jahwe bringt durch einen neuen Eingriff sein Reich und damit die
Vollendung seines Weges und seiner Herrschaft mit den Seinen. Die
Erwartung dieses neuen Kommens selber aber ist, besonders bei den
Propheten, immer Naherwartung. Die Propheten aber sind keinesfalls die Schöpfer der alttestamentlichen Eschatologie, sondern sie
haben die dem israelitischen Gottesglauben eingestiftete Zukunftsbezogenheit und Zukunftserwartung durch ihre überwiegende Gerichtsbotschaft, ihre Interpretation der Geschichte und ihre Wertung
der Zeitsituation zur ausgebauten Eschatologie legitim ausgestaltet.

Eschatologie ist damit innerhalb des Alten Testamentes weder
ein Fremdkörper noch eine Entstellung des Jahweglaubens noch
ein Spätling,[10] noch ist ihre Entstehung nur durch fremde Einflüsse
zu erklären,[11] sondern der Jahweglaube selber ist der Wurzelgrund
der Eschatologie, da er durch den Charakter seines Gottes und
dessen Offenbarung in Wort und Geschichte, in Verheißungen und
weiterführenden Einlösungen,[12] stets zukunftsbezogen gewesen und

---

[8] So mit Jenni, ThZ 1954, 245; Lindblom, StTh 1952, 79 ff. [in diesem
Bd. 31 ff.]; ders., Prophecy, 360; Vriezen, VTS I, 203 [in diesem Bd.
92]; Wildberger, VTS IX, 113; H. W. Wolff, EvTh 1960, 221 f. —
Herrmann (Proph. Heilserwartungen, 300 ff.) möchte dagegen den Begriff
Eschatologie nur auf das Ende der Geschichte anwenden.

[9] Jenni, Propheten, 17.

[10] So Fohrer, ThLZ 1960, 420 [in diesem Bd. 180]: „Ergebnis der
epigonalen Entartung der vorexilischen Prophetie"; ders., ThR 1962, 294:
„Entartung des alttestamentlichen Glaubens"; vgl. ebenda, 357: „Theologisch vermag ich die eschatologische Prophetie nicht so hoch zu schätzen,
wie es oft geschieht. Sie ist vielmehr eine heils- und kultprophetische
Umdeutung der vorexilischen Prophetie in epigonaler Entartung" (vgl.
Sellin-Fohrer, Einl., 10. Aufl., 379 f.). — Dagegen Knight, SJTh 1951,
361 [dt. in diesem Bd. 29].

[11] Greßmann und Segal: babylonische Einflüsse und dadurch der
"popular belief" (Segal) aus altorientalischen Mythen. — v. Gall: persischer Einfluß. — Vgl. auch Fohrer, ThR 1952, 357 u. ö.

[12] Die Wichtigkeit der Verheißungen unterstreichen auch MacKenzie,
Faith and History, 102 f.; Sauter, Zukunft und Verheißung, passim. —

geblieben ist. Es kann somit nicht nur von „Jahweglaube *und* Zukunftserwartung", sondern es muß von „Jahweglaube *als* Zukunftserwartung" gesprochen werden.

3. Die Zukunftserwartung des Alten Testamentes und die in ihr
sowohl enthaltene als auch aus ihr entwickelte Eschatologie hat aber
nicht nur eine Entwicklung und Anreicherung innerhalb der Geschichte Israels erfahren,[13] sondern sie ist auch auf die Geschichte als
den Ort der Offenbarung Jahwes und der Führung Israels durch
seinen Gott wesensmäßig bezogen. Sie ist gegründet auf die Gottesoffenbarung und Gotteserfahrung in der Geschichte.[14] Da Jahwe
und die Geschichte zusammengehören, sind auch Jahweglaube und
Geschichte und damit Geschichte und Eschatologie aufeinander
bezogen. Israel hofft auf seinen Gott, der sich geschichtlich geoffenbart hat und sich also geschichtlich durchsetzen wird. „Die
Geschichtlichkeit der Offenbarungsweise bedingt die Geschichtlich-

---

Verheißungen sind ja „Tatworte zu erwartender Treuegeschehnisse Gottes", so Moltmann, Theol. d. Hoffnung, 3. Aufl., 106.

[13] Vriezen bietet (VTS I, 225 f. [dt. in diesem Bd. 122 f.] und Theologie, 318 f.) eine hilfreiche Gliederung der alttestamentlichen Eschatologie
in Entwicklungsperioden: Präeschatologisch-vorprophetisch (politischnational, Tag Jahwes als Heil); proteschatologisch-frühprophetisch
(Amos bis Jeremia); aktualisierend-eschatologisch (Exilspropheten, Haggai, Sacharja); transzendentalisierend-eschatologisch (Apokalyptik). —
Wie Vriezen auch Jenni, ThZ 1954, 241 ff., und ders., Polit. Voraussagen,
98 f.

[14] Gottesbild und Geschichtsverständnis in ihrer gegenseitigen Beziehung und Bedeutung für die Eschatologie des Alten Testamentes stellen
auch (aber meist nur in kurzen Andeutungen) heraus: Baumgärtel, Eigenart, 69; Bright, Gesch. Israels, 138; Buber, Königtum Gottes, 3. Aufl., X
u. ö.; Cullmann, Heil als Geschichte, 61 ff.; Eichrodt, Theol. I, 5. Aufl.,
333 ff. (341: „Wer Gott kennt, der kennt auch Gottes Zukunft"); Freedmann, Interpr. 1960, 153; Frost, VT 1952, 70 ff. [dt. in diesem Bd.
73 ff.]; ders., O.T. Apocal., 43, 46 ff.; Groß, Weltfrieden, 65, 110 u. ö.;
ders., TThZ 1961, 15 ff. [in diesem Bd. 181 ff.]; Hempel, Der alttest.
Gott, 39, 55; Herrmann, Prophet. Heilserwartungen, 154; Jacob, Théologie, 155 (Anm. 1), 256; ders., Bibl.-hist. HWB I, 405 (durch die Namensoffenbarung Jahwes kann eine Eschatologie schon in der Mosezeit vor-

keit des Offenbarungsinhalts."[15] Wo aber Geschichte wichtig ist,
bricht die Frage nach der Zukunft auf. Durch den Charakter Jahwes
wird innerhalb der Welt des Alten Testamentes diese Frage aber
noch verstärkt und dringender. Israel wird ständig „auf der
Wanderschaft ins Künftige hinein erhalten"[16] und erhofft das Erreichen des Zieles. Israels Eschatologie ist damit das notwendige
Korrelat seines Weges, und das heißt: seiner geschichtlichen Füh-
rungsreligion unter und mit Jahwe, welcher Religion es um das
Erreichen des gottgesetzten und durch die Gottheit verheißenen und
bedingten Zieles geht. Die Eschatologie des Alten Testamentes ist
„Funktion des Geschichtserlebnisses"[17]. Sie ist Explikation der
Theologie in Applikation auf die Geschichte.

handen gewesen sein!); Jenni, Polit. Voraussagen, 111; Jepsen, RGG,
3. Aufl., II, 655 f., 661; Knieschke, Eschatologie des Buches Joel, 67;
Kraus, Königsherrschaft, 144; Kremers, EKL I, 1153; Maag, VTS VII,
151 f.; Miskotte, Wenn die Götter schweigen, 189 f., 211 ff., 284 ff.,
291 f.; H.-P. Müller, VT 1964, 290, 293; Muilenburg, Journ. of Rel.
Thought 1962/63, 99 ff.; Pidoux, Le Dieu ..., 12 ff., 51 ff.; v. Rad, Hommage à W. Vischer, 203, 208; ders., Theol. II, 4. Aufl., 125 f.; Rohland,
Erwählungstraditionen, 16, 273 f. (Eschatologie und Geschichte werden
hier als klar verbunden herausgestellt, die Herkunft der eschatologischen
Verkündigung selber aber wird auf S. 277 f. nur ungenügend erklärt);
Rowley, Faith of Israel, 55 f.; Sauter, Zukunft und Verheißung, 69,
113 ff.; Schreiner, Bibel und Leben, 1964, 187 f. [in diesem Bd. 206 f.];
Soubigou, RCB 1959/60; Volz, Festschrift Beer, 72; Vriezen, VTS I, 228 f.
[dt. in diesem Bd. 126 ff.], und ders., Theologie, 196 f., 320 f. (Eschatologie
als besondere Form des teleologischen Denkens und daher Israel nicht
fremd); Wildberger, VTS IX, 108 ff.; v. d. Woude, Bibl.-hist. HWB II,
1200. — Vgl. zur analogen Frage bei den Primitiven: „Die wichtigste
Rolle in der Auffassung des Heilserwartungsglaubens der Primitiven
spielt stets die Idee der Gottheit" (Guariglia, Numen 1958, 193 f.).

[15] E. Brunner, Das Ewige als Zukunft und Gegenwart, 35.

[16] Wolff, Wegweisung, 70. — Vgl. Frost, O.T. Apocal., 43. — Pidoux,
Le Dieu ..., 53: « Son triomphe final est une nécessité théologique. »

[17] So Maag, Saeculum 1961, 123 ff. — Über „Geschichtserlebnis" dort
127: „Da, wo ein Ereignis als einmalig erfahren, das Dasein als ein Weg
empfunden wird, der nicht zum Ausgangspunkt zurückkehrt." Eschatologie erwächst „grundsätzlich auf dem Boden historischer Lebensweise".

4. Eschatologie entsteht nicht allein aus dem „edlen Trieb nach Vollendung", — nicht aus der „Sehnsucht nach Erlösung"[18] —, nicht durch die „Spannung zwischen Ideal und Wirklichkeit"[19] —, nicht durch das starke Selbstbewußtsein eines Volkes[20] und auch nicht durch soziale Umschichtungen innerhalb des Volkes und durch politische Bedrohung von außen.[21]

Die Eschatologie Israels ist auch nicht aus dem Kult entstanden,[22]

Vgl. die ähnlichen Fragestellungen bei Rößler, Pannenberg und Moltmann. — Das Alte Testament ist damit eine typische „Vaterreligion" als Geschichtsreligion (vgl. v. d. Leeuw, Phänomenologie der Religion, 2. Aufl., 98 f.). Dort S. 99: „Der Vater führt die Seinen zum Ziel, der Mutter Gebären erneuert das Leben im Kreislauf. Die Mutter schafft Leben, der Vater Geschichte. Die Mutter ist Gestalt und Macht, der Vater Gestalt und Wille." Es geht nicht periodisch um Geburt und Auferstehung, sondern einmalig und historisch um Epiphanie und Parusie (ebd., 112). — Anders und ablehnend Staerk, ThBl 1929, 165 f. [in diesem Bd. 20 f.].

[18] Beides Orelli, Die alttest. Weissagung, 1: ders. aber später auch anders (vgl. 3, 30 ff.): Israel hatte nicht nur die Sehnsucht, sondern auch die Gewißheit, daß Gott sie stillen werde. — Allein vom Dogma her (Urstand, Erlösung, jenseitige Vergeltung, Unsterblichkeit der Seele usw.) und streng in der Reihenfolge der biblischen Bücher entfaltet noch Atzberger (Die christliche Eschatologie ...) die alttestamentliche Eschatologie; es findet sich dort aber eine umfassende Verarbeitung der älteren Literatur zum Thema. — Vernes (Le peuple ...) läßt die Eschatologie im 8. Jh. entstehen, obwohl auch er (vgl. z. B. S. 11) die Wichtigkeit der Beziehungen zwischen Israel und Jahwe für die Fragen der Eschatologie erkannt hat.

[19] Volz, Festschrift Beer, 72 (besonders in der Nabibewegung zu Hause); aber S. 76 auch anders: Gottesbild und Geschichte sind — schon seit Mose! — wichtig.

[20] Gunkel, Propheten, 36 (mit Anwendung auf das Deutschland von 1917!).

[21] Cerny, Day of Yahweh, 85 ff.; er betont daneben auch die Ideologie (sic!) des Jahwismus, die positiven Ideale und die Moral der Propheten. — Vgl. ähnlich Gyllenberg, Festschrift Mowinckel, 78.

[22] Daß Mowinckel später bestritt (vgl. Ps.-Studien II, Neudruck S. 2), dergleichen Aussagen gemacht zu haben, ist angesichts seiner Ausführungen auf S. 226 (a. a. O.), 262 und 324 (dort wörtlich so) uneinsichtig. —

nicht durch eine „Flucht in die Zukunft"[23] oder durch das Hinausschieben eines Kulterlebnisses.[24] Israel ist nicht durch Enttäuschungen angesichts der Diskrepanz zwischen Kulterlebnis und Wirklichkeit[25] den Weg „vom Erlebnis zur Hoffnung"[26] gegangen.

Alle diese Erklärungs- und Ableitungsversuche scheitern gemeinsam an der Tatsache, daß sie nicht erklären können, warum nur Israel innerhalb des Alten Orients zu einer Eschatologie gelangt ist. Die genannten Ursprungshypothesen hätten auf Babylonien, Ugarit oder Ägypten genauso zutreffen müssen, da sie allgemein menschlich argumentieren. Kultenttäuschungen, politische Bedrohungen,

Wie Mowinckel auch schon Volz, Neujahrsfest Jahwes, 15, 46, und H. Schmidt, Thronfahrt Jahves, 36: Der „Adventstag ist die Geburtsstunde der Eschatologie".

[23] Mowinckel, Ps.-Studien II, 324.

[24] Ebd., 226 f.

[25] Ebd., 317. — Vgl. ders., Religion und Kultus, 79 f. — Ähnlich, wenn auch nicht ganz so einseitig, Gyllenberg, a. a. O., 78 ff.); dann auch Hölscher, Ursprünge, 10, 15; während aber Mowinckel die Eschatologisierung des Kultuserlebnisses schon in die Zeit zwischen Salomo und Amos setzt, rechnet Hölscher damit erst vom Beginn des Exils an, da das Ende des Staatskultus dazu notwendig gewesen wäre (14 f.).

[26] Mowinckel, Ps.-Studien II, 315 ff. — Diese These trifft nicht für die Entstehung der alttestamentlichen Eschatologie als ganzer, sondern nur in bestimmter Weise für die Entstehung der messianischen Hoffnung zu (vgl. oben S. 132 f. [hier nicht abgedruckt]). — M. hat seine Anschauungen später etwas modifiziert; vgl. ders., He that cometh, 2. Aufl., 153 u. ö. (über das alttestamentliche Geschichtsdenken und seinen Einfluß auf die Eschatologie!); vgl. ders., Psalms in Israels Worship, I, 189 ff. Zu dieser Entwicklung siehe Groenbæk, SEA 1959, 7 f. [in diesem Bd. 130 f.]. — Andere Forscher, die eine ähnliche Ableitung der Eschatologie (meist über den Tag Jahwes als kultischen Tag) vertreten, sind auf S. 173 in Anm. 85 genannt [hier nicht abgedruckt]; dazu Gray, Legacy, 2. Aufl., 11 f., aber nicht einseitig, vgl. S. 13: dazu komme der "impetus of Israels distinctively historical faith" (vgl. S. 33). — Zur Kritik an Mowinckel vgl. vor allem Cerny, Day of Yahweh, passim; Coppens, in: L'attente du Messie, 31 ff.; Dürr, Heilandserwartung, 48 ff.; Maag, VTS VII, 151; Ott, Eschatologie, 32; v. Rad, Theol. II, 4. Aufl., 126, Anm. 31; Vriezen, VTS I, 226 [dt. in diesem Bd. 127].

soziale Umschichtungen, menschliche Sehnsüchte usw. gab es auch
bei den anderen Völkern des Alten Orients — aber eben keine
Eschatologie. Die früheren Behauptungen *Gunkels* und *Greßmanns*
in dieser Richtung sind heute zu korrigieren.[27] Und eventuell vorhandene einzelne Zukunftserwartungen oder Verheißungen sind
auch noch längst keine Eschatologie.

Schließlich geht es nicht an, um der Interpretation und Rettung
bestimmter Texte als kultischer Rituale willen einen dem Alten
Testament fremden Begriff von „existentieller Eschatologie" an es
heranzutragen, nach welchem Eschatologie im Alten Testament
nicht zeitlich, sondern existentiell zu verstehen sei.[28] Ein solches
Verständnis und eine solche Alternative sind unalttestamentlich.

5. Von Eschatologie kann man daher auch nicht erst beim Auftreten eines — dualistisch abgehobenen — zweiten und neuen Weltalters sprechen nach dem völligen Ende des jetzigen durch Vernichtung.[29]

Selbst diese dualistisch-apokalyptische Erwartung ist in ihrer
Grundstruktur vom Jahweglauben und seiner Zukunftserwartung
geprägt, wie ja auch die Apokalyptik nicht nur als Entartungs-

[27] Vgl. z. B. Herrmann, Prophet. Heilserwartungen, 16 ff., 46 ff. —
Mowinckel betonte zwar gegenüber Gunkel und Greßmann mit Recht
die Einzigartigkeit der alttestamentlichen Eschatologie innerhalb des
Alten Orients, blieb dann aber seinem eigenen Ansatz nicht treu.

[28] H. Graf Reventlow, Amt des Propheten, 109 (und in anderen Werken); existentiell wird verstanden als ständige Begrenzung der menschlichen Existenz durch Jahwe. — Ähnlich unklar betreffs „existentiell"
und Altes Testament: Sekine, VTS IX, 66 ff.

[29] So Fohrer, JBL 1961, 317; ThLZ 1960, 405, 419 [in diesem Bd.
178 f.]; Messiasfrage, 19. — Nach F. gibt es vor dem Exil keine Heils-
prophetie (JBL 1961, 315 u. ö.). Das vorexilische Zeugnis von Gericht und
Heil als ein Entweder-Oder wird nachexilisch in ein zeitliches Nach-
einander verwandelt und dabei verfälscht (ThLZ 1960, 404 [151 f.]; Mes-
siasfrage, 19 f.; ZAW 1961, 10 u. ö.). — Das Ineinander von Entweder-
Oder und Vorher-Nachher wird hier nicht gesehen. — Ähnlich dann
Frost, O.T. Apocal., passim; Herrmann, Prophet. Heilserwartungen, 303;
Hölscher, Ursprünge, 3; Mowinckel, He that cometh, 2. Aufl., 261 ff. —
Anders Vriezen, VTS I, 202 [dt. in diesem Bd. 92]: Der Ausdruck
Eschatologie und sein Gehalt sind in weiterem Sinne zu gebrauchen.

erscheinung gewertet werden kann.[30] Sie hängt vielmehr einerseits wesensmäßig und legitim mit der Eschatologie und dem Geschichtsverständnis vor allem der Propheten zusammen, während ihr Dualismus anderseits hauptsächlich infolge geschichtlicher Erfahrungen, religionsgeschichtlicher Beeinflussungen und neuer Fragestellungen erst in nachexilischer Zeit voll ausgebaut worden ist. Eine zu einseitige Ableitung der Apokalyptik aus der Weisheit verbietet sich besonders wegen des Geschichtsverständnisses und der Eschatologie der Apokalyptik, die beide als aus der Weisheit stammend nur schwer begreiflich zu machen sind.[31] Die Apokalyptik bezeugt den sich durchsetzenden und mit der Geschichte verbundenen Jahwe in neuer Umwelt und auch mit Hilfe neuen Aussagematerials.[32] Wenn aber die Apokalyptik von den Fragen nach dem Geschichtsplan Jahwes bewegt ist und die Geschichte in ihrer Einheit

[30] Man kann auch nicht, wie Fohrer, zwischen der vorexilischen und der nachexilischen Prophetie, ihrer Eschatologie und selbst nicht zwischen Eschatologie und Apokalyptik einen vollendeten Bruch und fast totale Diskontinuität konstatieren. — Vgl. Groß, TThZ 1961, 25 f. [in diesem Bd. 194 ff.], und Vawter, CBQ 1960, 33 ff.; ders., Mahner und Künder, 297 f.

[31] Selbst die Umarbeitung des betreffenden Abschnittes bei v. Rad, Theol. II, 4. Aufl., 315 ff., vermag diese These nicht wahrscheinlicher zu machen.

[32] Zur Frage der Ableitung und Entstehung der Apokalyptik in ihrem Verhältnis zum AT vgl. z. B.: Frost, O.T. Apocal., passim; ders., VT 1952, 70 ff. (Verbindung von Eschatologie und Mythos [73 ff.]; vgl. Sellin-Fohrer, Einl., 10. Aufl., 96); Gloege, Mythologie, 3. Aufl., 113 ff.; Hentschke, ZEE 1960, 47; Hurwitz, Gestalt des sterbenden Messias, 30, 33; Kraus, EvTh 1964, 477 ff.; Mildenberger, Gottes Tat im Wort, 45 f.; Moltmann, Theol. d. Hoffnung, 3. Aufl., 120 ff.; Ploeger, Theokratie und Eschatologie; Ringgren, Isr. Rel., 301 ff.; Rowley, Apokalyptik; Sauter, Zukunft und Verheißung, 229 ff.; Schubert, in ›Seine Rede geschah zu mir‹, 461 ff.; Vawter, CBQ 1960, 33 ff.; zum analogen Problem im NT z. B. Ladd, JBL 1957, 192 ff.; Hahn, Christologische Hoheitstitel, 142 f. — Zu v. Rad siehe S. 212 [303], Anm. 31. — Zur spätjüdischen Eschatologie vgl. die Arbeiten von Charles, Messel, Rößler, Steuernagel und Volz. — Zum Einfluß des Parsismus siehe v. Gall, Basileia (der aber die gesamte alttestamentliche Eschatologie aus ihm ableiten will); besser

und Finalität zu begreifen sucht, so steht sie damit deutlich unter
dem Einfluß und innerhalb des Erbes des gesamten Alten Testamentes
und besonders der Prophetie. Die Verschiebung der Verkündigung
der Apokalyptik gegenüber der Prophetie zu überwiegender Heilsbotschaft für Israel hat ihren Grund nicht nur in der Andersartig-
keit der Apokalyptik gegenüber der Prophetie, sondern auch in
ihrer historischen Situation als Notsituation und in ihrem Trostamt.
Enttäuschungserlebnisse und Krisenzeiten können eine vorhandene
Zukunftshoffnung zwar verstärken, diese aber nicht erst hervorrufen.

6. Eschatologie ist daher — im Alten wie im Neuen Testament —
„die Kunde vom Kommen Gottes in diese Welt". Sie hat es mit
dem personalen Eingreifen Gottes selbst zu tun.[33] Sie ist nicht
Zukunftsspekulation, nicht Flucht in die Zukunft, sondern „eine
bestimmte Form der Heilsverkündigung", ist die „evangelische
Weise des zukunftsbezogenen Heilsverständnisses".[34] Sie ist im
Alten Testament Jahweglaube *als* Zukunftserwartung; denn vom
Jahweglauben gilt wie vom Christentum, daß er und es „ganz und
gar und nicht nur im Anhang Eschatologie ... (und) Hoffnung" sind.[35]
Jahweglaube *ist* Zukunftserwartung. Weil man von Jahwe erfahren
hat, kann man von Hoffnung reden und in Hoffnung leben. Alle
Zukunft wird ja Jahwes Zukunft sein, wofür sein Wesen, seine
Geschichtstaten, seine Verheißungen, sein Segen, sein Geleit in Vergangenheit und Gegenwart das Angeld sind, das ständig neues
Hoffen schafft und das Gottesvolk im getrosten Unterwegs hält. Es
geht somit im Alten Testament nicht um Gott *und* die Hoffnung,
sondern um Jahwe *als* Hoffnung und damit um den Jahweglauben
als Zukunftserwartung mit Abschlußaspekt. Denn der Gott, den
Israel bekennt, ist der Gott, welcher sich durchsetzt. Dieses tat
und tut er geschichtlich. So ist alttestamentliche Eschatologie die

Kohut, ZDMG 1867, 552 ff., und besonders Böklen, Die Verwandtschaft ... — außerdem die neueren Arbeiten über den Einfluß des Parsismus auf die Qumrantexte (vor allem von K. G. Kuhn).

[33] Gloege, Mythologie, 3. Aufl., 117.
[34] Ebd., S. 114 und 115.
[35] Moltmann, Theol. d. Hoffnung, 3. Aufl., 12.

Explikation des Jahweglaubens in Applikation auf die Geschichte.

Am Ende des Alten Testamentes steht die es von Anfang an durchziehende Frage nach dem endgültigen Kommen Gottes zum Heil als eine offene. Das Neue Testament enthält durch die Christologie ein für seine Eschatologie neues und verstärkendes Motiv. Aber auch hier ist das neue Gottesvolk in ein neues Unterwegs gestellt und die Frage nach dem Verhältnis von Eschatologie und Geschichte damit auch hier der heutigen Forschung besonders aufgegeben.

Jean Carmignac, La notion d'eschatologie dans la Bible et à Qumrân. Revue de Qumrân, 7 (1969), pp. 17—31. Übersetzt von Josef Kremeyer.

DER BEGRIFF „ESCHATOLOGIE"
IN DER BIBEL UND IN QUMRAN

Von Jean Carmignac

Der Terminus „Eschatologie" scheint bisher noch keine deutliche und genaue Definition, auf die sich alle Autoren einigen könnten, erhalten zu haben. Er deckt vielmehr derart unterschiedliche Vorstellungen, daß man gar soweit gegangen ist, zwischen „konsequenter" und „verwirklichter Eschatologie" zu unterscheiden.[1]

Anderseits scheinen alle, die von Eschatologie sprechen, auf eine biblische Vorstellung zu rekurrieren, die sie mit einer griffigen Vokabel zum Ausdruck bringen wollen.

Das Wort „Eschatologie" taucht jedoch in der Bibel nirgendwo auf. Es ist eine spätere, aus dem griechischen ἔσχατος stammende künstliche Bildung. Die tatsächliche biblische Vorstellung von Eschatologie dürfen wir also hoffen durch eine Untersuchung des biblischen Gebrauchs von ἔσχατος herauszufinden.[2] Hierbei wird uns ein Vergleich mit den Texten von Qumran eine wertvolle Hilfe sein.

I. Altes Testament

Im Alten Testament entspricht das Adjektiv ἔσχατος (im Neutrum auch substantivisch: τὸ ἔσχατον „der Endpunkt" oder τὰ ἔσχατα „die letzten Dinge") gewöhnlich dem Adjektiv $^{\,>}ah^{a}rôn$ oder dem Substantiv $^{\,>}ah^{a}rît$, die beide von einem Stamm $^{\,>}HR$ „danach

---

[1] Was mit diesen Wendungen gemeint ist, beschreibt z. B. A. Feuillet, Einige Hauptthemen des Neuen Testaments, in: A. Robert und A. Feuillet, Einführung in die Bibel II: Neues Testament Freiburg (Herder) ²1965, S. 693.

[2] Kittels Artikel ἔσχατος in G. Kittel, ThWbNT II, S. 694—695 ist völlig unzureichend.

sein" herkommen. Mit den beiden letztgenannten Begriffen müssen wir also unsere Untersuchung beginnen.

1. *ʾAḥªrôn*. — Läßt man den lokalen Gebrauch von *ʾaḥªrôn* beiseite und berücksichtigt nur seine temporale Verwendung, so ergibt sich als Grundbedeutung: „der danach ist" oder „der danach kommt", also: „der folgende": der folgende Tag (Jes 30, 8; Spr 31, 25), die folgende Generation (Dtn 29, 21; Ps 48, 14; 78, 4. 6; 102, 19).

Manchmal ist dieses *folgende* faktisch das zweite,[3] so Ex 4, 8 das zweite Zeichen; Dtn 24, 3 der zweite Ehemann (einer Geschiedenen); Jes 8, 23 die zweite Periode; Jer 50, 17 der zweite Eindringling; Dan 8, 3 das zweite Horn; Dan 11, 29 das zweite Mal; Hag 2, 9 der zweite Tempel; Ruth 3, 10 der zweite Akt; Dtn 13, 10; 17, 7; 2 Sam 2, 26; 1 Kön 17, 13 in zweiter Hinsicht oder Linie, d. h. anschließend.

Manchmal tritt dieses *folgende* in einer Reihe auf, in der es eine nicht näher bestimmte, nicht aber die letzte Stelle einnimmt. So hinterlassen Frühere die Erinnerung an sich den Späteren, Kommenden, und diese wiederum anderen, die nach ihnen kommen (vgl. Pred 1, 11).

Manchmal ist dieses *folgende* in Wirklichkeit das letzte, etwa Num 2, 31, wo es das vierte und letzte Glied einer Reihe bezeichnet. Ebenso steht es Gen 33, 2 in einer dreigliedrigen Reihe, einmal für das zweite, dann für das dritte und letzte Glied; ebenso wohl 1 Chr 23, 27.

Manchmal ist dieses *folgende* in Wirklichkeit das letzte, etwa deutlich *der letzte* heißt, so etwa Neh 8, 18 „vom Ersten bis zum Letzten"; 2 Sam 19, 12. 13 „Warum wollt ihr die Letzten sein bei der Heimholung des Königs?" Das gleiche gilt für Formeln, in denen ein *Erster* einem *Letzten* gegenübergestellt wird, wie Jes 44, 6 und 48, 12 (wohl auch 41, 4) „Ich bin der Erste und der Letzte"; 1 Chr 29, 29; 2 Chr 9, 29; 12, 15; 16, 11; 20, 34; 25, 26; 28, 26; 35, 27.

---

[3] Die gleiche semantische Entwicklung hat sich im Französischen vollzogen, wo *second* etymologisch *der folgende* heißt, in der Praxis aber *der zweite*.

Manchmal ist der Sinn nicht eindeutig, und man weiß nicht, ob *die folgenden* oder *die letzten* gemeint sind; so 2 Sam 23, 1; Esr 8, 13; Pred 4, 16.

Wie übersetzt nun die Septuaginta diese beiden Bedeutungen von *ʾaḥᵃrôn, der folgende, spätere* bzw. *der letzte?*

a) In der Bedeutung *der letzte* verwendet sie einmal (Jes 41, 4) ἐπερχόμενος *danach kommend,* einmal (Jes 44, 6) μετὰ ταῦτα *nach diesen Dingen,* einmal (Jes 48, 12) εἰς τὸν αἰῶνα *in Ewigkeit,* einmal (1 Chr 29, 29) ὕστερος *späterer,* sowie elfmal ἔσχατος, und zwar 2 Sam 19, 12. 13; Neh 8, 18; 1 Chr 23, 27; 2 Chr 9, 29; 12, 15; 16, 11; 20, 34; 25, 26; 28, 26; 35, 27. Auch in den drei Fällen, in denen es sowohl *der folgende* als auch *der letzte* heißen könnte (2 Sam 23, 1; Esr 8, 13; Pred 4, 16), übersetzt sie ἔσχατος.

b) In der Bedeutung *folgend* [4] verwendet die Septuaginta einmal (Gen 33, 2 a) ὀπίσω *dahinter,* einmal (Jer 50, 17 = LXX 27, 17) ὕστερος *als nächster,* fünfmal ἕτερος *anderer* (Dtn 29, 21; Ps 48, 14; 78, 4. 6; 102, 19), einmal (Ex 4, 8) ἔσχατος oder δεύτερος *zweiter* [5], sowie zwölfmal ἔσχατος (Gen 33, 2b; Num 2, 31; Dtn 13, 10; 17, 7; 24, 3; Ruth 3, 10; 2 Sam 2, 26; 1 Kön 17, 13; Dan 11, 29; Hag 2, 9; Spr 31, 25 [LXX 31, 26]; Pred 1, 11 [6]).

---

[4] Die Stellen Jes 8, 23 (LXX 9, 1); 30, 8; Dan 8, 3 können wir nicht mit heranziehen, da die Septuaginta dort eine andere Vorlage als den gegenwärtigen hebräischen Text gehabt zu haben scheint.

[5] Nach dem kritischen Apparat von A. E. Brooke und N. McLean in: The Old Testament in Greek, Bd. I, Teil 2: Exodus und Leviticus, wird ἔσχατος bezeugt vom Vaticanus, vom Sinaiticus, von neun Minuskeln und der Vetus Latina, während F, M, 21 Minuskeln, die armenische, bohairische, äthiopische Übersetzung und die Syro-Hexapla δεύτερος bezeugen.

[6] Soweit man das nach den zu wenigen uns erhaltenen Fragmenten beurteilen kann (siehe Fridericus Field, Originis Hexaplorum quae supersunt, Oxford, Clarendon Press, 1875 und Joseph Reider and Nigel Turner, An Index to Aquila, Leiden, Brill 1966), ist ἔσχατος bei Aquila die geläufige Entsprechung für *ʾaḥᵃrôn* und *ʾaḥᵃrît,* so in Ex 4, 8; Num 24, 14; Dtn 11, 24; 32, 29; Jes 8, 23 (griech. 9, 1); 30, 8; 48, 12; Jer 12, 4; 31, 17 (griech. 38, 17); 50, 17 (griech. 27, 17); Ez 23, 25; Ps 37, 37. 38 (griech. 36, 37. 38); Spr 14, 12. Desgleichen bei Theodotion: Dtn 11, 24; Jes 8, 23 (griech. 9, 1); 30, 8; 48, 12; Jer 31, 17 (griech. 38, 17); Dan 8, 19. 23;

Diese Aufstellung zeigt, daß die Übersetzer der Septuaginta (wie auch Aquila, Symmachus und Theodotion) ἔσχατος offenbar weniger prägnant verstehen als das klassische Griechisch, wo es *der äußerste, letzte* bedeutet. Sie gebrauchen es ja auffallend häufig in solchen Fällen, wo nur von einem *zweiten, späteren* die Rede ist.

Die gleiche Feststellung wird auch bezüglich des Substantivs *ʾaḥᵃrît* zu treffen sein.

2. *ʾAḥᵃrît*. — *ʾAḥᵃrît* bedeutet *das, was danach kommt, das, was folgt*, also *die Zukunft* oder *die Nachkommenschaft*. Die Bedeutung *Nachkommenschaft* findet sich Ps 37, 38. 39; 109, 13; Ez 23, 25 (zweimal); Dan 11, 4[7]; Am 4, 2[8] und 9, 1. Die Bedeutung *Folgezeit, Zukunft* liegt vor Num 24, 20; Dtn 8, 16; 32, 20. 29; Jes 41, 22; 46, 10; Jer 12, 4; 29, 11; 31, 17; Klgl 1, 9; Spr 19, 20; 23, 18; 24, 14. 20[9]; 29, 21.

Manchmal wird aus der *Folgezeit* die konsekutive *Folge* (Jes 47, 7), oder der Begriff beinhaltet eine *neue Situation* (Hiob 8, 7; 42, 12). Oft geht auch *Folgezeit* in *Ende* über, entweder weil Anfang und Ende gegenübergestellt werden (Dtn 11, 12; Pred 7, 8; 10, 13), oder weil der Kontext es verlangt: Num 23, 10 *mein Ende,* d. h. mein Tod; Jer 50, 12 *das Ende der Völker,* d. h. das letzte der Völker; Dan 8, 23 *am Ende ihrer Herrschaft*; Dan 12, 8 *das Ende der Dinge*; Ps 73, 17 *das Ende (des Gottlosen).* In zahlreichen Fällen

11, 4; 12, 8; Am 8, 10; Ps 37, 37. 38 (griech. 36, 37. 38); Spr 14, 12. Bei Symmachos findet sich zehnmal ἔσχατος: Dtn 11, 24; Jes 8, 23 (griech. 9, 1); 30, 8; 48, 12; Jer 12, 4; 31, 17 (griech. 38, 17); 50, 17 (griech. 27, 17); Ez 23, 25; Am 8, 10; Ps 37, 38 (griech. 36, 38). Fünfmal stehen verschiedene andere Begriffe, so Ex 4, 8 ἑπόμενος *der folgende;* Ps 37, 37 (griech. 36, 37) μέλλων *zukünftig;* Ps 48, 14 (griech. 47, 14) μεταγενέστερος *nachgeboren;* Ps 102, 19 (griech. 101, 19) ἀκολουθῶν *nachfolgend*; Pred 1, 11 μετὰ ταῦτα *danach.*

[7] Dan 4, 5 *zum Schluß* scheint ebenso lokale wie temporale Bedeutung zu haben.

[8] Manche übersetzen: „ihr Hintern".

[9] An den drei zuletzt zitierten Stellen übersetzt die ›Bible de la Pléiade‹ sehr treffend mit « un lendemain ».

darf man zu Recht schwanken zwischen den Bedeutungen *Folgezeit*
und *Ende,* so Jer 5, 31; 17, 11; Dan 8, 19; Am 8, 10; Spr 5, 4. 11;
14, 12. 13; 16, 25; 20, 21; 23, 32; 25, 8.

Wenn man berücksichtigt, daß die Septuaginta an sieben Stellen
vielleicht von einem anderen Text ausgeht, so bleibt als Ergebnis,
daß sie ᵓaḥᵃrît zwanzigmal (sowie viermal bei Theodotion in
Daniel) durch ἔσχατος und siebzehnmal (sowie einmal bei Theodotion in Daniel) durch verschiedene andere Wendungen wiedergibt. Ἔσχατος bezeichnet aber in der Septuaginta sowohl die *Folgezeit* als *das Ende.* Auch hier ist also wieder festzustellen, daß die
Bedeutung von ἔσχατος in der Septuaginta nicht so eingegrenzt ist
wie im klassischen Griechisch und daß auch ein sklavisch genauer
Übersetzer sich seiner bedienen darf, um die beiden Begriffe *Folgezeit* und *Ende* wiederzugeben.

3. *ᵓAḥᵃrît hajjamîm.* — Der Ausdruck ᵓaḥᵃrît hajjamîm, die
Folge (oder das *Ende?*) *der Tage* stellt für uns insofern einen inter-
essanten Sonderfall dar, als manche Autoren darin eine direkte Anspielung auf die Ereignisse des Weltendes sehen. Diese Wendung,
bei deren Übersetzung die Septuaginta immer in der einen oder
anderen Form den Begriff ἔσχατος verwendet, erscheint im Alten
Testament vierzehnmal (davon einmal auf aramäisch):

Gen 49, 1 geht es um Jakobs Prophezeiung, die sich auf die Zukunft der zwölf Stämme richtet, nicht jedoch auf das Weltende;

Num 24, 14 handelt von den zukünftigen Rivalitäten zwischen
Moab und Israel, nicht aber vom Weltende;

Dtn 4, 30 und 31, 29 handeln von der künftigen Untreue Israels,
nicht aber vom Weltende;

Jes 2, 2 (= Mi 4, 1) handelt vom künftigen Ausstrahlen Jerusalems auf die anderen Völker, nicht aber vom Weltende;

Jer 23, 20 und 30, 24 handeln von der künftigen Bestrafung der
Bösen, nicht aber vom Weltende;

Jer 48, 47 handelt von der Rückkehr der Gefangenen Moabs,
nicht aber vom Weltende;

Jer 49, 39 handelt von der Rückkehr der Gefangenen Elams,
nicht aber vom Weltende;

Ez 38, 16 handelt von der Besetzung Israels durch die Armeen
des Gog, nicht aber vom Weltende;

Dan 2, 28 (aramäisch) handelt von Reichen, die auf das des Nebukadnezar folgen, nicht aber vom Weltende;

Dan 10, 14 handelt von den Kriegen zwischen dem König des Nordens und dem König des Südens, nicht aber vom Weltende;

Hos 3, 5 handelt von der Bekehrung Israels zu seinem Gott, nicht aber vom Weltende.

Schließlich steht noch Ez 38, 8 eine ähnliche Wendung, nämlich *ʾaḥᵃrît haššānîm,* d. h. *die Folge der Jahre,* und auch dort ist die Rede von der Invasion des Gog, aber nicht vom Weltende.

Zwar weiß das Alte Testament sehr wohl, daß Erde und Himmel ein Ende haben (Ps 102, 26—27; Jes 24, 18—20) und daß ein neuer Himmel und eine neue Erde an ihre Stelle treten werden (Jes 65, 17; 66, 22). Besonders Dan 9, 26 und 12, 13 sprechen deutlich vom Weltende. Doch erscheint in diesem Zusammenhang nicht *ʾaḥᵃrît,* sondern wird vielmehr durch *qeṣ* ersetzt, einen Begriff, der mit dem *Abhauen* oder *Behauen* eines Gegenstandes zusammenhängt und dessen *äußerstes Stück,* sein *Ende* bezeichnet. Schon dieser Austausch der Begriffe beweist übrigens hinreichend, daß *ʾaḥᵃrît* nicht das *Ende der Tage* bezeichnet. Man wählt eben einen anderen Begriff, wenn man über dieses *Ende der Tage* sprechen will. Und selbst die griechischen Übersetzer verwenden dann nicht ἔσχατος, sondern συντέλεια (Dan 9, 26 LXX; Dan 12, 13 LXX und Theodotion) oder τέλος (Dan 9, 26 Theodotion).

Man muß daher uneingeschränkt dem Urteil von R. Pautel zustimmen: „Die Wendung *bᵉʾaḥᵃrît hajjāmîm* bedeutet nicht an sich *am Ende der Tage,* sondern *in der Folgezeit* oder *auf die Dauer.* Diese Übersetzung durch ein aufschiebendes Futur liegt aufgrund der Wurzel *ʾaḥar* und des biblischen Gebrauchs nahe (Gen 49, 1; Num 24, 14). Im alttestamentlichen Gesetz paßt sie sowohl im Zusammenhang mit Abfall und gegebenenfalls Bestrafung Israels (Dtn 31, 29) wie mit späterer Bekehrung (4, 30). *Bᵉʾaḥᵃrît haššānîm* muß entsprechend übersetzt werden durch *in künftigen Jahren* (Ez 38, 8). Die beiden Wendungen bezeichnen also an sich weder das Weltende noch das letzte Weltalter. Vielmehr macht ihre Unschärfe sie geeignet, auf ein ideales oder messianisches Zeitalter hinzuweisen. Das Wort mit der Bedeutung Ende *(qeṣ)* dient als Bezeichnung für das Ende eines Weltalters (Dan 9, 26; 11, 27; 12, 13). *Endzeit* (*ᶜeṭ qeṣ*) ist die der Wirren vor diesem Ende (8, 17; 11, 35. 40; 12, 4. 9).« [10]

Einige Übersetzer werfen zwar ʾaḥᵃrîṯ und qeṣ durcheinander und erlauben sich, ʾaḥᵃrîṯ hajjamîm durch *the end of the days, das Ende der Tage* oder *la fin des jours* zu übersetzen. Doch zwingt eine Untersuchung der Texte zu der Einsicht, daß diese Wendung sich niemals auf das Weltende bezieht, ebensowenig wie die griechische Übersetzung, in der ἔσχατος verwendet wird.

II. Qumran

Die Funde von Qumran, die nur sehr wenige schriftliche Dokumente in griechischer Sprache zutage gefördert haben, geben uns über den Bedeutungsbereich von ἔσχατος keinen Aufschluß. Dagegen liefern sie uns wertvolle Belege für die Bedeutung der Formel ʾaḥᵃrîṯ hajjāmîm zu Beginn der christlichen Ära.

Nach dem gegenwärtigen Stand der Publikation von Qumran-Texten erscheint diese Wendung dort 28mal.[11]

Der eindeutigste Fall liegt vor in Florilegium, Fragmente 1—2, Sp. I, Z. 19 und Sp. II, Z. 1, wo der Autor sich selbst kommentiert: „In der Folge der Tage, d. h. in der Zeit der kommenden Glut.“ Da wir durch den Kommentar zu Ps 37 (Fragmente 1—2, Sp. II, Z. 18) und durch die Catena A (Fragmente 5—6, Z. 3) wissen, daß „die

---

[10] Dictionnaire de la Bible, Supplément Bd. IV, Fasz. 23, Art. ›Jugement‹, Sp. 1324—1325.

[11] Die ›Revue de Qumrân‹ hat bereits in Heft 12 eine knappe Übersicht über diese Wendungen gegeben (= Bd. III, Heft 4 von Oktober 1962, S. 527—529), doch kannte man zu diesem Zeitpunkt nur erst vierzehn Belege. So ergibt sich die Notwendigkeit, alle vorliegenden Belege erneut im einzelnen zu überprüfen. Die Qumran-Texte werden nach der (französischen) Übersetzung von J. Carmignac, P. Guilbert, É. Cothenet und H. Lignée zitiert, außer den neuen Texten, die John M. Allegro in ›Qumran Cave 4 (4 Q 158—4 Q 186)‹ veröffentlicht hat (Oxford, Clarendon Press 1968). — Für die deutsche Übertragung wurden die (oft anders übersetzenden) deutschen Textausgaben von J. Maier und E. Lohse bewußt unberücksichtigt gelassen. (Vgl. die Einleitung)

Zeit der kommenden Glut" die des letzten, Schrecken um sich ver-
breitenden Aufbäumens Belials (= des Teufels) ist, vor der endgültigen Errichtung der Herrschaft Israels, wissen wir mit Sicherheit, daß „die Folge der Tage" nicht das Weltende meint, sondern
die recht nahe Zukunft, in der die „Herrschaft Belials" vernichtet
werden wird.

In der Tat kennt nun die Zukunfterwartung der Qumran-
Gemeinde zwei deutlich getrennte Epochen. In der Gegenwart steht
die gesamte Welt unter der „Herrschaft Belials", besonders bei den
Kittîm (d. h. den Heiden allgemein)[12] und den „Anstiftern von
Missetaten" (d. h. den Pharisäern). Nur die Gemeinde von Qumran
wird selbstverständlich verschont. Aber die Gerechten seufzen dem
Tag entgegen, an dem diese verhaßte Herrschaft durch den Befreiungskrieg abgeschüttelt[13] und sich über die endlich von allen
Gottesfeinden befreite Welt eine Ära paradiesischen Friedens aus-
breiten wird[14]. Wie lange wird diese glückliche Zeit dauern? Die
Antwort lautet mit Dtn 7, 9: „Tausende von Generationen."[15] Und
was wird anschließend geschehen? Diese Frage wird an keiner Stelle
ausdrücklich gestellt. Die in diesem Zusammenhang manchmal
zitierten Hymnen (III, 13—18 oder III, 28—36) beschreiben in
Wirklichkeit in apokalyptischen Bildern, wie alle Verderbtheit in
diesem Krieg, der die Gottlosen ausrottet, verschlungen wird.[16]

[12] Die Bedeutung von „Kittîm" in der ›Kriegsregel‹ wird untersucht in:
Nouvelle Revue Théologique 77/7 (Juli—August 1955), S. 737—748. Die
in diesem Artikel gezogenen Schlußfolgerungen sind durch die seitdem
veröffentlichten Texte bestätigt worden.

[13] Vgl. z. B. Kriegsregel, passim; Hymnen III, 23—36; VI, 29—35;
Kommentar zu Ps 37, Sp. II, Z. 1—8.

[14] Gemeinderegel [= 1 Q S] IV, 6—8. 22—23; Hymnen III, 20—23;
XI, 10—14. 23—27; XV, 14—17; VIII, 13—15; Kommentar zu Ps 37,
Sp. II, Z. 4—11; Damaskusschrift III, 19—21.

[15] Kommentar zu Ps 37, Sp. III, 1—2 und Damaskusschrift XIX, 1—2.

[16] In H.-W. Kuhns ›Enderwartung und gegenwärtiges Heil‹ (Göttingen 1966) bedeutet „Enderwartung" nicht, wie man glauben könnte, „Erwarten des Weltendes". Der Autor bezeichnet damit vielmehr „die Erwartung des Endes der Gottlosen oder der Gottlosigkeit". In Qumran
stehen aber diese beiden Endereignisse in keiner direkten Beziehung zueinander.

Doch bezieht sich diese Aussage auf das Ende der gegenwärtigen Epoche und nicht auf das Weltende im eigentlichen Sinn.

Wo sind nun in diesem qumranischen Zeitschema die Ereignisse anzuordnen, die in der *Folgezeit* stattfinden sollen? Nun, hierauf wird über den oben zitierten Text aus dem Florilegium hinaus an zwölf weiteren Stellen eine sichere Antwort gegeben: Dies alles geschieht vor dem Ende der „Herrschaft Belials", also noch vor dem Eintreten der paradiesischen Zeit:

Gemeinschaftsregel (= 1 QSa) I, 1: „Dies ist die Regel für die gesamte Versammlung Israels in der künftigen Zeit." Zu dem Zeitpunkt aber hat der Befreiungskrieg noch nicht stattgefunden, da in I, 21 von seiner Vorbereitung die Rede ist.

Jesajakommentar (4 QpJes[a]), Fragmente 8—10, Z. 17: [„Dies (= Jes 11, 1—5) ist zu verstehen im Hinblick auf —— den Sproß des] David, der sich erheben wird in den kü[nftigen Tagen . . ."] Der Kontext (ZZ. 20 und 21) fügt hinzu, daß dieser Sproß Davids „herrschen wird über alle Völker" und daß „sein Schwert alle Völker richten wird".[17] Wir befinden uns also in der Zeit des Befreiungskrieges, und zwar kurz vor seinem Ende.

Jesajakommentar (4 QpJes[b]), Sp. II, Z. 1: „Dieses Wort (Jes 5, 10) meint die in der Folge der Tage [drohende] Bestrafung (?) der Erde angesichts von Schwert und Hungersnot." Auch hier handelt es sich wieder um den Befreiungskrieg.

Jesajakommentar (4 QpJes[c]), Fragment 23, Sp. II, Z. 10: „Dieses Wort (Jes 30, 15—18) ist zu verstehen betreffs der künftigen Tage im Hinblick auf die Sammlung der A[nstifter von] Missetaten." Wir wissen aber, daß diese Feinde Gottes im Befreiungskrieg zerstört werden sollen.

Nahumkommentar (4 QpNah), Fragmente 3—4, Sp. II, Z. 2: „Die Deutung dieses Wortes (Nah 3, 1) bezieht sich auf die Stadt

---

[17] Man muß sich natürlich davor hüten, in die Qumran-Texte oder auch in die des Alten Testaments eine Vorstellung von *Gericht* hineinzuprojizieren, die unbewußt der christlichen Theologie entstammt. Zu Ähnlichkeiten und Unterschieden von *Gericht* im Alten Testament und *Gericht* im Neuen Testament siehe z. B. das Ergebnis der Untersuchung von D. Mollat, Jugement dans le Nouveau Testament, in: Dictionnaire de la Bible, Supplément Bd. IV, Fasz. 23, Sp. 1391—1392. In Qumran besteht

Ephraïms, Stadt der Anstifter von Missetaten an künftigen Tagen, aufgrund ihres Wandels in Betrug und Täuschung." Auch dies liegt also noch vor dem Ende der „Herrschaft Belials".

Nahumkommentar (4 QpNah), Fragmente 3—4, Sp. III, Z. 3: „Dies (Nah 3, 6—7) ist zu verstehen im Hinblick auf die Anstifter von Missetaten, die in der Folgezeit [18] ganz Israel ihre bösen Werke enthüllen werden." Auch dies findet unter der Herrschaft Belials statt.

Habakukkommentar (1 QpHab), Sp. II, Z. 5: „Dieses Wort (Hab 1, 5) ist zu verstehen [mit Blick auf alle Verr]äter für künftige Tage: Es werden sein die Unbeschnitten[en an Herz [19] und Niere]n, die nicht glauben werden, wenn sie alles erfahren, was [über] die zukünftige Generation ko[mmt]." Nicht nur befinden wir uns hier weiterhin unter der „Herrschaft Belials", sondern (mindestens) eine weitere Generation wird diese noch erleben.

Habakukkommentar (1 QpHab) IX, 6: „In künftigen Tagen werden ihr Reichtum und ihr Beutegut de[n] Hände[n] der Armee der Kittîm ausgeliefert werden." Diese Kittîm aber werden im Befreiungskrieg vernichtet werden.

Florilegium (4 QFl), Fragmente 1—2, Sp. I, Z. 15: „[...] die sich vom Wege von [...] abwenden werden, wie es im Buch des Propheten Jesaja steht für die künftig[en] Tage: Es geschah, daß [er (= Gott) mich abgehalten hat, in den Spuren] dies[es] Volk[es zu wandeln], indem er m[eine Hand] ergriff (Jes 8, 11)." Das Jesajazitat zeigt, daß es um eine Abwendung vom Pfad des Bösen geht. Die „Herrschaft Belials" ist also noch nicht beendet.

Catena A (4 Q 177), Fragmente 1—4, Z. 7: „Sie (wer?) werden wie ein Feuer sein für die ganze Welt; über sie steht geschrieben in

das Gericht über die Heiden in ihrer völligen Ausrottung durch den Befreiungskrieg, der der *Herrschaft des Belial* ein Ende machen wird. Dieser Krieg steht jedoch in keinem Zusammenhang mit dem Weltende.

[18] Hier und im Kommentar zu Ps 127, Fragment 1, Z. 1 ersetzt der Verfasser *Tage* durch *Zeit* (denn in Qumran bedeutet qṣ *Zeit*, während es im biblischen Hebräisch *Ende* bedeutet). Der Sinn der Wendung bleibt allerdings derselbe.

[19] Anspielung auf Jer 9, 25 oder auf Ez 44, 7. 9; (anders Lohse).

den künftig[en Tagen]." Dieses Bild vom Feuer, das die Welt verzehrt, ist wohl eine Anspielung auf den Krieg der Befreiung (Israels)
und der Ausrottung (der Heiden); siehe Kriegsregel XI, 10.

Catena A (4 Q 177), Fragmente 12—13, Sp. I, Z. 2: „[...] für
die künftigen Tage, was David sagt: Herr, nicht in Deinem Zorn
züchtige mich (Ps 6, 2—3)." Solche Prüfungen sind nur möglich
unter der Herrschaft Belials und nicht im Zeitalter des paradiesischen
Friedens.[20]

Worte des Lichts (4 QDibHam), Sp. III, Z. 13: „[...], die Moses
und deine Diener, die Propheten, geschrieben haben, die du uns ge-
sandt hast, um uns das Unglück schauen zu lassen, das in künftigen
Tagen kommen wird." Dieses Unglück kann natürlich nur durch
Belial und seine Komplizen hervorgerufen worden sein. Übrigens
ist die Stelle ein Zitat aus Dtn 31, 29 (s. o.).

In anderen Fällen scheint sich die Wendung „künftige Tage" eher
auf die Periode des Glücks zu beziehen, wo die Gerechten Gott dienen werden in einer Welt, die der Sünder ledig ist. Doch deutet
nichts darauf hin, daß man es hier mit dem Ende dieser zweiten
Periode zu tun hätte, oder gar mit dem Ende der Welt:

Florilegium (4 QFl), Fragmente 1—2, Sp. I, Z. 11—12: „Der
Sproß Davids wird sich erheben mit dem Sucher des Gesetzes, ... in
künftigen Tagen." Die Ankunft des Messias, des Sohnes Davids, ist
für die Zeit der Erneuerung des Königreichs Israel vorgesehen. Wir
befinden uns also ganz am Anfang der zweiten Periode (oder vielleicht sogar noch am Ende der ersten).

Damaskusschrift VI, 8—11: „Die Vornehmen des Volkes, das
sind die, welche den Brunnen gebohrt haben mit den Vorschriften,
mit denen der Unterweiser sie unterwiesen hat, damit sie sie befol-
gen während der gesamten Periode der Gottlosigkeit. Denn ohne sie

---

[20] Diese Übersetzung geht von der Interpunktion des Herausgebers
J. M. Allegro aus. Man könnte aber auch in Übereinstimmung mit dem
(in Qumran) üblichen Stil „biblischer Interpretationen" der Meinung sein,
daß „für die Folge der Tage" am Ende eines Satzes steht, dessen Anfang
verschwunden ist, und daß anschließend ein neuer Satz beginnt: „Was
David sagt, ... ist zu verstehen im Hinblick auf ...". In diesem Fall wäre
die Stelle denen zuzurechnen, die sich nicht aus dem Kontext interpretieren
lassen.

werden sie nicht erleben die Thronbesteigung dessen, der die Gerechtigkeit lehren wird in künftigen Tagen" (nach É. Cothenet, S. 166). Auch hier stehen wir an der Trennlinie zwischen der Periode der Gottlosigkeit und der Periode der Gerechtigkeit, jedoch bereits in der letzteren.[21]

In einem anderen Fall weist der Kontext in eine nicht näher umschriebene Zukunft. Diese läßt sich der einen Weltzeit ebensowenig zurechnen wie der anderen. Sie hat aber auf keinen Fall mit dem Ende der Welt zu tun:

Damaskusschrift IV, 3—4: „Die Söhne Sadoqs, das sind die Erwählten Israels, Männer von Ansehen, die (zum Dienste Gottes) da sind in künftigen Tagen (nach É. Cothenet, S. 160)." Ob in der Zeit der Gottlosigkeit oder in der der Gerechtigkeit — Sadoqs Söhne werden Gott immer treu bleiben. Der Text scheint sich also auf beide Weltzeiten zu beziehen, hat aber auf keinen Fall etwas mit dem Weltende zu tun.

In zwölf weiteren Fällen schließlich sind die Manuskripte so beschädigt, daß wir keinen lesbaren Text erhalten. Manchmal ist dabei sogar ein Teil des fraglichen Ausdrucks „künftige Tage" verlorengegangen und muß mehr oder weniger vollständig restituiert werden. Das gilt für folgende Stellen:

Jesajakommentar A, Fragmente 5—6, Z. 10.

Jesajakommentar C, Fragmente 4—7, Sp. II, Z. 14;

Kommentar zu Micha, Fragment 6, Z. 2;

Kommentar zu Ps 127, Fragment 1, Z. 5, wo hjmjm ersetzt ist durch hq[ṣ] (wie in dem oben zitierten Text aus dem Nahumkommentar, Sp. III, Z. 3);

Florilegium, Fragmente 1—2, Sp. I, Z. 2 und Fragment 14, Z. 2;

Catena A, Fragmente 1—4, Z. 5; Fragment 9, Z. 2; Fragmente 12—13, Sp. II, Z. 3;

---

[21] Zu dieser und der vorigen Stelle siehe J. Carmignac, Le Retour du Docteur de Justice à la fin des jours, in: Revue de Qumrân I/2 (Oktober 1958), S. 239—247. — Man möge mir verzeihen, daß ich selbst unrichtig übersetzt habe durch „das Ende der Tage". Dieser Artikel ist jedoch vor der Veröffentlichung des *Florilegiums* verfaßt worden, die mir die Augen geöffnet hat für die wirkliche Einstellung Qumrans und der Bibel zu der *Folge der Tage*.

Catena B, Fragment 1, Z. 1 und Fragment 2, Z. 1;
5. Höhle, Nr. 16, Fragment 3, Z. 5.

Nach dieser Durchforschung des Alten Testaments und der Qumran-Texte läßt sich ermessen, wie falsch man die Wendung ʾaḥᵃrît hajjāmîm verstehen würde, wenn man sie mit „Ende der Tage" übersetzte. Ebenso stellen wir fest, daß die Begriffe ʾaḥᵃrôn und ʾaḥᵃrît sowie ihre griechische Entsprechung ἔσχατος eher das Künftige als das Ende meinen und daß keiner von ihnen jemals mit einer Aussage über das Weltende in Verbindung steht.

Nach der Denkweise sowohl des Alten Testaments als auch der Qumran-Texte werden mit der Formel „künftige Tage" solche Ereignisse bezeichnet, die man für eine unbestimmte Zukunft voraussieht oder vorhersagt. Man sieht in ihnen aber keinerlei Hinweis auf das Weltende. Auch die Septuaginta sagt nichts anderes mit der Wendung ἐπ᾽ ἐσχάτων τῶν ἡμέρων.

Im übrigen macht Jacob Licht,[22] ein guter Kenner des qumranischen Denkens, zu Recht darauf aufmerksam, daß man keinesfalls unsere gegenwärtigen „eschatologischen" Vorstellungen den Texten überstülpen dürfe. Er schreibt: „Es ist ebenfalls deutlich, daß die Sekte mindestens vier Perioden unterschied, nämlich die Vergangenheit bis zu ihrer eigenen Gründung, ihre geschichtliche Gegenwart, die kommende Periode aktiven Kampfes gegen die Mächte des Bösen, sowie — allerdings wird darauf nur selten Bezug genommen — die letztendliche Zukunft vollen eschatologischen Friedens" (S. 177) ... „Wir haben gesehen, daß apokalyptisches Denken sich zwar des Gegensatzes zwischen der historischen Gegenwart und der eschatologischen Zukunft voll bewußt ist, von ihm jedoch nicht so in Anspruch genommen wird, wie wir vermuten könnten. Eine seiner grundlegenden Aufgaben besteht darin zu zeigen, daß Geschichte sinnhaft ist, daß sie auf ein endgültiges Ziel gerichtet ist, daß sie in der Tat die unausweichliche abgestufte Entfaltung des göttlichen Plans ist" (S. 180—181) ... „Sie (die Schriften von Qumran) übernehmen die apokalyptische Begrifflichkeit von Zeiten

---

[22] Jacob Licht, Time and Eschatology in Apocalyptic Literature, in: The Journal of Jewish Studies XVI/3—4 (1965), S. 177—182. Licht gebraucht dort den Begriff Eschatologie wenig präzise und grenzt ihn nicht auf das Weltende im engeren Sinne ein.

und Zeitabschnitten und argumentieren auf der Grundlage dieser Terminologie, doch zeigen sie sich nicht wirklich daran interessiert, Geschichte zu schematisieren. Ihr Denken ist vielmehr abgestellt auf das ‚in dieser Zeit Anstehende, in dieser Zeit, in der der Weg durch die Wüste zu bahnen ist' (1QS IX, 19—20, frei paraphrasiert), nicht auf die grundsätzliche und theoretische Seite der umfassenden Frage nach einer Abfolge von Zeitabschnitten" (S. 182).

Wir können uns nunmehr dem Neuen Testament zuwenden.

III. Neues Testament

Im Neuen Testament stößt man auf ein recht eigenartiges Phänomen. Immer wenn das Adjektiv ἔσχατος nicht bei einem Substantiv der Zeitbestimmung steht, hat es die Bedeutung *letzter.* So kommt es siebzehnmal bei den Synoptikern vor, dann in Joh 8, 9 (in der Perikope von der Ehebrecherin, deren johanneische Herkunft sehr zweifelhaft ist), Apg 1, 8 und 13, 47; 1 Kor 4, 9; 15, 8. 26. 45. 52; 2 Petr 2, 20 und sechsmal in der Apokalypse. Wenn es jedoch bei *Stunde, Tag* oder *Zeit* steht, liegen die Dinge anders.

In manchen Fällen behält ἔσχατος seine gewöhnliche griechische Bedeutung *letzter.* So spricht Joh siebenmal vom *letzten Tag,* einmal (7, 37), um den letzten Tag eines Festes, sowie sechsmal, um den letzten Tag der Welt, den der allgemeinen Auferstehung zu bezeichnen. Die gleiche Bedeutung liegt auch noch in zwei weiteren Fällen vor: Jak 5, 3 haben die Reichen für die *letzten Tage* vorgesorgt, und der Kontext spricht auch von der *Parusie des Herrn* (5, 7—8); nach 1 Petr 1, 5 wird sich das Heil in der *letzten Zeit* offenbaren, d. h. doch wohl in der Zeit des letzten Gerichts (1 Petr 1, 7).

Aber an drei anderen Stellen scheint ἔσχατος zusammen mit *Tag* oder *Zeit* nicht das Ende der Welt, sondern durchaus die Gegenwart oder gar die jüngste Vergangenheit zu meinen, und zwar:

Apg 2, 17 wird Joel 3, 1 (= LXX 2, 28) ʾaḥᵃrê-ḵen zitiert und nicht durch *danach* übersetzt, wie in der Septuaginta (die an dieser Stelle keine Variante aufweist), sondern eben durch ἐν ταῖς ἐσχάταις ἡμέραις. Es handelt sich aber um die Herabkunft des Geistes, die am selben Tage stattgefunden hat.

Hebr 1, 2 heißt es: „Ἐπ' ἐσχάτου τῶν ἡμερῶν τούτων hat Gott zu uns gesprochen durch seinen Sohn." Der Hinweis auf die Inkarnation ist offensichtlich. Er wird zudem unterstrichen durch die Hinzufügung des demonstrativen *dieser*. Dadurch wird deutlich, daß es sich um die letzten Tage handelt, von der Jetztzeit aus gesehen.

Nach 1 Petr 1, 20 sind wir losgekauft „durch das teure Blut … des Christus, der zwar schon vor Grundlegung der Welt vorhergesehen war, aber ἐπ' ἐσχάτου τῶν χρόνων offenbar geworden ist". Es handelt sich also deutlich um Inkarnation und Kreuzestod.

Es bleiben dann noch fünf weitere Stellen (2 Tim 3, 1; 2 Petr 3, 3; 1 Joh 2, 18 [zweimal] und Jud 18), die von den für die künftige (oder letzte) Zeit vorhergesagten Greueln sprechen. Deren Eindringen läßt sich bereits feststellen und es gilt sie sorgsam zu meiden (2 Tim. 3, 5). 1 Joh 2, 18 sieht darin sogar den Beweis dafür, daß die *letzte* Stunde schon gekommen ist. Viele Ausleger meinen, diese Textstellen verrieten die Illusion, das Weltende stehe unmittelbar bevor, und deshalb werde die Gegenwart bereits als Anfang der *letzten Tage* betrachtet. Diese Interpretation wird durch 2 Petr 3, 3—15 bestätigt, wo es eben um den Zeitpunkt der Parusie geht. Doch wird die Voraussage dieser Schrecknisse nicht nur den Aposteln zugeschrieben (Jud 17), sondern auch den „heiligen Propheten" (2 Petr 3, 2). Der letztgenannte Hinweis könnte aber zu der Überlegung führen, daß hier wieder die alttestamentliche Vorstellung von der *künftigen Zeit* vorliegt. Außerdem spricht Paulus 1 Tim 4, 1 (in Übereinstimmung mit Apg 20, 29) anläßlich der gleichen Angriffe auf den Glauben nur von *späteren Zeiten* (ἐν ὑστέροις καιροῖς). Man kann sich also auch fragen, ob nicht vielleicht in dem einen oder anderen dieser Texte ἔσχατος eine in der Nähe von ὕστερος *später* liegende Bedeutung besitzt, was dann ʾaḥᵃrôn und ʾaḥᵃrît im Alten Testament entspräche.

Wie auch immer diese fünf nicht recht klaren Texte zu verstehen sind, die drei vorangehenden Stellen (Apg 2, 17; Hebr 1, 2; 1 Petr 1, 20) genügen jedenfalls, um zu beweisen, daß das Neue Testament Denkweise und Sprache des Alten nicht völlig verschmäht hat. Im allgemeinen bezeichnet ἔσχατος in Verbindung mit *Stunden, Tagen* und *Zeiten* die Periode des Weltendes. Manchmal jedoch bezieht es sich auf den Zeitabschnitt, der vom Alten Testament als der zukünftige betrachtet wird, jetzt aber bereits Gegenwart geworden ist, die Zeit nämlich der Ankunft des Heils.

IV. Schlußfolgerungen

Schon diese nur philologische Untersuchung macht deutlich, wie schlecht man beraten war, als man den Begriff *Eschatologie* geprägt und verbreitet hat. Man wollte gewiß durch diesen Terminus die biblische Lehre von den ἔσχατα[23] kennzeichnen. Dabei hat man jedoch leider übersehen, daß das Neue Testament die letzten Dinge in doppelter Weise verstanden hat. An manchen Stellen ist das gemeint, was das Alte Testament von seiner Warte aus als zukünftig ansah. Dabei gehören das Kommen des Christus und sein Tod am Kreuz zu den „ehemals zukünftigen" Geschehnissen, die nun aber gegenwärtig oder gar vergangen sind. Andere Texte sprechen dagegen von Ereignissen, die tatsächlich im Zusammenhang mit dem Weltende stehen, so etwa von der Auferstehung aller, dem allgemeinen Gericht oder der triumphalen Rückkehr des Christus.

Um diese unerquickliche Doppeldeutigkeit zu beseitigen, weisen manche Autoren ihre Leser ausdrücklich darauf hin, daß sie den Begriff *Eschatologie* in der einen oder anderen dieser beiden Bedeutungen verwenden. Dadurch klären sie zweifellos den Sinn ihrer Aussage. Sie entfernen sich jedoch von der Sprechweise der Bibel, der sie doch gerade Rechnung tragen wollen. Überdies kommt es oft vor, daß sie ihre eigenen Definitionen vergessen, oder aber, daß ihre Leser sich nicht mehr hinreichend deutlich daran erinnern. Sodann liegt ja zwischen der ersten und der zweiten Ankunft des Christus die gesamte *Zeit der Kirche,* die bald mit der ersten, bald mit der zweiten in Verbindung gebracht wird. Dadurch aber wird die Verwirrung nur noch größer.

---

[23] Natürlich kann man neue Begriffe prägen, ohne auf die Bibel zurückzugreifen. Im vorliegenden Fall aber scheint uns eine ausdrückliche Bezugnahme auf die Bibel unabweisbar, da es doch um die Benennung von Sachverhalten geht, die uns nur durch die christliche Offenbarung bekannt sind.

Wenn man manche Schriften daraufhin liest, ist man erschrocken über das Ausmaß unbewußter Sophistik, das sich hinter dem Terminus *Eschatologie* verbirgt. Dieser nimmt in unzulässiger Weise verschiedene Bedeutungen an und verursacht so bei zahlreichen oberflächlichen Lesern schwerwiegende Irrtümer.

Allein aufgrund seines Vorhandenseins und seiner Verwendung führt der Begriff *Eschatologie* leicht zu einer mentalen Struktur, die in unzulässiger Weise objektiv verschiedene Sachverhalte in eine einzige irrationale Vorstellung zusammenfließen läßt.

Auch G. von Rad vermerkt loyalerweise: „Gegenüber einem immer allgemeiner und demgemäß immer blasser werdenden Sprachgebrauch vom Eschatologischen erhoben sich aber warnende Stimmen, die mit Recht forderten, daß der Begriff präzis bleiben müsse und nur auf ein bestimmtes, markantes Phänomen angewendet werden dürfe."[24] Es ist jedoch nicht möglich, dem biblischen Ursprung des Begriffs Rechnung zu tragen und ihn gleichzeitig „nur auf ein bestimmtes, markantes Phänomen anzuwenden", da ἔσχατος weder im Alten Testament (und den bestätigenden Qumran-Texten) noch im Neuen Testament einen feststehenden, eindeutigen Sinn hat.

Wenn man dem Begriff *Eschatologie* eine genaue Bedeutung beilegt, entfernt man sich von der biblischen Sprechweise. Wenn man ihm einen ungenauen Sinn gibt, gerät man in Wortklauberei und läuft Gefahr, den Leser zu täuschen.

Nicht nur der Mißbrauch des Begriffs *Eschatologie* ist also verderblich, sondern schon sein bloßes Vorhandensein ist gefährlich.

Sollten Exegeten und Theologen nicht aus Sanierungsgründen in einer Art Gentleman's Agreement auf einen so bedauerlichen Begriff verzichten?

Müßte man nicht, wenn man ein Höchstmaß an Klarheit erreichen und doch der biblischen Sprechweise treu bleiben will, vier neue Begriffe in Umlauf setzen? Ein erster würde dann ganz allgemein die gesamte Periode der „künftigen Tage" bezeichnen, wie sie das Alte Testament (und mit ihm Qumran) verstand. Ein zweiter müßte die Einsenkung des Heils in die Geschichte der Welt durch

---

[24] Gerhard von Rad, Theologie des Alten Testaments II: Die Theologie der prophetischen Überlieferungen Israels, München ⁴1965, S. 123.

das erste Kommen des Christus bezeichnen. Ein dritter hätte den Zeitraum zu umfassen, in dem die Kirche lebt, und zwar gleichzeitig unter dem Einfluß der ersten Ankunft und in der Vorbereitung auf die zweite. Ein vierter endlich sollte ausschließlich dieses zweite Kommen des Christus und die damit eng zusammengehörenden Ereignisse bezeichnen.[25]

In unserem Fachjargon ließen sich diese vier verschiedenen Bereiche vielleicht durch *nachalttestamentlich*, *neutestamentlich*, *nachneutestamentlich* und *parusisch* wiedergeben. Aber wem wird es gelingen, dafür weniger häßliche, dem breiten Publikum eher zugängliche Bezeichnungen zu finden?

Nachtrag

1. Ich stelle fest, daß ich vergessen habe, zwei weitere Stellen aus Qumran-Texten aufzuführen, an denen die Wendung *ʾaḥᵃrît hajjāmîm* vorkommt, und zwar:
11 Q Melchisedeq, Z. 4 und 15 (veröffentlicht von A. S. van der Woude in: Oudtestamentische Studiën, hrsg. von P. A. H. de Boer, Leiden (Brill) 1965, S. 354—373 und in: New Testament Studies 12/4 (Juli 1966), S. 301—326, in Zusammenarbeit mit M. De Jonge). Die zweite Stelle ist eine bloße Konjektur des Herausgebers in einer großen Lücke, die auch anders ausgefüllt werden könnte. Die erste Stelle enthält eine Teilkonjektur und steht nach einem Zitat von Dtn 15, 2 über das Erlaßjahr. Sie enthält jetzt nur noch die Worte: „[Das ist zu verstehen von kü]nftigen Tagen in bezug auf die Gefangenen, die [...]." Diese Erwähnung von Gefangenen scheint auf einen Zeitpunkt vor dem Ende des Befreiungskrieges hinzudeuten. Und wenn man den ganzen Text mit zur Erklärung heranzieht, stellt man fest, daß dort die Rede ist von „Belial und den Geistern seiner Par-

---

[25] Im Neuen Testament wird im Zusammenhang mit dem Ende der Welt immer συντέλεια gebraucht. Aber wie soll man aus diesem griechischen Begriff eine moderne Bezeichnung ableiten? Wäre vielleicht *parusisch* [= „parousiaque"] eine glücklichere Lösung?

tei" (ZZ. 12 und 13), von einer Abwendung von Belial (Z. 23) und daß „der Geweihte des Geistes" (Z. 18) erwähnt wird. Dies zusammen paßt in einen geschichtlichen Rahmen, der gegen Ende der Herrschaft Belials und gegen Anfang der neuen Weltzeit liegt, die durch das Handeln des (oder der) Geweihten eingeleitet wird. Diese beiden zusätzlichen Textstellen bestätigen also die Schlußfolgerungen, die wir aus den anderen Qumran-Texten gezogen haben.

2. Schon 1891 hat W. Staerk dargelegt, daß *ʾaḥᵃrît hajjāmîm* sich nicht auf das Weltende bezieht, sondern lediglich den Übergang von einer abgeschlossenen zu einer neuen Periode der Geschichte anzeigt. Siehe dazu W. Staerk, Der Gebrauch der Wendung BʾḤRJT HJMJM im at. Kanon, in: Zeitschrift für die alttestamentliche Wissenschaft, Bd. XI, (1891), S. 247—253.

3. Wir haben unsere Bedenken gegen den Terminus „Eschatologie" sowie gegen manchen seiner Inhalte weiter ausgeführt in: „Les dangers de l'Eschatologie", NTSt 17, 1971, 365—320. [Nachtrag 1976]

Roland E. Murphy, History, Eschatology and the Old Testament. Continuum (Chicago), 7 (1969/70), 583—593. Übersetzt von Hans Wißmann.

GESCHICHTE, ESCHATOLOGIE UND DAS ALTE TESTAMENT

Von Roland E. Murphy

Die weitreichenden Begriffe dieser Überschrift sollten nicht über den bescheidenen Zweck dieses Aufsatzes hinwegtäuschen. Geschichte und Eschatologie sind in der gegenwärtigen theologischen Diskussion schwer beladene Begriffe. Sie können schwerlich im Alten Testament selbst gefunden werden, da sie im Grunde moderne Kategorien sind, mit denen Theologen notwendigerweise arbeiten.[1] Aber es dürften sich sicher gewisse Hinweise im Alten Testament finden, die im Zusammenhang mit diesen theologisch-begrifflichen Konstruktionen stehen. Daher betrachten wir es als unsere Aufgabe, diese Hinweise zu untersuchen, um gewisse biblische Vorstellungen aufzuzeigen, von denen die heutige Theologie als von Ansatzpunkten ausgehen kann.

Es sind einige Versuche unternommen worden, die begrifflichen Vorstellungen von „Geschichte" in der Bibel in den Blick zu bekom-

---

[1] Die Vorsicht Erich Dinklers sollte beachtet werden (wenn er auch vom Neuen Testament spricht): „Man muß als erstes festhalten, daß das Wort ‚Geschichte' in unseren Quellen nicht auftaucht. Das wirft die grundlegende Frage auf, ob nicht in diesem Fall auch die Vorstellung von Geschichte fehlt; bevor wir jedoch auf dieses entscheidende Problem eingehen, müssen wir die Schwierigkeit anpacken, ... daß unser modernes Wort ‚Geschichte' selbst historischen Wandlungen unterlag und mit Philosophie befrachtet ist. Der Geschichtsbegriff ist uns durch die griechische Wissenschaft vermittelt und wird von uns in einem griechischen Sinn verwendet", Earliest Christianity, in: The Idea of History in the Ancient Near East, hrsg. von R. C. Dentan, New Haven 1955 [³1966], S. 171; der Aufsatz ist ebenfalls englisch neu abgedruckt in E. Dinkler, Signum Crucis, Tübingen 1967, S. 313—350.

men, und zwar mit unterschiedlichem Erfolg.[2] Aber es scheint auch
klar zu sein, daß unser Wort „Geschichte" eine höchst unzureichende
begriffliche Konstruktion darstellt, so daß sie kaum als Definition
für die Gegenwart wie für die Zeit Davids gelten kann. Es gibt zu
viele Variablen für ein einheitliches Konzept. Wir brauchen uns nur
an den Jahwisten, den Deuteronomisten, die Chronikbücher zu erinnern, von dem Blickpunkt des Apokalyptikers ganz zu schweigen.
Diese Vielzahl von „geschichtlichen" Werken im Alten Testament
verbietet jede vorschnelle Verallgemeinerung. Dennoch bin ich der
Ansicht, daß wir zwei generelle Einstellungen gegenüber der Geschichte unterscheiden können, die am Anfang unserer Untersuchung
beschrieben werden sollen: die zyklische und die lineare Vorstellung
von Geschichte.

Mircea Eliade ist der bekannteste Vertreter des „Mythos der ewigen Wiederkehr" als einer charakteristischen Denkform der alten
Welt.[3] Das bedeutet, daß ein zeitgenössischer Gegenstand oder
eine aktuelle Handlung nur insofern wirklich ist, als sie in Nach-
ahmung und Wiederholung an einem Archetyp Anteil hat. Die Zeit
wird aufgelöst und man wird zum Zeitgenossen des *wirklichen*
Geschehens in der urzeitlichen Vergangenheit. Die Geschichte ist
eliminiert; die Gegenwart ist Ewigkeit geworden, in der man jetzt

---

[2] Vgl. A. Alt, Die Deutung der Weltgeschichte im Alten Testament,
ZThK 56, 1959, S. 129—137; O. Cullmann, Heil als Geschichte, Tübin-
gen 1965; G. Fohrer, Prophetie und Geschichte, ThLZ 89, 1964, Sp. 481
bis 500; D. N. Freedman, The Biblical Idea of History, Interpretation, 21,
1967, S. 32—49; ders., History and Eschatology, Interpretation, 14, 1960,
S. 3—15; H. Gese, Geschichtliches Denken im Alten Orient und im Alten
Testament, ZThK 55, 1958, S. 127—145 [auch in: ders., Vom Sinai zum
Zion, 1974, 81 ff.]; M. Noth, History and the Word of God in the Old
Testament, in: The Laws in the Pentateuch and other Essays, Edinburgh
1966, S. 179—193 [deutsch: TB 6, 230 ff.]; W. Pannenberg u. a., Offenbarung als Geschichte, Göttingen ²1963; B. Vawter, History and the
Word, CBQ 29, 1967, S. 512—523; H. W. Wolff, Das Geschichtsverständ-
nis der alttestamentlichen Prophetie, in: Probleme alttestamentlicher
Hermeneutik, hrsg. von C. Westermann [TB 11], München 1968, S. 319
bis 340.

[3] M. Eliade, Kosmos und Geschichte, Düsseldorf 1953.

lebt. Diese Mentalität scheint im alten Vorderen Orient, von dem Israel einen Teil bildet, vorherrschend gewesen zu sein. In dem babylonischen *Akitufest* wird der Schöpfungskampf zwischen Marduk und Tiamat wiederholt; die Welt starb, aber sie wurde wiedergeboren in der neuschöpfenden kultischen Handlung, die die ursprüngliche Schöpfung wiederholte. Diese „zyklische" Zeit ist charakteristisch für die kultische Begehung.

Mein Interesse besteht nicht darin, das Alte Testament mit der kultischen Grundeinstellung, wie sie im „Mythos der ewigen Wiederkehr" zu erkennen ist, zu identifizieren. Aber es gibt eine alttestamentliche Analogie zu Eliades Rekonstruktion. Bei der Passahfeier traten die Israeliten in die Realität eines besonderen Ereignisses ein: „eure Lenden umgürtet, eure Sandalen an den Füßen und euren Stab in der Hand" (Ex 12, 11). Der Unterschied besteht darin, daß die Erinnerung an das frühere Ereignis aktuell auf ein Fest ganz eigenen Charakters übertragen wurde, wie hier auf ein agrarisches Erntefest (z. B. das Laubhüttenfest). Diese „Historisierung" unterstreicht die hebräische Faszination angesichts der eigenen Geschichte und Erfahrung. Die Gegenwart wird nicht zur Ewigkeit (Eliade), sondern zur Geschichte. Das frühere Ereignis wurde auf irgendeine Weise wiederholt; die Zwischenzeit zwischen Vergangenheit und Gegenwart wurde ausgelöscht.

Diese Aktualisierung eines früheren Heilsereignisses war ein dynamisches Unterfangen, zu dem die kultische Wiederholung und die Kraft der Erzählung beitrugen. Man könnte dieses Phänomen vielleicht präziser als „Qualität der Zeit" (Brevard Childs) fassen.[4] Childs spricht von der „dynamischen Qualität eines historischen Ereignisses. Es betritt die Welt der Zeit und des Raumes zu einem bestimmten Augenblick, zugleich verursacht es einen fortdauernden Nachhall über sein ursprüngliches Eintreten hinaus". Es ist eine Analogie zu dem „Geschichte schaffenden" Wort Gottes. Daher „entstand eine Qualität von Zeit beim Exodus", die seitdem „die chronologische Zeit jeder Generation in Heilszeit verwandelt". Diese „Qualität der Zeit" bleibt nach Childs dieselbe, sie trägt dazu bei,

---

[4] B. S. Childs, Memory and Tradition in Israel, London 1962; das Zitat stammt von S. 83 f.

die Schwelle der chronologisch bedingten Trennung zwischen dem
Exodus und Israels späterer Darstellung zu überwinden. Eine solche
philosophische Erklärung kann uns helfen, die Tatsache der Wieder-
Vergegenwärtigung zu verstehen, aber zunächst muß das Faktum
selbst hervorgehoben werden. Die Predigt des Deuteronomiums besteht darauf, „nicht mit unseren Vätern hat der Herr diesen Bund
geschlossen, sondern mit uns, die wir hier alle heute leben" (Dtn 5, 3).
Und weiter: „nicht mit euch allein schließe ich diesen Bund, unter
Festsetzung des Fluchs, sondern sowohl mit denen, die heute hier
nicht unter uns sind, als auch mit denen von uns, die hier heute vor
dem Herrn stehen" (Dtn 29, 14 f.). Man wird Gerhard von Rad
zustimmen können, wenn er sagt, daß der dringliche Ton des Deuteronomiums verrät, daß das Gefühl der Teilhabe schwächer wurde,
als Israel älter geworden war. Aber dieses Gefühl der Teilhabe starb
nie ganz aus, wie die Praxis der Bundeserneuerung in Qumran zeigt.[5]
Man kann zwar fragen, ob dies nur eine primitive und veraltete
alttestamentliche *Weltanschauung* ist. Ich meine vielmehr, es gehört
zu der Aufgabe des Menschen, Theologie zu treiben und seine Theologie zu leben. Zum einen wird dies im Neuen Testament fortgesetzt — „tut dies zu meinem Gedächtnis" (1 Kor 11, 24). Zum anderen findet es seinen Ausdruck in der christlichen Liturgie; im „Dies
ist die Nacht" im *Exultet* der Osternachtvigilie („Dies ist die Nacht,
da Du einstens unsere Väter, die Söhne Israels herausgeführt aus
Ägypten und durch die Fluten des Roten Meeres trocknen Fußes
geleitet.") In diesem heilsgeschichtlichen Kontext verstehen Israeliten
und Christen Gott, einem Kontext, der unausweichlich und wesentlich ist, und wenn das Gedenken seiner nicht bewahrt würde, trieben
wir Theologie an unserem Zentrum vorbei. Dieser Kontext ist
wichtig angesichts der gegenwärtigen Betonung des Berichtscharak-
ters von Theologie, des Berichts von den *magnalia Dei* (den mächtigen Taten Gottes). Andererseits existiert dieser Kontext nicht ohne
Zukunftsperspektive; er ist nicht völlig an der Vergangenheit orientiert. Israels Erfahrung mit dem Gott der Errettung muß im Zusammenhang gesehen werden mit seinem Verständnis von den Ver-

---

[5] Vgl. A. Jaubert, La notion d'alliance dans le Judaisme, Paris 1963,
S. 211—227.

heißungen an die Väter. Wie es die Vergangenheit gegenwärtig machte, so vertraute es auf den Herrn in der verborgenen Zukunft. In ähnlicher Weise setzt das Neue Testament den Tod Christi in eine Zukunftsperspektive, indem es das Gedächtnis des Herrn „bis er kommt" (1 Kor 11, 26) wachruft.

Andererseits kann nicht bezweifelt werden, daß Israel seine Erfahrung mit dem Herrn in linearen Begriffen zum Ausdruck brachte. G. von Rads Analyse des liturgischen *Credo* zeigt dies deutlich genug, ebenso M. Noths Untersuchung des Pentateuch.[6] Eine Abfolge von Ereignissen taucht auf: Väter, Aufenthalt in Ägypten, Unterdrückung, Befreiung, Führung in das verheißene Land. Es ist in diesem Zusammenhang unerheblich, daß die Exodus- und Sinaitraditionen möglicherweise getrennte Traditionen sind, oder daß das *Credo* ein Hexateuch im Kleinen sein könnte; wichtig ist, daß hier die Abfolge der Taten Gottes in der Geschichte Israels zum Ausdruck kommt. Die Struktur des Pentateuch offenbart die historische Linie der Überlieferung des Jahwisten wie der Priesterschrift.[7] Außerdem kann man das gleiche Phänomen in den Werken des Deuteronomisten und in der Chronik hervorheben. Alle diese verschiedenen Formen von „Geschichte" zeigen ihre jeweils eigenen Charakteristika, aber alle entfalten Geschichte linear. Eine Reihe von Ereignissen, wenn auch nur lose miteinander verbunden, wird mit dem Eingreifen des Herrn in Verbindung gebracht.

Ein solches lineares Konzept ist im alten Vorderen Orient nicht ausschließlich für Israel belegt, wie Hartmut Gese herausgestellt hat.[8] In Mesopotamien entstand die Vorstellung von der „Geschichte als unbestimmbare(r) Abfolge von Zeiten, die sich beliebig nach dem

---

[6] Vgl. G. v. Rad, Gesammelte Studien zum Alten Testament [TB 8], München ³1965; M. Noth, Überlieferungsgeschichte des Pentateuch, Stuttgart 1948.

[7] Vgl. H. W. Wolff, Das Kerygma des Jahwisten, in: Gesammelte Studien zum Alten Testament [TB 22], München 1964, S. 345—373; engl. Übers.: Interpretation, 20, 1966, 131 ff.; K. Elliger, Sinn und Ursprung priesterlicher Geschichtserzählung, ZThK 49, 1952, S. 121—143 [auch in: TB 32, 174 ff.].

[8] H. Gese, a. a. O., S. 134 (bzw. 87).

Willen der Götter wiederholen, und die auch als Heils- und Unheilszeit typisiert werden können ...".

Die Sumerer waren unter diesem Gesichtspunkt nicht in der Lage, eine „Geschichte" der Abfolge der Stadtstaaten und ihrer Tempel zu schreiben. Die babylonischen Chroniken zeigen eine bezeichnende Entwicklung: die Abfolge (von Zeiten) erbringt die Folge (von Taten); es entsteht die Erkenntnis von dem Zusammenhang von Tat und Folge — Geschichte wird mit Recht als eine Folge von menschlichen Taten gesehen. In Israel jedoch wird diese Vorstellung von Geschichte als Folge zu der von Geschichte als Gericht. Kraft der Verheißungen und des Bundes wird der Herr Israel nicht zerstören, aber er wird es richten.

Zusammenfassend bin ich der Ansicht, daß sowohl die lineare wie die zyklische Vorstellung von Geschichte biblisch sind; der biblische Mensch erlebte Geschichte in beiden Formen. Heißt das, daß beide gelten und nebeneinander bestehen können? Die christliche Erfahrung hat die zyklische Vorstellung bestätigt; wir leben tatsächlich noch mit ihr. Wir vergegenwärtigen die Heilstatsachen der jüdischen wie der christlichen Vorstellungswelt. Das lineare Konzept bringt zum Ausdruck, wie Gott in die vergangene Geschichte eingegriffen hat. Dabei ergibt sich eine Struktur, die teilweise ausgedrückt ist in dem liturgischen *Credo* Dtn 26 und in den kerygmatischen Predigten der Apostelgeschichte. Diese lineare Sicht bleibt bestehen als diejenige, die Zeugnis ablegt von den Taten Gottes, und wir sehen dies als normativ an. Jedoch scheint es nicht eine derart aktuelle Bedeutung für die christliche Erfahrung zu besitzen wie dies im Alten Testament der Fall war. Wir können glauben, daß wir auch heute noch von Gottes Heilstaten ergriffen sind, aber es gibt, wie wir sehen werden, keine lebendige prophetische Interpretation im Stil des Alten Testaments mehr (oder selbst des Neuen Testaments). Vielleicht hält uns diese Unsicherheit eher offen für das zukünftige Reich Gottes.

Sicherlich werden auch noch andere charakteristische Merkmale der israelitischen Geschichte die Problematik dieser Arbeit bestimmen. Ich denke dabei an die Wechselbeziehung zwischen göttlichem Wort und Handlung und zwischen Verheißung und Erfüllung. Die Zuordnung von Wort und Handlung im Alten Testament ist ein

Gemeinplatz. Besonders deutliche Beispiele finden sich bei den Propheten, die ihrem Volk die Gegenwart und die Zukunft deuten. Bei Zephanja ist der Herr dargestellt, wie er Jerusalem mit Lampen durchsucht, um böse Menschen zu bestrafen (Zeph 1, 12 f.): das Wort bezieht sich auf die bevorstehende Bestrafung. Jeremia verkündet beharrlich eine Botschaft, die den kommenden Krieg und die Verwüstung betrifft — obwohl sie sogar mit der Friedensbotschaft des Propheten Hananja (Kap. 27—28) in Konflikt gerät. Jesaja deutet die Verwüstung Judas als eine Bestrafung für die Sünde (Jes 1, 4—7). Aber das prophetische Wort dient auch der Deutung eines Ereignisses, nachdem dieses bereits eingetreten ist (Am 4, 7 f.: „Und ich habe euch auch den Regen versagt ... dennoch seid ihr nicht umgekehrt zu mir"). Es ist Amos, der behauptet, daß „Gott der Herr sicher nichts tut, ohne sein Geheimnis seinen Dienern, den Propheten, zu offenbaren" (3, 7). Diese Beispiele mögen genügen, um ein Phänomen zu kennzeichnen, das für den biblischen Glauben grundlegend ist.[9]

An dieser Stelle erheben sich mehrere inneralttestamentliche Probleme, die hier nicht im einzelnen diskutiert werden können: Erstens, was ist davon zu halten, wenn die prophetische Beschreibung eines Ereignisses nicht mit dem Zeugnis historischer Quellen übereinstimmt (z. B. bei der Eroberung Palästinas)? Bewegen sich alle prophetischen Urteile auf derselben Ebene? Eine geläufige, aber nicht völlig einleuchtende Antwort auf die erste Frage lautet, daß die Überlieferungen selbst eine Art Geschichte sind (nach Pannenberg eine tiefer reichende Geschichte).[10] Die Idealisierung historischer Ereignisse, die man z. B. in den Überlieferungen von den Plagen oder des Exodus findet, ist einfach vorgegeben; man arbeitet mit dieser „Geschichte" unter Zuhilfenahme von Modifikationen, die eine wissenschaftliche Aufdeckung der Vergangenheit einführen kann (z. B. archäologische Funde aus Jericho oder Zeugnisse aus den babylonischen Chroniken). Aber jede Rekonstruktion von Ereignis-

[9] Vgl. z. B. C. Westermann, Zur Auslegung des Alten Testaments, in: ders. (Hrsg.), Probleme alttestamentlicher Hermeneutik, S. 18—27.

[10] Vgl. auch R. Rendtorff, Geschichte und Überlieferung, in: Studien zur Theologie der alttestamentlichen Überlieferung, Neukirchen-Vluyn 1961, S. 81 ff. [auch in: TB 57, 25 ff.].

sen („was ist tatsächlich am Roten Meer geschehen?") bleibt sehr
hypothetisch, und man muß letztlich umgehen mit dem biblisch
„Vorhandenen" mit all dessen Einschränkungen. Die zweite Frage
ist ebenfalls schwierig zu beantworten. Die prophetischen Völker-
sprüche bei Jesaja (Kap. 13—23) und bei Jeremia (Kap. 46—51)
stehen nicht auf derselben Ebene wie die übrigen Sprüche in diesen
Büchern. Sie atmen alle denselben Geist wie in den Verwünschungs-
texten des gesamten Fruchtbaren Halbmonds, und es fehlt ihnen der
begeisternde Universalismus, der sonst im Alten Testament zum
Ausdruck kommt. Deshalb könnte man sie eher als eine Art sekun-
däres Element, lediglich als ein zufälliges Merkmal in der geistigen
Entwicklung Israels ansehen. Aber was ist richtig? Die Vorstellung
von der stufenweise sich ereignenden Offenbarung, von der stufenweise geschehenden Klärung des Verständnisses Israels von Gott
und seines eigenen Selbstverständnisses wird hier eingeführt. Für
die Christen leitet sich diese Vorstellung letztlich her von einem
Urteil über die Einheit beider Testamente. Hierin liegt eine Vor-
entscheidung, daß gewisse biblische Werte Vorrang erhalten und die
Grundlage bilden für ein Urteil über die ganze Bibel. In der neutestamentlichen Forschung kann dieses Problem in der Begrifflichkeit des Kanons im Kanon formuliert werden.

Die Deutung eines Ereignisses durch das Wort wurde schließlich
in den biblischen Aufzeichnungen fixiert. Noel Freedman hat diesen
Prozeß prägnant beschrieben: „Zeit schafft Tradition außerhalb der
Offenbarung (oder des Wortes) und des Ereignisses".[11] Die Einheit
von Wort und Ereignis kann vor, während und nach dem Ereignis
vorhanden sein; verbunden werden sie dann überliefert im Kult
und in mündlichen und schriftlichen Überlieferungen des Volkes in
einer Weise, daß sie normativ für dessen Erfahrung werden. Im
Anschluß an Buber hat Moltmann ein spezifisch alttestamentliches
Denken hervorgehoben: Von Gott wissen heißt, ihn wiederzuerken-
nen.[12] Das bedeutet, daß man den Gott der gegenwärtigen Erfah-

---

[11] Interpretation, 14, 1960, S. 151; ebenso S. 149: „Oder, mit anderen
Worten, die Theophanie vor dem Propheten, die machtvolle Tat und ihre
Bedeutung, insgesamt aufgehoben in der kollektiven und autoritativen
Erinnerung der Gemeinschaft, konstituieren die Tradition."

[12] J. Moltmann, Theologie der Hoffnung, München 1966, S. 106; er

rung mit dem Gott, der aus der Vergangenheit bekannt ist, identifiziert. In diesem Sinn kannte Mose den Herrn als den „Gott der Väter". Dieses Wiedererkennen bedeutet nicht nur, Gott als denjenigen zu erkennen, der seinen Verheißungen treu bleibt. Es bedeutet, ihn auch zu erkennen im Licht unmittelbarer Erfahrung mit ihm, die zu der weitergehenden Erkenntnis des Gottes führt, welcher nämlich nicht nur seinem Wort treu bleibt, sondern auch „barmherzig und gnädig, langmütig und reich an Huld und Treue" ist (Ex 34, 6). Die Erfahrungen von Mose oder von Jesaja sind nicht ohne Einfluß auf die Zukunft, da der Herr vorrangig ein Gott der Verheißung ist; sie gehören aber auch in ein historisches Kontinuum, durch das der Herr seinem Volk etwas von sich offenbart.

Kann diese Einheit von Wort und Ereignis irgend etwas zur gegenwärtigen Aufgabe von Theologie beitragen? Nicht direkt. Wo sind unsere Propheten, denen die Geheimnisse des Herrn offenbart wurden? Und welches sind die mächtigen Taten Gottes? Wer sagt schließlich „Gott mit uns" angesichts der komplexen Entscheidungen, die wir aufgerufen sind zu treffen? Das Muster göttlicher Offenbarung scheint weit weniger klar als zu Zeiten des Alten Testaments.[13] Wir orientieren uns an dem „Pfand", von dem Paulus spricht (1 Tim 6, 20); wir suchen nach biblisch fundierten Perspektiven, um mit ihnen in der Gegenwart zu leben. Die heute übliche Betonung der Erfahrung (oder Offenbarung) Gottes in aktuellen menschlichen Situationen, in menschlichen Beziehungen, scheint einer solchen biblischen Perspektive zu entsprechen, was angesichts der Abwesenheit von Wort und Ereignis in der modernen Wirklichkeit doppelt notwendig sein dürfte. Heute glauben Christen, daß Gott viel indirekter spricht als in biblischen Zeiten. Wir hören auf die Bibel, auf die kirchliche Traditon und aufeinander in dem Bemühen,

begrenzt die Möglichkeit der Erkenntnis Gottes aus der Geschichte auf dessen Verheißungen.

[13] Vgl. D. N. Freedman, in: Interpretation, 21, 1967, S. 32—49 für eine Diskussion der Unklarheiten sowohl des Alten Testaments als auch unserer eigenen Zeit. Er schließt: „Wir bieten als Credo für heute an: Bestätigung in den Klauen des Zeugnisses, Gehorsam angesichts der Konsequenzen." (S. 49.)

biblische Werte mit Leben zu füllen. Harvey Cox hat jüngst diese Haltung anhand der prophetischen Sicht der Geschichte verdeutlicht. Er schaut auf die Stimmung alttestamentlicher Prophetie (im Gegensatz zur apokalyptischen und teleologischen Stimmung), um eine biblische Haltung gegenüber der Geschichte zu beschreiben.[14] Die alttestamentlichen Propheten sprachen über die Zukunft in Begriffen von Wehe und Wohl in der Absicht, das israelitische Volk zur Änderung seines Verhaltens zu bewegen. Die Episode von Jeremia und dem Gefäß des Töpfers illustriert die Tatsache, daß der Herr absehen kann von dem Übel, das er gegen ein Volk vorhat, wenn das Volk selbst umgekehrt ist (Jer 18, 8; vgl. Jon 3, 10). Also trägt der Mensch eine Verantwortung für die Zukunft. Diese grundlegende Anschauung ist die notwendige biblische Orientierung für unser Leben im zwanzigsten Jahrhundert. Wir mögen unsicher sein über Wort und Ereignis in der gegenwärtigen Situation. Aber wir können doch die prophetische Haltung in die Gegenwart und die Zukunft übernehmen und uns den uns gestellten Aufgaben widmen; die Zukunft ist auch in den Händen des Herrn, dessen Kommen wir erwarten (Tit 2, 13).

Die jüngste alttestamentliche Forschung war besonders befaßt mit der Beziehung zwischen göttlichem Wort und Handlung. Der Dialog zwischen Walther Zimmerli und Rolf Rendtorff über diesen Punkt ist treffend zusammengefaßt worden durch James M. Robinson, der das jeweilige Hauptaugenmerk hervorhebt, das bei Zimmerli auf dem Wort und bei Rendtorff auf der Handlung liegt.[15] Die Diskussion ging hervor aus Zimmerlis Analyse der sogenannten Selbstvorstellungsformel „Ich bin Jahwe" und ihrer Aufnahme in der Erkenntnisformel („sie werden erkennen, daß ich Jahwe bin"), — in dieser Form bei Ezechiel gebräuchlich. Das prophetische Wort ist hier verbunden mit einer konkreten Handlung Gottes in der Ge-

---

[14] Tradition and the Future, in: Christianity and Crisis, 27, 1967, S. 218—220, 227—231. Ich meine, daß es eine Karikatur ist, wenn man Teleologie als deterministisch charakterisiert, ohne jede Offenheit. Sogar der biblische Mensch lebte mit einem *telos*, dessen Vorherbestimmung bei Gott lag.

[15] J. M. Robinson (Hrsg.), Theologie als Geschichte, Zürich/Stuttgart 1967, S. 63—87.

schichte, die ihn dem Menschen offenbart. Besonders bezeichnend ist nun aber der Hintergrund, vor dem die Diskussion stattfindet. Wo ist der *Ort* der Offenbarung? Die Tendenz der gegenwärtigen Forschung besteht darin, die geringe Zahl der alttestamentlichen Begriffe für Offenbarung hervorzuheben: enthüllen (gālāh), erscheinen (rāʾāh) usw. Einige Forscher gelangten zu der Feststellung, daß „Offenbarung" keine angemessene biblische Kategorie für das Verständnis des Verhältnisses von Gott und Mensch sei. Daher findet F. G. Downing in der christlichen Botschaft nicht Offenbarung, sondern eine Verpflichtung auf eine Gehorsamsstruktur, die abhängig ist von Gott.[16] Aber diese extreme Position scheint von einer Überreaktion zu zeugen. Man kann die Gültigkeit der Formel, wie sie Zimmerli festgestellt hat, nicht aufgeben; sie hat den Vorteil, ein nahes Gegenstück zu der modernen Kategorie von Offenbarung zu sein.

Die neuere Diskussion tendierte jedoch dazu, die Studien Zimmerlis für die ganze Frage nach der alttestamentlichen Offenbarung als erschöpfend oder wenigstens für sie beendend zu halten. Ist aber die Erkenntnisformel die einzige Quelle im Alten Testament, die gültig von Offenbarung spricht? Offenbarung wird explizit in diesem Abschnitt behauptet als eine Absicht göttlicher Intervention. Aber wir sollten nicht die verschiedenen Theophanien im Alten Testament unberücksichtigt lassen, die Kommunikationen mit den Propheten (die nicht in der lapidaren Formel des Ezechiel ausgedrückt sind) und die Worte, in die das Alte Testament sein Verständnis des Herrn kleidet (Ex 34, 6).

Die Verschiedenheit der Kommunikation zwischen dem Herrn und Israel verdient betont zu werden. So zeugen schon der Dialog zwischen Mose und dem Herrn (der als eine Art „Typos" prophetischer Erfahrung dient) und die Institutionen Israels allein von einem Gefühl göttlicher Gegenwart. Der Kern der Szene Ex 33—34 nach der Episode mit dem Goldenen Kalb ist ebenfalls göttliche Gegenwart. Der Herr will sein Volk nicht begleiten auf ihrem Weg

---

[16] Has Christianity a Revelation?, London 1964. Downings Ansatz wurde übernommen von J. Barr, Alt und Neu in der biblischen Überlieferung, München 1967, S. 61—98.

vom Sinai, weil er es vernichten will. Aber Mose besteht darauf;
gerade die Begleitung des Herrn macht Israel wirklich zu seinem
Volk, unterschieden von allen anderen Völkern. Das Geheimnis dieser seiner Gegenwart ist dabei nie ergründet worden, sondern es
wird einfach empfunden. Wenn die eine Tradition die Unterhaltung
von Angesicht zu Angesicht zwischen Jahwe und Mose unterstreicht
(Ex 33, 7—11), korrigierten andere die entstehenden Mißverständ-
nisse: Mose konnte nur die „Rückseite" des Herrn sehen (Ex 33,
17—23). Grundsätzlich gab es jedoch keinerlei Zweifel an der Erfahrung der Gegenwart des Herrn.

Das Thema der göttlichen Gegenwart liegt auch der ganzen Theologie des Tempels zugrunde. Der Herr thronte im Himmel über
dem Firmament, aber irgendwie wohnte sein „Name" im Jerusalemer Tempel. Daher konnte Ezechiel die Verödung Jerusalems
beschreiben mit Begriffen vom Weggang der Herrlichkeit des Herrn
aus dem Tempel. Aber dieselbe Gegenwart spielt auch eine wichtige
Rolle in der Endzeit; denn der Thronwagen kehrt zurück, und die
Herrlichkeit des Herrn füllt den Tempel (Ez 43, 1—12).

Diese Verschiedenheit in der Art der Offenbarung im Alten Testament ist grundlegend für die Kritik Moltmanns an Zimmerlis
These, welche zu „personalistisch" sei.[17] Nach Moltmann wird auf
diese Weise die Geschichte Gottes persönlicher Selbstoffenbarung
untergeordnet. Infolgedessen wird befürchtet, daß das Element der
Verheißung, das in Moltmanns Denken so wesentlich ist, verschwindet. Aber ist die Spannung zwischen Verheißung und Person, zwischen Gottes Proklamation seiner Treue und seiner Selbstoffenbarung, zwischen Dynamik und Statik, zu groß, als daß sie von
einer Theologie der Hoffnung getragen werden könnte? Ist der Deus
praesens, der zu Israel über sich selbst spricht, befiehlt, verbietet,
aber sich auch in konkreten historischen Situationen mitteilt, dem
Deus qui futurus est entgegenzusetzen? Genau diese Spannung zwischen dem Deus praesens und dem Deus adveniens ist in der Erfahrung Israels zu finden. Der transzendente Gott, der theos epiphanes,
der den Vätern in Mamre und Bethel erscheint, ist auch der Gott,
der die Verheißungen erneuert; der unnahbare Herr vom Sinai ist

---

[17] J. Moltmann, a. a. O. S. 101—104.

zugleich der Gott, welcher dem Abraham Zukunft erschließt. Dies
ist die biblische Spannung: Gott gibt sich auf irgendeine Weise dem
Menschen — aber nicht völlig. Das „noch nicht" des Alten Testaments spiegelt sich in der Gabe des ewigen Lebens wider, das in
Jesus gegeben ist — aber noch nicht ganz.[18] Daher können wir die
alttestamentliche Göttlichkeit nicht einfach in Begriffen der Zukunft
fassen.

Die Geschichte der Entwicklung des Themas von Verheißung und
Erfüllung ist aufschlußreich. Das Vorherrschen apologetischer Interessen, ein apologetischer Overkill von Justin Martyr bis Pascal,
brachte eine erstarrte Doktrin von Messianismus hervor, eine Vorstellung von „Lehre" anstelle einer lebendigen Hoffnung. Es wurde
eine bis ins einzelne gehende Beziehung zwischen bestimmten Texten
beider Testamente herausgearbeitet, und Christus erscheint als
Priester, Prophet und König in alttestamentlichen Kleidern. Die
Auswüchse dieser Apologetik kann man an der Verschiedenheit der
messianischen Deutungen ablesen, die der Prophezeiung der „siebzig
Wochen" bei Daniel gegeben worden sind. Die vermeintlich „christliche" Interpretation eliminiert die Atmosphäre der Hoffnung und
Erwartung des Buches, wenn man die Makkabäische Perspektive in
ihm zerstört. Das Ergebnis bestand darin, daß die vorwärtsstrebende
Kraft des Alten Testaments verschleiert wurde. Man betrachtete es
als erfüllt, und man sollte daher mit dem Neuen (Testament) fort-
fahren. Ist dies vielleicht auch ein Gund, warum das Gefühl des
„Noch nicht" des Neuen Testaments ebenfalls zurückgedrängt
wurde?

Die Haltung des alttestamentlichen Menschen steht im Gegensatz
zu dieser statischen Position. Das Phänomen der Reinterpretation
innerhalb des Alten Testaments ist ein Maßstab für Israels Offenheit gegenüber der Zukunft. Nichts bleibt ganz dasselbe: der Exodus
zielt auf einen neuen Exodus; der mosaische Glaube wurde zur
Grundlage der deuteronomischen Reform. Diese Bewegung der
Hoffnung kann besonders gut an der Reinterpretation abgelesen
werden, die den Königspsalmen gegeben wurde (2, 72, 110 usw.).
Diese vorexilischen Texte spiegeln die Hoffnung wider, welche

---

[18] O. Cullmann, a. a. O. S. 147—165.

Israel der Salbung der davidischen Dynastie entgegenbrachte (2 Sam 7). Nach der Zerstörung Jerusalems (vgl. Ps 89) schien es keinen anderen Grund für die Aufbewahrung dieser Psalmen mehr zu geben als den des antiquarischen Interesses. Aber sie wurden bewahrt, sie wurden gebetet, und sie wurden neu interpretiert in einem personalen und messianischen Sinn, wie die apokryphen Psalmen Salomos und die reiche Vielfalt des Messianismus in Qumran zeigen. Wir können aus dem allen den Schluß ziehen, daß der alttestamentliche Mensch in der Lage war, mit diesem seinem Verständnis von Tradition der Unbeweglichkeit zu entrinnen. Er hörte nicht auf, den Herrn zu fragen, aber er verschloß sich auch nicht vor der zukünftigen Entwicklung.

Die neuere Forschung hat den Erwartungen des Alten Testaments Glauben geschenkt (und denen des Neuen ebenso) und dem gängigen theologischen Denken etwas von dem biblischen Drängen vermittelt (Moltmann, Sauter, von Balthasar usw.). Diese Veränderung kann man an der Diskussion um die Beziehung zwischen den beiden Testamenten in den Arbeiten von Rads, Zimmerlis, Westermanns, Grelots und anderer ablesen.[19] Das mechanische Schema von Voraussage und „Tatsache" ist der Folge von Verheißung und (fortdauernder) Erfüllung gewichen. Wir beurteilen inzwischen die Spannung, die in Israels Leben mit den ihm gewordenen Verheißungen lag, richtiger. Die Verheißung eines Volkes (Gen 12,1—3) nähert sich der Erfüllung erst nach einigen Hindernissen: die Geburt Ismaels wurde nicht als Erfüllung gedeutet; Sarah ist unfruchtbar; schließlich wird Isaak geboren — nur um ein sakrales Opfer zu sein! In Ägypten gelingt es dem Volk kaum zu überleben. Die Verheißung des Landes wird nicht abgesichert durch die allmähliche Kontrolle über Palästina, die zur Eroberung wird. Die Verheißung kann als erfüllt gelten (Jos 23, 14): „nichts hat gefehlt von all dem Guten, das der Herr, euer Gott, euch verheißen hat; alles ist eingetroffen, nicht eines hat gefehlt." Aber der Text zeigt zugleich, wie unvollständig dies ist (Jos 13, 2; 14, 12; Ri 1). Diese ständig unsichere Grenze der Er-

---

[19] Vgl. R. E. Murphy, The Relationship Between the Testaments, CBQ 26, 1964, S. 349—359.

füllung hielt Israel offen für die Zukunft. Daher kann Westermann die alttestamentliche Geschichte als „die Bewegung zwischen Verheißung und Erfüllung" charakterisieren.[20] In einer Studie über die alttestamentlichen Propheten beschreibt H. W. Wolff ihre Einstellung zur Geschichte als „das gezielte Gespräch des Herrn der Zukunft mit Israel".[21]

Diese Zukunft ist nicht wirklich unterschieden vom Eschaton oder dem Eschatologischen. S. Mowinckels scharfe Trennung zwischen Eschatologie und Zukunftshoffnung mag einer didaktischen Analyse der messianischen Terminologie dienlich sein.[22] Aber sobald dies eine Psychologisierung enttäuschter Hoffnung sein will, einer Haltung, die aus Verzweiflung kommt und zu einem formal anderen „eschatologischen" Glauben wird, wird die innere Dynamik der alttestamentlichen Hoffnung auf die Verheißungen erschüttert. Für den alttestamentlichen Propheten sind Geschichte und Eschatologie eins; nur wir unterscheiden zwischen beidem, möglicherweise um den Preis, daß wir die Realität der historischen Entwicklung der Hoffnung in Israel verfehlen. Wie Noel Freedman es ausdrückte: „Für die Bibel sind Geschichte und Eschatologie wesentlich eins; Eschatologie ist der Abschluß der Geschichte, aber sie geht aus von historischen Ereignissen, und Geschichte ist der Hintergrund für das Eschaton. Von der Zeit des Mose an hat Geschichte ein eschatologisches Element, und zwar gerade eingeschlossen in dem Begriff der Erfüllung. Solange die Geschichte weitergeht, hat die endgültige Erfüllung nicht stattgefunden, aber Geschichte selbst ist in dem Maße eschatologisch, wie überhaupt Erfüllung stattfindet."[23]

Man kann in der Tat sagen, daß sich „von der Zeit Abrahams an" im israelitischen Verständnis die Perspektive einer sich immer weiter ausdehnenden Zukunft öffnet. Nicht einmal die Verwirklichung der Verheißung auf Nachkommenschaft und auf die Landnahme bedeuten die Erfüllung der Verheißungen an Abraham (Gen 12, 1—3). Indirekt stand die Menschheit unter einem Fluch (Gen 3), und

---

[20] A. a. O. S. 25.
[21] Ebd. S. 324.
[22] He That Cometh, Oxford 1956.
[23] Interpretation, 14, 1960, S. 153.

Abrahams „Segen" mußte auf irgendeine Weise damit vermittelt werden. Diese geheimnisvolle Offenheit gegenüber der Weltgeschichte bildet den Horizont für die Geschichte Israels und ihr eschatologisches Gefälle. Die Sendung des Gottesknechts in die Welt ist nur eine explizite Entfaltung dessen, was in Gen 1—11 latent angelegt ist.

Ist es notwendig, die *Inhalte* der eschatologischen Hoffnung des Alten Testaments zu analysieren? Eine gewisse Zurückhaltung ist hier angebracht. Die apokalyptische Literatur Israels betrieb eine solche Analyse, und ihre wilde Sprache warnt uns, das göttliche Ziel zu wörtlich verstehen zu wollen. Dennoch gibt es eine gewisse Kontinuität in den Veränderungen, die von den Propheten vorausgesagt worden waren. Die Ideale von Rechtschaffenheit, von Versöhnung werden bestätigt. Wenn das Eschaton etwas Neues ist, wird es wieder ein Exodus sein; es wird wieder einen Bund geben und auch einen David. Die alten heilsgeschichtlichen Überlieferungen geben den Rahmen ab für das Denken. Von Rad scheint die Polarität zwischen Neuem und Altem in dieser prophetischen Eschatologisierung von Geschichte zu übertreiben.[24] Er ist der Meinung, daß das Eschatologische eine *Zurückweisung* der alten geschichtlichen Grundlagen des Heils impliziert. Richtet das nicht einen unnötigen Gegensatz zwischen Alt und Neu auf — einen Gegensatz, der sich von dem Kontrast zwischen Evangelium und Gesetz her nahezulegen scheint, zwischen Glaube und Werken? Der Christ *akzeptiert* die alten historischen Grundlagen des Heils — die Verheißungen, den Exodus usw. Und die Israeliten verstanden, daß im neuen Zeitalter gerade die Torah in die Herzen der Menschen gepflanzt werden muß (Jer 31, 33). Wir haben nicht die Möglichkeit, das Eschaton detailliert zu bestimmen, aber wir können nach einer Kontinuität ausschauen und müssen sie sogar akzeptieren.

Die Bedeutung der biblischen Eschatologie für die gegenwärtige Theologie ist in den Arbeiten einiger deutscher Theologen herausgestellt worden, und ganz besonders von Jürgen Moltmann in seiner *Theologie der Hoffnung*. Die Bedeutung ihrer Arbeit rührt von der

[24] Theologie des Alten Testaments, Bd. 2, 4. A. München 1965, S. 121 bis 129.

Tatsache her, daß die biblische Haltung, die wir beschrieben haben, die Haltung des Christen vor Gott ist und sein muß. Wenn wir zurückblicken auf die Quellen unserer religiösen Tradition, finden wir in ihr eine Verpflichtung für die Zukunft — eine Verpflichtung, die noch in der christlichen Erfüllung des alten Gesetzes enthalten ist. Zimmerlis Beschreibung der alttestamentlichen Aussagen schildert auch die Situation des modernen Gläubigen: „Wer von Verheißung und Erfüllung weiß, ist einem Gestern, von dem her er etwas gehört hat, verantwortlich, und geht einem Morgen entgegen ... Wer von Verheißung — Erfüllung redet, weiß von Verhüllung und notvollem Warten, er weiß von Gehen und nicht nur von Stehen, weiß von Ruf und nicht nur von Schau." [25]

Diese kurze Diskussion der Bedeutung des Alten Testaments für Geschichte und Eschatologie kann vielleicht wie folgt zusammengefaßt werden:

1. Das zyklische Konzept von Geschichte, das im Alten Testament die Aktualisierung der Heilsereignisse der Vergangenheit einschließt, ist nicht nur biblisch, sondern auch gegenwärtig bedeutsam im Licht historischer israelitischer und christlicher Praxis; andernfalls würden wir Gefahr laufen, die Grundlage und den Sinn von Verheißung und Gegenwart zu verlieren.

2. Die schriftliche Aufzeichnung des Alten Testaments zeugt von dem Zusammenhang von göttlichem Wort und Ereignis, durch das der Herr der Geschichte sich offenbart hat. Obwohl das reine Schema von Wort und Ereignis sich nicht direkt auf das zwanzigste Jahrhundert übertragen läßt, können wir die prophetische Haltung für unsere gegenwärtige Situation übernehmen.

3. Israel lebte im Schatten von Verheißungen, der Hoffnung auf Erfüllung entgegensehend. Dies ist auch die Spannung des Christen, eine fruchtbare Spannung, die ihm helfen wird, das Gefühl von Absurdität in unserem Leben zu bewältigen.

[25] A. a. O. S. 76 f.

Kerygma und Dogma. Zeitschrift für theologische Forschung und kirchliche Lehre. 16 (1970), S. 300—312.

„ESCHATOLOGIE". EIN BEISPIEL THEOLOGISCHER SPRACHVERWIRRUNG*

Von Gunther Wanke

I

Die Worte „Eschatologie" und „eschatologisch" sind heute selbstverständlicher Bestandteil theologischer Rede, und zwar in einem Ausmaß, das zu sagen erlaubt, daß es in den letzten Jahrzehnten kaum einen Theologen gegeben haben wird und auch gegenwärtig kaum einen geben wird, der diese Worte nicht schon in irgendeinem Zusammenhang ausgesprochen oder niedergeschrieben hätte. Beide — sowohl die Selbstverständlichkeit als auch die Häufung der Anwendung des Wortes „Eschatologie" — erwecken die Hoffnung, daß die theologische Wissenschaft auch weiß, was sie meint, wenn sie dieses Wort gebraucht; oder anders ausgedrückt, daß sie in der Lage ist, die Bedeutung dieses von ihr als Terminus verwendeten Ausdrucks anzugeben. Sucht man jedoch eine Bestätigung für diese Hoffnung zu finden, so wird man — trotz der unübersehbaren Flut von literarischen Äußerungen zu diesem Thema, vielleicht auch gerade wegen ihr — alsbald die Hoffnungslosigkeit dieses Unterfangens einsehen müssen.

Man wird zwar in der neueren theologischen Literatur allgemein darauf hingewiesen, daß „Eschatologie" die „Lehre von den letzten Dingen" sei, also dem entspricht, was die orthodoxe Dogmatik unter dem Lehrstück „de novissimis" abhandelte, man wird häufig aber im gleichen Atemzug darüber belehrt, daß mit einer solchen Engführung das Eigentliche der Eschatologie nicht getroffen

* Geringfügig veränderter Text der Habilitationsprobevorlesung (Fach: Altes Testament) vor der Theol. Fakultät der Friedrich-Alexander-Universität Erlangen-Nürnberg, gehalten am 13. 2. 1970.

sei. Diese bewußt vollzogene Ausweitung dessen, was der Eschatologie zuzuweisen sei, hat uns in eine aussichtslose terminologische Verwirrung hineingeführt, von der keine theologische Disziplin verschont geblieben ist.

Hierzu einige wenige Beispiele:

P. Althaus[1]: der Begriff „Eschatologie" ist „vorzubehalten für die Aussagen über den Ausgang, die unbedingte ewige Zukunft des Menschen und der Welt, also über den Tod, das Ende der Geschichte, den jüngsten Tag, das Kommen des Reiches. Die Eschatologie hat es mit der wirklich in der Zeit an uns herankommenden Zukunft zu tun, ..."; G. Hoffmann[2]: „Eschatologie ist nicht Lehre von den letzten Dingen, sondern Lehre von der Bezogenheit des Glaubens auf die letzten Dinge"; F. Baumgärtel[3]: „Eschatologie bedeutet nicht psychologisch in ihren Motiven deutbare Hoffnung auf Zukünftiges, sondern schlechthinnige Gewißheit um Gegenwärtiges"; R. Bultmann[4]: „Eschatologie ist die Lehre von den ‚letzten Dingen' oder genauer: von den Geschehnissen, durch die unsere bekannte Welt ihr Ende nimmt. Eschatologie ist also die Lehre vom Ende der Welt, von ihrem Untergang"; H. Ott[5]: „Gott selber ist ‚eschatologisch', und Sein ‚eschatologischer Charakter' ist nichts anderes als Seine Souveränität. Eschatologie ist demnach eine (denkerische) Entfaltung des göttlichen Wesens, dessen, ‚was Gott eigentlich ist'. Eine Entfaltung, so will uns freilich scheinen, in ganz bestimmtem Sinn, in ganz bestimmter Richtung: in der Richtung auf die Zukunft"; G. Sauter[6]: „‚Eschatologie' heißt die theologische Verantwortung dieses Logos", wobei unter ‚Logos' Verheißung als „ἔσχατος λόγος, äußerstes Wort: Wort der Grenze und der Begrenzung" verstanden sein will; und schließlich aus dem Bestseller unter den Eschatologien: J. Moltmann[7]: „In Wahrheit aber heißt Eschatologie die Lehre von der christlichen Hoffnung, die sowohl das Erhoffte wie das von ihm bewegte Hoffen umfaßt."

[1] P. Althaus, Die letzten Dinge (1922) 91964, S. 5.
[2] G. Hoffmann, Das Problem der letzten Dinge in der neueren evangelischen Theologie, 1929, S. 93.
[3] F. Baumgärtel, Die Eigenart der alttestamentlichen Frömmigkeit, 1932, S. 67.
[4] R. Bultmann, Geschichte und Eschatologie, 1958, S. 24.
[5] H. Ott, Eschatologie, 1958, S. 11.
[6] G. Sauter, Zukunft und Verheißung, 1965, S. 161.
[7] J. Moltmann, Theologie der Hoffnung, 1964, S. 11 f.

„Was ist das Thema der Eschatologie als theologischer Lehre?",
fragt W. Kreck[8] und umreißt mit seiner Antwort die ganze Misere
unserer Terminologie: „Es wäre schön, wenn man das programm-
matisch voranstellen und dann flugs an seine Entfaltung gehen
könnte. Aber es zeigt sich, daß schon die präzise Fixierung der
Fragestellung trotz allen eschatologischen Interesses und allen
Redens von Eschatologie nicht so einfach ist. Schon die Klärung des
Begriffs führt mitten in die Kontroverse hinein, ja, es spiegelt sich,
wie Althaus mit Recht sagt, hier die ganze theologische Problematik
unserer Tage ab." Nun kann es nicht die Aufgabe eines Alttestament-
lers sein, den Ursachen und der Berechtigung dieser Kontroverse
innerhalb der systematischen Theologie nachzugehen, zumal dieser
Problemkreis in den wichtigsten systematisch-eschatologischen Ent-
würfen ausführlich abgehandelt ist. Für ihn ist jedoch die Feststellung dieses Tatbestands der Sprachverwirrung insofern von
mehrfacher Bedeutung, als es sich erstens bei dem Wort „Eschatologie" ursprünglich um ein Wort der Sprache der Dogmatik handelt,
welches — wenn ich recht sehe — erstmals 1831 bei F. Schleiermacher[9] zur Bezeichnung der Lehre „de novissimis" Verwendung
findet, und das erst später in die exegetischen Wissenschaften eingedrungen ist; zweitens als mit der Übernahme des Wortes das
breite Spektrum seiner Anwendungsmöglichkeiten aus der Dogmatik in die alttestamentliche Wissenschaft Eingang gefunden hat;
und schließlich drittens, weil durch die aufgebrochene sogenannte
‚eschatologische Fragestellung' der neueren Systematiker das Alte
Testament — aus seinem Dornröschenschlaf erwacht — erneut
intensiv befragt und zu Rate gezogen wird, so daß aufgrund dieses
interdisziplinären Gesprächs — vorausgesetzt, daß es überhaupt
ernsthaft geführt wird — nicht nur von der Dogmatik aus eine
völlig ungeklärte Terminologie, sondern auch von der alttestamentlichen Wissenschaft her der mit diesen Unklarheiten eng verknüpfte
Streit um Herkunft, Alter und Struktur der alttestamentlichen
„Eschatologie" in die Diskussion miteingebracht wird. Daß dadurch

[8] W. Kreck, Die Zukunft des Gekommenen, 1961, S. 12.
[9] F. Schleiermacher, Der christliche Glaube, [2]1831; noch nicht in der
ersten Auflage.

die Sprachverwirrung nicht geringer, sondern eher noch hoffnungs-
loser geworden ist, beweisen die beiden zuletzt erschienenen
Arbeiten von H. D. Preuß[10] und H.-P. Müller[11], die trotz weit-
gehender Verwendung desselben Vokabulars zu gegensätzlichen
Beurteilungen der alttestamentlichen Eschatologie kommen.

II

Wie stellt sich diese Verwirrung der Sprache nun innerhalb der
alttestamentlichen Wissenschaft dar? Auch hier zunächst einige
Beispiele:

Für J. Wellhausen[12] stellt sich Eschatologie im Gegensatz zu „der aus
Zeit und Umständen geborenen, historischen und ursprünglich mündlichen
Prophetie" als eine dogmatische und literarische Größe „mit für alle Zeit
giltigen, fest ausgebildeten Zügen" dar, während H. Greßmann[13] gegen
die alte Verwendung des Wortes seine Anwendung „auf den Ideenkomplex beschränkt, der mit dem Weltende und der Welterneuerung
zusammenhängt", und die Vorstellungsreihen ausschließt, die „an die
Endschicksale des Einzelnen anknüpfen", soweit sie nicht mit dem Ergehen des Volkes und der Menschheit eng verbunden sind. Aus dieser
Verwendung des Wortes „Eschatologie" für einen Ideenkomplex folgt die
in der Neubearbeitung des genannten Werkes[14] ausdrücklich angemerkte
Anwendung des Wortes notwendig: „Es sei hier ein für alle Male betont,
daß das Wort ‚Eschatologie', d. h. die Kunde von den letzten Dingen, in
diesem Buche unbedenklich auch dann gebraucht wird, wenn nicht die
Endzeit, sondern die unmittelbar bevorstehende Zukunft oder gar die
Gegenwart gemeint ist; ... Mit dem Worte ‚Eschatologie' soll nur zum
Ausdruck gebracht werden, daß die betreffenden Vorstellungen ursprüng-

[10] H. D. Preuß, Jahweglaube und Zukunftserwartung, 1968 [Zusam-
menfassung vom Schluß des Buches in diesem Bd. 293—305].
[11] H.-P. Müller, Ursprünge und Strukturen alttestamentlicher Eschatologie, 1969.
[12] J. Wellhausen, Die kleinen Propheten übersetzt, mit Noten, ²1893,
S. 154.
[13] H. Greßmann, Der Ursprung der israelitisch-jüdischen Eschatologie,
1905, S. 1.
[14] H. Greßmann, Der Messias, 1929, S. 2 Anm. 1.

lich einmal in die Endzeit gehört haben, auch wenn dies später im allgemeinen nicht mehr der Fall ist." G. Hölscher[15]: „Unter ‚Eschatologie'
verstehen wir, was man jederzeit in der Dogmatik und theologischen Literatur darunter verstanden hat, die Lehre von den letzten Dingen, *de novissimis*,
oder weniger theologisch ausgedrückt: die Vorstellung von jenem großen
Drama der Endzeit, mit dem nach jüdischem und christlichen Glauben
diese Weltzeit endet und eine neue ewige Zeit des Heils anbricht"; J.
Hempel[16]: Eschatologie ist „Vollendung der Heilsgeschichte"; P. Volz[17]:
„Das vom eschatologischen Glauben gesetzte und erwartete Ziel ist
absolut, es ist das ἔσχατον, das Letzte. Dies unterscheidet die eschatologische Weissagung vom bloßen Zukunftsspruch; ..."; in Ergänzung noch
einmal F. Baumgärtel: „*Naherwartung* ist das hervorstechendste Merkmal der prophetischen Eschatologie" ... „*jetzt* ist Gottes Wille im Durchbruch!". W. Vollborn[18], ein Schüler Baumgärtels, läßt als Kriterium für
die Anwendung des Wortes „Eschatologie" nur die „Endgültigkeit", J. H.
Grönbæk[19] nur den sog. „Abschlußaspekt" gelten. G. Fohrer[20]: „die
späteren Propheten" unterscheiden „zwischen zwei Zeitaltern; sie sehen
sich am Ende des einen und an der Schwelle des anderen stehen. Ihr Heute
gilt ihnen als der Augenblick, in dem sich der große Wandel der Dinge
abzuzeichnen oder zu vollziehen beginnt. Darin liegt der wesentliche
Grundzug der eschatologischen Erwartung ...". Im Anschluß an seinen
Schüler E. Rohland[21] bestimmt G. v. Rad[22] die eschatologische Botschaft
der Propheten folgendermaßen: „wo Israel aus dem Heilsbereich der bisherigen Fakten herausgestoßen wurde und wo sich sein Heilsgrund mit
einemmal in ein kommendes Gottesgeschehen hinaus verlagerte, da erst
wird die prophetische Verkündigung eschatologisch", oder anders: „von

[15] G. Hölscher, Die Ursprünge der jüdischen Eschatologie, 1925, S. 3.
[16] J. Hempel, Altes Testament und Geschichte, 1930, S. 27.
[17] P. Volz, Der eschatologische Glaube im Alten Testament, Beer-
Festschrift 1935, S. 2.
[18] W. Vollborn, Innerzeitliche oder endzeitliche Gerichtserwartung?,
Diss. Greifswald 1938.
[19] J. H. Grönbæk, Zur Frage der Eschatologie in der Verkündigung der
Gerichtspropheten, SEÅ 24 (1959), S. 5—21 [in diesem Bd. S. 129—146].
[20] G. Fohrer, Die Struktur der alttestamentlichen Eschatologie, in:
Studien zur alttestamentlichen Prophetie (1949—1965), 1967, S. 33 [in
diesem Bd. S. 148 f.].
[21] E. Rohland, Die Bedeutung der Erwählungstraditionen Israels für
die Eschatologie der alttestamentlichen Propheten, Diss. Heidelberg 1956.
[22] G. v. Rad, Theologie des Alten Testaments, II ⁴1965, S. 128.

einer eschatologischen Botschaft" muß „überall dort gesprochen werden, wo von den Propheten der bisherige geschichtliche Heilsgrund negiert wird. Aber darauf sollte man den Begriff dann auch beschränken." H. D. Preuß[23]: „Die ‚Eschatologie' des Alten Testaments im Vollsinn des Wortes ist damit der legitime Ausdruck und die sinnvolle Entwicklung der Zukunftsbezogenheit des Jahweglaubens. Da es sich nämlich um die Erwartung des endgültigen Kommens Jahwes handelt und er zur vollen Gemeinschaft mit den Seinen kommt, kann man von Eschatologie reden, . . .", und schließlich H.-P. Müller[24]: „Als eschatologisch ist ein Geschehen nicht schon dann zu bezeichnen, wenn es von den von ihm Betroffenen als endgültig angesehen wird, sondern erst, wenn seine Endgültigkeit als zukünftig erwartet wird. Von den Betroffenen als endgültig angesehen werden auch gegenwärtige Ereignisse . . . Die Endgültigkeit solcher gegenwärtiger Ereignisse unterliegt aber einer Aporie, die sich geltend macht, wenn die das Endgültigkeitserlebnis weckende Betroffenheit der Betrachtung weicht. Insofern baut die Erwartung eines zukünftigen Endgültigen auf der Enttäuschung auf — vor allem dann, wenn die ernüchternde Betrachtung durch sich aufdrängende, neue Tatsachen erzwungen wird. Das zukünftige *Eschaton* überbietet das in der Gegenwart als endgültig Erlebte dadurch, daß es besagter Aporie nicht mehr unterliegt, weil das Kommende der vergegenständlichenden Betrachtung ungleich schwerer unterworfen werden kann."

Diese Aufzählung verschiedener sog. „Begriffsbestimmungen" ist nur ein kleiner Ausschnitt aus der Fülle der Äußerungen zu diesem Thema, die zu der Abwandlung des spöttischen Wortes ‚Jedem Alttestamentler sein Fest' in ‚Jedem Theologen seine Eschatologie' verleitet.

Man kann diesem Tatbestand nur hilflos gegenüberstehen, und diese Hilflosigkeit verstärkt sich, wenn die schon erwähnte Frage nach Herkunft, Alter und Struktur der alttestamentlichen Eschatologie in die Betrachtung miteinbezogen wird. Je nachdem, was man unter Eschatologie verstehen will, findet man diese schon im Jahwistischen Geschichtswerk oder erst bei Daniel, aus den altorientalischen Mythen und dem Kult oder dem geschichtsbezogenen Jahweglauben entstanden, und als typisches Merkmal der vor-

---

[23] A. Anm. 10 a. O., S. 206 f.
[24] A. Anm. 11 a. O., S. 222.

exilischen oder erst der nachexilischen Prophetie. Auch die Beurteilung dessen, was man mit Eschatologie bezeichnet, ist entsprechend widersprüchlich: kann auf der einen Seite die Eschatologie als die „Explikation des Jahweglaubens in Applikation auf die Geschichte" (so H. D. Preuß) bezeichnet werden, so auf der andern Seite als „das Ergebnis der epigonalen Entartung der vorexilischen Prophetie" (so G. Fohrer).

III

Die alttestamentliche Wissenschaft ist sich der Schwierigkeit, die angesichts dieser Verwirrung besteht, zwar wohl bewußt, und es fehlt auch nicht an Versuchen, einen Ausweg aus ihr zu weisen, doch — wie mir scheint — ohne viel Erfolg.

Die uns vorliegenden Versuche lassen sich im wesentlichen in drei Gruppen zusammenfassen:

1. Man legt zuvor fest, was man meint, wenn man „Eschatologie" sagt, und untersucht dann das Alte Testament auf die an es herangetragene Fragestellung hin. Schließt man sich dieser Vorgangsweise an, dann hängt alles davon ab, welchem von der systematischen oder neutestamentlichen Theologie angebotenen Eschatologieverständnis man sich anschließt, ganz abgesehen davon, ob man dieses Verständnis unmittelbar aus den genannten Forschungsgebieten bezieht oder durch eine Reihe von Alttestamentlern vermittelt erhält. Das Ergebnis dieses Versuchs liegt in einem Teil der schon genannten Beispiele vor.

2. Man untersucht die prophetische Verkündigung, erhebt ihre besonderen Merkmale, rekonstruiert ihre Geschichte und bezeichnet danach gewöhnlich die gesamte prophetische Verkündigung, und was mit ihr in enge Beziehung gesetzt werden kann, als „eschatologisch". Schlägt man diesen Weg ein, hängt alles davon ab, wie die literarkritische und historische Beurteilung der einzelnen Prophetenbücher ausfällt, und in welcher Weise die Einordnung der prophetischen Verkündigung in die Geschichte des Jahweglaubens vollzogen wird. Da auch hier die Alttestamentler weit von einer Übereinkunft entfernt sind, ist es nicht empfehlenswert, diesem Vorschlag zu folgen.

3. Man ignoriert angesichts der Verwirrung die Diskussion um die „Eschatologie", bezeichnet diese als Sekundärfrage terminologischer Konvention und wendet dann schließlich das Wort beliebig an, ohne sich genauer festzulegen [25], oder vermeidet es fast völlig [26]. Für das zuletzt genannte Vorgehen spräche, daß ein dem Alten Testament selbst nicht eigentümliches Wort nur mit äußerster Vorsicht oder besser gar nicht zu verwenden sei, wenn die Erfahrung zeigt, daß dieses Wort mehr zur Vernebelung als zur Differenzierung von Sachverhalten beiträgt. Zweierlei jedoch legt es nahe, auch diesem Weg, so vorteilhaft er sein möge, nicht zu folgen: erstens ein ganz praktischer Grund, den J. Lindblom [27] folgendermaßen formuliert: „Was mich zu diesem neuen Angriff des eschatologischen Problems veranlaßt hat, ist die augenscheinliche Unmöglichkeit, den Begriff Eschatologie aus der Prophetenforschung auszurotten"; und zweitens die Begründung, die S. Herrmann für sein Vorgehen liefert, daß es sich eben bei der Anwendung des Wortes um eine Sekundärfrage terminologischer Konvention handle. Um eine solche handelte es sich, wenn es ohne Schwierigkeiten und für jeden Alttestamentler einsichtig gelänge, das Wort „Eschatologie" aufgrund einer allgemein anerkannten explizit eingeführten Definition durch ein anderes, synonymes Wort zu ersetzen; daß auch dies nicht der Fall ist, dürfte hinreichend deutlich geworden sein.

IV

a) Nun kann die Theologie, solange sie den Anspruch erhebt, Wissenschaft zu sein, insbesondere die exegetische Theologie, die vorrangig historische Wissenschaft zu treiben hat, sich weder darauf beschränken, die ihr überlieferte Sprachverwirrung weiter zu tra-

[25] So A. Jepsen, Art. Eschatologie im AT, RGG³, II, 1958, ähnlich J. Bright, Art. Eschatology, Dictionary of the Bible, 1963, 2. Aufl.

[26] So S. Herrmann, Die prophetischen Heilserwartungen im Alten Testament, 1965.

[27] J. Lindblom, Gibt es eine Eschatologie bei den alttestamentlichen Propheten?, StTh 6 (1953), S. 79—114, S. 80 Anm. 2 [in diesem Bd. S. 31—72, S. 32, Anm. 6].

dieren und durch eigene Beiträge zu vergrößern, nachdem man einsehen mußte, daß aus diesem circulus vitiosus nicht mehr auszubrechen ist, noch kann sie mit dem Hinweis darauf, daß es im wesentlichen auf die Sache und nicht auf Worte ankommt, die Terminologie zur Sekundärfrage machen. Wollen sich Theologen untereinander und mit anderen Wissenschaften über einen Gegenstand verständigen, dann gelingt das nur über den Weg einer normierten Sprache, zumindest aber über den Weg einer fachintern anerkannten Terminologie. Solange für ,a' auch ,non a' gesagt wird, kann man nicht den Anspruch auf Wissenschaftlichkeit erheben; man begibt sich jeder Verständigungsmöglichkeit. Was für die Umgangssprache gilt, hat erst recht für eine Wissenschaftssprache zu gelten.

So kann ich zwar F. Baumgärtel uneingeschränkt zustimmen, wenn er sagt: „Aber auch in der wissenschaftlichen Sprache kann man nicht ,Weiß' für ,Schwarz' sagen; denn dann hört jede Möglichkeit auf, sich gegenseitig zu verstehen", nicht aber, wenn er im gleichen Zusammenhang bemerkt: „Man muß gewiß bei der wissenschaftlichen Erörterung eine gewisse Elastizität im Sprachgebrauch bis hin zur Zerdehnung von Worten in Kauf nehmen" [28], denn genau an diesem Punkt setzt der Prozeß ein, der schließlich dort endet, wo für ,Weiß' ,Schwarz' gesagt werden kann, bzw. um bei dem gewählten Beispiel zu bleiben für ,eschatologisch' ,nichteschatologisch' und umgekehrt. So bleibt die Terminologie eine Primärangelegenheit jeder Wissenschaft, auch der Theologie, und darf unter keinen Umständen als eine Sekundärfrage mißverstanden werden. Daß dies jedoch unentwegt praktiziert wird, ist m. E. der Hauptgrund für die Sprachverwirrung der Theologie, für die als ein Beispiel hier das Wort „Eschatologie" vorliegt.

Versucht man der Forderung nach einer exakten Terminologie gerecht zu werden, so kann das aber wieder nicht anders geschehen als im Gespräch mit der wissenschaftlichen Tradition, in der man steht, auf unser Beispiel gemünzt, einer Wissenschaft, die mehr als hundert Jahre, für uns also immer schon, unentwegt von „Eschatologie" redet.

[28] F. Baumgärtel, Verheißung, 1952, S. 107.

b) Auf welchem Wege wäre also das Wort „Eschatologie" unter Berücksichtigung der genannten Forderungen in die alttestamentliche Wissenschaft neu einzuführen? Nach W. Kamlah[29], der sich ebenfalls mit der Normierung des Wortes „Eschatologie" befaßt, das Alte Testament dabei aber nur mit einer kurzen Bemerkung streift, bieten sich zwei Möglichkeiten zur Normierung von Termini: 1. die klassische Definition und 2. die Angabe von Beispielen unter zusätzlicher Angabe von Prädikatorenregeln. Die Definition scheidet für unseren Fall aus, da sie eine geklärte Terminologie voraussetzt, von deren Vorhandensein aber keinesfalls die Rede sein kann[30]. Bleibt also nur der zweite Weg: Angabe von Beispielen und Prädikatorenregeln.

Auch dieser Weg wurde bereits innerhalb der alttestamentlichen Wissenschaft beschritten, jedoch in unzureichender Weise deshalb, weil die Auswahl der Beispiele so getroffen wurde, daß ungeklärte literarkritische und historische Fragen in die Normierung miteinflossen, weil häufig nicht mehrere Beispiele, sondern meist nur eines, nämlich *„die* prophetische Verkündigung" verwendet wurde[31]. Nur zwei Alttestamentler verfolgten, soweit ich sehe, die hier vorgeschlagene Methode in vertretbarer Weise: J. Lindblom[32] und G. Fohrer[33]. Beide geben Einzelbeispiele und Regeln zur Normierung des Terminus „Eschatologie" an und führen gleichzeitig eine Reihe von Gegenbeispielen ins Feld, die dazu dienen, eine zweckmäßige Differenzierung des untersuchten Gegenstandes zu erreichen. Die auch bei diesen Forschern anzumeldende, jedoch vergleichsweise bescheidene Kritik bezieht sich im wesentlichen auf die Auswahl einiger schwieriger Beispiele, worauf jedoch später noch kurz zurückzukommen sein wird.

[29] W. Kamlah, Utopie, Eschatologie, Geschichtsteleologie, 1969.

[30] S. o. S. 345 f.

[31] U. a. Th. C. Vriezen, Prophecy and Eschatology, VTSuppl I, 1953, S. 199—229 [dt. in diesem Bd. 88—128].

[32] S. o. Anm. 27.

[33] S. o. Anm. 20.

V

a) Sucht man nun, der durch die genannten Forscher vorgezeichneten Methode folgend, erste Beispiele für „Eschatologie" anzugeben, so zeigt sich rasch, daß uns solche weder innerhalb des Alten Testaments, ja nicht einmal außerhalb desselben zur Verfügung stehen. Eschatologien im Sinne einer literarischen Gattung, wie etwa die Gattung der Apokalypsen, von denen man ausgehen könnte, liegen nicht vor. Was uns hingegen vorliegt, sind Texte, die die alttestamentliche Wissenschaft — aus welchen Gründen immer — „eschatologische Texte" nennt. Angesichts dieses Tatbestands ist es jedoch ratsam, das Wort „Eschatologie" aus der Betrachtung vorerst auszuklammern und durch die Ausdrücke „eschatologische Texte" oder „eschatologische Rede" zu ersetzen.

Es ist weiter zweckmäßig, sich möglichst an den herrschenden Sprachgebrauch anzuschließen, d. h. aus den von den Alttestamentlern so bezeichneten Texten solche als Beispiele auszuwählen, die von allen Alttestamentlern „eschatologisch" genannt werden. Dabei wird vorerst vorausgesetzt, daß eschatologische Texte immer auch „prophetische Texte" sind und der Terminus „eschatologisch" eingeführt werden soll, um innerhalb der prophetischen Texte eschatologische und nichteschatologische zu unterscheiden. Eventuelle eschatologische, aber nichtprophetische Texte als Beispiele können als unerheblich außer acht gelassen werden, da als opinio communis innerhalb der alttestamentlichen Wissenschaft gelten darf, daß sich das Problem der Eschatologie fast ausschließlich innerhalb der prophetischen Verkündigung stellt.

Zwei Gruppen von Alttestamentlern teilen diese Voraussetzungen allerdings nicht. Auf der einen Seite diejenigen, die die Eschatologie erst in der Apokalyptik anzusetzen bereit sind, auf der andern Seite diejenigen, die die gesamte prophetische Verkündigung als ‚eschatologisch' bezeichnen. Im ersten Falle ist der Ausdruck „eschatologisch" synonym mit „apokalyptisch", im zweiten Fall mit „prophetisch", in beiden Fällen also entbehrlicher terminologischer Ballast, der für eine Differenzierung nichts austrägt.

Die zuerst genannte Gruppe beendet den Streit, indem sie das Wort „eschatologisch" kurzerhand aus der alttestamentlichen Ter-

minologie streicht. Die zweite Gruppe verwendet — ich zitiere
J. Moltmann[34], der diese Position treffend zusammenfaßt — den
„Begriff ‚Eschatologie' ", „um das Besondere der Propheten im
Unterschied zu den früheren Sprechern des Jahweglaubens und im
Unterschied zu den späteren Apokalyptikern zu bezeichnen". Es
wird hier also mit der Verwendung des Wortes durchaus eine Differenzierung beabsichtigt, eine Differenzierung allerdings, die bereits
das Wort „prophetisch" leistet. Daß man dafür dennoch zusätzlich
das Wort „eschatologisch" heranzieht, kann nur darin seinen Grund
haben, daß mit dem Ausdruck „eschatologisch" die differentia
specifica der prophetischen Verkündigung zu anderer Verkündigung
angegeben werden soll. Für dieses Vorgehen wäre jedoch als Voraussetzung erforderlich, daß 1. die prophetische Verkündigung eine
einheitliche Größe mit kontinuierlicher Entwicklung darstellt,
2. die historischen und literarischen Fragen im Zusammenhang mit
ihr im wesentlichen geklärt sind, und 3. die Eigenart der prophetischen Verkündigung sich im großen und ganzen mit dem, was
die Theologie „eschatologisch" nennt, deckt. Abgesehen davon,
daß 1. und 2. offene Fragen sind, bleibt der Ausdruck „eschatologisch" nach wie vor mit der vollen Hypothek der Ungeklärtheit
belastet.

Angesichts der zurückgewiesenen Alternativen erweist sich der
bereits eingeschlagene Weg als der zweckmäßigere. Er hat zudem
den Vorzug, daß er sich sowohl weitgehend an den herrschenden
Sprachgebrauch anschließt, als es auch gestattet, den Ausdruck
„eschatologisch" als Terminus zur Differenzierung der prophetischen
Verkündigung heranzuziehen. Es wären also nun Beispiele für
„eschatologische Rede" oder „Texte" anzuführen, auf die die genannten Forderungen zutreffen, und gleichzeitig Regeln anzugeben,
die zur Normierung des Terminus dienen. Daß ich hierbei auf vor
allem durch J. Lindblom und G. Fohrer bereits Erarbeitetes zurück-
greife, außerdem auf Vollständigkeit keinen Anspruch erheben und
im folgenden auch nur *exemplarisch* vorgehen kann, darf ich noch
einmal anmerken.

b) Als erste Beispiele eschatologischer Rede können herangezogen

[34] J. Moltmann, Theologie der Hoffnung, 1964, S. 114.

werden: Jes 40, 1—8; 51, 17—23; Hag 1, 15 a + 2, 15—19; Sach 1, 2—6 und 8, 14 f.

(Jes 40, 1—8 in Auswahl:) „Tröstet, tröstet mein Volk!, spricht euer Gott, redet Jerusalem zu Herzen und ruft ihm zu: Sein Frondienst ist erfüllt und seine Schuld gebüßt. Denn es empfing aus meiner Hand das Zweifache für alle seine Sünde ... Jeder Berg und Hügel soll sich senken, jedes Tal sich heben. Das Höckrige soll eben werden, das Bucklige zum flachen Talgrund, daß sich die Herrlichkeit Jahwes enthüllen kann und alles Fleisch zusammen es sieht ... Horch, einer sagt: ‚Rufe!' Da frage ich: ‚Was soll ich rufen?' ‚Alles Fleisch ist Gras und all seine Anmut wie die Blüten auf dem Feld. Das Gras verdorrt, die Blüten verwelken, doch das Wort unseres Gottes bleibt ewig bestehen.' "

(Jes 51, 17—23 in Auswahl:) „Raffe dich auf, raffe dich auf, steh auf, Jerusalem, das aus der Hand Jahwes getrunken hat den Becher seines Zorns, den Kelch des Taumelns bis auf den Grund geschlürft! ... Drum höre dies, du Arme, trunken, doch nicht vom Wein! So spricht Jahwe, dein Gott, der für sein Volk streitet: Nun nehme ich dir aus der Hand den Taumelbecher. Den Kelch meines Grimms sollst du fortan nicht mehr trinken ..."

(Hag 1, 15 a + 2, 15—19:) „... Richtet doch euren Sinn von diesem Tage an vorwärts! Bevor man am Tempel Jahwes Stein zu Stein fügte, wie stand es da um Euch? Kam man zu einem Getreidehaufen von zwanzig, so waren es nur zehn; kam man zu einer Kelter, um fünfzig zu schöpfen, so waren es nur zwanzig. Richtet doch euren Sinn von diesem Tage an vorwärts, ob auch ferner noch die Saat in der Korngrube hinschwindet und ob ferner noch der Weinstock, der Feigenbaum, der Granatapfelbaum und der Ölbaum nicht tragen; von diesem Tage an will ich segnen."

(Sach 1, 2—6:) „Geh hin ... und sprich zu ihnen: So spricht Jahwe Zebaoth! Kehrt um zu mir, so kehre ich um zu euch. Seid nicht wie eure Väter, denen die früheren Propheten zuriefen: So spricht Jahwe Zebaoth: Kehrt doch um von euren bösen Wegen und euren bösen Taten. Doch sie hörten nicht und merkten nicht auf mich. Eure Väter, wo sind sie? Und die Propheten, leben sie ewig? Doch meine Worte und meine Beschlüsse, die ich meinen Knechten, den Propheten gebot, haben sie nicht eure Väter erreicht? Es zürnte Jahwe über eure Väter mit starkem Zorn. Da wurden sie zuschanden und sprachen: Wie Jahwe Zebaoth uns zu tun beschloß nach unsern Wegen und nach unsern Taten, so hat er uns getan."

(Und dazu Sach 8, 14 f.:) „Denn so spricht Jahwe Zebaoth: So wie den Plan ich faßte, euch übel zu tun, als eure Väter mich erzürnten und es mich nicht reute, so plane ich umgekehrt in diesen Tagen, Jerusalem und dem Hause Juda wohlzutun. Fürchtet euch nicht!"

Als erste Regel könnte man im Anschluß an diese Beispiele formulieren: „Eschatologische Rede" ist Ankündigung einer von Jahwe gewirkten Heilszeit, die als bereits angebrochen gilt, oder als bevorstehend erwartet wird, und die eine abgeschlossene, überschaubare Unheilszeit ablösen wird.

Dies wäre mit andern Worten das, was S. Mowinckel[35] die „dualistische Konzeption des Geschichtsverlaufs", J. Lindblom „den Gedanken von den zwei Zeitaltern" und G. Fohrer „die grundlegende Unterscheidung zweier Zeitalter" nennen; eine Beurteilung der Dinge, der auch G. v. Rad zustimmen könnte, die von H. D. Preuß aber beispielsweise abgelehnt wird. Diese Regel wäre nun aufgrund weiterer heranzuziehender Beispiele und entsprechender Regeln zu präzisieren, wobei insbesondere die Ausdrücke „Heilszeit" bzw. „Unheilszeit" der Klärung bedürften.

c) Was in diesem Zusammenhang jedoch wichtiger ist, ist nun nicht die Entfaltung eschatologischer Verkündigung, sondern die Bewährung dieser ersten Regel anhand von Gegenbeispielen:

(Am 9, 1—4 in Auswahl:) „Ich sah Jahwe am Altar stehen, und er schlug den Knauf, daß die Schwellen wankten, und sprach: ,Ich will abhauen das Haupt von ihnen allen, und den Rest von ihnen töte ich mit dem Schwert. Nicht soll fliehen von ihnen ein Fliehender, und nicht sich retten von ihnen ein Entronnener ... und wenn sie in die Gefangenschaft ziehen vor ihren Feinden, so will ich dort Befehl geben dem Schwerte, daß es sie töte, und ich will mein Auge gegen sie richten zum Bösen und nicht zum Guten.'"

Da in diesem Text schwerlich von zwei aufeinanderfolgenden Zeitaltern die Rede ist, ist ein solcher Text „nichteschatologisch" zu nennen. Das gleiche träfe für Jer 28, 1—4 zu:

„Im selben Jahr, im fünften Monat sprach der Prophet Chananja ... zu mir (d. i. Jeremia): ,So hat Jahwe Zebaoth, der Gott Israels, gesprochen: Ich zerbreche das Joch des Königs von Babel. In längstens zwei Jahren bringe ich an diesen Ort alle Tempelgeräte zurück, die Nebukadnezar, der König von Babel, von diesem Ort mitgenommen und nach Babel gebracht

[35] S. Mowinckel, He That Cometh, 1956, S. 125.

hat. Und Jechonja, den Sohn Jojakims, den König von Juda, und alle Verbannten Judas, die nach Babel gekommen sind, bringe ich an diesen Ort zurück, ist der Spruch Jahwes, denn das Joch des Königs von Babel habe ich zerbrochen'",

eine Heilsankündigung, die ein durchaus beschränktes, wenngleich nicht unerhebliches Geschehen für die nächste Zukunft erwartet, mit diesem jedoch in keiner Weise einen so einschneidenden Wandel der Verhältnisse erwartet, wie das in den Beispielen „eschatologischer Texte" der Fall war, so daß von einer dualistischen Konzeption der Geschichte geredet werden könnte.

Zwei letzte Beispiele prophetischer Rede, die sowohl Heils- als auch Unheilsankündigung enthalten, sollen als Gegenstücke noch angeführt werden, Jes 1, 19—20:

„Wenn ihr willig seid und gehorcht, so sollt ihr das Gut des Landes essen, wenn ihr euch aber weigert und widerspenstig seid, müßt ihr das Schwert fressen"

und Jer 38, 17—18 aus einem Gespräch zwischen Jeremia und Zedekia:

„So spricht Jahwe Zebaoth, der Gott Israels: ‚Wenn du zu den Obersten des Königs von Babel hinausgehst, so wirst du selbst am Leben bleiben und diese Stadt wird nicht mit Feuer verbrannt werden, und mit dir wird auch deine Familie am Leben bleiben. Gehst du aber nicht hinaus zu den Obersten des Königs von Babel, so wird diese Stadt in die Hand der Chaldäer gegeben, daß sie sie mit Feuer verbrennen; du aber wirst ihrer Hand nicht entrinnen.'"

Hier wird zukünftiges Geschick abhängig gemacht von einer Entscheidung, deren Möglichkeit durch die prophetische Rede aufgedeckt wird. Das wäre das von G. Fohrer so bezeichnete ‚Entweder-Oder' der Vernichtung oder Rettung der vorexilischen großen Einzelpropheten, das durch die nachexilische eschatologische Prophetie in ein zeitliches ‚Vorher-Nachher' umgedeutet sei. Doch sind wir hier bereits an einer Stelle der Beurteilung angelangt, an der eine Reihe methodischer Schritte übersprungen wurde.

VI

Eine Beurteilung in dieser Weise ist nämlich erst möglich, wenn 1. alle prophetischen Texte daraufhin überprüft sind, ob sie als eschatologische oder nichteschatologische Texte zu bezeichnen sind, wenn ferner 2. geprüft ist, wie die eschatologischen Texte im einzelnen literarisch und historisch einzuordnen sind, und wie sich danach 3. „die eschatologische Prophetie" bzw. „die alttestamentliche Eschatologie" — beide Worte nun als historische Kennzeichnung[36] gebraucht für denselben Gegenstand — darstellt.

Daß sich auf diesem Wege schon aufgrund der uns vorliegenden komplizierten alttestamentlichen Überlieferung eine Reihe von Schwierigkeiten auftut, versteht sich von selbst. Es hängt eben viel davon ab, ob man diesen oder jenen Text dem einen Propheten zu- oder abspricht, woraus sich von selbst ergibt, daß der eine eschatologische Texte bereits in vorexilischer Zeit, der andere erst in nachexilischer Zeit findet und daß sich daraus wiederum eine unterschiedliche Beurteilung von Alter, Herkunft und Eigenart der alttestamentlichen Eschatologie ableiten läßt. Eines sollte jedoch auf diesem Weg erreicht werden: *daß nämlich literarkritische und historische Urteile die terminologische Frage nicht beeinflussen.*

Daß dies möglich ist, zeigen am besten die Ausführungen J. Lindbloms zu diesem Thema. Bei den von ihm angeführten Beispielen ist meistens angegeben, warum der entsprechende Text als eschatologisch oder nichteschatologisch zu bezeichnen ist. Die zu Lindblom bereits angemeldete Kritik bezieht sich danach im wesentlichen nur mehr auf einige Interpretationsfragen bezüglich angeführter Beispiele, bei deren Zuordnung man eben anderer Meinung sein kann. Da Lindblom jedoch methodisch grundsätzlich richtig vorgegangen ist, kann diese Kritik eigentlich nur noch an einigen mehr oder weniger wichtigen Detailfragen bezüglich der „eschatologischen Prophetie" als eines historischen Gegenstandes etwas ändern, während die terminologische Frage davon unberührt bleibt.

Nicht ganz so klar liegen die Dinge jedoch bei G. Fohrer, der die Normierung des Terminus „eschatologische Texte" zwar von

[36] Vgl. W. Kamlah—P. Lorenzen, Logische Propädeutik, 1967, S. 104.

J. Lindblom übernahm, jedoch in einem Punkt über diesen hinausgeht: Mit dem Terminus wird bei Fohrer eine historische Aussage
so eng verbunden, daß sie als Regel mißverstanden werden kann,
nämlich mit der Aussage ‚eschatologische Texte sind exilisch-nachexilische Texte'. Diese nun von mir sog. ‚Regel' erlaubt es schließlich
G. Fohrer, vom ‚Entweder-Oder' der vorexilischen großen Einzelpropheten und dem ‚Vorher-Nachher' der nachexilischen eschatologischen Prophetie zu sprechen. Diese Beurteilung bringt es
schließlich mit sich, daß Texte, die vorexilischen Propheten zugeschrieben werden, in keinem Fall eschatologische Texte sein
können, und umgekehrt, daß eschatologische Texte innerhalb der
den vorexilischen Propheten zugeschriebenen Büchern von vornherein exilisch-nachexilischen Ursprungs sein müssen.

Zur Verdeutlichung ein Beispiel: Hos 2, 16—17

„Drum siehe, ich will es betören, es in die Wüste führen, ihm zu Herzen
reden. Ich gebe ihm seine Weinberge zurück, mache das Achortal zur
Hoffnungspforte. Es wird hinaufziehen wie in Jugendtagen, wie einst,
da es heraufzog aus Ägyptenland"

gilt für J. Lindblom als eschatologischer Text, für G. Fohrer hingegen nicht, wie manche andere Texte aus Hosea und Jeremia.
Genau an solchen nichteindeutigen Beispielen hätte sich aber eine
vertretbare Normierung des Terminus zu bewähren, und zwar ohne
Rücksicht auf die literarhistorische Beurteilung des gewählten Bei-
spiels. So wäre beispielsweise zu fragen, worin das für die von
G. Fohrer sogenannte „eschatologische Umprägung"[37] Kennzeichnende eines Textes wie Jes 55, 6—7

„Sucht Jahwe, da er sich finden läßt! Ruft ihn an, da er nahe ist! Der
Frevler lasse seinen Weg und der Böse seine Gedanken! Er kehre um zu
Jahwe, der wird sich seiner erbarmen, zu unserm Gott, weil er reichlich
vergibt!"

im Vergleich zu Hos 2, 16—17 liegen soll. Es ist vor allem in Hos
2, 16—17 das für die vorexilische Prophetie charakteristische Ent-

---

[37] G. Fohrer, Umkehr und Erlösung beim Propheten Hosea, in: Studien zur alttestamentlichen Prophetie (1949—1965), 1967, S. 222—241,
bes. S. 241.

weder-Oder nicht mehr zu erkennen, im Gegensatz dazu aber innerhalb der eschatologischen Prophetie durchaus die Aufforderung zur Umkehr zu finden. Und von hier aus sehe ich Schwierigkeiten, die eschatologische Prophetie pauschal mit dem Verdikt epigonaler Entartung zu belegen.

Mit alledem ist nicht gesagt, daß G. Fohrers Sicht der Dinge falsch ist. Mir scheint nur an einigen wichtigen Beispielen die Methode nicht ganz konsequent gehandhabt bzw. gar nicht angewendet worden zu sein, so daß nicht deutlich genug wird, worin die Differenz zwischen vorexilischen Erlösungsvorstellungen einerseits und nachexilischen, eschatologisch umgeprägten Erlösungsvorstellungen andererseits bestehen soll. Dies wäre aber um einer exakten Terminologie und um des Großteils der sonst von G. Fohrer vorgelegten Ergebnisse seiner Untersuchung der alttestamentlichen Eschatologie willen wünschenswert und nötig.

Führte man diese Aufgabe im einzelnen durch, so gelangte man sicher zu einer Reihe von Korrekturen, gewiß nicht aber zu einer völlig neuen Position, die an bereits Erarbeitetes nicht mehr anschließen könnte. Man gelangte auch sehr wahrscheinlich zu einer Modifizierung der mit eschatologischen Texten zusammenhängenden Fragen, brauchte aber darum nicht gleich seine eigene Definition von „Eschatologie" ins Spiel zu bringen, um überhaupt einen vermeintlichen Fortschritt innerhalb der Forschung zu erreichen. Genau dies aber scheint mir der Vorzug der vorgeführten Methode zu sein: sie bleibt offen für Korrekturen und Modifikationen aufgrund neuer Erkenntnisse und neuen Materials auch über den Fachbereich hinaus, ohne daß damit auch gleich die Terminologie auf den Kopf gestellt werden müßte. Wir kämen zu einer verständlicheren Sprache und zu einer exakteren Sprache, wir gewönnen Kommunikationsmöglichkeiten untereinander, zwischen den theologischen Disziplinen und zwischen der Theologie und andern Wissenschaften. Wir könnten wieder einigermaßen verständlich angeben, wovon wir reden. Wir wüßten dann vielleicht wieder, was wir meinen, wenn wir „Eschatologie" sagen. Das ist nicht viel, aber es wäre ein Anfang. Ein Anfang, der mir dringend geboten erscheint.

Aus den vorgelegten Ausführungen dürfte klar geworden sein, daß ich keinesfalls beanspruche, diesen Anfang gesetzt zu haben, sondern daß — jedenfalls was den Wassertropfen „Eschatologie" im Meer der Sprachverwirrung betrifft — dieser Anfang längst gesetzt ist. Um so erstaunlicher ist es, daß sich die Alttestamentler dieses Anfangs nicht bemächtigen, sondern jeder munter und für sich seine eigene Eschatologie konstruiert. Kein Wunder, daß die systematische Theologie in Aufnahme exegetischer Ergebnisse, wozu sie bereiter denn je zuvor ist, mit diesen gleich auch sämtliche terminologische Unklarheiten mitgeliefert bekommt und darum sich schließlich irgend*einer* der alttestamentlichen „Schulen" zuwendet und deren Forschungsergebnisse verabsolutiert.

Es genügt, daß den historischen Fächern der Theologie das überlieferte Textmaterial ausreichend Gelegenheit zu Unstimmigkeiten gibt, sie sollten sie nicht noch durch unklare und unverständliche Sprache vermehren.

Das Altertum. 16 (1970), Berlin: Akademie-Verlag, S. 17—29.

DER URSPRUNG
DER JÜDISCH-CHRISTLICHEN
ESCHATOLOGISCHEN HEILSERWARTUNG
INNERHALB DER ALTISRAELITISCHEN RELIGION
IM 7. UND 6. JAHRHUNDERT V. U. Z.

Von Rudolf Eifler

In den Klassenkämpfen und nationalen Befreiungskriegen vor allem in den vorkapitalistischen Gesellschaftsformationen entstammten die subjektiven Vorstellungen, Absichten und Ziele der aufbegehrenden Klassen und Völker häufig den religiösen Anschauungen. Einige ihrer Elemente eigneten sich hervorragend als Mobilisierungsideologie, und von den geistigen Führern der Unterdrückten wurden sie dann auch in dieser Weise interpretiert und ausgestaltet. Das uns Deutschen wohl am besten bekannte Beispiel dafür ist der große Revolutionär Thomas Müntzer, der die gepeinigten Bauern mit seinen religiös-utopischen Ideen für den Kampf gegen den Feudaladel begeisterte.

Am häufigsten wurden zur Aktivierung der Massen eschatologische Heilserwartungen benutzt, ohne daß nun jede von ihnen eine revolutionäre Rolle gespielt hätte. Fast immer aber kommen in diesen Erwartungen die Träume und Hoffnungen der unterdrückten Volksmassen zum Ausdruck, und deshalb lohnt es sich, ihrer Entstehung, ihrer sozialen Gebundenheit, ihren materiellen Auswirkungen nachzugehen.

Der Begriff Eschatologie als „Lehre von den letzten Dingen" findet Verwendung vor allem für die jüdisch-christlichen Heilserwartungen. Diese Hoffnungen beziehen sich aber bei weitem nicht alle auf ein Weltende. In der ganzen hebräischen Bibel gibt es nur drei sehr junge Texte, die vielleicht ein Ende der Welt meinen (Am 9, 13; Jes 60, 19 f.; Sach 14, 7). Wenn also auf den Begriff Eschatologie für die israelitische und frühjüdische Religion nicht

verzichtet werden soll, muß er weiter gefaßt werden als auf das
Weltende bezogen.

Als eschatologisch sollten m. E. diejenigen Elemente einer religiösen Ideologie bezeichnet werden, die mit der *Erwartung eines
Bruches in der bisherigen historischen Kontinuität, einer Wende des
sozial-ökonomischen oder politischen Status quo durch göttliches
Eingreifen in näherer oder fernerer Zukunft* zusammenhängen.
Innerhalb dieses Rahmens ließen sich die verschiedenen Erwartungen
gruppieren nach solchen, die eine Wende innerhalb des gegenwärtigen (vorgestellten) Zeitalters, solchen, die den Anbruch eines
neuen Zeitalters, oder solchen, die die Aufhebung der Zeitlichkeit
überhaupt in Aussicht stellen.

Würde der Begriff „eschatologisch" eingeengt auf die zuletzt
genannten Vorstellungen, so müßte für alle anderen Erwartungen
eines überirdischen Eingreifens in die gesellschaftliche (und natürliche) Entwicklung eine eigene Bezeichnung geprägt werden. Das
wäre nicht nur schwierig, sondern auch sachlich unzulässig, da sowohl
innerzeitliche als auch endzeitliche Erwartungen im Wesen gleich
sind: Beide erhoffen eine grundsätzliche Wende des bestehenden
Zustandes durch göttliche Macht.

Nun können alle eschatologischen Erwartungen weiterhin dahin
gehend eingeteilt werden, ob sie Unheil oder Heil prophezeien und
ob dieses Unheil oder Heil der eigenen Gemeinschaft oder fremden
Gruppen (Klassen, Völkern) gilt. Unheilserwartungen für das
eigene Volk gibt es in der hebräischen Bibel nur bei den sogenannten
Propheten von Amos bis Hesekiel [Ezechiel], während sie ungleich
mehr Heilserwartungen enthält.

Grundsätzlich sind sowohl Unheilsdrohungen als Heilsverheißungen passiver Natur, sie setzen alle Hoffnung auf die Gottheit und
verpflichten die Volksmassen zum untätigen Abwarten. Sie sind also
ihrer Absicht nach nicht revolutionär, eher reaktionär. Erst wenn
Heilsverheißungen von revolutionären Führern wie zum Beispiel
Judas dem Galiläer, dem Begründer der Zelotenpartei zu Beginn
unserer Zeitrechnung in Judäa, Bar-Kochba, dem Führer des jüdischen Aufstandes von 132 bis 135 u. Z., Thomas Müntzer in der
frühbürgerlichen Revolution in Deutschland oder dem „Mahdi" am
Ende des 19. Jahrhunderts im ägyptischen Sudan zur Mobilisierung

der Massen benutzt wurden, verwandelten sie sich in „materielle Gewalt", als deren phantastische ideelle Widerspiegelung sie einst entstanden und lebendig geblieben waren.

Die folgenden Ausführungen beschäftigen sich mit dem Ursprung der jüdisch-christlichen eschatologischen Heilserwartung innerhalb der altisraelitischen Religion im 7. und 6. Jahrhundert v. u. Z.

1. Die Erwartung des Tages Jahwes

Die älteste Belegstelle innerhalb der hebräischen Bibel für eine eschatologische Heilserwartung finden wir im Buche Amos. Amos, der erste der Propheten, deren Aussprüche in besonderen Sammlungen erhalten sind, wirkte um 760 v. u. Z. in Bethel, einem der beiden königlichen Heiligtümer im Reich Israel. Er weissagte den Untergang des Reiches als Strafe Jahwes für die Unterdrückung der Volksmassen durch die herrschende Schicht, für deren üppiges, sorgloses Leben und für deren tagtägliche Rechtsbeugungen.

Eine seiner Drohungen nun — Am 5, 18—20 — bezieht sich auf den „Tag Jahwes". Denen, die sich diesen Tag herbeiwünschen, schleudert er entgegen, der Tag Jahwes sei „lichtlos und dunkel und glanzlos".[1]

Zweierlei geht daraus hervor: 1. Der Tag Jahwes wird von den Angesprochenen als eine glückliche Wende herbeigewünscht, er ist also in der Vorstellung der Empfänger von Amos' Drohung ein Heilsereignis. 2. Amos kehrt diese Vorstellung um in ihr Gegenteil, er glaubt an den Tag Jahwes als an das Hereinbrechen des Unheils. Uns interessiert in diesem Zusammenhang nicht die Umdeutung der Tag-Jahwes-Vorstellung durch Amos (und seine Nachfolger), sondern ihr ursprünglicher Sinn als Heilserwartung. Worin besteht das Wesen der erhofften glücklichen Wende?

Aus dem angeführten Text ist darüber nichts weiter zu entnehmen. Aber der Tag Jahwes wird in noch zwölf anderen, sämtlich jüngeren

[1] Der Inhalt aller Texte wird wiedergegeben nach E. Kautzsch, Die Heilige Schrift des Alten Testaments, 4. Aufl. hrsg. von A. Bertholet, Tübingen 1922/23.

Texten der hebräischen Bibel erwähnt: Jes 2, 6—22; 22, 1—14; Jer 46, 3—12; Zeph 1, 2—18; Hes [Ez] 7, 1—27; 13, 3—6. 9; 30, 1—12; Jes 13, 2—22; 34, 1—17; Ob 15 a. 16—21; Joel 2, 18—4, 21; Sach 14, 1—21.

Unabhängig davon, ob der Tag Jahwes als Unheilsdrohung oder Heilsverheißung für das Volk Israel geweissagt wird, handelt es sich in fast allen angeführten Fällen um ein kriegerisches Eingreifen Jahwes in den jeweiligen Status quo. (Aus Am 5, 18—20; Jes 2, 6—22 und Joel 2, 18—4, 21 ist nur etwas über die in den anderen Texten mitunter angeführten Begleiterscheinungen zu entnehmen, wie Erdbeben und Finsternis.)

Daß die Tag-Jahwes-Vorstellung kriegerischen Inhaltes ist, wird durch zwei weitere Sachverhalte bestätigt. Erstens denkt sich der Prophet Amos die Bestrafung des sündigen Israel in fast allen seinen Sprüchen als militärische Niederlage mit ihren Folgen, besonders mit den von den Assyrern im großen Stil durchgeführten Deportationen, obwohl er nur an der einen Stelle vom Tage Jahwes spricht. Zweitens sind die zahlreichen Heilsverheißungen in den prophetischen Büchern, sofern sie nicht eine militärische Vernichtung im Auge haben, nie mit der Vorstellung vom Tage Jahwes verbunden.

Der herbeigewünschte Tag Jahwes war also die Vorstellung eines militärischen Sieges zugunsten Israels, den man sich durch Jahwe selbst errungen dachte und der eine glückliche Wende in den bisherigen außenpolitischen Verhältnissen bringen sollte. Die Tag-Jahwes-Erwartung sah also ohne Zweifel ein rein innerzeitliches Ereignis vor, denn noch die Heilsverheißungen des Propheten Jeremia zu Beginn des 6. Jahrhunderts v. u. Z. meinen eine solche innerzeitliche Wende, nicht den Anbruch eines neuen Zeitalters.

Wer waren die Feinde des Reiches Israel um 760 v. u. Z.? Als Gegner kamen nur Damaskus und Assyrien in Betracht, aber Damaskus war im Jahre 800 v. u. Z. durch die Assyrer entscheidend geschwächt worden, so daß König Jerobeam II. von Israel ihm ehemals israelitische Gebiete wieder abnehmen konnte. Assyrien selbst verhielt sich ebenfalls ruhig. Israel war also zur Zeit des Amos von keinerlei Feinden unmittelbar bedrängt.

Die Erwartung des Tages Jahwes kann sich also nur auf zukünftige Angriffe der Assyrer, mit denen vielleicht die Politiker Samarias bereits rechneten, und deren Abwehr oder auf weitere Eroberungskriege gegen die östlichen und nordöstlichen Nachbarn bezogen haben. Gewißheit darüber zu erlangen, ist selbstverständlich nicht mehr möglich. Die Träger dieser Erwartung werden wahrscheinlich in den Kreisen des Hofes, der Offiziere, der Staatsbeamten, also wohl in der Aristokratie zu suchen sein, denn sie hatte bei weiteren Eroberungen, aber auch bei der Abwehr eines eventuellen assyrischen Angriffes den größten Nutzen. Und da sich Amos mit seinen sonstigen Worten, soweit erkennbar, stets an die Reichen und Mächtigen wendet, warum sollte es bei der Umdeutung der Tag-Jahwes-Erwartung anders sein?

Traditionsgeschichtlich geht die Vorstellung sicher zurück auf die Sagen von den Kämpfen der israelitischen Stämme um die Behauptung im palästinischen Kulturland, die wir heute im Josuabuch, im Richterbuch und im ersten Samuelbuch lesen. Wie allerdings aus dem gegenwärtigen Erlebnis des „Tages Jahwes" in der Schlacht eine Zukunftserwartung wurde, und ob diese Erwartung überhaupt ein einigermaßen stabilisiertes Element der religiösen Ideologie einer mehr oder weniger großen Schicht im Volke Israel war, das ist nicht mehr zu beantworten.

Über andere eventuelle eschatologische Heilserwartungen im Volke Israel ist uns für die Zeit bis zur zweiten Hälfte des 8. Jahrhunderts v. u. Z. nichts überliefert.

2. Das Deuteronomium als Ausdruck einer nordisraelitischen priesterlichen Heilserwartung

Das 5. Buch Mose oder Deuteronomium ist in seiner Urgestalt, wie vor allem Aage Bentzen, Gerhard von Rad und Albrecht Alt nachgewiesen haben,[2] auf dem Territorium des Reiches Israel

[2] A. Bentzen, Die josianische Reform und ihre Voraussetzungen, Kopenhagen 1926; G. v. Rad, Deuteronomium-Studien, Göttingen 1947; A. Alt, Die Heimat des Deuteronomiums, in: A. Alt, Kleine Schriften zur Geschichte des Volkes Israel II, München 1953.

zwischen 722 und 621 v. u. Z. entstanden, also zwischen dem Untergang des Reiches Israel und der Auffindung des Buches im Jerusalemer Tempel zur Zeit des judäischen Königs Josia. Später als 621 v. u. Z. kann es nicht geschrieben oder zusammengestellt worden sein, da es zweifellos in seiner Urgestalt mit dem der Kultusreform des Königs Josia zugrunde gelegten Gesetzbuch identisch ist. Hier soll jedoch nicht auf die versuchte Verwirklichung seiner Bestimmungen eingegangen, sondern es soll als Ausdruck einer eschatologischen Heilserwartung charakterisiert werden.

Das Deuteronomium ist keine Gesetzessammlung schlechthin, sondern ihre Aufzeichnung gibt sich als Willensoffenbarung Jahwes durch Mose an sein Volk Israel, das sich diesem göttlichen Willen unterwerfen soll, um die Heilszusagen Jahwes zu erlangen. Der eigentliche Gesetzesteil in den Kapiteln 12—26 ist umrahmt und durchsetzt von predigtartigen Ermahnungen zum Einhalten seiner Bestimmungen. Da nun das ganze Buch als Rede Moses an das Volk Israel vor dem Überschreiten des Jordans und der Eroberung des Westjordanlandes konzipiert ist, andererseits aber das gegenwärtige Volk Israel auf das eindringlichste angesprochen ist, wird dieses fiktiv auf seinen (angeblichen) Ausgangspunkt vor der überlieferten Landnahme zurückgestellt. Das Volk Israel befindet sich also laut Ansicht der Verfasser des Deuteronomiums noch oder besser noch einmal zwischen der Verheißung Jahwes an die „Erzväter" und deren Erfüllung.

So sind auch die Verheißungen des Deuteronomiums in ihrem Kern nichts anderes als eine Wiederholung derjenigen in den Vätersagen (zum Beispiel Gen 15, 7—12. 17 f.): Beide versprechen Israel das Land Kanaan als Erbbesitz.

In Dtn 8, 7—9 wird es gepriesen als ein Land, durch dessen Fruchtbarkeit und dessen Bodenschätze das Volk Israel an nichts Mangel leiden wird (ähnlich Dtn 6, 10—12). Ergänzt wird diese Verheißung des Landes Kanaan in Dtn 12, 10 und 25, 19 durch das Versprechen, dem Volke Ruhe vor allen Feinden zu schaffen. In Dtn 7, 12—15 und 28, 1—14 wird die Fruchtbarkeit des Bodens, des Viehs und der Menschen prophezeit, selbst ewige Gesundheit soll dem Volke Israel verliehen werden. Schließlich wird in Dtn 19, 8 eine Erweiterung des Landbesitzes in Aussicht gestellt, und in Dtn

11, 24 sind dessen künftige Grenzen genannt: von der Steppe bis zum Libanon und vom Euphrat bis zum Meere.

Die Verheißung eines oder einer ganzen Reihe von Propheten wie Mose (Dtn 18, 15—18) soll hier unberücksichtigt bleiben, denn selbst wenn man mit Hans Walter Wolff[3] ein Oppositionsbündnis der Leviten und Propheten seit der zweiten Hälfte des 8. Jahrhunderts v. u. Z. annimmt, scheint doch die Bezeichnung Moses als Prophet, die sich sonst nur beim Propheten Hosea findet (Hos 12, 14), und mit ihr die Verheißung eines neuen Propheten gleich ihm erst nachträglich ins Deuteronomium aufgenommen zu sein. Denn erstens hat der angeführte Text im ganzen Buche keinerlei Entsprechung, und zweitens wird die Gestalt des verheißenen Propheten, wenn Gerhard von Rads Deutung der Gestalt des Knechtes Jahwes in Jes 42, 1—4; 49, 1—6; 50, 4—11 a; 52, 13—53, 12 richtig ist,[4] erst in der zweiten Hälfte des 6. Jahrhunderts v. u. Z. von dem Verfasser der Kapitel 40 bis 55 des Jesajabuches, dem sogenannten Deuterojesaja, aufgenommen.

Die Verheißungen des Deuteronomiums beziehen sich auf ein friedliches Leben in Wohlstand und Glück im Lande Kanaan, abgesehen von den beiden in Aussicht gestellten Erweiterungen des Reiches. Als Voraussetzung für das Eintreffen der Zusagen Jahwes wird immer wieder die Einhaltung der Rechtsbestimmungen gefordert, das heißt die Unterwerfung unter den Willen Jahwes, wobei gelegentlich die alleinige Verehrung Jahwes besonders eingeschärft wird.

Das Deuteronomium muß also in einer Zeit vor 621 v. u. Z. entstanden sein, als das Volk Israel in seiner Existenz auf dem Boden Kanaans gefährdet war. Das war der Fall seit den Eroberungskriegen der Assyrer unter Tiglatpileser III. und seinen Nachfolgern seit rund 740 v. u. Z. Mit dem Untergang des Reiches Israel 722 v. u. Z. und seiner Umwandlung in vier assyrische Provinzen, mit der Deportation der städtischen Oberschicht nach Mesopotamien und

---

[3] H. W. Wolff, Hoseas geistige Heimat, Theologische Literaturzeitung 81, 1956, 83—94.

[4] G. v. Rad, Theologie des Alten Testaments II, 3. Aufl. München 1962, 273 f.

Medien war tatsächlich eine Situation entstanden, die auf dem Territorium des ehemaligen Staates Israel zur Fiktion eines Zurückgeworfenseins an den Ausgangspunkt der Entwicklung des Volkes Israel in Kanaan führen konnte.

Und so ist wohl das Deuteronomium, wie es Albrecht Alt (a. O.) treffend formulierte, ein „Restaurationsprogramm", die theoretische Grundlage für die erhoffte Wiederaufrichtung des Staates Israel, aber nun bei Einhaltung des Jahwewillens durch das ganze Volk, um damit die Erfüllung der alten Verheißungen noch einmal oder überhaupt erst zu gewährleisten. Das Deuteronomium erstrebt also die Wende des Status quo, und so dürfen wir es einordnen in die ideologische Entwicklungslinie, an deren Ende die jüdisch-christliche Erwartung vom Weltende und dem Jüngsten Gericht steht.

Die Verfasser des Deuteronomiums und damit die Träger seiner Heilserwartung sind, wie Aage Bentzen (a. O.) und nach ihm andere Wissenschaftler überzeugend nachgewiesen haben, zweifellos unter den Leviten zu suchen, also im Kreise der an den vielen Lokalheiligtümern ansässigen Jahwepriester. Als besonders mit der bäuerlichen Mittelklasse verbundene Schicht brachten sie wohl nicht nur eigene Erwartungen, sondern überhaupt die Hoffnungen der großen Mehrheit des israelitischen Volkes zum Ausdruck. Denn welche Interessen konnten den Verheißungen des Deuteronomiums unmittelbarer zugrunde liegen als die der bäuerlichen Volksmassen?

Spezifisch levitische Hoffnungen sind vielleicht die Verheißungen von der Wiederherstellung des Reiches in den Grenzen, die zu König Davids Zeit bestanden, falls die zwei diesbezüglichen Texte nicht doch jüngeren Ursprungs sind. Denn überall, wo die Rede auf die andersgläubigen Völker kommt, zeigt sich ihnen gegenüber ein militanter Fanatismus (zum Beispiel Dtn 7, 16), auch die Kriegsgesetze nehmen im Gesetzbuch einen relativ breiten Raum ein.

Vielleicht liegt in diesem kriegerischen Geist des Deuteronomiums sein Berührungspunkt mit der Vorstellung vom Tage Jahwes. Die von Amos Bedrohten, die den Tag Jahwes herbeiwünschten, werden zwar keine Leviten gewesen sein, denn mehr als in ihrem Interesse lagen Siege und Eroberungen in dem der Herrschenden, und im Deuteronomium wird der Tag Jahwes nirgends erwähnt. Aber sowohl die Vorstellung vom Tage Jahwes als auch die Kriegsbestim-

mungen des Deuteronomiums haben ihre traditionsgeschichtliche
Wurzel in den Sagen von den heiligen Kriegen Jahwes und deren
altüberlieferten Bräuchen.

Genauer lassen sich das Verhältnis beider Heilserwartungen zueinander und eventuelle Abhängigkeiten wohl nicht bestimmen, da
die Tag-Jahwes-Vorstellung zu farblos und die levitische Zukunftshoffnung nur wenig greifbarer überliefert ist.

3. Die Heilserwartung der judäischen Propheten
Jeremia und Hesekiel

Bedeutend mehr als über die Tag-Jahwes-Vorstellung und die
Verheißungen des Deuteronomiums erfahren wir über die Heils-
erwartung der judäischen Propheten Jeremia und Hesekiel
[Ezechiel].

Die Reihe der Propheten, deren Worte uns in besonderen Büchern überliefert sind, beginnt in der zweiten Hälfte des 8. Jahrhunderts v. u. Z. mit Amos, Hosea, Jesaja und Micha und findet ihre
Fortsetzung im letzten Drittel des 7. und im ersten Drittel des
6. Jahrhunderts v. u. Z. mit Zephanja, Nahum, Habakuk, Jeremia
und Hesekiel. Hier ist nicht der Ort, das Wesen der altisraelitischen
Prophetie zu erörtern, nur soviel sei gesagt, daß sich Amos, Hosea,
Jesaja, Micha, Zephanja, Jeremia und Hesekiel — und nur sie —
durch das Gemeinsame ihrer Verkündigung von allen anderen Propheten vorher und nachher abheben.

Sie klagen das Volk Israel an, gegenüber der Willensoffenbarung
Jahwes in dessen Geboten versagt zu haben, und prophezeien deshalb seine Bestrafung durch die Weltreiche als Werkzeuge Jahwes.
In der konkreten Ausgestaltung dieser Grundidee zeigen sich bei den
einzelnen Propheten natürlich Unterschiede: einmal objektiv bedingte, wenn zum Beispiel Jesaja die Bestrafung durch die Assyrer,
Jeremia aber durch die Babylonier erwartet, zum anderen subjektiv
bedingte, vor allem in der Schilderung der angeblichen Versündigung. Zum Beispiel sieht Amos das Strafgericht Jahwes hervorgerufen durch die Unterdrückung und Entrechtung der Armen
durch die Mächtigen, Hosea aber fast ausschließlich durch den Abfall

von Jahwe zu anderen Göttern. Jeremia kennzeichnet das Vergehen
Israels als Bruch des Bundes Jahwes mit seinem Volk, während bei
den Propheten vor ihm diese Charakterisierung fehlt.

So ist also die Ideologie dieser Propheten, indem sie einen Bruch
in der Geschichte Israels, die für sie immer Geschichte mit und durch
Jahwe ist, weissagen, ebenfalls eschatologisch, allerdings zunächst
nicht heilseschatologisch. Lediglich Jeremia und Hesekiel, die Zeitgenossen des Unterganges des Reiches Juda 587 v. u. Z., die also
das Eintreffen ihres vorausgesagten Strafgerichtes erlebten, pro-
phezeiten gleich den Verfassern des Deuteronomiums einen neuen
Anfang Jahwes mit seinem Volk Israel, aber nunmehr mit einem
geläuterten Israel.[5]

Jeremias Verheißungen beginnen nach 598 v. u. Z., als der babylonische König Nebukadnezar II. Jerusalem zum ersten Mal erobert, den judäischen König Jojachin mit seiner Familie, seinem
Gefolge, seinen Beamten und Teilen der übrigen Jerusalemer Aristokratie und der Jerusalemer Handwerker nach Babylonien deportiert,
den Staat Juda verkleinert und als neuen Vasallenkönig Zedekia
eingesetzt hatte. In der Vision Jer 24, 1—10 prophezeit er die Rückkehr der nach Babylonien Verschleppten und ihr ewiges Wohnen in
Palästina, ferner Einsicht, damit sie Jahwe, das heißt seinen Willen,
zu erkennen vermögen und — falls sie sich von ganzem Herzen
bekehren — die Wiederherstellung des alten Gott-Volk-Verhält-
nisses, aber die Ausrottung Zedekias und der im Lande Zurückgebliebenen.

Ursprünglich stand wohl im gleichen Zusammenhang Jer 23, 5 f.,
die Verheißung durch die Einsetzung eines gerechten Königs er-
weiternd.

In Jer 29, 1. 3—7. 10—14 erfahren wir aus dem Inhalt eines

---

[5] Die Verfasserschaft und zeitliche Ansetzung der Heilsverheißungen in
den Büchern der Propheten vor Jeremia sind umstritten. Es ist meine Überzeugung, daß sie nicht von den betreffenden Propheten stammen, weil sich
sonst wesentliche logische Widersprüche in ihren Ideen ergeben würden.
Damit soll nicht gesagt sein, daß sie sämtlich erst nach dem Ende Judas
entstanden sind, es wäre zum Beispiel denkbar, daß die Verheißungen im
Hoseabuch auf dem Territorium des ehemaligen Reiches Israel im 7. Jahrhundert v. u. Z. geschrieben sind.

Briefes Jeremias an die nach Babylonien Deportierten, daß die Rückkehr erst nach 70 Jahren, das heißt wohl erst nach einem Menschenalter erfolgen wird, daß sie sich deshalb vorläufig häuslich einrichten sollen und daß Jahwe sie nur erhören werde, wenn sie ihn von ganzem Herzen suchen.

Innerhalb der nicht näher datierbaren, aber sicherlich ebenfalls aus den Jahren nach 598 v. u. Z. stammenden, später stark überarbeiteten Kapiteln 30 f. findet sich ein Text, dessen Inhalt sich eng mit dem der bereits angeführten berührt und ihn ergänzt. In Jer 31, 31—34 verheißt der Prophet einen neuen Bund Jahwes mit dem Volk Israel, dessen Verpflichtungen Israel ins Herz gelegt werden sollen, so daß kein Bundesbruch mehr möglich ist.

Das fünfte Wort in Jer 32 f. ist genauer datierbar, es ist gesprochen, als Jeremia während seiner Gefangenschaft zur Zeit der zweiten Belagerung Jerusalems 587 v. u. Z. kurz vor dessen Fall einen Acker kaufte. Jeremia macht diesen in jener Situation sinnlos erscheinenden Akt zum Symbol der Zeit, da man wieder Äcker in Juda kaufen und die Häuser Jerusalems aufbauen wird.

Hesekiel befand sich unter den Deportierten von 598 v. u. Z., er wirkte also in Babylonien und zwar nach seinem eigenen Zeugnis seit 593 bis mindestens 571 v. u. Z. Seine theologischen Anschauungen und vor allem sein Stil unterscheiden sich grundlegend von Jeremia, aber in den Heilsverheißungen berühren sich beide sehr stark.

Eine glückliche Wende im Schicksal Israels hat Hesekiel vor allem in der Zeit nach 587 v. u. Z. prophezeit. Doch schon vorher weissagt er in Polemik gegen den König Zedekia den Herrscher der Zukunft. In Hes [Ez] 17, 1—24 beschreibt er im Bilde den Sturz Zedekias und das Emporkommen eines neuen Königs aus der Nachkommenschaft des verbannten Jojachin, und in 21, 23—32 wird dem, „der das Anrecht darauf hat", das Königtum Zedekias zugesagt. Sicher unmittelbar nach der Katastrophe von 587 v. u. Z. ist die Vision von Hes 37, 1—14 anzusetzen, in der erstmalig durch Hesekiel dem „gestorbenen" Israel die Auferweckung und Heimkehr ins alte Land verheißen wird.

Hes 34, 1—31 gibt dann den wesentlichen Inhalt der Zukunftsschau Hesekiels: Rückkehr der Israeliten aus allen Ländern, Einsetzung des neuen Königs, Stiftung eines ewigen Friedensbundes zwischen Jahwe und dem Volke, sicheres Wohnen und Fruchtbarkeit des Landes, dies alles, damit Israel das Bundesverhältnis erkenne. Das Wort von Hes 36, 1—15 an die Berge des Landes Israel enthält dasselbe, wobei hier der Nachdruck auf dem Wiederaufbau der Städte und der Landwirtschaft liegt.

Hes 36, 16—38 nennt den Grund für die Erfüllung aller Verheißungen: Jahwe möchte nicht, daß die anderen Völker seinen heiligen Namen verhöhnen, weil er angeblich sein Volk nicht zu schützen vermochte. Das schon Gesagte wird erweitert durch göttliche Reinigung Israels und die Verleihung eines neuen Herzens und Geistes, damit es die Satzungen Jahwes immer einhalte und so auf ewig in Palästina wohnen bleibe. Die Fruchtbarkeit des Landes soll wie die des Paradiesgartens werden.

Hes 37, 15—28 bringt abermals neue Motive: Der zukünftige König wird über die vereinigten Reiche Israel und Juda herrschen, denn auch die Deportierten von 722 v. u. Z. sollen zurückkehren. Außerdem wird ausdrücklich der Tempel als ewig in ihrer Mitte stehend verheißen.

Der Inhalt der Heilserwartung ist also im wesentlichen bei Jeremia und Hesekiel gleich. Als Voraussetzung für das neue Leben Israels mußten die Deportierten zuvor wieder nach Palästina heimkehren. Die Abhängigkeit dieser Heimkehrverheißungen von den tatsächlichen zeitgeschichtlichen Verhältnissen ist offensichtlich. Aber gerade am Deportiertenproblem zeigt sich, daß sowohl Jeremia als auch Hesekiel nicht von den Realitäten ausgehen. Obwohl sie gegen die Reichen und die Jahweverächter predigen, halten sie die 8000 nach Babylonien Deportierten, die doch zum größten Teil eben der herrschenden Klasse angehörten, für den Kern des künftigen Jahwevolkes. Die Zurückgebliebenen aber, als die dem Strafgericht leidlich Entronnenen, sollen alle aus Palästina vertilgt werden (Jer 24, 8—10; Hes überall). Hier zeigt sich am deutlichsten, daß die Propheten in ihren Anklagen keinesfalls Volkstribunen waren und die Klassenschichtung als solche erkannt hatten, ihr Urteil war vielmehr geprägt vom religiösen Bundesideal und der Vergeltungstheorie, wonach ein Bestrafter sündlos war.

Doch hier offenbart sich auch der individuelle Unterschied beider. Während Jeremia seine zornigen Worte nie wiederholt, abgesehen davon, daß er der Gruppe, die ihn nach dem Fall Jerusalems nach Ägypten mitgeschleppt hatte, die Ausrottung androhte; während er sogar in der zweiten Belagerung Jerusalems dem Volke zum Überlaufen, ja selbst dem König Zedekia zur Übergabe der Stadt rät, damit Volk und König am Leben bleiben (Jer 21, 8—10; 38, 17), so ist Hesekiel nach der endgültigen Vernichtung Judas und der Zerstörung Jerusalems 587 v. u. Z. immer noch nicht zufrieden: Auch die Zahlreichen, die ihr Leben retten und im Lande der Väter bleiben konnten, sollen noch vernichtet werden (Hes 33, 23—29). Er begründet diese Drohung nicht etwa nur damit, daß sie dem Gericht entkommen sind, sondern weil sie sich — von den Siegern damit beschenkt — die Äcker und Weinberge der Deportierten angeeignet hatten.

So zeigt sich denn dieser ehemalige Jerusalemer Priester, wo es vielleicht auch um eigenen Besitz ging, als typischer Vertreter der Besitzenden, trotz seiner Anklagen der sozialen Ungerechtigkeit. Als dieses dritte Strafgericht dann nicht eintraf, ignorierte er einfach den Volkskern in Palästina und sah die relativ geringe Zahl der Verschleppten als alleiniges Volk Israel an. So ist er auch der unmittelbare Begründer der späteren Gegensätze zwischen den orthodoxen Heimkehrern und den im Lande Wohnenden.[6] Das ist zum Verständnis seiner Verheißungen wichtig, die immer völlige Entvölkerung und Öde Palästinas voraussetzen, was aber tatsächlich nicht der Fall war.

Die Schilderungen Jeremias und Hesekiels vom zukünftigen Leben Israels in Palästina lassen sich in politische, soziale, paradiesische und religiöse Motive zerlegen. Zu den politischen Motiven der Weissagungen gehört zunächst der Wiederaufbau und der Beginn neuen Lebens. Die Erwartung von der Vereinigung der ehemaligen Reiche Israel und Juda erwächst aus dem Zusammengehörigkeitsgefühl, das letzten Endes doch immer im Volke lebendig geblieben war.

Das wichtigste politische Motiv ist aber die Königseinsetzung. Die Gestalt des künftigen Königs ist der Messias, der in mancherlei Variationen die politischen und religiösen Erwartungen der späteren

---

[6] Auch Jeremia hat diesen Gegensatz postuliert (Jer 24, 1—10).

jüdischen Kultgemeinde bestimmte und so zu einer Traditionsquelle
für die Gestalt des Jesus Christus wurde.

Jeremia bezeichnet den zukünftigen König als „Sproß" Davids
(Jer 23, 5). Er prophezeit aber dem Zedekia den Sturz, und von
dem in Babylonien gefangenen Jojachin sagt er, daß es nie einem
seiner Nachkommen gelingen werde, König zu sein (Jer 22, 28—30).
Warum sollte er also den neuen Herrscher aus den Reihen der Söhne
Zedekias, den er so scharf verurteilte, oder aus einer Seitenlinie der
Dynastie erwarten? Hugo Greßmann macht aber nun darauf aufmerksam, daß „Sproß" in Phönikien einen nichtleiblichen Thron-
erben bezeichnet,[7] und so ist höchstwahrscheinlich auch hier das Wort
aufzufassen. Später wurde es fast zu einem Namen des Messias
(Sach 3, 8; 6, 12). So ist der neue König ein beliebiger, von Jahwe
legitimierter Nachfolger auf dem Thron der davidischen Dynastie.
Sein Eigenname (Jer 23, 6) beweist, daß er in bewußter Polemik
gegen Zedekia verkündet wurde. Denn der Name Zedekia bedeutet
„Jahwe *meine* Gerechtigkeit". Da sein königlicher Träger aber
keinesfalls die göttliche Gerechtigkeit durchsetzen konnte und
wollte, nannte Jeremia seinen Messias „Jahwe *unsere* Gerechtigkeit".

Hesekiel bezeichnet den König nach 587 v. u. Z. immer als — von
Jahwe aus gesehen — „meinen Knecht David" (Hes 34, 23 f.; 37,
24 f.), womit er laut der ersten Verheißung (Hes 17, 1—24) un-
zweifelhaft den mit ihm in Babylonien lebenden ehemaligen König
Jojachin oder einen seiner Nachkommen meint.

So ist also der zukünftige König bei Hesekiel ein Davidide, bei
Jeremia aber nicht unbedingt ein solcher. Die Erklärung dafür liegt
wahrscheinlich darin, daß Jeremia das Königshaus überhaupt ver-
achtete und für unwürdig hielt, Hesekiel aber wohl ein treuer Anhänger Jojachins war. So wäre auch sein abgrundtiefer Haß gegen
den „Schurken" Zedekia (Hes 21, 30—32) begreiflich, der — anders als die Drohungen Jeremias — direkt persönliche Motive zu
enthalten scheint.

Gemeinsam ist aber beiden Propheten, daß sie überhaupt an
Davids Namen anknüpfen. Das erklärt sich daraus, daß erstens die

---

[7] H. Greßmann, Der Messias, Göttingen 1929, 253 f.

ganze judäische Dynastie kurz als David bezeichnet wurde (1 Kön 12, 16), daß zweitens David selbst in den 400 Jahren seit seinem Tode einen Nimbus erhalten hatte, der später in der Darstellung seiner Person als Heiliger bei dem Chronisten (1 Chron 10—29) seinen Höhepunkt erreichte, daß drittens schließlich die Prophezeiung von der ewigen Herrschaft des Hauses Davids (2 Sam 7, 16) in Jerusalem zur heiligen Tradition geworden war. Und so bezogen sich denn sowohl Hesekiel als auch Jeremia auf ihn. Daß aber überhaupt wieder ein König regieren sollte, wo doch die bisherigen keinesfalls dem prophetischen Ideal entsprochen hatten, wurzelt darin, daß man sich einen Staat nur als Monarchie denken konnte, wie schon das Königsgesetz im Deuteronomium beweist (Dtn 17, 14—20), das damit ebenfalls einen König vorsieht.

Doch der zukünftige König sollte eben ein anderer Herrscher sein als alle, die seit David regiert hatten, und das geht aus dem sozialen Motiv der Verheißungen hervor. Der neue König soll Gerechtigkeit üben, das heißt die Willensoffenbarung Jahwes in den Gesetzen einhalten. Die Herstellung und Beachtung des Rechtes ist aber auch die einzige aktive Funktion, die ihm zugebilligt wird. Die Verheißung zukünftiger Gerechtigkeit ist die direkte positive Umkehrung der Drohungen wegen der bisherigen Ausbeutung und Unterdrückung.

Auch die Sicherheit des Volkes vor feindlichen Einfällen stellt nicht der König her, etwa durch siegreiche Kriege, sondern Jahwe selbst. Wie das geschehen soll, nämlich durch kriegerische Eroberung und Verwüstung aller Nachbarländer seitens Babyloniens und dessen Untergang durch Gog, den geheimnisvollen Fürsten aus dem Norden, das verkündet Hesekiel in seinen Weissagungen gegen fremde Völker (Hes 25—32; 38 f.). Damit sind wir beim ersten Paradiesmotiv.

Die Sicherheit bedeutet jedoch keinen allgemeinen Völkerfrieden. Auch die Bedrohung durch wilde Tiere wird nicht aufgehoben, indem diese etwa zahm wie Lämmer werden, sondern dadurch, daß Jahwe sie hinwegschafft, wobei nur die Wirkung auf die Menschen ins Auge gefaßt wird, nicht auch auf die anderen Tiere. Drittens sollen Land und Vieh fruchtbar werden wie im Paradiesgarten.

Diese Elemente der Verheißungen Jeremias und Hesekiels berühren sich am stärksten mit der dem Deuteronomium zugrunde liegenden Erwartung. Auch dort sahen wir den friedlichen Landbesitz, die Ruhe vor den Feinden und paradiesische Fruchtbarkeit als Grundzüge des künftigen Heils.

Unter den religiösen Motiven ist das konstitutive Element der neue Bund zwischen Jahwe und dem Volke Israel. Nicht wie im Deuteronomium eine Wiederholung des alten Sinaibundes wird in Aussicht gestellt, sondern ein Neubeginn Jahwes mit seinem Volke. Jahwe erscheint als der gute Hirte, was nicht nur auf seiner Stellung als Volksgott beruht, sondern wohl auch auf der Vorstellung seines überirdischen Königtums (Jes 6, 1), wird doch auch der Zukunftskönig als Hirte benannt (Hes 34, 23; 37, 24) und so als Jahwes irdischer Stellvertreter gekennzeichnet, ebenso durch die Bezeichnung Knecht.

Diese Weissagungen vom neuen Bund wurden später zum Eckpfeiler des Christentums, werden doch die heiligen Schriften der Christen ausdrücklich als *neues* Testament, das heißt als *neuer* Bund gekennzeichnet, und besonders im Hebräerbrief werden Worte aus Jer 31, 31—34 zitiert (Hebr 8, 8—12; 10, 16 f.). Auch das Bild vom guten Hirten wurde in das Christentum übernommen, allerdings auf Jesus übertragen (Joh 10, 12).

Die Reinigung des Volkes schließlich geht zurück auf die vor der wirklichen Kulthandlung übliche, nur wird sie nun durch Jahwe vollzogen und dauert auf immer an, so daß das Volk ein heiliges wird. Dazu tritt dann das Empfangen eines neuen Herzens und neuen Geistes, wurzelnd in der Vorstellung vom Gottesgeist, der durch die Salbung auf deren Empfänger kommt. In der Zukunft sollen alle Israeliten an ihm teilhaben, damit sie Jahwes Gesetze erfüllen können. Jeremia und Hesekiel zweifeln also an der Fähigkeit der Menschen zum Einhalten von Jahwes Willen, das Deuteronomium dagegen macht dessen Beachtung noch allein vom Wollen Israels abhängig.

Die Verheißung vom Gottesgeist hat in Gestalt der Ausgießung des Heiligen Geistes am Pfingsttage Eingang ins Christentum gefunden, aber — genauso wie die Motive des neuen Bundes und des Messias — nicht als Verheißung, sondern als bereits erfüllt. Aus dem Glauben, daß Jesus von Nazareth der Messias gewesen sei, erwuchs jedoch die neue Verheißung von der Wiederkehr Jesu zum Jüngsten Gericht, die sich auf die Apokalypse des Johannes stützt und heute noch Bestandteil der christlichen Glaubensbekenntnisse ist.

Was bezweckten Jeremia und Hesekiel mit ihren Heilsverheißungen? In ihrem angekündigten Strafgericht, der Vernichtung des Staates Juda, sahen sie den Abschluß der bisherigen Geschichte. Als es nun 598 v. u. Z. begonnen hatte und schließlich elf Jahre später vollendet war, da mußte ein Ausblick auf die Zukunft gegeben werden, auf den weiteren Verlauf des Lebens Israels. Daß es für immer das Joch fremder Herrschaft tragen oder gar fern vom verheißenen Lande leben sollte, dieser Gedanke war um so unmöglicher, da ja entsprechend der Vergeltungslehre mit dem Strafgericht die Schuld getilgt war. So sollten die Zukunftsverheißungen denn dem gedemütigten Volk zur neuen Hoffnung werden. Interessant ist ihre Jahwe unterstellte psychologische Motivierung, die Rudolf Kittel prägnant formuliert hat: Jeremia läßt Jahwe das Volk begnadigen um seiner Liebe willen, Hesekiel, um die Ehre seines verlästerten Namens wiederherzustellen.[8]

Die Erfüllung sollte bei Jeremia nach einem Menschenalter erfolgen und also erst die in Babylonien geborene Generation das Land der Väter wiedersehen. Hesekiel setzte den Zeitpunkt offenbar früher an (Hes 36, 8), vielleicht mit dem Tode Nebukadnezars II., dessen Nachfolger dann tatsächlich den Exkönig Jojachin begnadigte, ohne ihm allerdings sein Reich zurückzugeben (2 Kön 25, 27—30).

Wessen Interessen bringt die eschatologische Heilserwartung Jeremias und Hesekiels zum Ausdruck? Es sind wie beim Deuteronomium besonders die Wünsche der bäuerlichen Mittelklasse, die den Inhalt der Verheißungen bestimmen. Was wünschten sich die mittleren und kleinen Grundbesitzer anderes als Fruchtbarkeit des Bodens und des Viehs, Sicherheit vor wilden Tieren und feindlichen Heeren sowie Einhaltung der Gesetze, besonders deren humaner Bestimmungen (zum Beispiel Dtn 15, 1—11 über das Schuldrecht). So zeigt sich — wie auch bei einer Analyse ihrer Unheilsdrohungen —, daß Jeremia und Hesekiel *objektiv* Sprecher der Mittelschichten, das heißt der Masse des Volkes waren.

---

[8] R. Kittel, Die Religion des Volkes Israel, Leipzig 1921, 135.

Wenn oben die Frage nach einem unmittelbaren Zusammenhang zwischen der Tag-Jahwes-Erwartung und der Zukunftshoffnung des Deuteronomiums offenbleiben mußte, so konnten hier bereits gemeinsame Grundzüge zwischen letzterer und den Heilsverheißungen Jeremias und Hesekiels gezeigt werden. Es ist die gleiche objektive Lage der Bevölkerung Israels und Judas nach 722 und 598 bzw. 587 v. u. Z., die diese Gemeinsamkeiten in der eschatologischen Erwartung hervorbrachte.

Die Unterschiede in der Art und Weise der Verkündigung beruhen auf den verschiedenen Trägern der Heilsideologie: Beim Deuteronomium waren es mit hoher Wahrscheinlichkeit levitische Kreise, also Männer, denen das Gesetz besonders am Herzen lag, Priester, die Israel über die richtige Befolgung von Jahwes Willensoffenbarung belehrten, um den alten Bund Jahwes mit Israel wiederherzustellen. Jeremia und Hesekiel aber waren Männer der Anklage, Propheten der künftigen Taten Jahwes, mit denen er Israel strafen, aber schließlich durch einen neuen Bund abermals zu seinem auserwählten Volk machen würde.

Die eschatologische Heilserwartung, die sich so im Volke Israel im 7. und zu Beginn des 6. Jahrhunderts v. u. Z. herausbildete, hat ihre materielle Grundlage in der seit dem 9. Jahrhundert v. u. Z. verstärkt einsetzenden *sozialen Differenzierung* sowie in der *Bedrohung der Existenz des Volkes Israel* in Palästina seit der 2. Hälfte des 8. Jahrhunderts v. u. Z. durch das assyrische und später das babylonische Weltreich und der schließlichen *Vernichtung der Staaten Israel und Juda,* verbunden mit der Aussiedlung eines relativ großen Teiles der Bevölkerung, durch eben diese Weltreiche.

Sie gab dem Volke Israel die Hoffnung auf eine Wiederherstellung und Steigerung seiner bisherigen Lebensweise auf dem Boden des in der Überlieferung geheiligten Landes Kanaan. Als die volle Verwirklichung der Verheißungen auf sich warten ließ, wurden diese später in immer neuen Variationen gesteigert und bereichert, bis sie in der Weissagung von der Weltherrschaft Israels und dem Völkergericht in der Endzeit gipfelten. Im Christentum verloren sie allerdings ihre frische Diesseitsbezogenheit und wurden zum Instrument der Vertröstung der Armen und Entrechteten auf ein Jenseits, das den herrschenden Klassen nicht mehr gefährlich werden konnte.

Die israelitische Zukunftshoffnung ist Ausdruck der jahrtausende-
alten Sehnsucht der Volksmassen nach einem friedlichen und sicheren
Leben in einer Ordnung sozialer Gerechtigkeit, die erst nach dem
Abschluß der Vorgeschichte der Menschheit, dem Sturz der Klassen-
gesellschaft, im Sozialismus-Kommunismus Wirklichkeit werden
kann.

Johannes M. van der Ploeg OP, Eschatology in the Old Testament, in: Oud. Test. Stud. XVII, Leiden 1972, pp. 89—99. Übersetzt von Hermann-Josef Dirksen.

ESCHATOLOGIE IM ALTEN TESTAMENT

Von Johannes P. M. van der Ploeg OP

Es ist schon viel über „Eschatologie" geschrieben und gesagt worden. Dieses Wort, das zunächst von der katholischen und der traditionellen protestantischen Theologie gemieden wurde, ist jetzt sogar in einige Texte des zweiten Vatikanischen Konzils eingedrungen. Wenn ich es höre oder lese, befällt mich nicht selten ein unangenehmes Gefühl wegen des Zusammenhangs, in dem es steht. *Verba valent usu*, Wörter haben die Bedeutung, die ihnen durch den Gebrauch zugeordnet wird. Aber Neologismen, deren Elemente erst kürzlich einer fremden Sprache entlehnt worden sind, sollten doch zunächst einmal in dem Sinne verstanden werden, der ihnen in ihrer Ursprungssprache zukam.

„Eschatologie" meint: die Kenntnis vom Ende. Nun benutzen aber viele dieses Wort als *terminus technicus* für eine ganze Epoche, ja selbst für einen Zeitraum von 2000 Jahren: für die Zeit von der Gründung der Kirche bis zum heutigen Tag. Aber nicht nur das: „Eschatologisch" wurde zur Bezeichnung einer dieser Epoche eigentümlichen Eigenschaft verwandt, einer Epoche, die noch nicht zu Ende gegangen ist und deren Ende auch noch nicht vorhergesehen werden kann. Es kennzeichnet Institutionen, Verhaltensweisen, Personen. Wenn „Eschatologie" ein Wort wäre, das man nur in Zeitungsannoncen, politischen Äußerungen oder im Tagesjournalismus gebrauchen würde, könnte man ja noch schulterzuckend darüber hinweggehen. Aber es wird in der Sprache der Theologie benutzt, die — wenn Theologie eine Wissenschaft, ja die *regina scientiarum* sein soll — klar, eindeutig, wissenschaftlich sein muß. Heutzutage dringt, über die Kanäle der Massenmedien, eine neue Art unwissenschaftlicher Theologie in die Gehirne vieler Zeitgenossen ein, und das geschieht zumindest in meinem Lande in großem Ausmaß, läßt sich aber auch darüber hinaus beobachten. Theologie wird oft in einer sehr oberflächlichen (wenn nicht noch schlimmeren) Weise gelehrt, bei der theologische Schlagwörter eine große Rolle spielen. In dieser Art von Theologie kann man das Wort „Eschatologie" in einer Bedeutung antreffen, die das griechische Wort ἔσχατος niemals gehabt hat. Von einer Theologie besseren Schlages wird es oft in vager und verwirrender Weise benutzt. Die Absicht dieses Aufsatzes ist es, einen Ausweg aus dieser Verwirrung zu zeigen, indem „Eschatologie" stets im wörtlichen Sinn als „das Wissen vom Ende" verstanden wird.

Ich möchte zunächst einige wichtige Veröffentlichungen zum Thema nennen und muß dabei, um mich kurz zu fassen, andere auslassen. Ein wichtiger Aufsatz ist von Th. C. Vriezen verfaßt worden: ›Prophecy and Eschatology‹, ein Sitzungsbericht vom ersten Treffen der "International Organisation for the Study of the Old Testament" in Kopenhagen 1953 (veröffentlicht in VTS I (1953), S. 199—229 [dt. in diesem Band S. 88—128]). Ungefähr zur gleichen Zeit veröffentlichte J. Lindblom seine Studie ›Gibt es eine Eschatologie bei den alttestamentlichen Propheten?‹ (Stud. Theol. Lund., VI, 2, S. 79—114 [in diesem Band S. 31—72]). Von G. Fohrer ist erschienen ›Die Struktur der alttestamentlichen Eschatologie‹ (Theol. Lit. Z. 85 [1960], S. 401—420; ebenso in: BZAW 99 [1967], S. 32 bis 58 [in diesem Band S. 147—180]). H.-P. Müller schrieb eine Monographie über ›Ursprünge und Strukturen alttestamentlicher Eschatologie‹ (BZAW 109; [1969]).

Sehr bekannt und bei deutschen Alttestamentlern schon lange im Gebrauch ist der Satz: Urzeit ist Endzeit. Tatsächlich gibt es im Alten Testament zahlreiche Texte, die von einer Epoche künftigen Glücks für Israel berichten und sie bisweilen mit Worten beschreiben, die an einen paradiesischen Zustand erinnern; aber diese Zeit wird niemals die „letzte" genannt, ist keine Endzeit, sondern eine Zeit *ohne Ende*, die, wie es an einigen Stellen heißt, *nach dem Ende* dieser Zeit kommen wird.

Das Wort ἔσχατος findet man in der Septuaginta als Übersetzung des hebräischen אחרית, vor allem in der Wendung באחרית הימים (vgl. Gen 49, 1; Num 24, 14; Dtn 4, 30; 31, 29; Jes 2, 2; Jer 23, 20; 30, 24; 48, 47; 49, 39; Ez 38, 16; Hos 3, 5; Mi 4, 1; Dan 10, 14). Die griechische Übersetzung ist nicht gleichbleibend, nicht überall dieselbe; es gibt in der Septuaginta keine feste Formel wie im Hebräischen. So finden wir ἐπ' ἐσχάτων τῶν ἡμερῶν (Gen 49, 1; Jer 30, 24; Ez 18, 16; Hos 3, 5; Mi 4, 1); ἐπ' ἐσχάτου τῶν ἡμερῶν (Num 24, 14; Jer 33, 20; Dan 10, 14); ἐπ' ἐσχάτῳ τῶν ἡμερῶν (Dtn 4, 30); ἔσχατον τῶν ἡμερῶν (Dtn 31, 29); ἐν ταῖς ἐσχάταις ἡμέραις (Jes 2, 2). Jer 48, 47 fehlt in der Septuaginta (Theod.: ἐπ' ἐσχάτων τῶν ἡμερῶν).

Aus all diesen Stellen wird klar, daß באחרית הימים kein Terminus für das ἔσχατον, die „eschatologische" Epoche ist. Es bedeutet ganz einfach: nach einer unbestimmten, vermutlich langen Zeit. In Gen 49, 1 verkündet Jakob seinen Söhnen, was ihnen „in den letzten Tagen" widerfahren wird. Diese Tage aber sind die des Autors, der einige Jahrhunderte später lebt. Dasselbe gilt für Num 24, 14 usw. באחרית הימים bedeutet: in einer fernen Zukunft, von der niemand weiß, wann sie kommen wird. Somit ist auch deutlich, daß in Jes 2, 2 die Wendung „in den letzten Tagen" keine spezifisch „eschatologische" Bedeutung hat, obgleich jene Tage zusammenfallen mit der Zeit künftigen Glücks und künftiger Errettung für Israel und die Welt. Dasselbe gilt ferner für einige andere Texte, wie z. B. Hos 3, 5. Deshalb kann es nicht heißen: „zu der Zeit, die wir alle die letzte nennen . . .".

In der Apokalypse des Daniel wird באחרית הימים nur einmal gebraucht (10, 14). Hier bezieht es sich auf die Ereignisse, die in Dan 11 und 12 beschrieben werden. Betrachtet vom (fiktiven) Standpunkt des Propheten Daniel (im dritten Jahr des Perserkönigs Kyros; Dan 10, 1) kann diese Zeit schon mit dem Ausdruck באחרית הימים benannt werden. Um aber das wirkliche „Ende", das Ende dieser beklagenswerten Zeit überhaupt zu bezeichnen, benutzt der Autor das Wort קץ (Dan 8, 17. 19; 11, 27. 40; 12, 4. 9). Daniel wird befohlen, sein Buch zu versiegeln עד עת קץ „bis zur Endzeit", erst dann darf es geöffnet werden (Dan 12, 4). Diese „Endzeit" ist eine Zeit voll schrecklicher Ereignisse, aber ebenso eine, in der die Erlösung ihren Anfang nimmt. Der Nachdruck liegt jedoch auf Not und Trübsal, auf den Leiden und den „Geburtswehen".

Im Neuen Testament liegt der Akzent mehr auf dem Eintreten der Erlösung und darauf, daß sie mit Leben, Tod und Auferstehung des Herrn sowie mit der Ausgießung des Heiligen Geistes auf seine Jünger beginnt. So lesen wir in Hebr 1, 2: „Gott, der von alters her zu den Vätern gesprochen hat durch die Propheten bruchstückhaft und auf mancherlei Art, hat in diesen letzten Tagen (ἐπ' ἐσχάτου τῶν ἡμερῶν τούτων) zu uns gesprochen durch den Sohn . . .“ In diesem Satz werden die früheren Tage der Propheten den letzten Tagen des Sohnes gegenübergestellt, und indem der Autor τούτων hinzufügt, will er sagen, daß er selbst und seine Leser jetzt in diesen „letzten Tagen“ leben. In Acta 2, 17 wird die bekannte Prophezeiung aus Joel 3, 1 wie folgt zitiert: „Und in den letzten Tagen wird es geschehen, spricht der Herr . . .“, wo der Text mit ἐν ταῖς ἐσχάταις ἡμέραις von der Septuaginta abweicht, die nur μετὰ ταῦτα (nach dem hebräischen אחרי כן) schreibt. In 1 Kor 15, 52 meint die „letzte (ἐσχάτη) Posaune“ diejenige, die in der letzten Stunde dieser Welt ertönen wird. Man gewinnt den Eindruck, daß ἐσχάτη schon zum Terminus technicus geworden ist. In 1 Petr 1, 5 spricht der Verfasser vom Heil, „das bereitsteht, um in den letzten Tagen offenbart zu werden (ἐν καιρῷ ἐσχάτῳ)“. Hier bezieht sich ἐσχάτῳ auf das zukünftige Ende dieser Zeit. Aber der Verfasser sagt auch, daß Christus „am Ende der Zeiten offenbart worden war (ἐπ' ἐσχάτου τῶν χρόνων)“; Christus erschien im letzten Zeitabschnitt der Welt, der „der Grundlegung der Welt“ gegenübergestellt wird (1 Petr 1, 20). In 2 Petr 3, 3 bezieht sich der Ausdruck „in den letzten Tagen“ (ἐπ' ἐσχάτων τῶν ἡμερῶν) eindeutig auf die Zukunft, wenn „Spötter voll Spottsucht auftreten werden“. In 2 Tim 3, 1 lesen wir: „Aber das wisse: In den letzten Tagen (ἐν ἐσχάταις ἡμέραις) werden schlimme Dinge hereinbrechen.“ In Jak 5, 3 schreibt der Verfasser, daß seine frommen Leser Schätze aufgehäuft haben „in den letzten Tagen (ἐν ἐσχάταις ἡμέραις)“. 1 Joh 2, 18 ruft aus: „Kinder, es ist die letzte Stunde (ἐσχάτη ὥρα ἐστίν).“ Im Johannesevangelium finden wir an verschiedenen Stellen den Ausdruck „der letzte Tag“ (ἐσχάτη ἡμέρα: 6, 39. 40. 44. 54; 11, 24; 12, 48). Es ist dies der Tag des Gerichts (12, 48) und der Auferstehung (alle anderen Stellen). Es handelt sich klar um das Ende dieser Welt, mit dem das neue Zeitalter anbricht. Nach 1 Joh beweist die Geschäftigkeit des Antichrist, daß wir in „der letzten Stunde“ leben (vgl. 2 Thess 2, 3—12): in einer Zeit der Bedrängnis.

Aus diesen Texten ergibt sich klar, daß das Wort ἔσχατος auch im Neuen Testament nicht in erster Linie auf einen Zustand des Glücks, des Erlöstseins hinweist; daß es keineswegs vorrangig die Bedeutung eines Glückszustandes ohne Ende hat, die ihm moderne Theologen beigelegt haben. Er verweist in den meisten Fällen auf künftige Ereignisse und nur an wenigen Stellen auf die Gegenwart, in der die Erlösung zwar begonnen hat, die aber endgültig erst sein wird in der Zukunft, wenn die „letzte Zeit" vergangen ist.

Echte und ausdrückliche Eschatologie gehört zur apokalyptischen Literatur, im Alten Testament zum Buch Daniel. In der Apokalyptik nehmen Spekulationen über das Ende der Zeit und über den Beginn einer neuen Ära des Heils und der endlosen Glückseligkeit einen breiten Raum ein. Das gilt auch für Daniel 7—12. Aber dort wird das Ende nicht mit einem Ausdruck bezeichnet, der von der Wurzel אחר (griechische Übersetzung ἔσχατος) abgeleitet ist, sondern es wird das Wort קץ gebraucht. Dieses Wort hat eine doppelte Bedeutung: Augenblick und (kurze) Zeitspanne des Endes. Ins Griechische übersetzt wird es mit τέλος (9, 26; 11, 13 Theod.); συντέλεια (9, 26; 11, 6. 13. 27. 35. 40. 45; 12, 4. 6. 13; 8, 19 Sept.; 12, 4. 13 Theod.); πέρας (8, 17. 19; 11, 27. 35; 12, 6. 9 Theod.). Wir bringen einige ausführlichere Zitate aus der Septuaginta: καιρὸς συντελείας 9, 26; συντέλεια καιρῶν 11, 13; εἰς ὥρας καιροῦ συντελείας 8, 19. Im Neuen Testament finden wir συντέλεια (τοῦ) αἰῶνος, Mt 13, 39. 40. 49; 24, 3; 28, 20; Hebr 9, 26 (συντέλεια τῶν αἰώνων).

In dem berühmten Text von den zwei Geistern beschreibt die Regel der Qumran-Gemeinde (1 QS) das Ende des Kampfs zwischen den Söhnen des Lichts und denen der Finsternis in der „Zeit Seiner (= Gottes) Heimsuchung" (מועד פקודתו), was an die „Zeit des Endes" (קץ מועד oder מועד קץ) bei Daniel 11, 27 und 8, 19 erinnert (vgl. 1 QS 3, 18). An einer späteren Stelle des Qumran-Textes finden wir das Wort קץ (3, 23; vgl. auch 4, 16/17: קץ אחרון: die letzte Zeit; 4, 25: קץ נחרצה: die Zeit — des Endes —, die schon festgelegt ist). Im Habakuk-Midrasch (1 QpHab) begegnet das Wort קץ: „das Ende", „die Zeit des Endes" mehrere Male (5, 6; 7, 2. 7. 12. 13; 11, 6): Es ist das Ende dieser Epoche oder vielmehr die besondere kurze Zeitspanne der Bedrängnis am Ende dieser Epoche.

Mit ihr hat die Erlösung schon begonnen, denn die Sekte, das wahre Israel, ist schon geboren.

Aus alldem wird mehr als deutlich, was alt- oder neutestamentliche „Eschatologie" in der Theologie bedeuten sollte: das Wissen vom Ende dieser Zeit und von der relativ kurzen Zeitspanne, die dem Ende vorhergeht. Es wird deutlicher charakterisiert durch die Ereignisse, die vorhergehen, als durch die darauffolgenden: Diese Zeit, diese Ära ist böse; sie wird immer schlimmer bis zu einem Zeitpunkt, den Gott bestimmt hat. Dieser Augenblick kündigt sich an mit schreckerregenden Greueln und Bedrängnis, aber ebenso durch die Geburt, *in germine*, einer neuen Zeit. Ein oft gebrauchtes Bild ist die Frau in Wehen, in den Schmerzen der Geburt.

Im Urchristentum glaubten viele, daß Christus sehr bald wiederkommen würde und daß der Zeitraum zwischen seiner ersten und zweiten Ankunft sehr kurz sei. Deshalb konnten sie diese Periode als das ἔσχατον, das Ende der ersten Weltzeit ansehen, dem eine abschließende Ära endloser Glückseligkeit folgen würde. Daher hatte ἔσχατον für sie doppelte Bedeutung: Es bezeichnete eine Zeit der Beschwernis, Mühe und Bedrängung, aber ebenso die Zeit beginnender Erlösung und Glückseligkeit. Die Vorstellung von der Erlösung rückte in den Vordergrund, wenigstens in den Köpfen unserer heutigen Theologen, und so kam es, daß die „Endzeit" gleichgesetzt wurde mit der Zeit ohne Ende. So konnte die (falsche) Formel entstehen „Urzeit ist Endzeit" und Verwirrung gestiftet werden.

Nachdem wir festgestellt haben, daß das Buch Daniel eschatologische Vorstellungen im vollen Sinn des Wortes enthält, stellen wir nun die Frage, ob man solche Vorstellungen schon vor Daniel, vor allem in den Büchern der Propheten finden kann. Die Eschatologie des Daniel wäre völlig unjüdisch gewesen, wäre sie ohne jegliche Vorbereitung durch die voraufgehenden heiligen Schriften abgefaßt worden. Deshalb fragen wir: Gab es irgendwo die Idee eines plötzlichen und definitiven Endes dieser Weltzeit oder sogar dieser Welt selbst und des Anbruchs einer neuen Zeit und neuen Welt? Die Vorstellung von einer glücklichen Zukunft, die sich radikal von der gegenwärtigen Lage der Dinge unterscheidet, war schon viele Jahrhunderte lebendig, ehe das Buch Daniel seine endgültige Gestalt erhielt (165 v. Chr.). Der Mensch hofft gern auf Errettung und künftiges Glück, wenn die Gegenwart trostlos ist und so viele Wünsche unerfüllt läßt. Erlösung ist ein Gegenstand der Hoffnung, und das Hoffen ist recht unterschiedlich, je nach den Bedingungen, unter denen man leben muß. Viele Israeliten waren nur am Schicksal ihres Volkes interessiert und nicht an dem der Welt, die sie umgab. Einige jedoch nahmen auch am Schicksal anderer Völker Anteil und hegten die Hoffnung, daß auch sie gerettet würden und am kommenden Glück des Gottesvolkes teilnehmen könnten. In manchen Prophetien wird das ausdrücklich gesagt.

Im zweiten Jesaja (Kap. 40—55) herrscht der Gedanke vom künftigen Glück Israels vor. Nach dem neuen Exodus durch die Wüste des Ostens wird eine neue und glückliche Zeit anbrechen. Ist das schon Eschatologie? Mancher moderne Ausleger wird, unter dem Einfluß von Vorstellungen, die er aus dem Neuen Testament und aus der modernen Theologie gewonnen hat, bereit sein, ja zu sagen. In Erinnerung an das Sprichwort: *verba valent usu* mag man das für akzeptabel halten, vorausgesetzt, man hat zunächst einmal „Eschatologie" so definiert, daß auch Stellen wie in Deutero-Jesaja darunter zu fassen sind. Aber hier muß man widersprechen: Alttestamentliche Exegese ist keine Sache schlichter Sprachregelung. Eschatologie ist Lehre oder Theorie von den *letzten* Dingen, und das muß man wörtlich nehmen. Sicherlich: Die Eingangsverse des Deutero-Jesaja sprechen davon, daß das Ende der Gefangenschaft unmittelbar nahe sei: „Redet zu Jerusalem . . . Zu Ende ist seine Knechtschaft, gesühnt ist seine Schuld. Zweifaches hat es empfangen aus der Hand Jahwes für alle seine Sünden" (Jes 40, 1—2). Aber vor allem ist der Verfasser an den darauffolgenden Ereignissen interessiert: an der Wiederaufrichtung des Volkes Israel und an seinem künftigen Glück, dessen Ende nicht abzusehen ist. Dieses Glück soll dauern für alle Zeiten: „Als sich mein Zorn ergoß, verbarg ich auf kurze Zeit mein Angesicht vor dir; doch mit ewiger Huld erbarme ich mich deiner" (Jes 54, 7). Man sollte auch noch den folgenden Vers hinzunehmen, in dem geschrieben steht, daß Israel, einst von Gott zu seinem Dienste auserwählt, gesündigt hat und bestraft werden mußte, aber doch nur für eine Zeitspanne, eine sehr kurze Zeit verglichen mit der Ewigkeit (Jes 54, 8); das wird sich nie wieder ereignen. Diese Gedanken unterscheiden sich völlig von der Apokalyptik mit ihrem Kampf zwischen dem Guten und dem Bösen, zwischen Licht und Dunkelheit, Falschheit und Wahrhaftigkeit, an dessen Ende eine Zeit äußerster Bedrängnis steht, welche durch einen übermächtigen göttlichen Eingriff abgeschlossen werden wird. Im Deutero-Jesaja ist Gott für Israel am Werk, ja er benutzt sogar einen heidnischen König als Werkzeug für seine Taten; nach einer „kurzen" Unterbrechung, veranlaßt durch die Sünden des Volkes, läßt er wiederum, wie vorher, seine Gnade walten.

Das Ende des Jesaja-Buches erinnert uns viel stärker an Eschatologie (Jes 66, 7 ff.). Hier finden wir als Bild für Zion die Frau in Wehen (v. 7); Jahwe wird schreckliches Gericht halten (v. 15); ein „neuer Himmel" und eine „neue Erde" werden kommen, worin man Bilder für eine völlig neue Seinsordnung sehen darf, in der „alles Fleisch" kommen wird, um den Herrn von Zion anzubeten (v. 18 ff.). Angehörige anderer Völker werden sich mit dem auserwählten Volk vereinigen: Tarschisch, Put, Lud, Meschek, Rosch, Tubal, Jawan; selbst Priester wird man aus ihnen nehmen (v. 19. 21). Es wäre ein großer Fehler, diese prophetische Dichtung im buchstäblichen Sinne verstehen zu wollen; aber der Trend ist deutlich: Apokalyptik kündigt sich an; eine „letzte" Zeit jedoch wird nicht erwähnt.

Ich habe nur wenige Beispiele angeführt. Um mit wissenschaftlichem Anspruch „Eschatologie" im Alten Testament zu studieren, sollte man nicht wie üblich mit Amos, sondern mit Daniel, d. h. um das Jahr 165 v. Chr., beginnen und schrittweise auf Amos zurückkommen. Die mir zur Verfügung stehende Zeit ist knapp bemessen, deshalb möchte ich nur ein paar weitere Beispiele anfügen. In Büchern und Studien jeglicher Richtung kann man lesen, daß Amos 5, 18 ein Beweis dafür sei, daß es zur Zeit des Propheten von Tekoa eine sogenannte „Volkseschatologie", eine Populäreschatologie gegeben habe, die der Prophet korrigiere. Der Zentralgedanke ist der vom *Tag Jahwes.* Bedeutung und Inhalt dieses bekannten Ausdrucks wechseln im Alten Testament je nach den Umständen, den Erwartungen und dem jeweiligen Propheten. Man kann nicht behaupten, daß es durch das ganze Alte Testament hindurch nur eine einzige, identische Vorstellung vom „Tag des Herrn" gibt, noch daß eine geradlinige Entwicklung dieses Gedankens festzustellen wäre. Das ist nur ein Fall, an dem sich das Schreiben einer sogenanten „Theologie des Alten Testaments" als ein sehr schwieriges, ja riskantes Unterfangen erweist. Es ist zwar nicht unmöglich, aber doch eine Sache eigener Art und nur möglich, wenn man ihre besonderen Gesetze beachtet.

Für die Hörer des Amos war der Tag Jahwes eindeutig der Augenblick, an dem Gott zugunsten seines Volkes eingreifen und es von seinen Feinden befreien würde. Aber während der Herrschaft Jerobeams II. blühte Israel, seine Feinde waren geschlagen, seine Grenzen wiederhergestellt. Es scheint, daß all diese Triumphe im Volk den Gedanken aufkommen ließen, man dürfe noch mehr erwarten: Jahwe selbst würde in wunderbarer, noch niemals erlebter Weise eingreifen und Israel zu einem mächtigen Königreich machen. Das sollte am „Tag Jahwes" geschehen. Wir kennen einen „Tag von Jesreel" (Hos 2, 2), von Gibea (Hos 9, 9), von Midian (Jes 9, 3), von Ägypten (Ez 30, 9), von Jerusalem (Ps 137, 7). Alle diese „Tage" sind gekennzeichnet durch den Namen eines Ortes oder eines Volkes. Im Gegensatz dazu, wenn auch auf der gleichen Linie, hören wir vom „Tage Jahwes". Dieser Tag wird Jahwe ganz gehören und durch sein wundersames Eingreifen gekennzeichnet sein. Es ist nicht mehr der Tag von Midian, von Jerusalem, nicht einmal der von Israel und der Welt, sondern Jahwes eigener Tag. Hier gewinnt der Gedanke Gestalt, daß Gottes allmächtiges Wirken sich an einem Tag, in einem Augenblick offenbaren wird und daß es nur sein Wirken, in übermächtiger Weise, sein wird. Dieser Ausdruck war geeignet, auch auf andere überwältigende Ereignisse der Vergangenheit und Zukunft angewandt zu werden.

Für Amos, den Propheten aus dem Südreich, bedeutete er die Besiegung des Nordreiches: Jahwe konnte nicht zugunsten dieses Volkes eingreifen und dessen Götzenkult oder die falsche Art der Jahwe-Verehrung dulden. Deshalb mußte das Eingreifen Jahwes Bestrafung, Zerstörung, „kein Licht, sondern Dunkelheit" bedeuten. Zephanja erkannte, daß das Ende des Königreichs Juda nahe sein konnte oder schon bevorstand. Deshalb prophezeite er, der Tag des Herrn sei nahe (1, 7. 14): die Zerstörung des Südreiches. Für Jeremia war die Schlacht von Karkemisch (605) eine so entscheidende, daß er sie nennen konnte „jener Tag des Herrn, Jahwes der Heerscharen, ein Tag der Rache" usw. (46, 10). In Klgl 2, 22 ist der Tag der Zerstörung Jerusalems „der Tag des Zornes Jahwes". Für viele Zeitgenossen hieß das, daß der „Tag Jahwes" der des Untergangs von Jerusalem war.

Nach dem Fall Jerusalems lebte die Vorstellung vom „Tag Jahwes" fort. Lange vor diesem schicksalhaften Ereignis hatte Jesaja gesagt, daß der Tag Jahwes ein Tag sein wird, an dem Jahwe bestrafen wird „alles Stolze und Hohe . . ., alles was aufragt . . ., alle Zedern des Libanon . . ., alle Eichen Basans . . ., alle hohen Berge . . ." usw. (Jes 2, 12—14). Nach dem Fall Jerusalems mußte sich dieses auch noch erfüllen. Deshalb war für den Verfasser von Jes 13 der Tag der Eroberung Babylons der kommende Tag Jahwes. Aber als er gekommen war, zeigte es sich, daß dieses Ereignis nicht das endgültige Glück für Israel und die Welt mit sich brachte; deshalb wurde der Tag Jahwes immer weiter in eine ferne Zukunft verlegt, an „das Ende der Tage".

Das erste Kapitel des Buches Joel spricht von einer schweren Heuschreckenplage, wie sie sich seit Menschengedenken noch nie ereignet hat. Die superlativische Ausdrucksweise soll deutlich machen, daß es sich um eine extrem schwere Plage handelte. Sie könnte durchaus ein Anzeichen für den „Tag Jahwes" sein, wie der Prophet meinte, und in seiner dichterischen Phantasie beschrieb er es mit dem Bild einer außergewöhnlichen Heuschreckenplage. Durch wahre, aufrichtige Buße kann man die Katastrophe vermeiden oder doch erheblich aufschieben: eine bedingte Gerichtsankündigung. Der Aufschub trat auch ein. Aber Geduld ist nicht Freispruch: Es wird ein Tag Jahwes kommen, nicht als Bestrafung für das Volk Gottes, das ja Buße getan hat, sondern als Tag der Errettung für alle die, die den Namen des Herrn anrufen, ein Tag der Bestrafung und Vernichtung jedoch für jeden anderen.

Aus all diesen Texten ergibt sich, daß der Tag Jahwes ein Wendepunkt ist, entweder nur für Israel oder für alle, mit Folgen für Israel und für die ganze Welt. Er wird aber niemals *eschaton*, „letzter" Tag genannt. Den finden wir im Johannesevangelium, an Stellen, die wir schon zitiert haben (6, 39. 40. 44—55; 11, 24; 12, 48).

Für die Qumran-Sekte ermöglichten die Vorstellung vom „Tag

Jahwes" und verwandte Ideen Begriffe und Bilder aus einer un-
jüdischen Gedankenwelt in ihre eigene aufzunehmen. Ich bin nach
wie vor fest davon überzeugt, daß bestimmte Ideen der Qumran-
Sekte nur dann voll verstanden werden können, wenn man voraussetzt, daß sie einem dem Judentum fremden dualistischen Denken
entstammen.

Im Johannesevangelium wird der Tag der Auferstehung der
„letzte Tag" genannt, obwohl er genausogut der „erste Tag" hätte
heißen können, nämlich einer neuen und entscheidenden Weltepoche.
Daß er der „letzte" Tag genannt wird, obwohl er ein völlig neuer
und in ein neues Zeitalter einführender ist, ist eindeutig durch den
Kontext bedingt, in dem der Ausdruck steht. Eine Bewegung, eine
Entwicklung wird durch ihr Ziel und Ende charakterisiert und
erhält von daher ihren Namen. In der Geschichte der Menschheit
wie im menschlichen Leben trifft man auf Entwicklungen, von denen
niemand sagen kann, wohin sie führen werden. Das mag sich vielleicht nach Ablauf einiger Zeit zeigen, aber selbst dann noch kann
es sein, daß das Ergebnis der Entwicklung nicht durch zwingende,
notwendige, inhärente Gründe oder Faktoren bewirkt worden ist,
sondern teilweise (oder sogar ganz) durch ein zufälliges Zusammen-
treffen von Begleitumständen. Echte apokalyptische Eschatologie
wäre in Israel nicht möglich gewesen, wenn sie nicht durch die
Bücher der Propheten vorbereitet worden wäre, was aber nicht
heißt, daß ihr Auftreten von Anfang an gesichert war oder daß sie
sich als notwendige Konsequenz ergeben hätte. Notwendig war sie
nicht! Solange der Mensch einen freien Willen hat, kann der Verlauf
der Geschichte oder einer Ideenentwicklung niemals mit Sicherheit
vorhergesagt oder -gesehen werden. Das gilt auch für die Entwicklung der „Eschatologie". Wirkliche Eschatologie läßt sich nur am
Ende einer Evolution finden, die zu ihr hingeführt hat; sie ist aber
nicht deren notwendiges Ergebnis. Wenn deshalb die Vorstellung
vom „Letzten" fehlt oder nicht im Vordergrund steht, dann ist
nichts dadurch erklärt, wenn wir von „Eschatologie" sprechen und
auf diese Weise Vorstellungen späterer Zeiten auf frühere übertragen. Wir dürfen dann höchstens von „Eschatologie im Entstehen" sprechen.

Es dürfte nunmehr völlig deutlich geworden sein, weshalb die

Einführung des Wortes „Eschatologie" in Theologie und Exegese des Alten Testaments zu einer großen Verwirrung geführt hat, deren Ende noch nicht abzusehen ist. Will man sie vermeiden, dann muß man den Neologismus „Eschatologie" in seiner wörtlichen Bedeutung als das Wissen vom eschaton, vom Ende, verstehen. Ferner: Wenn wir in seine Bedeutung Elemente sehr später Zeit, ja sogar christlichen Ursprungs mit aufnehmen, dann ist das Wort nicht geeignet, Vorstellungen der Propheten zu kennzeichnen.

Für diejenigen, die den zu Beginn dieses Aufsatzes zitierten Artikel von J. Lindblom kennen, dürfte es klar geworden sein, daß ich mit ihm nicht in allen Punkten übereinstimme. Vom Standpunkt Lindbloms aus wird bei der Erklärung des Wortes und des Vorstellungskomplexes „Eschatologie" zuviel Gewicht auf das ἔσχατον gelegt (a. a. O., S. 83, Anm. [S. 34 f.]). Nach diesem Autor ist „eschatologisch" auch all das, was *nach* dem Ende kommt: die neue Zeit, die diese alte ablösen wird (a. a. O). An und für sich ist das mehr oder weniger ein Widerspruch. Die neue Zeit ist eine Zeit *ohne* Ende, und sie kann doch niemals mit Recht „das Ende" genannt werden. Wenn jemand sagen sollte: Wir brauchen aber ein Wort, um die Erwartung zu charakterisieren, die mit der Hoffnung auf das Kommen einer neuen Zeit verknüpft ist, und dafür verwenden wir den Terminus „Eschatologie", dann müßte ich antworten: Ich kann es nicht ändern, wenn man so verfährt, *verba valent usu,* und der *usus* kann ja geprägt werden; aber man möge mir nicht zürnen, wenn ich zu behaupten wage, daß dann der Terminus schlecht geprägt ist und mir nach Falschgeld aussieht. Ich entschuldige mich für die kühne Sprache und dafür, daß ich gegen den Strom schwimme.

Zum Abschluß möchte ich noch ein Beispiel aus dem Alten Testament anführen, die sogenannte Apokalypse des Jesaja (Jes 24—27). Enthalten diese vier Kapitel eine echte Apokalypse und sind sie deshalb eschatologisch im vollen Sinne des Wortes? Wenn man das Wort „Apokalypse" in seiner klassischen Bedeutung versteht, in der es für Daniel gelten kann, dann stellen die erwähnten Jesaja-Kapitel keine Apokalypse dar, noch nicht einmal eine kurze. Sind die Kapitel denn wenigstens in irgendeiner Hinsicht apokalyptisch? Hierauf wird die Antwort schwierig, weil die spätere Apokalyptik bei der früheren Entlehnungen gemacht hat. L. Dürr nennt Ezechiel den „Vater der Apokalyptik" und hat darin gewiß recht. Das Abfassungsdatum von Jes 24—27 scheint später als Ezechiel zu sein. Die Komposition der vier Kapitel bietet ein Problem, wenn man lieber will, ein Rätsel. Ebenso ist es schwierig, in der Ausdrucksweise zwischen Dichtung (die nicht wörtlich verstanden sein will) und (zukünftiger) Wirklichkeit zu unterscheiden. Der zentrale Gedanke scheint mir die Wiederherstellung Israels nach Exil und Zerstreuung zu sein. Sie wird das Ergebnis eines furchtbaren Gerichts über die Welt sein, das in kosmischen Ausdrücken geschildert wird. Im ganzen Text gibt es nirgendwo die Frage nach den „letzten Dingen", werden diese Worte nicht gebraucht. Das Interesse des Autors ist auf die Zukunft gerichtet. Dann wird sich die alte Prophezeiung von Jes 2, 2 erfüllen (vgl. 25, 6). Durch sein Gericht wird Jahwe alte Ratschlüsse (עצות מרחוק) „wahrmachen", er wird den Tod für immer vernichten (בלע המות לנצח), 26, 19. Das scheint auf Ez 37 anzuspielen: auf die Wiederherstellung Israels. Das Wort „letzter" wird niemals verwendet, noch wird betont, daß die schrecklichen Ereignisse, welche die vier Kapitel beschreiben, die „letzten" sind. Wenn man hier von „Eschatologie" spräche, würde man einen Begriff und eine Vorstellung einführen, die dem Verfasser dieser Kapitel oder zumindest ihrem Inhalt fremd sind. Das ändert aber nichts an der Tatsache, daß Jes 24—27 einen Markstein in der Entwicklung der Eschatologie darstellen.

Am Ende dieses Aufsatzes könnte man nun meinen, er behandle eine *lis de verbis,* einen Streit um die Bedeutung eines Wortes. Und wenn man einräumt, daß *verba valent usu,* dann könnte man noch hinzufügen, daß es gar keinen Anlaß für einen Streit gebe. Dieses Urteil wäre aber ein sehr oberflächliches. Wörter und Ausdrücke, die wir gebrauchen, sollten von Anfang an eindeutig sein und in einem Kontext auch nur eine einzige wohlumrissene Bedeutung haben. Die Einführung der Wörter „Eschatologie" und eschatologisch" in die alttestamentliche Theologie und später in die Theologie überhaupt hat viel Verwirrung angestiftet und viel Schaden verursacht, nicht für die Herausgeber und Verfasser von Büchern und Aufsätzen (für sie boten sich hier neue Gelegenheiten zu schreiben), sondern für das Verständnis des Alten Testaments.

Ferner konnten wir die Entwicklung einer Idee verfolgen. Wir sahen, wie sie sich nicht mit Notwendigkeit oder mechanisch entfaltete — das tut kein menschlicher Gedanke —, und was das unvorhersehbare Ergebnis dieser Entwicklung war.

In einem vor manchen Jahren veröffentlichten Beitrag habe ich einige Schwierigkeiten dargestellt, auf die man trifft, wenn man sich mit der alttestamentlichen Theologie beschäftigt.[1] Eine der Hauptschwierigkeiten ist die große Unklarheit und Ungenauigkeit vieler hebräischer Ausdrücke sowie der Vorstellungen und Gedankenkomplexe, auf die sie hinweisen wollen. Das darf aber nicht heißen, daß wir es uns erlauben könnten, den ehrwürdigen Schriften des Alten Testaments mit der gleichen Unklarheit in unseren Hirnen entgegenzutreten, indem wir Begriffe mit unklarer Bedeutung gebrauchen und einführen. Die Folgen wären verhängnisvoll. Wünscht man dafür ein Beispiel? Dann möge man den Gebrauch des Wortes „Eschatologie" betrachten!

---

[1] Une théologie de l'Ancien Testament est-elle possible?, in: Eph. Theol. Lov., XXVIII (1962), S. 417—434; vgl. auch R. de Vaux, Peut-on écrire une théologie de l'Ancien Testament?, in: Mélanges Chenu, Paris 1967, S. 439—449; auch in: Bible et Orient, Paris 1967, S. 59—71.

W. S. McCullough, Israel's Eschatology from Amos to Daniel, in: FS Winnet. Ed. by
J. W. Wevers — D. B. Redford, Studies on the Ancient Palestinian World. Toronto:
University of Toronto Press 1972, pp. 86—101. Übersetzt von Anna Gertrud Preiswerk.

ISRAELS ESCHATOLOGIE
VON AMOS BIS ZU DANIEL

Von W. S. McCullough

In seinem Buch ›He That Cometh‹ gibt Mowinckel einen Überblick über die Diskussion der Bezeichnung „Eschatologie" in der
Literatur Israels[1] und stellt fest, daß dieser Ausdruck nur auf die
Ideen, die sich in Daniel und andern apokalyptischen Werken finden, wirklich anwendbar ist, obwohl ihr Anfang bis zu Jesaja 40—66
zurückverfolgt werden kann. Für die Zeit vor Daniel zieht Mowinckel den Ausdruck „die Zukunftshoffnung" vor. Dem gegenwärtigen Schreiber erscheint diese Unterscheidung zweifelhaft, und
er nimmt, wie andere es getan haben, den Standpunkt ein, daß eine
Art von beginnender Eschatologie schon in den Propheten des achten
Jahrhunderts vorkommt. Auf alle Fälle müssen wir daran denken,
daß Eschatologie immer ein relativer Begriff ist und von der Weite
der Erfahrung und der Einbildungskraft der Zeit, in der sie erscheint, abhängt.

I. Die Zeit vor dem Exil

Jegliche Hoffnung auf die Zukunft, die Israel vor dem Exil
kannte, gründete auf zwei Hauptvoraussetzungen: erstens, daß
Jahwe nicht nur der höchste Gott, sondern auch der Lenker der
Geschichte war, und zweitens, daß ein Bund zwischen Jahwe und
Israel bestand. Wenn Amos diese Überzeugung teilte, so ist es ver-
ständlich, warum er, obwohl er es als seine Hauptaufgabe ansah,
Israels Sünden zu verdammen, die Hoffnung auf etwas jenseits der
bevorstehenden Strafe nicht lassen konnte (Am 5, 14—15). Dieser

[1] Ins Englische übertragen von G. W. Anderson (Oxford 1956),
S. 125—128.

Punkt wurde von den meisten Propheten, die Amos folgten, gewürdigt, und seine Kraft wurde durch den Tempelkultus verstärkt. Denn der Sinn des Tempelrituals, besonders an Sukkoth (das der Anlaß zur Erneuerung des Bundes sein mochte), war zum Teil, die Erwartung zu bekräftigen, daß Jahwes Wohlwollen für Israel eines Tages verwirklicht würde.

Die eschatologischen Stellen in den Propheten sind schon seit langem festgestellt,[2] aber unter den Gelehrten besteht ein beträchtlicher Meinungsunterschied über deren Echtheit. In gewisser Hinsicht ist dieser Punkt unwichtig, denn, wer auch immer die Autoren waren, so sind ihre Ideen ein Teil von Israels Eschatologie geworden, und woher sie gekommen sind, spielt keine entscheidende Rolle. Wenn wir dagegen mit der historischen Entwicklung dieser Art religiösen Denkens zu tun haben, so ist die Echtheit einer gegebenen Stelle von beträchtlicher Wichtigkeit.

Wenn wir die Propheten bis und mit Ezechiel verfolgen, so ist es nicht schwer, ihre hauptsächlichen eschatologischen Ziele zu sondern.

1. Gericht. Das kommende Gericht war ein Grundelement in den Worten der Propheten (Am 2, 6—8; Jes 5, 1—7; usw.) und, in eine ferne Zukunft projiziert, blieb es ein konstanter Zug aller späteren Eschatologie.

2. Die nationale Erneuerung Israels. Wo auch immer sie herstammt, so hat Jesajas Vorstellung von etwas Bleibendem, das die kommende Katastrophe überdauert (Jes 7, 3 usw.; vgl. Am 5, 15), sich als grundlegend für alle späteren Bilder von Israels zukünftiger Glückseligkeit erwiesen. Damit verknüpft ist die Hoffnung, daß die vertriebenen Hebräer in die Heimat zurückkehren und die zwei ehemaligen Königreiche das einige Volk Gottes sein werden. Diese Erwartung zentriert sich im allgemeinen auf die Erde, wie Jes 32, 6—15 dartut.

3. Ein davidischer König wird herrschen. Die wiederhergestellte Gemeinde braucht einen Führer, und Israels politische Erfahrung wies auf eine Form von Monarchie hin. Da das Haus David über vierhundert Jahre gedauert und die religiösen Traditionen zum Gewinn sowohl priesterlicher als populärer Unterstützung ausgenützt

[2] Ebd. S. 146 f., Anmerkungen 1—20.

hatte (z. B. Ps 132, 11—18), drängte sich die Vorstellung geradezu
auf, daß der zukünftige König vom Geschlecht Davids stammen
sollte (z. B. Jer 23, 5—6).

4. Der Tod. Vor dem Exil scheint Israel mit andern Völkern
Westasiens, namentlich mit den Babyloniern, die Ansicht geteilt zu
haben, daß beim Tod jedermann in eine sehr beschränkte Existenz in
der Unterwelt (hebr.: $š^e ol$) eingehe. Die Aneignung des ugaritischen
Mythos, in dem *môt* vorkommt (Ps 49, 15; Jes 25, 8), scheint die
Ansicht, daß $š^e ol$ die Bestimmung des Menschen sei, nicht berührt zu
haben. Anders als die gleichzeitigen Ägypter, deren Berichte ein
beträchtliches Interesse an Tod und Jenseits verraten, war Israel
darauf gefaßt, den Tod als das unvermeidliche Ende des Lebens
hinzunehmen.

II. Jesaja 24—27; 34—35; 40—66

Es wird hier angenommen, daß diese Kapitel durch einen Herausgeber, wahrscheinlich ungefähr 520 vor Chr., mit den Schriften
Jesajas aus dem achten Jahrhundert zusammengestellt worden sind.
Die entsprechenden Kapitel veranschaulichen ziemlich klar die
Schwierigkeiten, die sich beim Zusammenweben der vielfarbigen
eschatologischen Ideen Israels in ein vernünftiges und zusammen-
hängendes Muster ergeben.

1. Das Gericht ist immer noch wichtig, und in Jes 26, 21; 34, 1—4;
66, 15—16 wird es auf die Bewohner der ganzen Erde ausgedehnt. In
66, 24 werden die Leiber der Abtrünnigen in einem unauslösch-
lichen Feuer verbrannt. In 24, 17—23 soll sich, offenbar im Zusammenhang mit diesem Gericht, eine Überflutung der Natur ereignen,
und in Vers 21 wird auf eine Bestrafung des „Heeres der Höhe" angespielt. Dieser Ausdruck mag sich auf rebellierende Glieder aus
Jahwes Gefolge beziehen, und wenn dies stimmt, so ist es eine der
frühesten Bearbeitungen von Gen 6, 1—4 (vgl. äth. Henochbuch
6—11). In Jesaja 27, 1 gibt es eine merkwürdige Anspielung auf die
Bestrafung des Leviathan. Obwohl die Vernichtung des Leviathan
in Ps 74, 14 auf einen Urkonflikt mit Jahwe hinweist (vgl. den
ugaritischen Mythos), wurde die Leviathanvorstellung in Jes 27, 1
in die Zukunft projiziert und bezeichnet ein gewaltiges Wesen, das

Jahwe entgegensteht und „an jenem Tage" bestraft werden wird. Dies ist eine neue Vorstellung im Gedankengut Israels.

Es ist von Interesse, daß das Thema des Gerichts mit Feuer in Verbindung gebracht werden kann, wie in Jes 66, 15—16. Dies stimmt mit Jahwes Beziehung zum Feuer in verschiedenen Theophanien überein (Ex 3, 2 und 19, 18; Ps 50, 3—4 und 97, 3—4; usw.). Dieses Feuer konnte nötigenfalls zerstörend sein (Num 11, 1—3; 2 Kön 1, 10—14).

2. Die nationale Wiederbelebung behält ihre primäre Wichtigkeit, obwohl die verschiedenen vorgebrachten Ideen ein ziemliches Gemisch ergeben. Abgesehen von der Versicherung, daß die Verbannten zurückkehren werden (Jes 43, 5—6; usw.), soll Jahwes Erlösungstat verschiedene dramatische kosmologische Veränderungen mit sich bringen (51, 6 und 60, 19—20), und in 65, 17 und 66, 22 werden ein neuer Himmel und eine neue Erde erwähnt. Da es zahlreiche Hinweise auf das wiedererstandene Israel in seinem alten Heimatland gibt (44, 3; 49, 8—13; 51, 3; usw.), wird es am besten sein, diese kosmologischen Stellen poetisch aufzufassen, dazu bestimmt, den drastischen Unterschied zwischen dem gegenwärtigen und dem neuen von Jahwe errichteten Zeitalter zu betonen.

3. Der Universalismus. Obwohl es in dem Stoff, der hier betrachtet wird, Anspielungen auf die Unterwerfung der Völker unter Israel gibt (Jes 60, 10—12; vgl. 45, 14; 48, 23; usw.), ist doch der Universalismus ein ausgeprägterer Zug. Israels Religion soll in der Zukunft mit der heidnischen Welt geteilt werden (42, 1—9; 45, 22; 49, 6; usw.; auf Einzelheiten wird nicht eingegangen). Was auch immer die spezifischen Vorläufer dieses Ideals sein mögen, so leitet es sich offensichtlich von Jahwes Eigenschaften her, und dies erklärt, warum wir dieses Ideal im Zweiten Jesaja finden.

4. Kein davidischer König erscheint. Es ist bemerkenswert, daß keine königliche Gestalt, die die Führung der wiedererstandenen Gemeinde übernehmen soll, erwähnt wird. Die Aufmerksamkeit ist auf Jahwes eigene Taten gerichtet (24, 1. 21; 34, 2. 6; 40, 10; 43, 14; usw.). Tatsächlich wird uns in 24, 23 gesagt, daß „der Herr Zebaoth wird König sein auf dem Berge Zion und zu Jerusalem". Die zwei Anspielungen auf Cyrus, 44, 28 und 45, 1, zeigen, daß Cyrus eine Mission ad hoc zu erfüllen hatte, aber das muß nicht mit der Rolle

eines davidischen Königs durcheinandergebracht werden. Diese Gleichgültigkeit gegenüber der Tradition eines zukünftigen davidischen Herrschers legt die Vermutung nahe, daß einige jüdische Kreise wenig Gewicht auf diese Tradition legten (wie in Daniel, in der Himmelfahrt des Mose, im 3. Baruch). Sogar in 4 Esr 7, 28, wo „mein Sohn, der Messias" erscheint und vierhundert Jahre lebt, bevor er stirbt, hat er keine lebenswichtige Funktion zu erfüllen, und in der darauffolgenden Auferstehung spielt er überhaupt keine Rolle.

5. Der Tod. Im Zweiten Jesaja findet sich nur die traditionelle hebräische Vorstellung vom Tod (51, 14; 53, 12). Obwohl manche annehmen, daß 53, 10—12 eine Auferstehung des „Knechtes" einschließt, wenn er das, was in den Versen 10—11 beschrieben wird, erfahren soll,[3] kann man einwenden, daß, was gemeint ist, die Wiederherstellung der Nation (wie in Ez 37) ist, und nicht die Auferstehung eines Individuums. Wie dem auch sei; wenn wir uns Kp. 25—26 zuwenden, finden wir neuen Stoff. Das Datum dieser Kapitel, besonders 26, 7—9, kann nur vermutet werden. Der gegenwärtige Schreiber betrachtet R. B. Y. Scotts Datierung im zweiten Jahrhundert v. Chr.[4] für das letzte Gedicht als unmöglich und hat keine Mühe, diesen Stoff im späten sechsten Jahrhundert unterzubringen. Wenn dieses Datum angenommen werden kann, so bedeutet das, daß zwei wichtige eschatologische Anschauungen früh in der persischen Zeit aufgetaucht sind. Erstens gibt es in 25, 8 einen Hinweis darauf, daß Jahwe den Tod für immer verschlingt. Obwohl dieser Ausdruck von dem wohlbekannten ugaritischen Mythos beeinflußt sein muß, bedeutet er in seinem hebräischen Zusammenhang vermutlich genau das, was er sagt: In Zukunft wird der Tod nicht mehr sein. Zweitens, in 26, 19, sollen „die in der Erde liegen" erwachen und vor Freude singen, denn sie sollen leben. Dies ist wahrscheinlich die früheste Anspielung in der Literatur Israels auf eine Auferstehung der Toten, aber es ist bezeichnend für ähnliche Aussagen in späteren Quellen, daß sie ohne nähere Ausführung erscheint (Dan 12, 2; äth Hen 51, 1; 4 Esr 7, 32; syr Bar 21, 22—23). Die Vor-

---

[3] C. R. North, The Second Isaiah (Oxford 1964), S. 242—246.
[4] The Interpreters Bible (New York and Nashville 1956), Bd. 5, S. 307.

stellung von der Auferstehung der Toten, die sich in Jes 26, 14. 19 findet, mag älter sein als dieses Kapitel. Das beste Beispiel ist Ez 37, wo Jahwe in Vers 12 Israel aus dem Grabe erwecken und in sein eigenes Land führen soll. Obwohl dies vermutlich ein Gleichnis ist, weist doch die Anwendung dieses Gleichnisses darauf hin, daß die Vorstellung einer Erweckung vom Grabe zur Zeit Ezechiels nicht unvertraut war.

III. 520—300 v. Chr.

a) Die Geschichte Judas

Von 539 v. Chr. bis zur Zeit Alexanders des Großen gehörte Juda zum achämenidischen Perserreich. Politisch war die Situation nicht viel anders als unter den Assyrern und Babyloniern, außer daß die davidische Monarchie nicht wieder erstand. Wir wissen sehr wenig vom weltlichen Leben der Juden in diesen zwei Jahrhunderten, auch wenn wir die Papyri von Elephantine den mageren biblischen Quellen hinzufügen. Wir wissen, daß sie Persien Tribut zahlten (Esr 4, 13; 6, 8; usw.), und wir vermuten auf Grund einer Erwähnung in Josephus (Contra Apionem 1, 194), daß sie im Jahre 351 v. Chr. in eine Rebellion der Phönizier gegen die Perser verwickelt waren. Es bestehen einige Hinweise, die die Annahme stützen, daß im vierten Jahrhundert der Hohepriester als Titularhaupt der jüdischen Gemeinde auftrat.

b) Eschatologische Anschauungen in jüdischen Quellen

1. Die Juden, die in den Jahren nach 516 v. Chr. lebten, müssen sich traurig bewußt gewesen sein, daß die Rückkehr einiger Gefangener aus Babylon nach 538 v. Chr., der Wiederaufbau des Tempels zwischen 520—516 und die Erneuerung des Staates Juda nicht die große nationale Wiedererstehung war, von der die Propheten geweissagt hatten. Welche Erwartungen im Jahre 520 auch auf Serubbabel gerichtet gewesen sein mögen (vgl. Hag 2, 20—23; Sach 3, 8; 6, 12—13), so blieb doch die Tatsache bestehen, daß Juda ein

kleiner steuerzahlender Staat in einem großen Reich war. Der
Schluß, daß die Erfüllung früherer Versprechungen an Israel immer
noch in der Zukunft lag, war daher unvermeidlich. Der Prophet
Sacharja (Kap. 1—8) war wohl einer der ersten, der diese Umstel-
lung vollzog. Seine Worte der Hoffnung sind nur eine Wiederholung
der Grundideen des Zweiten Jesaja.

Obwohl Sacharjas eschatologische Anschauungen ihm auf die
übliche Weise zuteil werden („so spricht der Herr Zebaoth": 8, 2),
ist die Tatsache merkwürdig, daß die Visionen, die er in 1, 7 bis 6, 8
erlebte, ihm jeweils durch einen Engel gedeutet werden und daß in
einer dieser Visionen (3, 1—10) Satan in einer sehr ähnlichen Rolle
wie in Hiob 1—2 erscheint. Da diese engelhaften Gestalten beiläufig
erwähnt werden, scheint es, daß ihr Vorhandensein dem allgemeinen
Glauben entsprach.

2. Der Beitrag des Buches Maleachi (ca. 450 v. Chr.) zum eschatologischen Gedanken ist zweifach. In 3, 1 ist von einem Boten die
Rede, der Jahwes Erscheinen im Gericht einen Weg bereitet. In 3,
23—24 wird dieser Bote, möglicherweise von einem späteren Herausgeber, mit Elia gleichgesetzt. In diesem Zusammenhang hat R. C.
Dentan unrecht, wenn er behauptet, daß die Gestalt Elias eine bedeutende Rolle im späteren apokalyptischen Denken spielte.[5] Außer
in den Evangelien und etwa einem halben Dutzend Anspielungen
in der Mischna (Schekalim 2, 5; Sota 9, 15; usw.) spielt Elia in den
meisten jüdischen Schriften überhaupt keine Rolle.

Maleachis zweiter Beitrag ist die Erwähnung von Jahwes „Ge-
denkbuch" (3, 16). Dies ist in Wirklichkeit eine viel ältere nah-
östliche Idee und verrät die stark anthropomorphe Vorstellung von
Gott, die Israel entwickelt hatte (Ex 32, 32—33; Ps 69, 29; 139, 16;
Jes 65, 6). Die Verbindung dieses Buches mit „dem Tag, den ich
machen will" (3, 17) half dazu, sein Überleben in der späteren Literatur zu sichern (Dan 7, 10; 4 Esr 6, 20; äth Hen 47, 3; 90, 20; syr
Bar 24, 1).

3. Es wird hier angenommen, daß Ezechiel 38—39 dem Buch später beigefügt wurde, wahrscheinlich zwischen 516 v. Chr. und Nehe-
mias Zeit. Der Kehrreim dieser Kapitel ist, daß weltliche Mächte

[5] Ebd. Bd. 6, S. 1144.

von Norden das Volk Gottes mit vollem Einsatz angreifen werden und daß Gott selbst sie endgültig besiegen wird. Israel nimmt keinen Teil an diesem Geschehen, außer als Aufräumer und Totengräber, nachdem der Kampf vorüber ist. Dann wird Israels Wohl wiederhergestellt, aber die Grenzen der Wiederherstellung befinden sich immer noch auf der Erde. Der Hauptinhalt dieser Kapitel aber scheint zu sagen, daß alle gegen Gott gerichteten Kräfte in dieser Welt („siehe, ich will an dich, Gog", 38, 2) einmal vernichtet werden. Die Vorstellung von einem Endkampf zwischen Gott und dem Bösen, begleitet von Weh und Trübsal, sollte bei späteren Schreibern weiterleben (Joel 4, 9—11; Sach 14, 1—5; Dan 12, 1; äth Hen 56, 5—8; 90, 13—19; usw.). In der Kriegs-Rolle von Qumran nimmt Israel im Gegensatz zu Ez 38—39 einen sehr aktiven Anteil am Krieg gegen die Söhne der Finsternis. In 6, 6 dieser Rolle wird berichtet, daß Gott „durch die Heiligen seines Volkes" (Yadin) wirkt.[6]

Der Gog-Stoff in Ezechiel ist nur ein Beispiel des Bewußtseins im alten Israel, daß es in der Welt noch Mächte gab, die Gott und seinem Volk entgegenwirkten. Ganz abgesehen von den Herausforderungen, die der kanaanitische Baal und der Tammuz-Ischtarkult bedeuteten, können wir hier anführen: (1) Asasel: obwohl der Stoff vom Tag der Buße in Lev 16 in seiner heutigen Form aus der Zeit nach dem Exil stammt, besteht kein Zweifel, daß er auf eine alte Tradition zurückgeht. Der genaue Ursprung von Asasel ist unsicher, aber die Tatsache, daß er in Lev 16, 8 beim Werfen des Loses als Gegenspieler Jahwes vorkommt, weist darauf hin, daß er eine dämonische Macht von einigem Format war, was durch seine spätere Bedeutung bei Henoch bestätigt wird. (2) Feldteufel (Lev 17, 7), Dämonen (Dtn 32, 17) und Liliths (Jes 34, 14) sind andere Beispiele dafür, daß Israel (wie alle Kulturen des alten Nahen Ostens) an die Existenz verschiedener dämonischer Kräfte in dieser Welt glaubte.

4. Das Buch Joel gehört wahrscheinlich in die Zeit um 400 v. Chr. Wie schon bemerkt, scheint es in 4, 9—10 mit dem Bericht von einem Endkampf zwischen den Völkern und Jahwe, wobei dieser durch sein himmlisches Heer unterstützt wird, Ez 38/39 zu wiederholen.

---

[6] Y. Yadin, The Scroll of the War of the Sons of Light against the Sons of Darkness. Übersetzt von B. und C. Rabin (Oxford 1962), S. 286.

Diesem Tag des Herrn sollen verschiedene kosmische Zeichen vor-
ausgehen (3, 3—4) und offenbar ein Weltgericht im Tal Josaphat
folgen (4, 2; 4, 12).

5. Sacharja 9—14 enthält ein solches Gemisch von prophetischen
Aussagen, daß es schwierig ist, sie als von einem einzigen Schreiber
stammend anzusehen. Es wird hier angenommen, daß sie im letzten
Drittel des vierten Jahrhunderts v. Chr. zusammengestellt worden
sind.

Obwohl sich in Sacharja 9, 9—10 eine lyrische Beschreibung vom
Kommen des Königs von Zion und seiner Errichtung eines Welt-
friedensreiches befindet, wird in den späteren Kapiteln entweder nur
indirekt auf diesen Herrscher angespielt (12, 8) oder er erscheint
überhaupt nicht. In 12, 1—9 ist es Jahwe, der die Führung bei der
Abwehr des Angriffes der Völker gegen Juda übernimmt, und die
Stämme Judas folgen ihm nach. In 14, 1—21, wo ein anderer Bericht über diesen eschatologischen Krieg gegeben wird, ist es Jahwe,
der gegen die Völker streitet (V. 3); in Vers 5 ist er „von allen Heiligen" begleitet. Jahwes Sieg folgen Veränderungen in der Natur (14,
6—8), die an Ezechiel 47, 1—12 und Jes 51, 6 und 60, 19—20 erinnern. Es hilft, dieses etwas nationalistische Material aufzuwerten,
wenn man in 14, 9. 16 Zeugnisse findet, wie Jahwe von den Übriggebliebenen der Völker als König über die ganze Welt anerkannt
wird.

6. Wenn wir die Chronik um 350—300 v. Chr. datieren können,
so finden wir darin einen Hinweis, der unsere gegenwärtige Untersuchung betrifft. In 2 Sam 24, 1 heißt es, daß Gott David anregte,
eine Schätzung von Israel und Juda vorzunehmen, aber in 1 Chr
21, 1 wird gesagt, daß Satan dies getan habe. Da Satan an dieser
Stelle ohne Artikel erscheint (vgl. die Artikel in Hiob 1—2 und
Sach 3, 1—2), kann gesagt werden, daß die Chronik eine Stufe darstellt, die zu Satan als dem Eigennamen eines wichtigen Gliedes der
himmlischen Gesellschaft führt. Ferner, da Davids Handlung Jahwe
mißfiel (1 Chr 21, 7), ist es klar, daß Satans Stellung unter den
Engeln sich leicht verschlechtern konnte.

c) Die persische Religion in der achämenidischen Zeit

1. Es wird angenommen, daß Zoroaster, der Begründer der Religion, die seinen Namen trägt, um 600 v. Chr. gelebt hat.[7] Eine von Frye[8] und anderen vertretene Meinung ist, daß er im östlichen Iran lebte und lehrte. Es war eine polytheistische Gesellschaft, aber Zoroaster gewann den Glauben, er sei der Prophet des Gottes Ahura Mazda. Seine spätere Laufbahn kann am besten als eine Bemühung, die Religion zu reformieren und mit den Forderungen Ahura Mazdas in Einklang zu bringen, erklärt werden. Es war unvermeidlich, daß ein solches Programm den Widerstand der hergebrachten Interessen erweckte, und Zoroasters Fortschritte waren nur langsam, bis zur Bekehrung einer politischen Persönlichkeit, nämlich des Vishtaspa, woraufhin seine Botschaft günstiger aufgenommen wurde. Um eine einigermaßen annehmbare Rekonstruktion seiner Lehre zu erhalten, sind wir grundlegend auf die Gathas angewiesen, Gedichte oder Gesänge, die auf Zoroaster selbst zurückgehen sollen (Yasna 28—34; 43—51; 53).[9]

Zoroasters Botschaft wurde aus verschiedenen Gründen von späteren Generationen modifiziert. Dabei war ein wichtiger Faktor der Einfluß der Magier, einer Bruderschaft, von der man annimmt, daß sie medischen Ursprungs war, und die die priesterlichen Funktionen in Iran ausübte. Es gibt Theorien, wonach die Magier, als sie die neue Lehre annahmen, ältere Glaubensformen und Praktiken hineinbrachten. Dies scheint der Grund der Differenzen zu sein, die sich zwischen den Gathas einerseits und den religiösen Anschauungen, wie sie sich in den Inschriften achämenidischer Könige spiegeln, in der Gatha der sieben Kapitel (Yasna 35—42), in Herodots Kom-

[7] Die Datierung 628—551 v. Chr. wird durch R. C. Zaehner, The Dawn and Twilight of Zoroastrianism (London 1961), S. 33 und durch R. N. Frye, The Heritage of Persia (London 1962), S. 29 vertreten.

[8] Heritage, S. 30.

[9] Der gegenwärtige Schreiber, der kein Kenner des Iranischen ist, hat J. H. Moultons Übersetzung aus seinem 'Early Zoroastrianism' (London 1913), S. 343—390 benutzt und gelegentlich durch 'Songs of Zarathustra' von D. Framroze, A. Bode und P. Nanavutty (London 1952) ergänzt.

mentaren über die persische Religion und im Avesta-Hymnos an Mithra (450—400 v. Chr.) andrerseits ergeben.

2. Die einzigen Teile von Zoroasters Lehre, die uns hier angehen, beziehen sich auf a) Ahura Mazda und die Amescha Spentas, b) den Dualismus und c) die Eschatologie. Alle angeführten Stellen betreffen Kapitel und Verse aus dem Yasna.

a) Ahura Mazda und die Amescha Spentas. In einer iranischen Welt, die an zahlreiche Götter *(ahuras)* glaubte, griff Zoroaster eine Gottheit heraus, die vielleicht nur den Namen Ahura trug und steigerte ihre Bedeutung, indem er das Beiwort *mazda* (weise) hinzufügte. Der Prophet ließ dann die anderen Götter außer acht und behandelte Ahura Mazda als den einzigen Gott von Bedeutung.

Licht und Feuer sind Grundelemente vieler Kosmogonien, und es überrascht uns nicht, daß sie im Zoroastrismus in naher Verbindung mit Ahura Mazda, dem Schöpfer-Gott, auftreten (31, 7; 44, 5). In der Avesta-Hymne an Mithra ist das Feuer der Sohn Mazdas.[10] In dem Yasna 36, 3 wird das Feuer mit dem Heiligen Geist gleichgesetzt, und in 37, 4 wird Ascha mit Feuer in Zusammenhang gebracht (vgl. 34, 4 und 43, 4. 9). So wurde das Feuer zum anerkannten Symbol für Ahura Mazda, und der Feueraltar diente als sinnenfälliger Mittelpunkt des zoroastrischen Gottesdienstes. Die nahe Verbindung von Feuer, Licht und Sonne erklärt zweifellos, warum in der Inschrift von Darius I. in Behistun Ahura Mazda durch ein konventionelles Sonnensymbol dargestellt ist.

Ein auffallender Zug der Gathas ist, daß darin eine Anzahl von Wesen (oder Wesenheiten, wie manche vorziehen) zu Ahura Mazda in naher Beziehung stehen. Sechs davon werden in 45, 10 zusammen mit Ahura Mazda genannt (vgl. 34, 11 und 47, 1): Armaiti („Frömmigkeit" oder „Rechtschaffenheit"), Ascha („Wahrheit" oder „Gesetz"), Vohu Manah („guter Geist"), Khschatra Vairya („Macht" oder „Königreich"), Haurvatat („Vollkommenheit" oder „Gesundheit") und Ameretat („Unsterblichkeit"). Ein anderes hervorragendes Wesen ist Spenta Mainya („Heiliger Geist"), das so wichtig ist,

---

[10] I. Gershevitch, The Avestan Hymn to Mithra (Cambridge 1959) 1: 3, S. 75.

daß ihm eine ganze Gatha (47) weitgehend gewidmet ist. In 47, 1 tritt ein weiteres auf: Vahischta Mana („Herrscher-Geist" oder „Höchster Gedanke"). Zwei von diesen Wesen, Gesundheit und Unsterblichkeit, erschienen als Ahura Mazdas Geschenke an die Menschheit. Die anderen sind Mittel oder Werkzeuge, durch welche Ahura Mazda in der Welt wirkt.

Erst in der nachgathischen Periode, namentlich in der Gatha der sieben Kapitel, erscheint der Ausdruck Amescha Spentas (möglicherweise „Freigebige Unsterbliche") und wird allgemein auf diese Wesen angewandt, aber auch hier wird seine Bedeutung nicht genau definiert. In 39, 3 scheinen die „Freigebigen Unsterblichen" vom „Guten Geist" unterschieden zu sein, was nahelegt, daß der Ausdruck zu jener Zeit unbestimmt war.

Im israelischen religiösen Denken gibt es Parallelen zu den Amescha Spentas. Jahwe wirkt oft durch seinen Geist (Ri 6, 34; Mi 3, 8; usw.); in Spr 8, 22—31 erscheint die Weisheit als Jahwes erste Schöpfung; in Ps 57, 4 und 85, 9—10 sind Güte und Treue, Gerechtigkeit und Friede beinahe personifiziert. Solche Ausdrücke müssen nicht nach einem verborgenen metaphysischen Sinn durchsucht werden. Sie dienen eher einem pädagogischen Zweck, als ein Versuch, dem Volk Israel Jahwe und seine Forderungen auf wirksame Weise vorzustellen. Die Vermutung, daß die Wesen oder „Wesenheiten", die in den Gathas vorkommen, eine ähnliche Rolle in bezug auf Ahura Mazda spielten, ist nicht von der Hand zu weisen.

b) Der Dualismus. Zoroaster lebte in einer Welt, worin viel Gegensätze zur Wahrheit, wie er sie begriff, herrschten, und an einem gewissen Punkt seines Lebens übernahm oder schuf er die Idee, daß alle die Übel, wogegen er kämpfte, durch die Ränke des Lügengeistes (Druj, ein Wort, das etwa zwanzigmal in den Gathas vorkommt) verursacht würden. Der Lügengeist ist Aka Mainyu, und in der Yasna 32, 3 werden die Daevas (Dämonen und falsche Götter) als Nachkommen dieses Geistes bezeichnet. Einmal wird in den Gathas die Lüge als die Feindliche (angra) erwähnt, und in der nachgathischen Periode wurde mainyu (Geist) darangehängt. So entstand der Ausdruck Angra Mainyu, der Vorläufer des Namens Ahriman. In 30, 8 wird verkündet, daß am „Welt-Ende" die Lüge in die Hände des Rechts (oder der Wahrheit) ausgeliefert und dadurch offenbar würde, daß die böswilligen Handlungen des Druj schließlich ein Ende nehmen müßten.

c) Die Eschatologie. Zoroasters Interesse umfaßte unter anderem das Ende des Menschenlebens und der Geschichte. In welchem Ausmaß landläufige Traditionen auf diesem Gebiet bestanden, können wir nur vermuten, aber wenn es welche gab, so hat Zoroaster wahrscheinlich seine eigenen Anschauungen dazu beigetragen.

(1.) Hinsichtlich des individuellen Lebensendes. Hier gebraucht Zoroaster die Vorstellung, daß der Tod einen auf die Brücke der Trennung *(Chinvat)* führt (46, 10—11; 51, 13). Möglicherweise war diese ein Bestandteil des religiösen Volksglaubens jener Zeit. Es scheint, daß Zoroasters Neuerung darin bestand, daß er das Überschreiten der Brücke zur Veranlassung eines moralischen Gerichts machte. Die Verurteilten werden alsbald ins Haus der Lüge weiterbefördert, einen Ort der Finsternis, des Elends, des Hungers und Wehgeschreis (31, 20; 53, 6; vgl. 45, 3). In 45, 7 und 46, 11 scheint es, daß sie dort für alle Zeiten bleiben müssen. Die, welche weise gewesen sind (46, 17) und in Übereinstimmung mit der Wahrheit gelebt haben (31, 2), werden für immer ins Haus des Gesangs eingehen (45, 7—8). In 30, 11 wird es die Wohnung des Guten Denkens, des Mazda und der Wahrheit genannt (vgl. 33, 3. 5 und 53, 4) und in 46, 19 der Lohn des andern Lebens.

Einige Einzelheiten im Zusammenhang mit der Brücke sind merkwürdig. In 46, 17 ist Ahura Mazda der Richter, doch Zoroaster selbst scheint anwesend zu sein. In 46, 10 spricht Zoroaster von einer Begleitung der Gläubigen über die Brücke. Moultons Interpretation von 31, 2; 33, 1 und 34, 1, wonach Zoroaster als Richter *(ratu)* auf der Brücke auftreten soll, scheint dem gegenwärtigen Autor anfechtbar.[11] In 43, 12 gibt es eine Anspielung auf gewisse himmlische Gestalten, Sraoscha und Aschi, die eine Rolle im Gericht spielen.

(2.) Das Ende des gegenwärtigen Zeitalters kommt in den Gathas vor, aber die Aussagen sind nicht immer eindeutig, denn es ist manchmal unsicher, ob die Anspielung dem Tod oder dem Ende der Welt gilt. In 43, 5 und 51, 6 handelt es sich um das Ziel der Schöpfung. In 30, 11 lesen wir: „Die lange Strafe für die Lügner und der

[11] Early Zoroastrianism, S. 118. 166.

Segen für die Gerechten — — — hernach sollt ihr Seligkeit erlangen." [12] Dies scheint sich auf eine Aera *nach* jener, die auf der Brücke des Gerichts ihren Anfang hat, zu beziehen. In 48, 2 drückt sich ein Glaube an den End-Sieg Aschas aus. Schon die Tatsache, daß eine von den Amescha Spentas die Unsterblichkeit ist, deutet darauf hin, daß ewiges Leben (wenigstens für die, die dessen würdig sind) ein Bestandteil von Ahura Mazdas großem Plan ist. Eine einmalige dunkle Anspielung in 30, 7 ist als Andeutung einer Art von leiblicher Auferstehung aufgefaßt worden, aber sie wird nirgends sonst in den Gathas näher ausgeführt. Ein komplizierender Faktor in alldem ist die Erwähnung einer Flut von geschmolzenem Metall oder Feuer (30, 7; 31, 19; 32, 7; 34, 4; 51, 9). Dies scheint ein geläufiger eschatologischer Begriff gewesen zu sein, den Zoroaster anwandte, aber wie er sich genau in seine anderen Anschauungen einfügte, ist nicht klar. Wir können nur annehmen, daß damit auf eine farbenreiche Weise ausgesagt wird, daß am Ende der Zeiten das Böse in der Welt vertilgt werden wird. Gelegentlich bezieht sich der Ausdruck *Saoschyant*, „Erlöser" (pl. *Saoschyants*), der sich in 45, 11 und 48, 9. 12 findet, auf Zoroaster oder seine Jünger, und in 34, 13 auf zukünftige Führer.

d) Früher Judaismus und früher Zoroastrismus

In der Periode, die wir betrachten, entwickelte sich die Religion Israels zum Frühen Judaismus. Welche Anfangsimpulse in dieser Richtung auch von den jüdischen Siedlungen in Babylonien gekommen sein mochten, so ist doch klar, daß es weitgehend palästinensische Juden waren, die die religiösen Traditionen hüteten und verbreiteten. Wie wir von Maleachi, Esra und Nehemia erfahren, kam langsam eine strengere Orthodoxie auf, und wir können vermuten, daß Anschauungen und Werte, die sich mit irgendeiner Form von nicht-jahwistischer Religion verbanden, mit Kälte aufgenommen worden wären. Wenn wir fragen: Hat der Zoroastrismus der achämenidischen Zeit die Juden beeinflußt?, so ist die ehrliche Ant-

---

[12] Ebd. S. 351.

wort einfach die, daß wir es nicht wissen. Wir wissen nicht, ob in
den Tagen der Meder iranische religiöse Ideen nach Westasien ge-
sickert waren oder ob einige von Zoroasters Lehren westwärts
getrieben sind. Wenn wir zur achämenidischen Periode kommen, so
wissen wir nicht, wie weit Zoroasters Ansichten, oder veränderte
Versionen davon, entweder in Mesopotamien oder an der Mittel-
meerküste bekannt waren. Ebensowenig wissen wir über den Eifer
der Magier in zoroastrischer Propaganda. Zeugnisse, wie sie in
achämenidischen Inschriften und im Alten Testament vorkommen,
lassen vermuten, daß die persischen Autoritäten in religiösen An-
gelegenheiten eine Politik des « laisser faire » befolgten. Von diesen
Überlegungen ausgehend müssen wir vorsichtig sein, wenn es sich
um den Einfluß des Zoroastrismus (in irgendeiner Form) auf den
Judaismus dieser Periode handelt. Für den gegenwärtigen Autor ist
es klar, daß die jüdischen literarischen Quellen dieser Zeit, die wir
in Abschnitt III/B geprüft haben, auch ohne Beziehung zu irgendeinem bekannten zoroastrischen Stoff voll verstanden werden
können.

IV. 300—165 v. Chr.

a) Judäas Geschichte

Alexanders des Großen Anfangseroberung des westlichen Asien
führte nach seinem Tod zu Kriegen unter seinen Nachfolgern, und
Palästina mit seinen Juden und Samaritanern litt unter diesem Zustand. Als Ptolemäus I. die Macht über Phönizien und Palästina
gewann und ein Jahrhundert ptolemäischer Herrschaft einleitete,
fing er tatsächlich an, die Juden dem Hellenismus auszusetzen, und
von da an war die hellenistische Kultur eine von den Realitäten der
Welt, in welcher Israel zu leben hatte. Die Ablösung der Ptolemäer
durch die Seleukiden, 199 v. Chr., änderte das politische und kultu-
relle Bild für die Juden nicht wesentlich. Erst die Thronbesteigung
des Antiochus IV., 175 v. Chr., störte das Leben in Judäa wirklich
und führte 167 v. Chr. zur makkabäischen Revolte.

b) Jüdische Literatur

Fünf Schriften, die unsere gegenwärtige Untersuchung betreffen, gehören in diese Zeit, nämlich Prediger, Tobit, das Buch Noah (Fragmente in äth Hen 6—11; 54, 7—55, 2; 60; 65—69, 25; 106 bis 107), Jesus Sirach und Daniel. Was sie beizutragen haben, soll unter vier Überschriften behandelt werden.

1. Das Gericht. Das Buch Noah handelt hauptsächlich von gefallenen Engeln, die ihren Lohn empfangen, und es führt die Anspielung auf den Tag des großen Gerichts in Hen 10, 6, der Asaels langer Haft an einem finsteren Ort folgt, nicht weiter. Jesus Sirach spielt auf Jesajas Aussagen von „letzten Dingen" und „dem Ende der Zeiten" an (48, 24—25), aber ein solcher Stoff war für die Schriftgelehrten in Jerusalem von begrenztem Interesse. Erst bei Daniel erfährt Gottes kommendes Gericht eine ausführlichere Behandlung: in Kap. 2 als die zermalmende Gewalt des übernatürlichen Steines; in Kap. 7 im lebhaft veranschaulichten Treffen des himmlischen Rates; in Kap. 8 als der Zusammenbruch eines berüchtigten griechischen Königs; in Kap. 9 als „das bestimmte Ende ... über den Übertreter"; in Kap. 12 als die Eröffnung des himmlischen Buches (vgl. 7, 10).

2. Die Engel, gute und böse, und die Dämonen. Da die Engel in der Eschatologie Israels zu verschiedenen Rollen gelangten, mag es nützlich sein, hier die Grundgegebenheiten über sie aufzuzählen.

Jesus Sirach scheint Engeln gegenüber gleichgültig gewesen zu sein. In 16, 7 verrät er einige Kenntnis der Tradition, daß die irrenden Engel und Riesen aus Gen 6, 1—4 gestraft wurden, aber er schmückt dies nicht aus, und in 42, 17 zeigt er die Grenzen der Engel in Jahwes Haushalt auf.

Andere Juden, die mit mehr Phantasie begabt waren, brauchten im wachsenden Corpus von Israels Schriften nicht weit zu suchen, um Anschauungsmaterial für die Komplexität der Engelwelt zu finden. Daß Jahwe von einem himmlischen Gefolge, das in die Zehntausende zählte, umgeben war, war eine alte hebräische Vorstellung (Dtn 33, 2; 1. Kön 22, 19; Jes 6, 1—7; Hi 1, 6 und 2, 1). Es war eine natürliche Voraussetzung, vielleicht in Analogie zu einem irdischen Hof, daß unter diesen Engeln Unterschiede bestanden, die vermutlich ihre Aufgabe betrafen, und Bestätigung dafür fand sich in den Hinweisen der Schrift auf den „Fürsten über das Heer des Herrn" (Jos 5, 14; vgl. Dan 10, 21), auf die Cherubim (Gen 3, 24), die Seraphim (Jes 6, 2), „den Engel seines Angesichts" (Jes 63, 9); sogar die mit Augen versehenen, geisterfüllten Räder in Ez 1, 15—21 sollten später die Ophannim werden (äth Hen 61, 10).

Die frühere Erwähnung des Satan in diesem Aufsatz als eines Engels von zweifelhaftem Ruf (1 Chr 21, 1) sollte uns erinnern, daß es im himmlischen Rat noch mehr von der gleichen Sorte gab. „Verderber-Engel" kommen in Ps 78, 49 vor (vgl. 2 Sam 24, 16—17 und 2 Kön 19, 35), und in Richter 9, 23 war ein böser Geist zur Hand, der von Gott mit einem Auftrag ausgesandt werden konnte (vgl. 1 Sam 18, 10 und 1 Kön 22, 21—22). Das abstrakte Substantiv „Heillosigkeit" konnte als „Heilloser" oder „Zerstörer" (Nah 2, 1; 2 Sam 23, 6; Hi 34, 18) gebraucht werden. Aber seine Anwendung auf einen von den bösen Engeln, woraus Belial oder Beliar wurde, findet sich erst später (Jub 1, 20).

Es ist das Buch Tobit, das zwei Hinweise von beträchtlichem Interesse liefert. Der erste betrifft einen mit Namen genannten Engel, Raphael (5, 4 und 12, 11—21). Die Tatsache, daß Raphaels Stellung und Rolle Tobit und seinem Sohn in 12, 14 beschrieben werden, mag bedeuten, daß dieser Engel den frommen Kreisen des Judaismus relativ fremd war. Der andere Hinweis im Buch Tobit gilt dem Dämon Asmodeus (3, 8; 6, 6—7. 15—17; 8, 1—3); dies zeigt einfach die Dämonologie der Welt, in der die Juden lebten.

Im Buch Noah tritt eine auffallende Vermehrung von benannten Engeln auf. Dies muß das Resultat der jüdischen Neigung sein, biblischen Stoff phantasievoll zu meditieren, ein Wesenszug, der zu einem späteren Zeitpunkt die Midraschim hervorbrachte. Der Abschnitt Gen 6, 1—4 war in so unbestimmte Sprache gehüllt, daß sie zur Ausarbeitung einlud, und diese finden wir im Buch Noah. Wir können annehmen, daß zuerst den gefallenen Engeln Namen gegeben wurden, und da waren für den Anfang Asasel und Satan zur Hand. Wirklich wird in äth Hen 9, 6 und 10, 8 Asasel für alle Sünde verantwortlich gemacht, obwohl anderswo im Buch Noah Semjasa (Semjasas) der Anführer der sündigen Engel ist (äth Hen 6, 3; 10,

11; 69, 2). Verzeichnisse seiner Genossen werden in 6, 7—8 und 69, 2—3 gegeben. Um eine Art Gleichgewicht zu erreichen, wurde offenbar für nötig befunden, auch einigen von den guten Engeln Namen zu geben. In 9, 1 werden Michael, Uriel, Raphael und Gabriel genannt. Ihre Aufgabe ist es, die Gebete der Menschen zu Gott zu bringen (9, 3). Michael und Uriel sind hebräische Vornamen (1 Chr 6, 9; Num 13, 13). Die beiden anderen mögen auch Menschennamen gewesen sein, oder sie sind nach einem hergebrachten Muster für die Absicht des Autors geschaffen worden. Im Buch Tobit erklärt Raphael, daß er einer von den Sieben ist, die Gebete übermitteln (12, 14; vgl. äth Hen 20, 1—8). Offensichtlich war die genaue Anzahl dieser führenden Engel unbestimmt.

In Dan 7—12 erscheinen Engel, deren Funktion im wesentlichen die gleiche ist wie in Sach 1—8: sie deuten die Visionen. Gabriel und Michael werden so eingeführt, daß man annehmen kann, die Benennung der Engel sei nun allgemein anerkannt.

3. Der Tod. Jesus Sirach übernimmt die gebräuchliche Vorstellung von der Scheol (10, 11; 14, 16—19; 41, 1—4). Prediger und Tobit sind es, die eine Änderung dieser älteren Anschauung bringen. In Pred 12, 7 erfahren wir, daß der Leib beim Tod zum Staub zurückkehrt, während der Geist zu Gott zurückkehrt (vgl. Ps 104, 29 und Hi 34, 14). Dies mag einschließen, daß das notwendige Richten im Leben selber vollzogen wird, in Erfahrungen von Glück und Unglück. Tob 3, 6 scheint den gleichen Gedanken zu vertreten. Das Buch Noah, das sich eingehend mit den widerspenstigen Engeln befaßt, hat wenig über den Tod menschlicher Wesen zu sagen. In äth Hen 60, 8 (Buch Noah) wird ein Garten erwähnt, wo die Auserwählten und Guten wohnen, und diese Vorstellung erscheint auch in 32, 3 und 77, 3, aber es werden keine Einzelheiten mitgeteilt.

In Daniel 12 sind die Verse 1—2, die wie das übrige Buch aus einer Zeit religiöser Krise in Judäa stammen, einmalig, indem sie von einer Auferstehung von den Toten sprechen, aber einer Auferstehung begrenzter Art. Die Auferstandenen (und diese werden nicht identifiziert) erfahren entweder ewiges Leben oder Schande und ewige Schmach. Solche Aussagen werfen zahlreiche Fragen auf, und wir können nur schließen, daß die Auferstehung eine relativ neue Vorstellung war, zum mindesten in den Kreisen, aus denen das Buch Daniel hervorging, und daß ihre volle Bedeutung und ihr Gehalt noch nicht verarbeitet waren.

4. Hoffnung auf die Zukunft. Das Buch Tobit gibt eine einfache Sicht in die Zukunft. Die Diaspora wird heimkehren (13, 5), die zukünftige Herrlichkeit Jerusalems wird mit verzeihlicher Übertreibung ausgemalt (13, 16—18), und sogar die Heiden werden den König des Himmels anbeten (13, 11 und 14, 6—7). Das Buch Noah zeigt im wesentlichen das gleiche Bild. Das künftige Zeitalter des Glücks, des Friedens und der Gerechtigkeit hat die Erde zum Mittelpunkt, und alle Menschenkinder werden daran teilhaben, denn alle Völker werden Gott anbeten (äth Hen 10, 16 bis 11, 2; 107, 1).

In Daniel ist das Hauptanliegen, was Gott in der Geschichte ausrichten wird, und in den Kapiteln 2, 7, 8, 9, 11 werden die weltlichen Geschehnisse in Westasien, die die Juden angehen, als das Vorspiel der erwarteten Tat Gottes angesehen. Es gibt hier keinen Kampf zwischen dem Gott Israels und einem kosmischen Antagonisten. Es sind weltliche Könige, die als Störenfriede auftreten. Nach dem Gericht (siehe 1 oben) soll das Königreich errichtet werden (2, 44—45; 7, 13—14. 27; 12, 1—3), aber die Angaben darüber sind sehr mager: in Kapitel 7 scheint es sich um ein irdisches Reich zu handeln. Es ist bemerkenswert, daß Gott der Handelnde ist, der das neue Zeitalter bringt, und daß er an keinen menschlichen Führer einen Anteil an diesem Werk delegiert.

c) Fremde Einflüsse auf die jüdische Eschatologie

Da in der Zeit, die mit Alexander begann, der Hellenismus seinen ersten ernsthaften Vorstoß in das Leben des Nahen Ostens machte, ist es klar, daß bei jedem Versuch, die nichtjüdischen Faktoren in der Eschatologie Israels bis zur Zeit Daniels festzustellen,[13] der Hellenismus in Betracht gezogen werden muß. Ein anderer Faktor, den wir vermuten könnten, ist die persische Religion, aber unglücklicherweise ist jede Untersuchung in dieser Hinsicht durch die Tatsache

---

[13] Siehe T. F. Glasson, Greek Influence in Jewish Eschatology (London 1961).

gehemmt, daß unsere Kenntnis des Zoroastrismus im späteren achämenidischen Reiche sowie in den seleukidischen und parthischen Zeiten sehr skizzenhaft ist. Gewöhnlich wird angenommen, daß die Magier die wahre Natur von Zoroasters Sendung verstanden und den Glauben mehr oder weniger rein erhalten haben und daß dank ihnen der Zoroastrismus im dritten Jahrhundert v. Chr. eine Wiederbelebung erfuhr. Aber die Magier waren eine gemischte Gesellschaft; einige wurden von Herodot als Magier und Traumdeuter beschrieben (I 107. 120. 140; VII 19. 113 usw.), während andere sich einen Teil der Lehre des Propheten aneigneten und sie mit babylonischer Magie und anderem Beiwerk vermischten.

Die einzige Form nach-achämenidischer persischer Religion, von der wir etwas wissen, ist der Mithraismus. Mithra war ein alter iranischer Gott, den Zoroaster in den Gathas vollkommen übergeht. Aber über Mithra konnte nicht so eigenmächtig verfügt werden, und, wie wir aus den achämenidischen Inschriften und dem avestischen ›Hymnus an Mithra‹ wissen, wurde er bald rehabilitiert, wobei einige von den Magiern sich aktiv an der Wiederbelebung beteiligten. Die Mithra-Verehrung in Kleinasien wird von Ctesias schon im vierten Jahrhundert v. Chr. bezeugt.[14] Es scheint der Mithraismus zu sein, den Strabo (Geog. XV 3. 13 f.) und Plutarch (Isis und Osiris, 46—47) beide beschreiben.

Obwohl Westasien in der Periode, von der die Rede ist, den Hellenismus und den Mithraismus beherbergte, war es auch mit einer Mischung von asiatischen und ägyptischen Kulten vertraut, die seit Alexanders Eroberungen Einfluß gewonnen hatten. Unter den beteiligten Göttern waren Serapis, Isis, Osiris, Atargatis und Kybele. Kurz, die religiöse Welt während dieser Jahrhunderte war außerordentlich verwickelt und das Einwirken eines Kultes auf den andern und eine starke Neigung zum Synkretismus machen das Aufspüren der Ideen und sogar der Praktiken fast unmöglich.

Dies war die religiöse Umwelt der palästinensischen Juden, und mit kleinen Varianten war es auch die Umwelt des babylonischen Judentums und der ägyptischen Juden. Obwohl die Juden, wo auch immer sie lebten, sehr wirksame Maßnahmen gegen das Übernehmen

---

[14] M. J. Vermaseren, Mithras the Secret God (London 1963), S. 21.

414 W. S. McCullough: Israels Eschatologie von Amos bis zu Daniel

heidnischer Praktiken entwickelt hatten (wie *Aboda Zara* in der Mischna bezeugt), konnten sie sich nicht vollkommen von der heidnischen Gesellschaft absondern. Ein Beispiel dafür, was sich abspielte, ist die Bereicherung des jüdisch-aramäischen Vokabulars durch zahlreiche griechische und lateinische Wörter. Ferner, obwohl die Tatsache, daß Israel dem Heidentum ausgesetzt war, ihm ein neues Bewußtsein seiner eigenen Quellen und Werte erweckt haben mag, lag eine Gefahr in dieser Gegenüberstellung, und es ist ein Wunder, daß die Juden als eine gesonderte religiöse Gemeinde überlebten. Einer der Gründe, warum sie überlebten, war, daß ihr ganzer Lebensstil weitgehend auf der Hoffnung und dem Glauben beruhte, die in ihrer Eschatologie Ausdruck fanden. Daß sich heidnische Elemente und uralte Mythen in diesen eschatologischen Schriften finden, kann nicht geleugnet werden. Aber es ist der Kehrreim dieses Beitrages, daß alle wirklich wichtigen Züge dieser Eschatologie, wenigstens bis zu Daniel, durch sorgfältiges Erforschen von Israels eigenen Traditionen auf durchaus befriedigende Weise erklärt werden können.

Evangelische Theologie, 32 (1972), S. 97—118.

MYTHOS UND TRANSZENDENZ

Paradigmen aus dem Alten Testament

Von Hans-Peter Müller

Die theologische Frage nach Recht und Grenze des Mythischen gegenüber der Offenbarung, negativ formuliert die Frage nach Grund und Regel einer Entmythisierung der Offenbarungsbotschaft, wurde bislang vorwiegend im Blick auf das Neue Testament gestellt. Da Verkündigung, Glauben und Handeln der Kirche christusbezogen sind, schien es zunächst dringend, auf die Differenz der Denk- und Vorstellungsformen der neutestamentlichen Schriftsteller und ihrer modernen Leser einzugehen, um zu einer beiden entsprechenden Interpretation der Christusbotschaft zu gelangen. Die gleichzeitige Diskussion unter den Alttestamentlern verblieb dagegen vorwiegend im Bereich des Fachwissenschaftlichen, ohne die systematische Frage nach den Verstehensbedingungen und dem Verstehensvollzug des biblischen Kerygma immer wesentlich zu befruchten. Dazu schien die Nötigung, Kriterien einer entmythisierenden Interpretation des alttestamentlichen Glaubenszeugnisses selbst zu gewinnen, viel weniger dringend. Und so übersah man, daß das Alte Testament dem lebendigen Mythos noch relativ nähersteht, obwohl natürlich auch Israel nicht mehr zu den Mythen schaffenden Völkern zählt, ja sogar den Mythos im Vollsinn seines ursprünglichen Lebens fast völlig überwunden hat. Immerhin aber zwingt das Alte Testament dazu, bei der Erörterung der Frage nach Recht und Grenze des Mythischen gegenüber der Offenbarung einen Mythosbegriff von möglichst großer religionsgeschichtlicher Lebensfülle zugrunde zu legen. Bei der Vielzahl seiner Beziehungen zu den Religionen des alten Vorderen Orients liegt es dabei nahe, Voraussetzungen und Funktionen des Mythos mittels einer phänomenologischen Typologie zu erfassen, die ihr Material zugleich auch von außerhalb des Alten Testaments bezieht.

I

1. Voraussetzung für die Ausbildung des Mythos ist das Widerfahrnis begegnender *Macht* in Natur und Geschichte: in Berg, Baum
und Quelle, aber auch in Gestalten wie denen des Königs, des Prie-
sters und des Magiers treten dem Träger eines urtümlichen Daseins-
verständnisses Mächte gegenüber, die ihn zugleich erschrecken und
anziehen.[1] Wunder sind allgegenwärtig. Je mehr sich dabei das Bewußtsein an der Zeit orientiert, um so eher ergibt sich Veranlassung,
den Mächten auch bei der Zukunftsgestaltung Rechnung zu tragen.
Ist Zukunft im Bereich des geschichtlichen Lebens der einzige Raum
möglicher Freiheit, so sieht sich, wer Zukunft zu gestalten sucht, gerade in ihr von numinosen Mächten beschränkt, aber auch vor große
Möglichkeiten gestellt. Der Allgegenwart des Wunders entspricht
darum ein Universum magischer Praktiken, die die Mächte für die
Zukunft abwehren oder in Dienst nehmen wollen, letztlich um die
Welt zu verbessern.[2]

Zwar findet sich Macht, wie sie begegnet, potentiell auch im Menschen selbst, so daß Objekt und Subjekt als Wirkensbereiche der
gleichen Macht ineinander überzugehen vermögen; doch kann dieselbe Daseinsorientierung an der Macht auch beide auseinandertreten
lassen. Der Mensch fühlt sich unterlegen oder überlegen; je stärker
ihn eins dieser Gefühle bestimmt, um so größer wird seine Fremdheit gegenüber der Wirklichkeit. Aber die Differenz ist nicht nur
quantitativ; der Mensch erkennt an sich selbst Bestimmungen, die
sich vom Gefühl bloßer Machtdifferenz her nicht begreifen lassen.
Sobald ein erstes Personbewußtsein aufdämmert, findet das Selbst
nicht nur in der Welt kein Analogon; es entdeckt, daß es nach seiner
Vorfindlichkeit hinter seinen Möglichkeiten zurückbleibt.[3] Sind

---

[1] Zum Begriff der Macht G. van der Leeuw, Phänomenologie der Religion, [2]1956, S. 3 ff.

[2] Zum Mirakel im Ritus als Weltveränderung bzw. Weltverbesserung
K. Goldammer, Die Formenwelt des Religiösen, 1960, S. 221 f.

[3] Als der Enkidu des Gilgameschepos durch das Zusammen-Sein mit der
Dirne zum Bewußtsein seiner selbst kam, wandte sich das ihm vorher so
vertraute Wild von ihm ab (I 4, 23 ff.); denn „er hatte nun Wissen; er begriff" (29), und in der daraus entspringenden Einsamkeit „sehnte (er) sich

Würde und Geltung der menschlichen Gestalt genügend fundiert, um sich gegenüber dem Amorphen der Wirklichkeit zu behaupten? Ist der eigene Wille mächtig genug, den Mächten der Wirklichkeit standzuhalten? In dem Maße, wie wir unseres Person-Seins innewerden, trennen sich Natur und eigene Geschichte von uns.

2. Dieser Not sucht der Mythos zu steuern, indem er an den Mächten in Natur und Geschichte eine Gestalt, einen Willen, einen Namen und ein Schicksal erkennt, die denen des Menschen analog sind.[4] Gestalt, Wille, Name und Schicksal machen aus den Mächten personhafte Götter, die als Mittlerinstanzen den Abgrund von Wirklichkeit und Selbst überbrücken. Die Götter verkörpern zugleich die Mächte der Wirklichkeit und das Person-Sein des Selbst; in ihnen sind Objekt und Subjekt beieinander. An ihnen genießt der Mensch die Einheit seiner Möglichkeiten mit seiner Wirklichkeit in scheinbar unwiderruflicher Vollendung.

Die *Gestalt* der Götter ringt sich nur langsam aus denen kaum geformter machttragender Gegenstände los.[5] Die Tiergestalt eines Gottes läßt eher noch einmal die Überlegenheit und Fremdheit begegnender Macht empfinden, obwohl bereits das Organische der Gestalt ein Element der Vertrautheit in sich trägt. Erst in der Menschengestalt des Gottes ist der — freilich wohl ein wenig subjektivere — Wiedergewinn von Natur und Geschichte als Heimat des Menschen besiegelt; sie entspringt dem festlichen Augenblick einer Integration von Wirklichkeit und Selbst, der Ewigkeit will, weil er aus der Ewigkeit zu stammen meint. Nun hört der Mensch nicht mehr nur den Strom des Geschehens, der ihn jeden Augenblick wieder an das Ufer seiner Isolation werfen kann; er sieht im menschlichen Gott

---

nach einem Freunde, der sein Herz verstand" (40 f., zitiert nach H. Schmökel, Das Gilgameschepos, 1966, S. 31 f.). Adam und Eva erfahren, da sie vom Baum des Erkennens gegessen, das humane Proprium im negativen Modus der Nacktheit, eine Erfahrung freilich, die sie zugleich einen Schritt weiterbringt; der Mythos sagt: sie machen sich Kleider (Gen 3, 7).

[4] Zu der Sequenz Macht — Wille und Gestalt vgl. van der Leeuw, a. a. O. S. 3 ff. 77 ff.

[5] Die Aschera etwa ist einfach ein auf dem Kultplatz errichteter Holzpfahl; vgl. V. Maag, BHH I, 1962, Sp. 137.

zugleich den Ursprung und Garanten einer ihm selbst gemäßen Wirklichkeit. In der schönen Menschengestalt der griechischen Götter schließlich, die allermeist von einzigartiger Geschlossenheit, gleichsam Gestalten aus einem Wurf sind, wird diese Gemäßheit zum idealen Triumph sowohl der Welt, als auch des Menschen, wenn der Triumph auch sofort die den Mythos hervorbringende Spannung erschöpft.

Eigentlich personenhaft aber ist die Gestalt erst da, wo sich zu ihr ein *Wille* gesellt. Gestalt und Wille aber werden im *Namen* faßbar: durch ihn läßt die Gestalt sich beschwören, der Wille sich anrufen. Allerdings ergibt sich damit zugleich auch die verhängnisvolle Möglichkeit, den Namen zu mißbrauchen, d. h. die Souveränität der Gestalt in der Beschwörung zu verkennen und die Macht des Willens im Anruf zu übergehen, obwohl die Gestalt des Gottes dessen Macht vor dem Zugriff des Menschen schützen und der Wille des Gottes dem Willen des Menschen bleibend gegenüberstehen wollen.

Schließlich haben die mythischen Götter wie die Menschen ein *Schicksal*, was den Mythos dem Bereich der Erzählung und somit der Dichtung näherückt: Götter werden geboren und sterben, freien und schenken Göttern wie Halbgöttern Leben; sie fügen einander Nutzen und Schaden, ja sogar den Tod zu.[6] Macht, Wille und Gestalt der

---

[6] Eine farbige Illustration bietet etwa der altbabylonische Atramhasīs-Mythos. Er beginnt in einer Zeit, „als die Götter (auch noch) Mensch waren". Damals mußten sie nicht nur körperlich hart arbeiten; sie litten auch unter der Last. Schließlich sucht die stärkere Göttergruppe der Anunnaku die Arbeit auf die schwächere Minderheit der Igigu abzuwälzen, bis diese in den Streik treten und die Absetzung Enlils, des Führers der Anunnaku, beschließen. Als die Menschen geschaffen werden sollen, um die Götter von der Fron zu befreien, muß man dazu einen der Götter schlachten. Da es den Menschen gibt, scheidet zwar das Allzu-Menschliche aus dem Wesen der Götter aus; insbesondere nach der Sintflut vertieft sich die Kluft zwischen Göttern und Menschen. Ganz ausgetilgt aber wird die verwandtschaftliche Nähe von Gott und Mensch auch jetzt nicht: „Der weitblickende Enki/Ea . . . faßt beizeiten ins Auge, daß aus der Differenzierung von Gott und Mensch nur dann Heil erwachsen könne, wenn die daraus erwachsenen Gegensätze auf einer höheren Ebene wieder integriert werden. Daher verhinderte er . . . die völlige Vernichtung der Menschen und

Götter setzen sich gegeneinander und gegenüber dem Nicht-Gött-
lichen durch; was im Namen des Gottes als dessen Wesen begriffen
ist, entfaltet sich im mythischen Götterschicksal. Entsprechend lockt
der Mythos das Interesse seiner Hörer von den göttlichen Personen
fort zu den Ereignissen, in denen sich deren Person-Sein konstituiert
und bewährt.

3. So vermitteln die Schöpfungen des Mythos die Wirklichkeit in
einer Weise an den Menschen, die der *Struktur* seines personalen
Daseins und damit den tiefsten Wünschen, die in dieser Struktur
gründen, entspricht. Sofern die Wirklichkeit in den Gestalten der
mythischen Götter dem Menschen auf sein personales Fragen ant-
wortet, hört sie noch einmal auf, Fremde zu sein[7]; zugleich bewahrt
sie mittels der Götter — in der Partikularität und Pluralität ihrer
jeweiligen Machterscheinung — eine Weise des Subjekt-Seins gegenüber dem Menschen.

4. Gestalt, Wille, Name und Schicksal der Götter konstituieren
sich in der dem Mythos eigenen *Zeitdimension,* der Urzeit nämlich
als Zeit eines *primum actum,* das alle folgenden *acta* bereits in sich
beschließt und ihnen somit den Inhalt vorzeichnet. Insofern ist jeder
Mythos ätiologisch. Was „damals" geschah, läßt sich nicht überbieten; alles Fortschreiten kann bestenfalls in seiner Wiederherstellung
nach vorübergehender chaotischer Dekomposition bestehen. „Gerade
das, was allgemein, aber im Vielfachen stätig ist, faßt die Mythe in

schuf so die Voraussetzungen dafür, daß später die Götter sich den Menschen väterlich und mütterlich zuwenden konnten und die Menschen den
Gottesdienst durch Gebet und Opfer als nie aufhörende Verpflichtung auf
sich nahmen" (W. von Soden, Orientalia 38, 1969, S. 415 ff., bes. 428).

[7] Praktisch erreicht der Mythos die Beheimatung des Menschen in der
Wirklichkeit zumeist mit dem Mittel der Kosmogonie. „Es ist charakteristisch, daß der Mensch sich in der Schöpfung, im Weltwerden selbst wieder-
finden möchte. Das ganze gewaltige kosmogonische Drama endet dann gelegentlich in einer deutlichen Exteriorisation der Probleme des Menschen:
um ihn geht es im Grunde in der Welt"(Goldammer, a. a. O. S. 434). Am
weitesten geht die Integration des Menschen in den Kosmos, wenn dieser
selbst zum Urmenschen (Makroanthropos) wird, eine Anschauung, die im
Hintergrund von Dan 2 zu stehen scheint.

einem eiligen Sich-Ereignen, in einem plötzlich eintretenden, unab-
weisbaren Geschehen: es springt zutage, es entspringt."[8] Eine Differenz von einst und jetzt im Sinne der erstreckten Zeit wird nicht
einsichtig. Ritus und Kultus, in denen der agierende Mensch dem
primum actum jeweils noch einmal Gestalt verleiht, suchen das
Wirksamwerden dieser Differenz ja gerade auszuschalten; sie garantieren die ständige Wiederherstellung des primum actum zum Heil
der Gemeinschaft, die sich auf den Mythos vom primum actum als
auf ihren Existenzgrund beruft und darum die Institutionen zu
schaffen bemüht ist, welche diesen als ihr „heiliges Gemeinsames"
wirksam erhalten sollen.[9] Zufällige Geschichtsereignisse, ja sogar
Revolutionen werden auf das Maß einer Wiederherstellung des
idealen Urzustandes zurückgeschraubt; insofern ist die mythische
Wirklichkeit nicht unbegrenzt verbesserbar.[10] Alle Spannung, die
regelmäßig wiederkehrendes oder kontingentes Geschehen in der
Gegenwart oder Zukunft auslösen könnte, ist bereits ein für allemal
durch die universale Dramatik des primum actum und durch die
Entscheidung, die es herbeigeführt, außer Kraft gesetzt.

[8] A. Jolles, Einfache Formen, [4]1968, S. 113.

[9] Zum Begriff des „heiligen Gemeinsamen" vgl. van der Leeuw, a. a. O.
S. 269 ff. 282 ff. u. ö.

[10] So wird etwa im alten Ägypten niemals der Anspruch erhoben, etwas
grundsätzlich Neues zu schaffen; gern dagegen rühmt sich der König, etwas
geleistet zu haben, das seit der Urzeit nicht geleistet worden ist, oder etwas
(z. B. einen Tempel) wiederhergestellt zu haben, wie es in der Urzeit gewesen ist (H. Brunner, Zum Zeitbegriff der Ägypter, Studium generale 8,
1955, S. 584 ff.). Ägyptische Dynastiegründer wie Amenemhet I und Sethos
I nannten sich darum „Wiederholer der Geburt"; letzterem kommt dabei
zugute, daß sein Regierungsbeginn mit einer neuen Sothisperiode zusammenfällt (K. Sethe, Sethos I und die Erneuerung der Hundssternperiode,
ZÄS 66, 1930, S. 1 ff.). Für Ramses XI begann die Ära „Wiederholung der
Geburt" mit seinem Versuch, den Zerfall des Reiches noch einmal ener-
gisch aufzuhalten (E. Otto, Altägyptische Zeitvorstellungen und Zeitbegriffe, Welt als Geschichte 14, 1954, S. 135 ff.).

II

Mythos in dem so bezeichneten Sinne scheint dem Geist der biblischen Offenbarungsreligion stracks zuwiderzulaufen; in bezug auf
deren nächste Intentionen ist dieser Gegensatz sogar über jeden
Zweifel erhaben.

1. War das Widerfahrnis begegnender *Macht* Voraussetzung für
die Ausbildung des Mythos, so stellt Jahwe demgegenüber nicht eine
von vielen mythischen Mächten, sondern die von den Mächten der
welthaften Wirklichkeit grundsätzlich unterschiedene Macht dar; die
Einzigartigkeit seiner Macht bedingt die Einzigkeit seines göttlichen
Person-Seins.

a) Solche Einzigartigkeit und Einzigkeit werden zunächst daran
deutlich, daß Jahwes Kommen und Eingreifen in die Geschichte für
das Bewußtsein der davon Betroffenen endgültige und universale
Wirkungen hervorrufen. Vom Ort und Zeitpunkt seines Kommens
und Eingreifens erstrecken sich die Wirkungen im Blick auf die Zukunft ins räumlich und zeitlich Unbegrenzte.

Bereits der psalmistische Rahmen des Deboraliedes[11], das den Sieg
einer israelitischen Koalition gegen deren kanaanäische Gegner fei-
ert, läßt auf das Kommen Jahwes von Edom her einen geradezu universalen Aufruhr der Natur folgen, an dem die vier Weltdimen-
sionen — Erde und Himmel, Wolken und Berge — ihren Anteil
haben (Ri 5, 4 f.):

> Jahwe, als von Seir du auszogst
> und schrittest von Edoms Gefilde,
> da bebte die Erde, auch troffen die Himmel,
> auch troffen die Wolken von Wasser.
> Berge sanken[12] vor Jahwe, dem vom Sinai[13],
> vor Jahwe, Israels Gott.[14]

[11] Zur schrittweisen Entstehung des Deboraliedes vgl. meinen Aufsatz:
Der Aufbau des Deboraliedes, VT 16, 1966, S. 446 ff.

[12] Zu נזל „sinken" vgl. arab. *nazala* „absteigen, fallen, sinken" u. ä.
(E. Lipiński, Bibl. 48, 1967, S. 185 ff., bes. 195).

[13] Zu יהוה זה סיני Lipiński, a. a. O. S. 198 f.

[14] Weitere Beispiele für die universalen Auswirkungen des Kommens
Gottes in der Sprache des Gotteslobs sind Ps 18, 8. 16; 68, 2 f.; 114, 3—6;

Mit dem Ende des Kampfes aber ist für alle Zeiten über Israels Feinde entschieden (V. 31):

> So werden umkommen all' deine Feinde, Jahwe,
> doch die dich lieben, sind wie der Ausgang
> der Sonne in ihrer Heldenkraft.[15]

Der Universalität der Wirkungen von Jahwes Kommen und Eingreifen aber entspricht die Bewegung des darauf antwortenden Gotteslobs: es muß seitens der Geretteten ewig währen (Ps 34, 2), vor allen Menschen geschehen (18, 50 f.) und alle Menschen mit ergreifen (22, 28. 30 f.).[16]

Das Wirksamwerden der Macht Jahwes konstituiert für die Betroffenen allemal ein ἐφάπαξ; Jahwes Macht ist die Macht schlechthin. Damit wird der Ungegenständlichkeit seines Kommens und Eingreifens Rechnung getragen, die in der Transzendenz des kommenden und eingreifenden Gottes gründet.

b) Das Theologumenon von Jahwe als Schöpfer stellt diese Motive in den weiteren Horizont der Wirklichkeitserfahrung überhaupt. Zwar wird von Jahwe als Schöpfer, soweit wir sehen, erst auf Grund einer Integration entsprechender Anregungen aus der kanaanäischen Mythologie gesprochen.[17] Aber dieses Reden ist doch zugleich auf dem Boden der Jahwereligion zu einer spezifischen Ausprägung und

---

Judith 16, 16 a (vgl. Jes 63, 19 b; 64, 1; Ps 144, 5). Einzelerörterung in meinem Buch: Ursprünge und Strukturen alttestamentlicher Eschatologie, 1969, S. 16 ff.

[15] Weitere Beispiele für die universalen Auswirkungen des Eingreifens Gottes sind Verallgemeinerungen im berichtenden Lob wie Ex 15, 6 f.; Ri 5, 19; Ps 9, 6 f. (16—19); 18, 44. 46 und Ri 5, 31 entsprechende Ausblicke in die Zukunft wie Dtn 33, 29 b; Ps 10, 17 f.; 40, 12; 41, 13; 124, 8; 129, 5—8 a; 138, 7 f.; Judith 16, 16 b. 17 b. 18. Einzelerörterung in: Ursprünge und Strukturen, S. 20 ff.

[16] Weitere Beispiele für die universale Ausweitung des Lobes Gottes in: Ursprünge und Strukturen, S. 26 ff.

[17] V. Maag, Alttestamentliche Anthropogonie in ihrem Verhältnis zur altorientalischen Mythologie, Asiatische Studien 9, 1955, S. 15 ff. leitet mit guten Gründen Elemente von Gen 2, 4 b ff. aus dem „Mythenschatz einer alten Pflanzerkultur der Oase" her (S. 22 f.), rechnet aber gleichwohl mit einer Übermittlung des Stoffes durch die Kanaanäer (S. 18 f., 26 f.).

zu einer ungeahnten Fruchtbarkeit gelangt. Denn es konnte zeigen, daß nicht nur alle Macht *über* die Wirklichkeit in Jahwe ist, sondern auch alle Macht *in* der Wirklichkeit von ihm ausgeht; wenn es sein muß, kann er darum auch alle wirkliche Macht überwinden. Damit aber wird er der Pluralität welthafter Mächte radikal entnommen.

2. Ist die Transzendenz Jahwes in dieser Weise ernst genommen, so wird freilich seine *Gestalthaftigkeit* problematisch. Denn gerade die Gestalthaftigkeit sondert die mythischen Gottheiten von anderen Gestalten und Mächten; in ihr liegt der Ermöglichungsgrund für die Begrenzung ihres Wirkraums und die Pluralität der göttlichen Personen; sie erlaubt es, eine Macht der anderen zuzuordnen. Gestalt und Allmacht schließen einander aus, wie Gestalt und Einzigkeit einander ausschließen. Das Fremdgötterverbot bedarf darum des Bilderverbots neben sich.

Die gleiche Problematik betrifft die übrigen Merkmale göttlichen Person-Seins. Zwar hat Jahwe wie die mythischen Götter einen *Willen* und einen *Namen*,[18] aber er hat kein *Schicksal*. Seinen Namen mißbrauchen heißt zwar auch ihm gegenüber, die Souveränität seiner Gestalt und die Macht seines Willens verkennen; es heißt aber darüber hinaus, ihn einem Schicksal unterwerfen, dem er nach der Allmacht seines Willens gar nicht unterworfen werden kann.[19] Sein Wille gegenüber der Welt ist von solcher Aktivität, daß er das passive Moment eines ihm widerfahrenden Schicksals ausschließt.

3. Geht es dem Mythos darum, den Abgrund zwischen Wirklichkeit und Selbst mittels seiner Schöpfungen zu überbrücken, so will es der Jahweglaube dem Menschen geradezu verwehren, selbstver-

---

[18] N. Söderblom (Das Werden des Gottesglaubens, 1916, S. 308 ff.) nannte Jahwe insofern zu Recht einen animistischen Gott.

[19] H. W. Wolff (Jahwe und die Götter in der alttestamentlichen Prophetie, EvTh 29, 1969, S. 397 ff., bes. 400) zeigt mit Hinweis auf die Deutung des Jahwenamens durch W. von Soden (Jahwe „Er ist, er erweist sich", Welt des Orients 3, 1966, 176 ff.), „daß der Gott Israels ... schon in seinem Namen von den Götternamen der Umwelt unterschieden wird und darum auch nicht auf konkrete Naturmächte, Geschichtsgrößen oder Urfunktionen in der Welt hinweist. ... So wird Jahwe nur durch sich selbst definiert. In diesem Sinne sprechen wir von dem unvergleichlich Wirksamen" (400).

gessen ins All der Wirklichkeit zurückzukehren. Denn es ist der
schlechthin transzendente Gott, der Israel *aus* der Welt zu sich
gerufen hat; darum kann Israel *in* der Welt bestenfalls in gebroche-
ner Weise Heimat finden. Auch der Zeitablauf bringt Israel keine
wachsende Integration in die Welt. Wer von Jahwe angeredet ist,
empfängt sein Person-Sein als Abhängigkeit von dem Anredenden
und als Freiheit gegenüber der Welt; seine Geborgenheit hat er
— auch gegenüber der Ungewißheit bzw. dem manifesten Nichts
seiner Zukunft — zunächst nur als Partner dieses Gottes, nicht etwa
darin, daß er wiederum in einen geschlossenen Kreis der Wirklichkeit einkehrt. Ist die Wirklichkeit nichts als Kreatur, so scheint sie
ihr Subjekt-Sein gegenüber dem Menschen ganz an den Schöpfer
abtreten zu müssen.

Das Verhalten, welches dieser Dialektik der menschlichen Situation
entspricht, hat, soweit wir sehen, zuerst Jesaja[20] mit dem Begriff
des Glaubens umschrieben; das Glauben steht dabei im Gegensatz
zum Kreisen-Lassen der Feste, das keine Hilfe bringt (Jes 29, 1).
Nicht Ritus und Kultus, die die Entscheidung eines mythischen
primum actum ex opere operato wiederholen, lösen die Spannungen
gegenwärtigen In-der-Welt-Seins, sondern die Glaubensentscheidung, die die eigene Gestalt als Gesetzt-Sein, das eigene Wollen als
Empfangen-Wollen, den eigenen Namen im Angerufen-Sein und
das eigene Schicksal am Ort des Kommens und Eingreifens Gottes
erfährt.

4. Die *Zeitdimension* des Glaubens ist dann das jeweilige Jetzt
solchen Kommens und Eingreifens bzw. seiner Vergegenwärtigung,
wenn sich die Betroffenheit von diesem Geschehen im Gotteslob ausspricht. Werden von den Wirkungen des Kommens und Eingreifens
Gottes für das Bewußtsein der Betroffenen die Kategorien des
gegenständlich Begrenzten durchbrochen, so verzichtet der Glaube
im Letzten auf gegenständliches Schauen, und der Gehorsam erschöpft sich im bloßen Hören auf den Anruf. Wenn das Kommen
und Eingreifen Gottes gegenwärtig ausbleiben, richtet sich die

---

[20] So R. Smend, Zur Geschichte von האמין, in: Hebräische Wortfor-
schung. Festschrift zum 80. Geburtstag von W. Baumgartner, 1967,
S. 284 ff.

Betroffenheit als Erwartung in grundsätzlich gleicher Weise auf den zukünftigen Zeitpunkt seines abermaligen Kommens und Eingreifens.

III

Dennoch kennt auch die Bibel ein relatives Recht des Mythischen. Überall in ihr begegnen mythische Einzelmotive; innerhalb der Religionsgeschichte Israels scheint die Freiheit zur Apperzeption mythischer Motive in dem Maße, wie die Gefahr manifesten Abirrens zum Heidentum abnimmt, sogar größer zu werden. Worin gründet dieses Recht, das den nächsten Intentionen der biblischen Offenbarungsreligion so genau entgegenläuft? Welcher Art ist die letzte Intention, die die Möglichkeit des Mythischen mit umgreift?

1. Zwar ist Jahwes *Macht* von den mythischen Mächten grundsätzlich unterschieden; aber sie wird doch zugleich in Auseinandersetzung mit den Mächten der welthaften Wirklichkeit tätig. Indem Jahwe für Israel und gegen dessen konkrete Feinde eingreift, setzt er sich der Kraft des Gegenständlichen aus, der zwar im Gegenüber zu ihm jeder numinose Glanz abgeht, die aber als brutum factum Bestand behält. Das ungegenständliche Kommen und Eingreifen Jahwes geschieht in bezug auf Gegenstände; an der Kraft des Gegenständlichen sucht Jahwe das seiner Transzendenz Entgegenstehende. Anders würde sich die Präsenz seiner Transzendenz zum bloßen punctum mathematicum verdünnen; erst an dem, was ihr entgegensteht, hat sie zeit-räumliche Erstreckung und damit Anteil an der Wirklichkeit, so daß das Reden von ihr einen konkreten Inhalt gewinnt. Vom Kommen und Eingreifen Jahwes kann nun berichtet werden. Insofern die Transzendenz den geschlossenen Kreis immanenter Wirklichkeit durchbricht, darf in solchem Bericht das Element des Wunderbaren nicht fehlen. Aber das Wunder ist dabei nur Zeichen für etwas Umfassenderes: die Präsenz der Transzendenz in Zeit und Raum eröffnet die relative Möglichkeit mythischer Rede; diese setzt die Macht Jahwes in ein Verhältnis zu den innerweltlichen Kräften in Natur und Geschichte, die ihr entgegenstehen.

a) Das für das Bewußtsein der Betroffenen endgültige und universale Kommen und Eingreifen Jahwes wird, wenn die Betroffenheit der nüchternen Betrachtung weicht, als durchaus vorläufig und wirkungsbegrenzt erkannt. Trat das Endgültige an partikularer Wirklichkeit in Erscheinung, so droht die Partikularität des Mediums die Endgültigkeit des Erscheinens unwiderruflich zu verzehren; mit der Präsenz der Transzendenz Gottes in Raum und Zeit ist die Möglichkeit ihrer Aufhebung gesetzt. Jenseits der Betroffenheit wird die Niederlage spürbar, die in der gegenständlichen Erfüllung jeder Erwartung lauert. Geht es dabei vollends um die Enttäuschung einer Erwartung, die sich auf die Transzendenz als das Nichts der Wirklichkeit richtete, so ist die Niederlage um so schwerer, als nun die Transzendenz vor der Gegenständlichkeit der Wirklichkeit zurückweicht. In dem Maße, wie sich das Kommen und Eingreifen Gottes in gegenständlicher Partikularität objektiviert, erscheint — im Sinne des Bultmannschen Mythosbegriffs — „das Unweltliche, Göttliche als Weltliches, Menschliches, das Jenseitige als Diesseitiges" [21], bis sich sein Transzendenzgehalt verflüchtigt und schließlich ganz verlorengeht. Die kultische Vergegenwärtigung mag zwar das vergangene Kommen und Eingreifen Gottes ex opere operato wieder herbeischaffen; es sanktioniert damit aber nur die Festzeit und das Heiligtum als partikulare Zeit- und Raumbereiche von gesteigerter Heiligkeit, als ob sich die zeit-räumliche Präsenz von Transzendenz hier gegenständlich festhalten ließe. Die Heilsgeschichtskonzeptionen der großen alttestamentlichen Geschichtswerke bewerkstelligen die Objektivation des Gotteshandelns mittels der linearen Zeitstruktur: verschiedene einzelne Heilsereignisse, die je für sich ihren absoluten Anspruch eingebüßt haben, werden nun in einer Reihe miteinander verbunden; insbesondere, wenn das Ziel der heilsgeschichtlichen Ereignisreihe in der Vergangenheit gesucht wird, tritt, wer das Ziel lange hinter sich hat, nolens volens in die Rolle des Betrachters, der überschaut und ordnet, dabei aber zugleich relativiert und schließlich entleert. [22]

---

[21] R. Bultmann, Neues Testament und Mythologie, in: Kerygma und Mythos I, [2]1951, S. 22, Anm. 2.

[22] Einzelerörterung zur kultischen Vergegenwärtigung und zu den alttestamentlichen Heilsgeschichtsentwürfen in: Ursprünge und Strukturen, S. 38 ff. 49 ff.

Ist die Vergegenständlichung des Handelns Gottes so weit fort-
geschritten, daß Kult und Heilsgeschichte selbst heillos werden und
das Vertrauen auf sie als falsche Sicherheit zu gelten hat, so wird
der Selbstentzug des transzendenten Gottes als negativer Modus
seiner Präsenz wieder zu einem Geschehen von äußerster präsen-
tischer Dichte. In der Bilderwelt der prophetischen Unheilsankündigungen kommt dieser Selbstentzug erneut in mythischer
Sprache zur Geltung. Entsprechend veranschaulichen die Unheilsankündigungen am Ende des Völkerspruchzyklus und des Visionen-
zyklus des Amos (2, 13—16; 9, 1—4) das kommende Gericht nicht
im Horizont politischer Möglichkeiten, sondern stellen es als
Epiphanie des zornigen Gottes in einem Erdbeben dar. Ebenso sieht
Jesaja im Heer der gegen Jerusalem andringenden Assyrer Jahwe
selbst seine eigene Stadt belagern (29, 1); zu den mythischen
Farben des alten heiligen Krieges gehört es, wenn Jahwe sich gegen
sein eigenes Volk „erhebt" und „ereifert" (28, 21). Nun ist es Jahwe
selbst, der in dem, was Israel entgegensteht, zum Feinde seines
Volkes wird und somit die Gegenständlichkeit welthafter Wirklichkeit zu seiner eigenen macht; die Gegenständlichkeit des Israel Entgegenstehenden wird eigens zum Medium, in dem der transzendente
Gott erscheint, und der Mythos macht sie als solches durchsichtig.

b) Allermeist freilich wird die Transzendenz Jahwes gegenüber
einer zu überwindenden Gegenständlichkeit welthafter Wirklichkeit
mächtig. Und wie das Theologumenon von Jahwe als Schöpfer die
Allmacht des Gottes in den weiteren Horizont der Wirklichkeitserfahrung überhaupt stellt, so kann Israel nicht umhin, auch das
dieser Allmacht Entgegenstehende im Umkreis kosmogonischer
Motive zu bezeichnen. Dabei grenzt das insbesondere im Gotteslob[23] begegnende Mythologumenon vom Chaos gleichsam einen
Rand der Wirklichkeit ab; der Mythos von der Präsenz Jahwes in
Zeit und Raum hat hier den Rest eines Antimythos bei sich, der die
Wirklichkeit in das Nichts eines ausschließlich abweisenden Geheimnisses zurückzusenken droht. Trotz seines optimistischen Welt-

---

[23] Etwa Ps 74, 12—17; 89, 11—15; Jes 51, 9 f., wo es sich genauer um
den Rückblick auf Gottes früheres Heilshandeln innerhalb der Klage
handelt; vgl. C. Westermann, Genesis, BK I/1, 1974, S. 45 f.

gefühls gelingt es auch dem priesterlichen Schöpfungsbericht nicht, den chaotischen Rand der Wirklichkeit ganz hinwegzutheologisieren;[24] in dem Maße, wie der Gedanke einer creatio ex nihilo unverwirklicht bleibt, behält der grundsätzlich als allmächtig vorgestellte Schöpfer Züge eines mythischen Demiurgen. In der Sintflut gestattet es Elohim den chaotischen Mächten sogar, im Dienste seines Gerichts die Schöpfung fast ganz zurückzuerobern;[25] es bedarf des Noahbundes, um die Wiederholung dieser Katastrophe auszuschließen (Gen 9, 8—17 P).

In den spätprophetischen und apokalyptischen Ankündigungen des Endes bricht das einst überwundene Chaos wieder ungehemmt hervor.[26] Nun setzt sich Jahwe noch einmal der Gegenständlichkeit des Chaotischen aus, um an ihr als das Nichts der Wirklichkeit, als der transzendente Überwinder alles ihm darin Entgegenstehenden wirksam zu werden. Nach Ez 38, 4 f. ist es sogar Jahwe selbst, der die schrecklichen Scharen Gogs gegen Jerusalem ausziehen läßt, freilich mit der providentiellen Absicht, sie dort zu vernichten. Sucht der transzendente Gott, indem er in Zeit und Raum präsent wird, schon von vornherein das ihm Entgegenstehende, ja die Möglichkeit

[24] Zwar kommt Westermann (a. a. O. S. 147) zu dem Ergebnis, „daß die Verbindung der Schöpfung mit dem Gotteskampf nicht zur Vorgeschichte von Gen 1, 2 gehört". Anders als zunächst W. Zimmerli (1 Mose 1—11. Die Urgeschichte. 1. Teil, 1943, S. 35 f.) aber deutet Westermann — den ganzen — V. 2 als Chaosschilderung. Im Blick auf die nachfolgende Sintflutgeschichte wird man — über Westermann hinausgehend — das Chaotische als „eine Möglichkeit" anzusehen haben, „die immer gegeben ist"; „daß ... das Chaotische schlechthin die Bedrohung alles Geschaffenen bedeutet, ... ist eine Urerfahrung des Menschen und eine ständige Anfechtung seines Glaubens" (G. von Rad, Das erste Buch Mose, ATD 2, [7]1964, S. 38).

[25] G. von Rad (a. a. O. S. 105) bemerkt zu Gen 7, 6. 11 P: „Die von Gottes schöpferischem Walten nach oben und unten getrennten Hälften des chaotischen Urmeers vereinigen sich wieder; die Schöpfung beginnt ins Chaos wieder zurückzusinken."

[26] Schon der Spruch Jes 17, 12—14, dessen Echtheit G. Fohrer (Das Buch Jesaja, 1960, 201) allerdings bestreitet, vergleicht die herandringenden Feinde Jerusalems mit dem tobenden Meer; er verarbeitet dabei offenbar eine Chaostopik der Zionstradition (vgl. Ps. 46, 3 f.).

einer Aufhebung seiner Präsenz, so kann diese Selbstentäußerung zuletzt in der Absicht manifestiert werden, im Entgegenstehenden eigens zu wirken, um es zu überwinden; das bedeutet, daß der transzendente Gott erst durch die Selbstentäußerung an das Gegenständliche eigentlich er selbst werden will.[27]

c) Der Mensch kann eo ipso nicht das gleiche für sich beanspruchen: ihm bleibt welthafte Wirklichkeit gegenständlich, ohne daß er das in ihr Entgegenstehende in die Dialektik seines eigenen Daseins aufnehmen und so zu einer seiner Möglichkeiten machen könnte. So wird Wirklichkeit niemals zum bloßen Material seiner Selbstverwirklichung, und sei es auch nur so, daß er im Akt des Erkennens die Wirklichkeit der Welt und seiner selbst aus deren eigenen Möglichkeiten begründen könnte. Ebensowenig wird ein Welt und Mensch umgreifender Prozeß seinen Bestrebungen nach Selbstverwirklichung mit schicksalhaften Möglichkeiten entgegenkommen.[28]

In der prophetischen Verkündigung weist darum Gott angesichts der Gegenständlichkeit welthafter Wirklichkeit auf sich selbst zurück als auf denjenigen, an dem sich Gelingen oder Scheitern eines Umgangs des Menschen mit der Wirklichkeit entscheidet, mag es sich in dieser Verkündigung um Heil oder Unheil, im Unheil um ein bedingtes oder ein unbedingtes handeln. In der unbedingten Unheilsankündigung der echten Amossprüche wird den Hörern ihre

---

[27] Hat die Transzendenz Gottes nicht nur in der Zukunftsausrichtung des Menschen, sondern auch in deren Aufhebung ihr Korrelat, so erscheint es uns unmöglich, mit E. Bloch die auf die Zukunft ausgerichtete Humanität, den homo absconditus, die Stelle des göttlichen Geheimnisses einnehmen zu lassen. Natürlich weiß auch E. Bloch von der Vereitelung der in Vergangenem und Gegenwärtigem angelegten Zukunftskeime durch den Lauf der Geschichte. Aber sieht er mit genügender Schärfe, daß den Zukunftsimplikaten allen Geschehens mit gleicher Vehemenz dessen Todeskeime entsprechen, daß dem „Prinzip Hoffnung" mit gleicher Vehemenz ein Prinzip Verhängnis gegenübersteht? Daß dem Prometheus nicht alle Blütenträume reifen, ist doch kein ontologisches Adiaphoron!

[28] Anders E. Bloch, etwa: „Erwartung, Hoffnung, Intention auf noch ungewordene Möglichkeit: das ist nicht nur ein Grundzug des menschlichen Bewußtseins, sondern konkret berichtigt und erfaßt, eine Grundbestimmung innerhalb der objektiven Wirklichkeit insgesamt" (Das Prinzip Hoffnung, [2]1963, S. 168).

Zukunft radikal genommen, weil Jahwe das Ende seines Volkes beschlossen hat.[29] In der bedingten Unheilsankündigung, die dem Unheil Heil und der Ankündigung einen Imperativ zuordnet, entscheidet sich Zukunft doch nicht an einem unmittelbar auf sie gerichteten Handeln, sondern an der Umkehr zu Jahwe, wobei es dann noch an Jahwe liegt, ob er die Umkehr gelten läßt (Am 5, 6. 14 f.). In beiden Fällen droht der Entzug von Zukunft gerade dadurch, daß vergangene Heilsgeschichte ein Maßstab der Anklage (Am 2, 9; 3, 1) ist oder überhaupt der Entleerung verfällt (Am 9, 7) bzw. abgewertet wird (Hos 9, 10; 12, 3—7. 13), so daß die Zukunft nichts anderes als eine Wiederholung vergangenen Heilsgeschehens mit umgekehrtem Vorzeichen bringt: Israel muß zurück nach Ägypten (Hos 8, 13; vgl. 9, 3. 6; 11, 5), oder es muß wieder in Zelten wohnen wie zur Zeit seiner Wüstenwanderung (12, 10; vgl. 2, 16). In der Heilsankündigung — etwa des Deuterojesaja — empfängt Israel gegenwärtig die Zusage göttlicher Zuwendung und kann darum deren gegenständliche Auswirkung für die Zukunft erwarten; weil aber dabei das Eintreffen des Angekündigten allein von der gegenwärtig bereits gefallenen Entscheidung Gottes abhängt, kann sich das Gottesvolk auch hier seine Zukunft nicht selber vermitteln.[30] In keinem Fall ist sein zukünftiges Schicksal unmittelbar in seine Hand gegeben. Zukünftige Wirklichkeit erschließt sich dem Menschen allein als Medium des Handelns Gottes an ihm; vom

---

[29] Positive Einwirkensmöglichkeiten auf das eigene Schicksal gab es nach Amos zwar in der Vergangenheit, aber auch dort nur als Antwort auf die Herausforderung, die in Jahwes Handeln lag, sei es Heilshandeln (2, 9), sei es Unheilshandeln (4, 6—11). Aber Israel hat diese Möglichkeiten vorübergehen lassen, wie auch die letzte, gegenwärtige, da es statt Jahwes doch eben Bethel, Gilgal und Beerseba sucht, die alle der Vernichtung anheimfallen werden (5, 4 f.). Zur Unbedingtheit der Unheilsankündigung des Amos vgl. R. Smend, Das Nein des Amos, EvTh 23, 1963, S. 404 ff.; H. W. Wolff, Joel und Amos, BK XIV/2, 1969, S. 124 f.

[30] Zum Verhältnis von (perfektisch-präsentischer) Heilszusage und (imperfektisch-futurischer) Heilsankündigung im Heilsorakel, vorwiegend bei Deuterojesaja, vgl. C. Westermann, Sprache und Struktur der Prophetie Dtjes's, in: Forschung am AT, ThB 24, 1964, S. 92 ff., und meine Arbeit: Ursprünge und Strukturen, S. 101 ff. 122 f.

Dialog zwischen Gott und seinem Volk hängt es ab, ob zukünftige Wirklichkeit eröffnet oder verschlossen, gegeben oder verweigert wird.

d) Ist Gott somit die Instanz, von der her dem Menschen Wirklichkeit als eine Gabe vermittelt wird, so ist der Mensch durch Gott einerseits an der Gegenständlichkeit einer Wirklichkeit festgehalten, die ihm ohne Vermittlung durch Gott nicht zur Verfügung steht; andrerseits aber ist Gott es auch, der eben diese Gegenständlichkeit als Medium seines Handelns dem Menschen vertraut sein läßt.

Von Gott darf darum nicht als von einer bloßen Dimension der Wirklichkeit gesprochen werden. Eine solche Dimensionierung träfe noch nicht deren Transzendenz; sie würde vielmehr nur zu einer Apotheose der Wirklichkeit selbst führen. Mag derartiges noch so sehr auf der verlängerten Linie eines urtümlichen Mythos liegen — der biblische Gebrauch mythischer Elemente dürfte die Apotheose der Wirklichkeit gerade ausschließen. Weil die Macht Jahwes in Zeit und Raum der Gegenständlichkeit welthafter Wirklichkeit entgegentritt, muß von diesem Gegenüber zwar mythisch wie von einem Kampf gleichartiger Mächte geredet werden; gerade dieses Reden aber verwehrt die Möglichkeit, Jahwes Allmacht mit der Kraft welthafter Wirklichkeit zu identifizieren: eine Wirklichkeit, deren Gegenständlichkeit als das zu Überwindende von Gott angegangen, aber zugleich auch von ihm in Anspruch genommen wird, kann nicht wie Gott selbst göttlich sein. Ist sie freilich zugleich das Medium des Handelns Gottes am Menschen, so darf man sie auch nicht im gnostischen Sinne dämonisieren.

2. War schon die Anwendung mythischer Machtvorstellungen auf Jahwe problematisch, so gilt das noch mehr von der mythischen Anschauung, daß er Träger einer Gestalt, eines Willens, eines Namens und eines Schicksals ist.

Gleichwohl ist es eine Tatsache, daß Seher und Propheten Jahwe in bestimmter *Gestalt* schauen, wenn auch der Grad gewagter Anschaulichkeit in der Beschreibung verschieden ist. Aber selbst wo kein visionäres Sondererleben vorliegt, kann doch der Glaube nicht anders als sich auch von Gott Vorstellungen bilden; im Grunde genommen verstoßen bereits die Anthropomorphismen biblischer Rede von Gott gegen das Bilderverbot. Im Bilde wird die Transzendenz allemal zum Phänomen; sie verschwistert sich darin mit dem da-seienden Menschen und der da-seienden Welt. Steht Jahwes Macht in der Welt einer Fülle gegenständlicher Kräfte gegenüber, so muß seine Gestalt notwendig von anderen gesondert bzw. diesen zugeordnet werden; ohne solche Sonderung und Zuordnung von Jahwes Einzigkeit reden, hieße, diese des Wirklichkeitsbezuges berauben.

Um mythische Rede handelt es sich im Grunde auch, wenn Jahwes *Wille* über appellative Motivierungen menschlichen Handelns hinaus in konkreten Geboten fixiert wird. Hier wird — relativ situationsunabhängig — ein bestimmtes Modell menschlichen Verhaltens als dem göttlichen Willen entsprechend sanktioniert, so als ließe sich die Kontingenz göttlichen Wollens jemals länger als einen Augenblick mit ethischen Normen verrechnen. Aber wie sollte der Mensch anders als durch vor-bildliche Normierungen seiner Situation Herr werden, da er sich doch auch als ethisches Subjekt nicht ständig neu konstituieren kann? Dabei muß freilich in Kauf genommen werden, daß etwa in das „Formular" des Sinaibundes immer neue Gebotsreihen eingetragen werden, so daß diese schon durch ihre Vielzahl und ihre gegenseitigen Widersprüche vom dauernden Abbruch solcher Normierungen durch Zeit und Raum und zugleich von der Freiheit göttlichen Wollens Zeugnis ablegen.

Mit der Nötigung zu mythischer Rede von Gott hängt es ferner zusammen, daß Jahwe einen *Namen* trägt und darin mit anderen Göttern in eine Reihe tritt. Auch wenn der Name nur noch die Funktion hat, einen Ort als Stätte göttlicher Anwesenheit auszuzeichnen — nach Dtn 12, 5 u. ö. wohnt Jahwes Name in Jerusalem —, so setzt er die Gottheit doch damit bereits der Gefahr aus, daß die Souveränität ihrer Gestalt verkannt, die Allmacht ihres Willens übergangen und sie selbst einem Schicksal unterworfen wird; denn schon so soll die Präsenz der Transzendenz gegenständlich festgehalten, die Macht und der Wille Jahwes verfügbar gemacht werden.

Sucht Jahwe schließlich, weil sein Kommen und Eingreifen gegenstandsbezogen sind, das seiner Transzendenz Entgegenstehende, welches am Ende seine Präsenz aufhebt, so unterwirft er nicht nur die Wirkungen seines Handelns, sondern damit auch sich selbst einem *Schicksal.* Indem die Wirkungen seines Handelns in Zeit und Raum schwinden, berührt ihn selbst das Verhängnis des Da-Seienden: das Vergehen. Will er in der Wirklichkeit präsent sein, so geschieht es um den Preis, daß ihm die Wirklichkeit ihr Vergehen aufzwingt. Es ist hier der Ort, die christologische Grundlage dieses Entwurfs anzudeuten: der Gott, der sich in der Welt einem Schicksal unterwirft, offenbart sich letztgültig im sterbenden Christus. Gerade die Selbstpreisgabe Gottes an das Vergehen aber eröffnet dem Glauben die Möglichkeit, dem Handeln konkrete, wenn auch vorläufige und damit vergängliche Ziele zu setzen: indem Gott sich selbst einem Schicksal unterwirft, wehrt er unsrerseits einem ethischen Quietismus, der es mit dem Vorläufigen nicht wagen will, weil er nur das Letzte im Auge hat.

Gestalt, Wille, Name und Schicksal Jahwes als mythische Elemente des Redens von Gott umschreiben das Geheimnis göttlichen Person-Seins, das somit auch auf die Seite des Mythischen fällt. Jahwe schließt die personhaften Göttergestalten des heidnischen Mythos nicht lediglich neben sich aus; er integriert sie zugleich und tritt positiv an ihre Stelle: auch Jahwe vermittelt als göttliche Person die Wirklichkeit in einer Weise an den Menschen, die der personalen Struktur der menschlichen Existenz entspricht.

Umgekehrt kann der Mensch nicht in Anspruch nehmen, sein Person-Sein gleichsam in eigener Regie gegenüber der Inpersonalität der Wirklichkeit durchzuhalten. Die Welt inpersonaler Dinge steht ihm auch darin entgegen, daß sie auf seine eigene Entpersonalisierung und Verdinglichung aus ist; sie bewahrt ihr Subjekt-Sein gegenüber dem Menschen, indem sie ihn von der Kälte einer bloßen Sachwelt betroffen macht, deren Abläufe jede Sinnvermittlung ausschließen, und ihn dahinein zu integrieren sucht.[31]

[31] Auch der wissenschaftlich-technische Umgang mit der Wirklichkeit, in dem die registrierende und kombinierende Intelligenz auf Objekte als ihr Material bezogen ist und die personale Dimension des Humanums weitgehend zur Funktionslosigkeit verurteilt wird, hat die Bedingung ihrer Möglichkeit in der Struktur der menschlichen Existenz. Die Neuzeit hat darin nur eine Gefährdung an den Tag gebracht, der der Mensch schon immer unterlag, nachdem er des Gegensatzes seines Selbst zur Wirklichkeit innegeworden war; die mit der wissenschaftlich-technischen Weltbewälti-

In der prophetischen Verkündigung weist Gott darum gegenüber
der Kälte einer bloßen Gegenstandswelt noch einmal auf sich selbst
als auf denjenigen, an dem sich nun auch Bewährung oder Verlust
des menschlichen Person-Seins entscheidet. Noch in der unbedingten
Unheilsankündigung hält Gott den Menschen bei seinem Person-
Sein fest: der Mensch ist für seine Zukunft selbst dann verantwortlich, wenn sie keine positiven Möglichkeiten mehr birgt. Da auch
die unbedingte Unheilsankündigung zusammen mit einer Anklage
ergeht, bleibt das vernichtende Verhängnis nicht stumm, sondern
klärt die Situation des Menschen als die eines immer noch ernst
genommenen personalen Gegenübers Gottes.[32] Dabei kann die Anklage selbst durch einen Rückblick auf Gottes früheres Heilshandeln
motiviert werden (Am 2, 9; Jes 5, 2—4 u. ö.),[33] weil Israel mit
seinem Verhalten nicht nur Normen verletzte, sondern den Geber
„vergaß", der ihm mit der Zuwendung seiner Liebe zugleich einen
Anteil an der Wirklichkeit vermittelte (Hos 2, 15; 13, 6); Israel ist
dann jedenfalls nicht an der Wirklichkeit, sondern an seinem
„Schöpfer" (Hos 8, 14) zugrunde gegangen.[34] — Noch unmittel-

gung inaugurierte Lösung des Existenzproblems ist oberflächlich: sie besteht in einem Nein zum Selbst als dem Unverläßlichen, letztlich Bedroh-
lichen — zugunsten der scheinbar so viel besser fundierten Vernunft.

[32] Fragt man im Blick auf die unbedingten Unheilsankündigungen nach
dem Ort der Offenbarung, so wird man ihn nicht beim Wort des Propheten, sondern bei dem Geschehen zu suchen haben, das das Wort ankündigt
— so freilich, daß erst die vorgehende Ankündigung dem Geschehen
Sprache verleiht. Darum gab seit Amos, dessen Worte aufgezeichnet wurden, als sie durch ein Erdbeben erfüllt schienen (1, 1), u. a. das Eintreffen
des Angekündigten den Anlaß zur Sammlung der Ankündigungen. Das
deuteronomistische Geschichtswerk vollends artikuliert abschließend, was
man als Sprache der Katastrophe von 587 im Licht ihrer Vorgeschichte ver-
nahm. Vgl. Anm. 35.

[33] Zum Rückblick auf Gottes früheres Heilshandeln als „Kontrastmotiv"
innerhalb des prophetischen Unheilsorakels vgl. C. Westermann, Grundformen prophetischer Rede, 1960, S. 131 f.

[34] Insofern ist auch die unbedingte Unheilsankündigung noch das
Gegenteil eines resignierenden Schicksalsglaubens, wie er für das alte
Hellas — zu einem Teil (!) — charakteristisch sein mochte. Darum wäre

barer wird in der bedingten Unheilsankündigung deutlich, wie die In-Frage-Stellung seiner Zukunft den Menschen in eine persönliche Verantwortung ruft. Gerade indem Jahwe die Gegenständlichkeit der Wirklichkeit zu seiner eigenen macht, personalisiert er noch einmal die Begegnung des Menschen mit dem ihm Entgegenstehenden. Wenn vollends das Unheil — wie in der Jonalegende — nur dazu angekündigt wird, daß sich sein reales Eintreten, wenn möglich, erübrige, erschöpft sich das Entgegenstehende geradezu in einem Akt der persönlichen Anrede.[35] — In der Heilsankündigung des Hosea wird Jahwe sogar zu einem Bundesmittler zwischen Israel einerseits und dem, was ihm an Wirklichkeit entgegenstehen könnte, andrerseits (2, 20);[36] dazu spendet Jahwe ein günstiges Orakel an den Himmel, das dieser über die Erde und ihre Gaben als Zwischen-

nicht erst Jesaja, der nach E. Bloch (Atheismus im Christentum, 1968, S. 138) „nicht so sehr ... Vorhersage des Schicksals als vielmehr Anweisung zur Vermeidung des Schicksals" gab, sondern schon Amos der homerischen Kassandra gegenüberzustellen. Andererseits kann auch die Vermeidung von Schicksal geradezu auf mechanische Weise erstrebt werden, ohne daß dabei das Person-Sein des Menschen als Gegenüber Gottes zur Geltung käme. Das geschieht im biblischen Bereich da, wo Tat und Tatfolge magisch — im Sinne einer „schicksalwirkenden Tatsphäre" — oder deistisch-weisheitlich — im Sinne der Vergeltungslehre — miteinander verbunden werden.

[35] Fragt man im Blick auf die bedingten Unheilsankündigungen nach dem Ort der Offenbarung, so wird man ihn — anders als für die unbedingten Unheilsankündigungen (Anm. 32) — beim Wort des Propheten suchen, da es ja — als antizipiertes Unheil — im Falle der Umkehr der Angeredeten das Angekündigte regelrecht ersetzt. Vgl. die Kontroverse zwischen W. Zimmerli (u. a. in: „Offenbarung" im AT, EvTh 22, 1962, S. 15 ff.) und R. Rendtorff (u. a. in: Geschichte und Wort im AT, EvTh 22, 1962, S. 621 ff.).

[36] Zum Bund, der seitens eines höhergestellten Dritten zwischen zwei ihm Unterstellten vermittelt wird, vgl. M. Noth (Das alttestamentliche Bundschließen im Lichte eines Mari-Textes, in: Gesammelte Studien zum AT, ThB 6, 1960, S. 162 ff.), der dazu auf Archives Royales de Mari II 27 verweist. Anknüpfend an Noth hat H. W. Wolff (Jahwe als Bundesvermittler, VT 6, 1956, S. 316 ff.) auf Hos 2, 20 aufmerksam gemacht.

instanzen an „Jesreel" weitergibt (2, 23 f.).[37] — In der Heilsankündigung Deuterojesajas schließlich liegt der Akzent ganz auf
der gegenwärtigen Zuwendung göttlicher Liebe (40, 1 f.); was sich
in der konkreten Zukunft ereignen wird, folgt allein aus ihr. Über
das Zukünftige hat der Angeredete nicht mehr zu entscheiden. Er ist
nur noch gefragt, wie er seine Gegenwart einrichtet: ob er der
Zukunft Gottes durch gegenwärtige Furchtlosigkeit entsprechen
will; darüber kann Deuterojesaja die reale Unberechenbarkeit der
Zukunft geradezu aus den Augen verlieren.[38] — In keinem Falle
also gibt die prophetische Verkündigung den Menschen der Kälte
der Wirklichkeit preis. Unheilvolle wie heilvolle Wirklichkeit begegnen dem Menschen über Gott als Mittlerinstanz; durch die
Personhaftigkeit seiner Herausforderung läßt Gott die Wirklichkeitsbeziehung des Menschen personhaft bleiben.

Ist Gott somit die Instanz, durch die die Wirklichkeit zum
Medium eines personalen Geschehens am Menschen wird, so muß es

[37] Genauer handelt es sich um ein die Klage beantwortendes Er-
hörungswort, dessen Kennworte אענה und נאם־יהיה sind (H. W. Wolff,
Hosea, BK XIV/1, ²1965, S. 65 f.). — Ob die Kettenbildung (Himmel —
Erde — Korn — Most — Olivensaft — Jesreel) auf einen Zauberspruch
zurückgeht, so daß ein Beispiel für die magische Weisheit im Hintergrund
stände, wäre weiterhin zu fragen (Wolff, a. a. O. S. 51, Anm. 1; ferner
das Beispiel bei W. Rudolph, Hosea, 1966, S. 82, Anm. 16; zur magischen
Weisheit vgl. meinen Aufsatz: Magisch-mantische Weisheit und die Gestalt Daniels, in: Ugarit-Forschungen 1, 1969, S. 79 ff.). Magische Impli-
kate in einem Orakel wären nichts Ungewöhnliches: das Orakel führt
herbei, was es ansagt.

[38] Vgl. Anm. 30. — Die Mahnung zur Furchtlosigkeit findet sich oft zu
Anfang der deuterojesajanischen Heilsorakel: 41, 10. 14; 43, 1. 5; 44, 2;
51, 7; 54, 4. — Für das Verhältnis Deuterojesajas zur Realität der Zukunft ist es charakteristisch, daß er übersehen konnte, wie immer noch ein
Rest indeterminierter Zukunftsmöglichkeit bleibt, solange das die Gegenwart treffende Wort Anrede ist und in irgendeiner Weise Entscheidung
fordert, wenn auch nur im Blick auf die Gegenwart selbst. Bei Deuterojesaja ist das Daß der Zukunft Gottes mit ihrem Was identisch: die Ankündigung mußte so, wie sie ausgesprochen wird, eintreffen. Darum
konnte kein Prophet so tief wie Deuterojesaja enttäuschen.

noch einmal als verfehlt gelten, von Gott als einer bloßen Dimension — nunmehr des Person-Seins — zu reden. Eine solche Dimensionierung würde nur zu einer Apotheose des Selbst führen. Auch hier ist es gerade der biblische Gebrauch mythischer Motive, der solche Apotheose ausschließt. Wenn der transzendente Gott in der Partikularität eines Hier und Jetzt präsent wird, so verstellt er damit dem Menschen jeden willkürlichen Zugang zur Transzendenz, der nicht durch die Tür dieses Hier und Jetzt führt. Wenn Gott vollends eine Gestalt, einen Willen und einen Namen offenbart sowie sich einem Schicksal unterwirft, so läßt er nicht zu, daß der Mensch das Gegenüber zu Gott in eine Identität mit ihm überführt. Der Satz, daß Gott den Menschen als sein Gegenüber nach seinem Bilde geschaffen habe, läßt sich nicht umkehren. Gott gewährt dem Menschen Gestalt, Willen, Namen und Schicksal *neben* sich; er läßt nicht das eigene Person-Sein in das des Menschen übergehen.

3. Judentum und Christentum sind der Transzendenz Gottes lebhafter innegeworden als andere Religionen. Daher ist in ihnen das mythenkritische Element so stark zum Zuge gekommen. Insoweit schien hier der ontologische Satz verbindlich zu sein: finitum non capax est infiniti.

Zugleich aber haben Judentum und Christentum immer auch von der zeit-räumlichen Präsenz der Transzendenz gewußt, oder sie haben doch wenigstens nach ihr gefragt. Daher hat das mythenkritische Element nicht zur Eliminierung des Mythischen geführt. Gott „kommt" gleichsam auf mythische Weise in der Wirklichkeit „vor", auch wenn er als das Nichts der Wirklichkeit diese immer zugleich durchbricht. Insoweit wird dem Gegen-Satz sein relatives Recht zuteil: finitum capax est infiniti.

Die mythischen Elemente des biblischen Redens von Gott dienen zunächst dazu, das infinitum nach seiner Präsenz im Bereich des finitum zur Geltung zu bringen. Sie haben es nicht mit dem infinitum als solchem zu tun, sind also nicht einfach Motive einer parabolischen Sprache für das Unaussprechbare. Sie haben es vielmehr mit der An-Wesenheit des infinitum zu tun, und insofern es sich *nur* um An-Wesenheit handelt, steht das Recht mythischer Rede unter dem hermeneutischen Vorbehalt eines ὡς μή. Da das Mythische in biblischer Rede *an* dem finitum erkennen läßt, daß das infinitum bei ihm anwesend ist, zeichnet es gleichsam ein Negativbild Gottes.

Die mythischen Elemente des biblischen Redens von Gott dienen aber sodann auch dazu, deutlich zu machen, wie Gott die gegenständliche Wirklichkeit an den Menschen als Person vermittelt. Auf diese Vermittlung bleibt der Mensch angewiesen, wenn seine Wirklichkeitsbeziehung der Personalität seiner Existenz entsprechen soll.

Stehen Transzendenz und Präsenz von Transzendenz — als Grenze und Ermöglichungsgrund des Mythischen in biblischer Sprache — einander wie These und Antithese gegenüber, so läßt sich freilich keine Synthese gewinnen, in der ihre Gegensätze eine höhere Einheit fänden — es sei denn im Willen des transzendenten Gottes selbst, der gegenstandsbezogen an der Wirklichkeit handeln und somit in ihr präsent sein will. Damit ist die letzte Intention der biblischen Offenbarungsreligion bezeichnet, die im Gegensatz zu ihrer nächsten die Möglichkeit des Mythischen mit umgreift.

4. War die *Zeitdimension* des Mythos die des primum actum der Urzeit, die des Glaubens dagegen zunächst das gegenwärtige Jetzt des Kommens und Eingreifens Gottes, so kann doch gerade dieses Jetzt auch zum mythischen primum actum werden. Das Kommen und Eingreifen Gottes als ungegenständlicher Grund aller Heilsüberlieferung hat die Gestalt eines geschichtlichen Geschehens, das als Überlieferungsinhalt nach Analogie eines Mythos normative Geltung beansprucht. Das betreffende Geschehen aber begründet seinerseits das Existenzrecht einer Gemeinschaft, die es als ihr „heiliges Gemeinsames" mit Hilfe bestimmter Institutionen wirksam erhält. Darum können die „mythischen" Inhalte solcher die Gemeinschaft begründenden Überlieferung nicht beliebig wechseln, auch wenn der ungegenständliche Grund der Inhalte mit keinem von ihnen einfach identifizierbar ist. Es gibt eine begrenzte Anzahl verbindlicher Inhalte, etwa die Daten des „geschichtlichen Credo", den Sinaibund, den Väterbund und den Davidsbund;[39] das in diesen

---

[39] Daß, historisch gesehen, auch hier kein absoluter Anfang vorliegt, sondern bereits das den Anfang setzende Erlebnis von einem durch Tradition bestimmten Vorverständnis mitbedingt ist, kommt im Rückblick auf das stiftende Ereignis nicht zum Bewußtsein.

Überlieferungsinhalten begriffene Geschehen umschließt in nuce und
bis zu einem gewissen Grade die folgende Geschichte Israels. Ritus
und Kultus, ja die religiösen Institutionen Israels überhaupt galten
als in diesen Ereignissen gestiftet; der Heilsgeschichtsentwurf der
Priesterschrift erreicht in der Sinaioffenbarung praktisch sein Ziel.
Im Umkreis dieser Ereignisse siedelt sich denn auch im besonderen
das Element des Wunderbaren an, das ja als solches bereits eine
„stiftende Kraft" hat.[40]

Freilich unterscheidet sich das Kommen und Eingreifen Jahwes
von jedem mythischen primum actum dadurch, daß es *innerhalb* der
Geschichte geschieht. Der Jahwist und die Priesterschrift und letztlich noch 1 Chr 1—9 kennen Ereignisse *vor* denjenigen, die Israel
begründen. Dementsprechend bekommt auch die auf die begründenden Ereignisse *folgende* Zeit eine eigene Bedeutung: sie ist durch
die Vorgänge des Überlieferns und Interpretierens der Israel
konstituierenden Inhalte ausgefüllt; letztlich bildet sie das Thema
des deuteronomistischen und des chronistischen Geschichtswerks.
Dabei ergibt sich die Nötigung zur Überlieferung aus dem Umstand,
daß der transzendente Gott zwar in einem bestimmten Jetzt der
erstreckten Zeit präsent ist, dieses Jetzt aber danach nicht mehr zur
Verfügung steht; es muß vielmehr im Akt der Interpretation zu
einer anderen Zeit und darum unter verändernder Applikation des
zu überliefernden Inhalts „wiederholt" werden. Interpretation
sichert die Kontinuität der Überlieferung gerade durch Alternation
der Inhalte. Denn im Laufe der Zeit unterliegen die Inhalte, wie
wir bereits sahen, der Gefahr einer sich steigernden Entleerung; sie
treten in Widerspruch zu neuen Auffassungsweisen und Denk-
gewohnheiten und nicht zuletzt zur erfahrenen Wirklichkeit selbst.
Nun wird nach der Lebendigkeit des Grundes gefragt, der die Inhalte konstituiert. Wo bleibt das Kommen und Eingreifen Jahwes,
wenn das Geschehen, in dem es sich einst manifestierte, inzwischen
fern und vergangen ist? Die Institutionen der Gemeinschaft aber,
die zugleich mit diesem Geschehen jenem Grunde entsprang, können

---

[40] „In Religionen, die eine stärkere geschichtliche Tradition besitzen,
weiß man, daß am Anfang der Religion oder Reform wunderbares Geschehen stand" (Goldammer, a. a. O. S. 224).

sich dennoch gleichzeitig verfestigen; sie drohen dann in einer Weise Eigenbedeutung zu beanspruchen, daß über ihrer Bewahrung nun erst recht der Grund des Überlieferten verlorengeht.

Auf der anderen Seite aber kann der Grund des Überlieferten auch spontan lebendig werden: das Kommen und Eingreifen Jahwes schafft sich in neuen Geschehnissen Gestalt. So wiederholt sich das Israel begründende Handeln Jahwes in den prophetischen Berufungserzählungen gleichsam an einem einzelnen. Der wiederkehrende Grund der Überlieferung kann dabei freilich *gegen* die bislang auf ihn bauenden Inhalte und Intentionen wirksam werden; diese begründen dann nicht mehr das Existenzrecht Israels, sondern stellen es gerade in Frage, wenn auch in anderer Weise, als es durch die Erosion der Überlieferung im Laufe der Zeit geschah. Was überlieferte Inhalte mit ihren Intentionen begründet, kann sie auch verunsichern und negieren. So richtet sich das Kommen Jahwes zum eschatologischen Jahwetag, das Amos in Analogie zu den alten Jahwetagen des heiligen Krieges ansagt, überraschenderweise gegen Israel.[41] Und wenn Jesaja die Rettung Jerusalems während der Assyrerkriege nach dem Modell eines urzeitlich-mythischen Völkerkampfes gegen den Zion ankündigt, so geschieht diese Rettung doch jenseits eines über Jerusalem hereinbrechenden Gerichts und mittels der Krisis einer seinen Bewohnern abgeforderten Glaubensentscheidung.[42] So wird das Israel begründende Kommen und Eingreifen Jahwes, wenn es sich in der Prophetenberufung am einzelnen wiederholt, zur kritischen Instanz gegenüber der Gegenwart und dem Gebrauch, den diese von den Überlieferungsinhalten macht.[43]

[41] Am 5, 18—20. Das Modell des Jahwetages liegt wohl auch dem Völkerspruchzyklus Am 1, 3—2, 16 zugrunde. Gegen Israel richtet sich der Jahwetag noch Jes 2, 12—17; Zeph 1, 2—18; Ez 7; Joel 2, 1—11. Zum ganzen Komplex vgl. Ursprünge und Strukturen, S. 72 ff.

[42] Hierher gehören an sicher echten Jesajaworten 14, 24—27. 28—32; 28, 14—22; 30, 27—33; 31, 4 f. 8 f., wahrscheinlich darüber hinaus auch 8, 9 f. (aus der Zeit des syrisch-ephraimitischen Krieges); 9, 1—4; 17, 12—14 (vgl. Anm. 26). Der Ruf in die Glaubensentscheidung wird 7, 9 b; 28, 16; 30, 15 artikuliert (vgl. 1, 19 f.). Zum einzelnen: Ursprünge und Strukturen, S. 86 ff.

[43] Die Umkehrung der Inhalte und Intentionen bisheriger Überliefe-

Inwieweit das in der Prophetenberufung manifestierte Wiedererscheinen des Überlieferungsgrundes selbst durch die Erosion der Inhalte bedingt ist, wird sich nicht generell bestimmen lassen.

Ein anderer ist der Umgang mit den tradita, den Deuterojesaja übt. Sie zu verunsichern oder zu negieren, erübrigt sich für ihn; denn das haben bereits die Tatsachen besorgt. Wenn Deuterojesaja geradezu auffordert, des Früheren nicht mehr zu gedenken (43, 18), so zieht er daraus nur die notwendige Konsequenz. Sind die Inhalte abgelöst, so tritt aber auch bei Deuterojesaja ihr Grund aufs neue in Erscheinung. Daher kann auch er noch einen positiven Gebrauch von den alten heilsgeschichtlichen Daten machen. Einerseits liefern diese in seinen Rückblicken auf Jahwes früheres Heilshandeln — ganz anders als bei den vorexilischen Unheilspropheten — den Grund für eine auf die Zukunft gerichtete Hoffnung; [44] andrerseits sind sie in seinen Heilsankündigungen Modell des Erhofften: in Zukunft wird das Kommen und Eingreifen Jahwes in einem Geschehnis Gestalt annehmen, das unter anderem dem vergangenen Exodus aus Ägypten analog ist.[45] So wahrt Deuterojesaja nicht nur

rung und der Ruf in die Glaubensentscheidung geschehen als Herausforderung an die Gemeinschaft Israel, nicht durch sie. Als instituierte Gesellschaft scheint auch Israel unfähig, sich von seinem Grunde her in Frage zu stellen; es lebt in der Illusion, daß dessen Präsenz seinen Bestand garantieren müsse, bis diese Illusion durch Unheil zerstört bzw. die Zerstörung durch prophetische Ankündigung von Unheil antizipiert wird. Entsprechend bleiben die Propheten Einzelgänger, ja Außenseiter.

[44] So kann Deuterojesaja — trotz 43, 18 — auch ausdrücklich davor warnen, Jahwe und sein bisheriges Heilshandeln zu vergessen, und zwar 44, 21 im Blick auf die jetzt zugesagte Vergebung, 46, 9 im Blick auf das, was Jahwe jetzt kommen läßt und ausführt. Rückblicke auf Jahwes früheres Heilshandeln finden sich in den Heilsorakeln Deuterojesajas 41, 8 f.; 43, 1 a. 16 f.; 44, 1 f.; 51, 13 aβ. 15 aβ. 16 bα. Einzelerörterung in: Ursprünge und Strukturen, S. 102 ff.

[45] Der Rückgriff auf das Modell des alten Exodus (40, 3; 43, 5 b—7; 49, 9 b. 12. 22. 25; 51, 11 aα; 52, 3. 12 [!]; 54, 7; 55, 12) steht nicht allein; in den gleichen Zusammenhang gehören die Ankündigung einer Wegbereitung in der Wüste (41, 18 f.; 43, 19 b), der Führung auf dem Heimweg (42, 16) und der neuen Landnahme (49, 8 bβ). Daneben aber wird das

die Identität des Überlieferungsgrundes; indem er Heilsgeschehnisse
der ersten, konstitutiven Epoche Israels als Grund und Modell der
Erwartung wertet, hält er sich auch im Rahmen der Intentionen, die
der Überlieferungsgrund mit den von ihm gezeitigten Inhalten
setzte. So kommt es durch Deuterojesaja zu einer echten Wiederbelebung der Überlieferung und der durch sie konstituierten Gemeinschaft Israel — und zwar von dem Grunde her, der sie beide
trägt.

Aufs Ganze gesehen sollte man aber den Umgang, den die
Prophetie mit überlieferten Inhalten und deren Intentionen übt,
nur im Bewußtsein der in dem Begriff beschlossenen hermeneutischen Problematik eine „Interpretation" nennen. Da das Kommen
und Eingreifen Jahwes ungegenständlicher Art ist, läßt sich nicht
objektiv verifizieren, ob in den verschiedenen prophetischen „Interpretationen" der in diesem heilsgeschichtlichen Urdatum bestehende
Grund aller Heilsüberlieferung identisch geblieben ist. Darum ist
auch die Kontinuität der Überlieferung in der Alternation über-
lieferter Inhalte, die die Interpretation mit sich bringt, nicht zwingend einsichtig zu machen. Waren die Propheten Reformatoren, die
in gültiger Weise auf das primum actum des vergangenen Handelns
Jahwes an Israel zurückgriffen, oder waren sie Stifter eines Neu-
anfangs? Erwiesen die alten Inhalte und Intentionen nur im Rückgriff auf ihren Grund noch einmal ihre schöpferische Kraft, oder
ist die Berufung für jeden einzelnen Propheten so etwas wie ein
neues primum actum? Wiederholte sich an den einzelnen Propheten
wirklich das Israel begründende Handeln Jahwes? [46] Daß solche

Kommende noch an die alten heiligen Kriege (41, 11 f.) und an den Kampf
um den Zion (46, 13 b) erinnern; vgl. die Bezugnahme auf den mit der
Zionstradition verbundenen Topos von der Völkerwallfahrt zum Zion
45, 14; 49, 22 f.

[46] Den Neuansatz in der Prophetie betont G. Fohrer, etwa: „Wozu
dienen der großen Prophetie diese Interpretationen der Tradition? Sie
sollen die neue Einsicht des prophetischen Glaubens ausdrücken, der sich
in der Beurteilung der Situation des Menschen vor Gott von der außer-
prophetischen Auffassung wesentlich unterscheidet. Daher gibt es für die
Propheten keine Rückkehr zur Tradition, sondern in weiterführender

Fragen mit Ernst gestellt werden können, beweist die Anwesenheit eines „revolutionären" Elements im Reden und Handeln der Propheten.[47]

Daß freilich keine Interpretation ganz ohne ein solches revolutionäres Element ist, beweist nur das Risiko, das in jedem Umgang mit Überlieferung liegt. Die Kontinuität einer Überlieferung kann letztlich immer nur geglaubt werden. Jeder Interpret läuft stets Gefahr, die Kontinuität der Überlieferung zu verlassen. Insoweit die Überlieferung ihrem transzendenzbezogenen Grund in gegenständlichen Inhalten Gestalt gibt, unterliegt sie der In-Frage-Stellung durch die von dem transzendenten Gott in Anspruch genommenen Freiheit; er gibt sich zu erkennen, „wo und wann es ihm gefällt".

Interpretation der Traditionen des alten Jahweglaubens den Weg in ein neues Verhältnis zu Gott." (Tradition und Interpretation im Alten Testament, ZAW 73, 1961, S. 1 ff., bes. 29).

[47] Natürlich muß auch die Anwendung des Begriffs des Revolutionären auf die Prophetie mit Vorbehalt geschehen. Ihr Nein zur Gegenwart geschieht nicht in unmittelbarem Konnex mit der Hoffnung auf eine bessere Zukunft; wo der Prophet Vergangenheit relativiert bzw. negiert, geschieht es nicht, um dadurch Zukunft zu erschließen, im Gegenteil: mit der Vergangenheit wird die Zukunft entzogen. Freilich ist die prophetische Anklage — etwa des Amos und des Jesaja, nicht die des Hosea (!) — z. T. sozialkritisch: sie ist aber nicht zugleich sozialreformerisch oder gar sozialrevolutionär; denn da die Zukunft, wenn überhaupt, dann allein im Dialog mit Gott erschlossen wird, kann sie nicht durch die Verwirklichung sozialer Programme garantiert werden. Schließlich setzt die Prophetie keine neuen geschichtlichen Daten oder gar neue gesellschaftliche Institutionen, die den Anbruch einer weltgeschichtlichen Wende ad melius signifizieren. Entsprechend ihrem Einzelgängertum fehlt den Propheten dazu auch jedes Analogon eines proletarischen (oder überhaupt ständisch bzw. klassenbedingten) Sendungsbewußtseins.

Neue Zeitschrift für Systematische Theologie und Religionsphilosophie, 15 (1973), 272—285.

GESCHICHTLICHE ERFAHRUNG UND ESCHATOLOGISCHE ERWARTUNG

Ein Beitrag zur Geschichte der alttestamentlichen Eschatologie im Jesajabuch [1]

Von Otto Kaiser

I

Es darf als ein feststehendes Ergebnis der alttestamentlichen Forschung der zurückliegenden zweihundert Jahre angesehen werden, daß die Prophetenbücher ihre letzte Gestalt nicht den Männern verdanken, deren Namen sie tragen. Sie sind vielmehr das Ergebnis eines von Fall zu Fall unterschiedlich vielschichtigen Redaktionsprozesses. Auch über die weitere Feststellung sollte sich breitere Übereinstimmung erzielen lassen: Bei der im Jesaja-, Jeremia- und Ezechielbuch intendierten Dreigliederung in Gerichtsankündigungen gegen das eigene Volk, Fremdvölkersprüche und Verheißungen handelt es sich um eine eschatologisch gemeinte Komposition.[2] Aus beiden Prämissen ergibt sich folgerichtig, daß sich hinter der Redaktionsgeschichte der Prophetenbücher die Geschichte der alttestamentlich-jüdischen Eschatologie verbirgt. Dabei verstehen wir unter Eschatologie im Alten Testament nicht einen mit den Vorstellungen vom Weltende und der Welterneuerung

---

[1] Artur Weiser zum 80. Geburtstag. — Vortrag, gehalten auf Einladung der Theologischen Fakultät der Christian-Albrechts-Universität Kiel am 19. Juni 1973.

[2] Vgl. dazu (E. Sellin-) G. Fohrer, Einleitung in das Alte Testament, Heidelberg [10]1965, S. 407 und O. Kaiser, Einleitung in das Alte Testament, Gütersloh [2]1970, S. 240, aber auch schon B. Duhm, Israels Propheten, Lebensfragen 26, Tübingen [2]1922, S. 149.

zusammenhängenden Ideenkomplex,[3] wie er in der sogenannten
spätjüdischen Apokalyptik auftreten kann, sondern die Erwartung
eines den Lauf der Geschichte des Gottesvolkes, der Gottesstadt und
der Menschheit entscheidend bestimmenden Eingreifens Gottes in
der Zukunft,[4] wie sie in der Prophetie jedenfalls seit Deuterojesaja
nachweisbar ist.[5] — Freilich, wenn man von einer Geschichte der
alttestamentlich-jüdischen Eschatologie spricht, scheint man alsbald
zu dem Eingeständnis genötigt zu sein, daß abgesehen von den am
Rande des Alten Testamentes zu beobachtenden Übergängen zur
Apokalyptik die sie gestaltenden Ideen und Motive jedenfalls schon
in der mittleren Königszeit auftreten und bereits bei dem Propheten
Jesaja nachweisbar sind. Daher könnte man ihn geradezu den Vater
der alttestamentlichen Eschatologie nennen, — jedenfalls solange
man das herkömmliche Bild seiner prophetischen Wirksamkeit
zugrunde legt.

II

Mag diese These auf den ersten Blick überraschen, so läßt sie sich
doch mühelos belegen, wenn man das heute weithin dem Propheten
zugeschriebene Gut auf seine eschatologischen Züge hin überprüft.

[3] Vgl. H. Greßmann, Der Ursprung der israelitisch-jüdischen Eschatologie, FRLANT 6, Göttingen 1905, S. 1.

[4] Aus der ausgedehnten Diskussion über Sinn, Recht und Grenze der
Rede von einer alttestamentlichen Eschatologie greife ich heraus J. Lindblom, Gibt es eine Eschatologie bei den alttestamentlichen Propheten?,
StTh 6 (1952) 1953, S. 79 ff. [in diesem Bd. S. 31 ff.]; Th. C. Vriezen,
Prophecy und Eschatology, SVT 1, Leiden 1953, S. 199 ff. [dt. in diesem
Bd. S. 88 ff.]; S. Mowinckel, He that cometh, tr. G. W. Anderson, Oxford
1956, S. 125 ff.; G. v. Rad, Theologie des Alten Testaments II, München
1960, S. 125 ff.; [5]1968, S. 121 ff.; G. Fohrer, Die Struktur der alttesta-
mentlichen Eschatologie, ThLZ 85, 1960, Sp. 401 ff. = Studien zur alt-
testamentlichen Prophetie, BZAW 99, Berlin 1967, S. 323 ff. [in diesem
Bd. S. 147 ff.]; derselbe, Geschichte der israelitischen Religion, Berlin 1969,
S. 335 ff. und H.-P. Müller, Ursprünge und Strukturen alttestamentlicher
Eschatologie, BZAW 109, Berlin 1969, S. 1 ff. und S. 222 ff.

[5] Dies Urteil hängt u. a. mit meiner Skepsis gegenüber dem Ezechiel-

Greifen wie als ersten Text die Heilsbeschreibung von Befreiungsnacht und Krönungstag heraus, bei dem es für unsere Betrachtung
unerheblich ist, ob man ihn mit 8, 23 oder erst mit 9, 1 einsetzen
läßt: solange man 9, 1—6 dem Propheten Jesaja zuweist,[6] müßte
man ihm auch die Erwartung einer entscheidenden, durch einen
unmittelbaren Eingriff Jahwes bewirkten Wende im Geschick seines
Volkes und der Völker der Welt zuweisen, einer Wende, die —
ausschließlich durch Jahwe herbeigeführt — in ein Reich des ewigen
Friedens und der Gerechtigkeit ausmündet. — Besonders deutlich
treten die eschatologischen Züge in einer Reihe von Worten hervor,
die man heute teils den Jahren des Philisteraufstandes 715—711,
teils den Jahren des von Hiskia von Juda angeführten südsyrischen
Aufstandes zwischen 703 und 701 v. Chr.[7] zuzuweisen pflegt. Eindeutig in diese Zeit gehören Drohworte wie 30, 1—5; 30, 6—7;
31, 1—3 und 22, 1—14*. Ihnen fehlt das Eschatologische durchaus.

buch zusammen. Zu seiner Problematik vgl. künftig auch J. Garscha, Studien zum Ezechielbuch, Frankfurt und Bern 1974. — Zur Sache vgl.
Fohrer, Geschichte, S. 331 ff.

   [6] Vgl. dazu: A. Alt, Jesaja 8, 23—9, 6. Befreiungsnacht und Krönungstag, in: Festschrift A. Bertholet, Tübingen 1950, S. 29 ff. = Kl. Schriften
II, München 1953, S. 206 ff. und z. B. J. Lindblom, A Study of the Immanuel Section in Isaiah, Scripta Minora Regiae Societatis Humaniorum
Litterarum Lundensis 1957/58, 4, Lund 1958, S. 33 ff.; H.-P. Müller, Uns
ist ein Kind geboren. Jesaja 9, 1—6 in traditionsgeschichtlicher Sicht, EvTh
21, 1961, S. 408 ff.; H. W. Wolff, Frieden ohne Ende. Eine Auslegung von
Jesaja 7, 1—7 und 9, 1—6, BSt 35, Neukirchen 1962, S. 53 ff.; S. Herrmann, Die prophetischen Heilserwartungen im Alten Testament, BWANT
85, Stuttgart 1965, S. 130 ff.; K. Seybold, Das davidische Königtum im
Zeugnis der Propheten, FRLANT 107, Göttingen 1972, S. 79 ff.; W. Zimmerli, Grundriß der alttestamentlichen Theologie, ThW 3, Stuttgart 1972,
S. 171 sowie Eichrodt, Kaiser und Wildberger z. St. — Für nachjesajanische
Verfasserschaft votieren bei unterschiedlicher zeitlicher Ansetzung Mowinckel, a. a. O., S. 102 ff.; Fohrer z. St. und J. Vollmer, Zur Sprache von
Jesaja 9, 1—6, ZAW 80, 1968, S. 343 ff. und künftig auch Kaiser, ATD
17⁵, z. St.

   [7] Zur Chronologie der Jahre 705 bis 701 vgl. S. Smith, CAH III,
Cambridge 1929 (1960), S. 61 ff. und S. 71 ff. sowie J. Lewy, The Chro-
nology of Sennacherib's Accession, AnOr 12, 1935, S. 225 ff.

Statt dessen wird der Prophet nicht müde, der antiassyrischen, sich auf ägyptische Hilfe verlassenden Bündnispolitik seines Volkes einen totalen Fehlschlag und diesem selbst den Untergang anzusagen:

> Denn die Ägypter sind Menschen und nicht Gott,
> und ihre Rosse sind Fleisch und nicht Geist.
> Wenn Jahwe seine Hand ausstreckt,
> strauchelt der Helfer, fällt der, dem er hilft,
> gehen sie alle zusammen zugrunde!,

heißt es in 31, 3.[8] — Aber vorher und nachher hätte der Prophet nach herrschender Ansicht eine ganz andere Überzeugung von den Absichten Gottes vertreten. Die Erkenntnis der Selbstherrlichkeit und Grausamkeit der Assyrer hätte ihn zu der Überzeugung gebracht, vgl. 10, 5—15*, Jahwe führe sie diesmal nur heran, um sie auf den Bergen seines Landes zu verderben, heißt es doch in 14, 25 f. entsprechend:

> Zerschlagen will ich Assur in meinem Lande
> und es auf meinen Bergen zertreten.
> Das ist der Plan, geplant wider die ganze Erde,
> und das ist die Hand, ausgestreckt wider alle Völker.

Allein diese zwei Zeilen zeigen, daß es bei dem Gericht an Assur zugleich um ein universales Handeln Jahwes an den Völkern geht. Und schließlich wären beide Linien, die der Gerichtsankündigung gegen das eigene und die der Gerichtsankündigung gegen das fremde Volk, in der Erwartung konvergiert, Jahwe selbst werde die vor den Toren Jerusalems versammelten Völker durch sein unvermitteltes Eingreifen in der Stunde der höchsten Not zerschlagen, eine Vorstellung, die sich in 29, 1—8; 30, 27—33 und 31, 4—9 besonders deutlich zu erkennen gibt; aber auch im Hintergrund von 17, 12—14 steht.[9] — Greifen wir aus der genannten Textreihe

[8] Die Übersetzungen sind weiterhin aus: Der Prophet Jesaja, Kapitel 13—39, ATD 18, Göttingen 1973, entnommen. Dort finden sich auch die Begründungen für die literarkritischen Urteile.

[9] Vgl. aber Fohrer, der sich z. St. gegen die Herleitung von Jesaja ausgesprochen hat; ebenso G. Wanke: Die Zionstheologie der Korachiten, BZAW 97, Berlin 1966, S. 116 f. — Dagegen sind B. S. Childs: Isaiah and

29, 1—8 heraus, so fällt einerseits auf, daß für die kommende
Bedrohung des kryptisch „Ariel" genannten Jerusalem durch die
Völker keine Begründung gegeben wird, andererseits, daß die
Wende durch ein unmittelbares Eingreifen Jahwes bewirkt werden
soll, so daß wir uns an 9, 1—6 erinnert fühlen:

> Wehe dir, Ariel, Ariel,
> du Stadt, da David gelagert.
> Füget Jahr zu Jahr!
> Wenn die Feste wiederkehren,
> Werde ich Ariel bedrängen —
> dann wird Trauer und Traurigkeit herrschen.
> Dann wird sie mir wie ein Opferherd —
> und werde dich ringsum belagern,
> Dich mit Wällen einschließen
> und Schanzen wider dich errichten!
> Dann wirst du am Boden kauernd reden,
> aus dem Staub ertönt gedämpft dein Wort.
> Geistergleich kommt deine Stimme aus der Erde
> und deine Worte zwitschern aus dem Staube.
> Dann wird wie feiner Staub der Schwarm der Fremden,
> wie fliegende Spreu der Schwarm der Tyrannen sein.
> Aber dann geschieht es ganz plötzlich:
> Du wirst von Jahwe heimgesucht
> mit Donnern und Beben und lautem Gebrüll,
> mit Sausen und Brausen und fressender Lohe!
> Und wie ein Traum, wie ein Nachtgesicht
> wird der Schwarm aller Völker sein, die Ariel bekriegen,
> Aller, die es bekriegen und es umschanzen
> und es bedrängen . . .

Blicken wir vom Text auf,[9a] wird uns deutlich, daß sich hier der
entscheidende Abschnitt des eschatologischen Dramas vor den

the Assyrian Crisis, StBTh II, 3, London 1967, S. 50 ff.; H.-M. Lutz,
Jahwe, Jerusalem und die Völker, WMANT 27, Neukirchen 1968, S.
155 f.; H.-P. Müller, Ursprünge, S. 86 f. und F. Stolz, Strukturen und
Figuren im Kult von Jerusalem, BZAW 118, Berlin 1970, S. 88, vgl.
S. 86, zu der traditionellen Ansicht zurückgekehrt.

[9a] H. Donner, Israel unter den Völkern, SVT 11, Leiden 1964, S. 155,
meldet immerhin Bedenken gegen die jesajanische Verfasserschaft an.

Toren Jerusalems entrollt hat. Auf die Befreiungsnacht könnte nun
der Krönungstag folgen, an die Besiegung der Völker und die damit
erfolgte Verherrlichung des Zion könnte sich die Völkerwallfahrt
zum Zion anschließen, vgl. 2, 2—5. Und daß es in diesen Texten
letztlich um eine nächtliche Rettung der Gottesstadt geht, läßt uns
nicht nur die Anspielung auf die Nacht der Festweihe in 30, 29
vermuten, sondern das wird uns in 17, 14 prägnant gesagt:

> Zur Abendzeit: siehe da, Schrecken!
> Vor dem Morgen ist es vorbei! —
> Das ist der Anteil derer, die uns plündern,
> und das Los derer, die uns berauben. —

Das von Jesaja erwartete Eschaton aber, so sagt man uns, sei
nicht eingetreten, weil König Hiskia nach dem Einschluß seiner
Hauptstadt Jerusalem und der Eroberung seiner befestigten Städte
durch das assyrische Heer im Jahre 701 eben, statt auf Jahwe zu
vertrauen, in der höchsten Not kapitulierte und sich so einen
Sanherib auch aus anderen Gründen gelegen kommenden Abzug der
Belagerer erkaufte. Die annalistischen Notizen 2 Kön 18, 13—16
und die Angaben des Siegers Sanherib in seinen eigenen Annalen
stimmen in den Grundzügen zu deutlich überein, als daß man sie
zugunsten der jüngeren, alsbald in unsere Überlegung einzubezie-
henden, legendären Überlieferung beiseite schieben könnte, wie sie
2 Kön 18, 17 ff. par Jes 36, 1 ff. bewahrt ist.[10] — Der Prophet hätte
nun angesichts des ebenso ausgelassenen wie frivolen

> Lasset uns essen und trinken,
> denn morgen sind wir tot!,

---

[10] Vgl. dazu K. Galling, Textbuch zur Geschichte Israels, Tübingen
²1968, S. 67 ff. mit der Übersetzung des Annalenabschnittes durch R. Borger und zur Sache zuletzt in gewohnter Zurückhaltung W. Zimmerli,
Jesaja und Hiskia, in: Wort und Geschichte. Festschrift K. Elliger, AOAT
18, Kevelaer und Neukirchen 1973, S. 205 ff. — Wenn A. H. J. Gunne-
weg, Geschichte Israels bis Bar Kochba, ThW 2, Stuttgart 1972, S. 107
davon spricht, daß Sanherib unverrichteterdinge abzog, ist das mindestens
mißverständlich ausgedrückt.

mit dem die Überlebenden fröhlich den Abzug der Belagerer
feierten, seinem Volk erneut den Untergang verheißen, hätte es
sich doch jetzt endlich vor Jahwe beugen und Buße tun müssen,
22, 1—14*. Mit dem letztgenannten Wort stehen wir sicher auf
dem Boden der Geschichte. Den Ausgleich zwischen dem hier ausgesprochenen

> Fürwahr, diese Schuld wird euch nicht vergeben,
> bis daß ihr sterbet!

und den auf einen König der Heilszeit hinausblickenden Worten
aber hätten wir uns so vorzustellen, daß diese gleichsam zu einer
Geheimlehre für seine Jünger geworden wären, wenn sie nicht gar
von vornherein als solche gedacht waren.

III

Das eben skizzierte Bild der Verkündigung des Propheten Jesaja
zumal während der Jahre des von Hiskia geleiteten Aufstandes
gegen Sanherib basiert im wesentlichen auf den literarkritischen
Entscheidungen des Jesajakommentares von Bernhard Duhm. Wenn
es sich trotz der kritischen Einwände von Karl Marti und neuerdings auch der, freilich partiellen von Georg Fohrer bei allen Ab-
wandlungen im einzelnen im großen und ganzen in der deutschen
alttestamentlichen Forschung behauptet hat, liegt das sicher nicht
zuletzt daran, daß die von Sigmund Mowinckel begründete kult-
geschichtliche Deutung und die mit ihr verbundene Frühdatierung
der Psalmen unbeschadet aller Einwände gegen Einzelheiten der
Konzeption so stark auf die weitere Forschung eingewirkt haben,
daß sie sich in der Lage glaubte, das eben umrissene Bild der Verkündigung Jesajas traditions- und institutionsgeschichtlich ab-
zusichern.[11]

[11] Hier ist vor allem E. Rohland, Die Bedeutung der Erwählungstraditionen für die Eschatologie der alttestamentlichen Propheten, Diss.
Heidelberg 1956, zu nennen, eine Arbeit, die ungeachtet der sich abzeich-
nenden Verlagerungen in der Prophetenforschung als forschungsgeschicht-

Sehen wir die eschatologischen Vorstellungen des Alten Testaments traditionsgeschichtlich als von den Motiven des Tages Jahwes, der Kulttheophanie und der Zionsideologie mit ihren letztlich kanaanäisch-jebusitischen Wurzeln abhängig an,[12] ist nicht zu übersehen, daß sämtliche damit angesprochenen Komplexe in den zurückliegenden anderthalb Jahrzehnten alttestamentlicher Forschung in ihrer Ableitung kontrovers geworden sind. War der Tag Jahwes wirklich ursprünglich ein bestimmter, kultisch verankerter oder jeder Tag seines Eingreifens? Hat die Kulttheophanie ihre Farben vom Tage Jahwes oder umgekehrt der Tag Jahwes die seinen von der Kulttheophanie entlehnt? Und wenn sich schon nicht daran zweifeln läßt, daß es eine jebusitische Kulttradition und eine vorexilische David- und Ziontradition gegeben hat — ist es dann sicher, daß alle in den Zionsliedern begegnenden Vorstellungen bereits im vorexilischen Kult Jerusalems beheimatet waren? Oder ist etwa das für die jüdische Eschatologie so kennzeichnende Motiv des Völkersturms auf Jerusalem, das Völkerkampfmotiv, erst eine relativ junge, vielleicht erst dem 4. Jahrhundert v. Chr. angehörende Bildung?[13] — Kann zu den damit angeschnittenen

---

liches Dokument ersten Ranges endlich gedruckt und damit uneingeschränkt zugänglich gemacht werden sollte.

[12] Daß auch der judäischen Königstraditionen zu gedenken ist, sei der Vollständigkeit halber angemerkt und dazu paradigmatisch auf G. v. Rad, Das judäische Königsritual, ThLZ 72, 1947, Sp. 211 ff. = Gesammelte Studien zum Alten Testament, ThB 8, München 1958, S. 205 ff. verwiesen.

[13] Zur Diskussion über den Tag Jahwes vgl. vor allem G. v. Rad, The Origin of the Concept of the Day of Yahweh, JSS 4, 1959, S. 97 ff. und M. Weiss, The Origin of the Day of the Lord-Reconsidered, HUCA 27, 1966, S. 29 ff. sowie die Diskussion bei Lutz, a. a. O., S. 130 ff.; Müller, a. a. O., S. 69 ff. und F. Stolz, Jahwes und Israels Kriege. Kriegstheorien und Kriegserfahrungen im Glauben des alten Israel, AThANT 60, Zürich 1972, S. 158 ff. — Zum Problem der Beziehungen zwischen Kulttheophanie und Tag Jahwes vgl. J. Jeremias, Theophanie. Die Geschichte einer alttestamentlichen Gattung, WMANT 10, Neukirchen 1965; W. H. Schmidt, Alttestamentlicher Glaube und seine Umwelt, Neukirchen 1968, S. 148 ff. und wiederum Stolz, Jahwes und Israels Kriege, S. 158 ff. Zur Kulttheophanie selbst bleibt immer noch A. Weiser, Zur Frage nach den Beziehun-

Problemen in diesem Rahmen keine nur halbwegs zureichende, geschweige gar endgültige Stellung bezogen werden, weil zu ihrer Lösung weitläufige Untersuchungen inner- und außerhalb des Alten Testaments notwendig sind, so soll doch in entsprechender Vorläufigkeit angedeutet werden, daß mir die Preisgabe der Ableitung der Vorstellung vom Tage Jahwes aus dem Herbst- oder Neujahrsfest in der teilweise innerhalb der kultgeschichtlichen Forschung vertretenen Einlinigkeit wahrscheinlich erscheint; ich der Ansicht zuneige, daß sich die Vorstellung vom Tage Jahwes mit solchen der Jerusalemer Kulttheophanie angereichert hat und nach meiner Einsicht die Akten über die von Gunther Wanke vorgeschlagene Spätdatierung des Völkerkampfmotives trotz der umstandsbedingt knappen Zurückweisungen durch Hanns-Martin Lutz, Hans-Peter Müller und Fritz Stolz noch nicht als geschlossen betrachtet werden können.[14] Mit Wanke und Müller teile ich die Meinung, daß sich das Völkerkampfmotiv in der spezifischen Form, wie es in den Zionsliedern und in den oben angesprochenen Abschnitten des Jesajabuches begegnet, außerhalb des Alten Testamentes in seiner Umwelt nicht nachweisen läßt.[15] Vermutlich wird eine strenge traditionsgeschichtliche Untersuchung der deuterojesajanischen Prophetie am ehesten in der Lage sein, in diesen Streitfragen zu einem neuen Konsens zu führen. — Allein die Tatsache, daß die vermeintlich sicheren Grundlagen der traditionsgeschichtlichen Beurteilung des Propheten Jesaja in Fluß geraten sind, gibt dem Ausleger die Freiheit, eine früher auch von ihm vertretene Anschauung[16] kritisch auf ihre Tragfähigkeit hin zu überprüfen.

gen der Psalmen zum Kult: Die Darstellung der Theophanie in den Psalmen und im Festkult, in: Festschrift A. Bertholet, Tübingen 1950, S. 513 ff. = Glaube und Geschichte im Alten Testament und andere ausgewählte Schriften, Göttingen 1961, S. 303 ff. zu berücksichtigen. — Zur Diskussion über das Alter der Vorstellung vom Völkerkampf vgl. Wanke, S. 74 ff. und S. 106 ff., vgl. S. 31; Lutz, S. 147 ff.; Müller, S. 38 ff. und Stolz: Strukturen, S. 86 ff.

[14] Vgl. dazu Lutz, S. 213 ff.; Müller, S. 44 Anm. 78 und S. 47 Anm. 96 sowie Stolz, Strukturen, S. 88 Anm. 69.

[15] Vgl. Wanke, S. 72 ff. und Müller, S. 44 Anm. 78.

[16] ATD 17[1-4].

IV

Dabei haben wir ein wichtiges Argument bei der Darstellung des herkömmlichen Jesajabildes eigentlich bereits vorweggenommen. Blicken wir auf die oben zusammengestellten Texte zurück, scheint sich ja die eingangs erwähnte Schwierigkeit zu ergeben, daß die alttestamentliche Eschatologie eigentlich schon im 8. Jahrhundert in allen wesentlichen Zügen vorhanden gewesen wäre. — Ist denn eine solche Erwartung endgültigen Heils überhaupt vor der Erfahrung der Endgültigkeit der Unheilsgeschichte denkbar, einer Unheilsgeschichte, auf die man als eine abgeschlossene Größe zurückblicken kann und die doch gleichzeitig unaufhebbar die Existenz der jüdischen Gemeinde als ganzer und die jedes einzelnen bestimmt? [17] Mit anderen Worten: Ist es denkbar, dem Propheten Jesaja und damit der Zeit lange vor dem Zusammenbruch des judäischen Staatswesens und dem Einbruch des Exils eine derartige Eschatologie zuzuschreiben? — Zu diesen grundsätzlichen Überlegungen kommen andere, wenn man so will, mehr psychologischer Art, mutet doch das herkömmliche Jesajabild dem Propheten ein eigentümliches Schwanken in seiner Verkündigung zwischen unbedingten Heilszusicherungen und unbedingten Gerichtsankündigungen zu. Es scheint nur deshalb erträglich, weil man in den Propheten überhaupt teils unreflektiert und teils reflektiert Rufer in die Entscheidung und Bußprediger sieht [17a]. Dieses Prophetenverständnis entspricht gewiß der deuteronomistischen Prophetentheologie, wie sie sich in den Prosatexten des Jeremiabuches, vgl. etwa Jer 18, 7 ff.,[18] und sonstwo niedergeschlagen hat. Ansätze zu diesem Prophetenverständnis lassen sich selbst in der exilisch oder frühnachexilisch anzusetzenden Ausgabe der Jesajaworte mit ihren

[17] Vgl. dazu H. Schulz, Das Buch Nahum, BZAW 129, Berlin 1973, S. 58 f.

[17a] Vgl. dazu Fohrer: Geschichte, S. 258 mit S. 275: „Das Thema der prophetischen Botschaft war die mögliche Rettung des schuldigen und eigentlich dem Tode verfallenen Menschen."

[18] Vgl. dazu S. Herrmann, S. 189 f. und auch E. W. Nicholson, Preaching to the Exiles. A Study of the Prose Tradition in the Book of Jeremiah, Oxford 1970.

Hinweisen auf die versäumte Entscheidung für Jahwe in 28, 12—16 und 30, 8—17 nachweisen.[19] — Aber es bleibt zu fragen, ob das Verständnis der vorexilischen prophetischen Gerichtsankündigungen als Bußpredigten nicht erst den Jahrzehnten nach der Katastrophe von 587 entstammt und einfach die Funktion beschreibt, die jetzt der prophetischen Überlieferung zukam.

Gegen die Hypothese von dem seelsorgerlich bedingten Wechsel des Tenors der jesajanischen Verkündigung machen einige Beobachtungen skeptisch, die für ihn jedenfalls in der von uns in den Mittelpunkt der Betrachtung gestellten letzten Periode seiner Wirksamkeit [20] eigentlich keinen rechten Raum lassen. In 30, 6—7, einem zunächst änigmatischen, rätselhaften Wort, wird beschrieben, wie eine nicht näher bezeichnete Gruppe Schätze auf gefahrvollem Weg nach Ägypten bringt, zu dem Volk, des Hilfe eitel und nichtig ist. Deute ich es recht, stammt es aus der Zeit, als die Via maris, die unmittelbar an Judäa vorbei nach Ägypten führende Küstenstraße bereits von den Assyrern gesperrt war, so daß nur noch der gefahrvolle Weg durch die Sinaihalbinsel offen stand.[21] Mithin dürfte der einzige, uns bekannte Entlastungsversuch des ägyptischen Pharao Schabako bereits fehlgeschlagen, die Schlacht bei Eltheke verloren gewesen sein.[22] Mit anderen Worten: Kurz ehe sich der Ring um Jerusalem schloß, hat Jesaja seine Unheilsbotschaft bekräftigt. Wann hat er dann seine Verheißung von der Rettung in höchster Not vorgetragen? Verlegen wir 29, 1—8 mit Fohrer um ein gutes Jahrzehnt zurück, ist in Wahrheit nichts gewonnen, wird die Ankündigung eher unverständlicher, weil der Prophet nun einerseits in noch unbestimmter, aber absehbarer Zeit die Gefährdung und Errettung des Zion, andererseits aber die Besiegung der Ägypter durch die Assyrer vorausgesagt hätte, letzteres aber, um die Judäer vor einer Beteiligung am Philisteraufstand zu warnen, vgl. Jes 20. Die Erwartung der sich um Jerusalem zusammenziehenden, aber im letzten Augenblick von Jahwe beseitigten Gefahr scheint sich so

[19] Vgl. dazu ATD 18, S. 196, 199 und 233 f.

[20] Vgl. dazu Kaiser, Einleitung², S. 178.

[21] Zu ihrem Verlauf vgl. Y. Aharoni, The Land of the Bible, London 1968, S. 41 ff.

[22] Vgl. dazu Galling, Textbuch, S. 68.

eigentümlich vom Boden der Geschichte zu lösen, während sich gleichzeitig wieder jenes eigenartige Schwanken zwischen Gerichts- und Heilsverkündigung ergibt. Wenn aber das Prophetenwort gleichzeitig als schaffendes, das angesagte Ereignis heraufführendes Wort verstanden werden soll,[23] kommt man in weitere Schwierigkeiten, es sei denn, man wollte zu einem vorwissenschaftlichen Prophetenbild zurückkehren, wie es etwa Dan 7 ff. zugrunde liegt. Läßt man Jesaja ernstlich meinen, was er nicht nur einmal, sondern wieder und wieder, vor und nach der Kapitulation Jerusalems 701 vor Sanherib gesagt hat, wird seine Gestalt strenger, unerbittlicher, wenn man so will: archaischer, so daß man sich an die Sehergestalten gleichzeitiger griechischer Dichtung erinnert fühlt. Und vielleicht dürfen wir zugunsten dieses Prophetenbildes die letzte Frage stellen, ob es wirklich denkbar ist, daß ein Prophet in einem noch aktiv an der Gestaltung seines politischen Schicksals beteiligten Volke in der Zeit der Gefahr eine Rettung durch den mit Blitz und Donner eingreifenden Gott in Aussicht stellen konnte. Eines ist es, geschichtliches Geschehen mittels mythischer Farben als Handeln Gottes zu interpretieren, ein Anderes, sich Geschichte kosmisch entschieden zu denken.

Wenn man so fragt, rücken die oben flüchtig betrachteten Texte des Jesajabuches in eine eigentümliche Nähe zu den jüngeren Erzählungen, die den Propheten seinen Königen ein Zeichen aus dem Himmel oder aus der Unterwelt anbieten lassen, vgl. Jes 7, 10 ff. und 2 Kön 20, 1 ff. par Jes 38, 1 ff. — Unterstellen wir dagegen einen Augenblick, daß die vorexilischen Propheten ernsthaft meinten, was sie sagten, entfaltet sich vor unseren Augen bei kritischer Durchsicht der Prophetenbücher nicht nur eine Geschichte der mit dem Exil einsetzenden Prophetentheologie, sondern zugleich auch der Eschatologie; denn damit rücken jene Abschnitte im Jesajabuch, aus denen wir eingangs das eschatologische Drama zusammenstellten und deren Geschichtstheologie offensichtlich auch der Komposition des Jesajabuches zugrunde liegt, zeitlich mit dieser selbst näher zusammen.

[23] Vgl. dazu z. B. G. Fohrer, Prophetie und Magie, in: Studien zur alttestamentlichen Prophetie, BZAW 99, S. 252 f. oder J. Lindblom, Prophecy in Ancient Israel, Oxford 1962, S. 117 ff.

V

So kommt es darauf an, den Weg der Glaubensgedanken zu verstehen, der dazu führte, daß auf der einen Seite neue Weissagungen von der künftigen Rettung der Gottesstadt aus höchster Gefahr als Auftakt zum Anbruch der Heilszeit gewagt wurden und auf der anderen Seite das Prophetenbuch mit seinem dreigliedrigen eschatologischen Schema geschaffen wurde. Dabei tut man gut, sich vorweg gegenwärtig zu halten, daß der vorgriechischen Welt in der Regel ein eigentlich antiquarisches Interesse fehlte und also im Überlieferungsprozeß als solchem ein Aktualitätskriterium waltete. Die formale Autorität eignet dem Überlieferten erst in der Spätzeit, nicht aber in schöpferischen Perioden. Und wahrscheinlich war es mehr das Auseinanderfallen des Judentums in mehrere miteinander rivalisierende Richtungen als ein wirkliches inneres Erstarren, was schließlich den so bestimmten Traditionsprozeß stoppte und eine Kanonisierung der überlieferten Schriften im klassischen Sinne bewirkte.[24]

Wie war es also möglich, daß im Judentum die Erwartung von einem erneuten Ansturm der Völker auf Jerusalem und zugleich von einem endgültigen, rettenden Eingreifen Jahwes entstand? — Daß mit einer derartigen Frage grundsätzlich der Raum des Erklär- und Ableitbaren überschritten ist, weil sie in den Bereich menschlicher Freiheit und göttlicher Wahl hineinreicht, sei ausdrücklich angemerkt, um uns später den Vorwurf eines dem Menschlichen prinzipiell unangemessenen Determinismus zu ersparen. Denn wenn wir alle Traditionen aufzählen können, die glaubendem Denken bei der Bewältigung einer Unheilssituation geholfen haben, bleibt die Tatsache, daß die Tradition so die bestimmte Situation auslegen konnte, unableitbar. Doch sollte gleichzeitig zugestanden werden, daß wir keine andere Methode zum Verständnis geschichtlicher Ereignisse und in Sonderheit zum Verständnis der Zeugnisse des Glaubensdenkens besitzen als die, welche fragt, von welchen selbstverständlichen Denkvoraussetzungen her eine bestimmte Her-

---

[24] Vgl. dazu Kaiser, Einleitung, S. 325 ff. und ATD 18, Göttingen 1973, S. 145.

ausforderung durch die Situation angenommen und beantwortet worden ist.[25]

Hält man sich das eschatologische Mythologem von der Gefährdung und Errettung Jerusalems gegenwärtig, muß einem bei einer weiteren Umschau im Jesajabuch auffallen, daß in dieser Erwartung die beiden, durch die Tradition herausgehobenen Ereignisse des 8. und 6. Jahrhunderts, das Geschick Jerusalems im Jahre 701, seine schließlich doch seinen Bestand sichernde Kapitulation vor dem Assyrer Sanherib, und das Geschick Jerusalems 587, seine Eroberung und Zerstörung durch den Babylonier Nebukadnezar, in eigentümlicher Weise zusammengeschaut und in die Zukunft verlegt worden sind. Daß wir es dabei nicht mit dem Geschick Jerusalems zu tun haben, wie es moderne Forschung für das Jahr 701 rekonstruiert und wie es 2 Kön 18, 13—16 in der Bibel gerade noch hindurchblickt, liegt allerdings auf der Hand. Beide Ereignisse sind vielmehr theologisch gedeutet und dabei gegeneinander abgesetzt worden. Im Blick über die bereits in Anknüpfung an das prophetische Erbe als Strafe Gottes gedeutete und angenommene Katastrophe von 587 zurück auf das Davongekommensein Jerusalems im Jahre 701 wandelte eben das zuletzt genannte Ereignis sein Gesicht. Dabei kam die in 2 Kön 18, 17 ff. par Jes 36 f. enthaltene Tradition insofern der Umdeutung, deren Ergebnis nun in den genannten Texten vorliegt, entgegen, als die hinter der älteren Erzählung von der Rettung Jerusalems im Jahre 701 stehende, vom Forscher gerade noch faßbare Geschichtserzählung bereits über die Mitteilung des bloßen, überraschenden Abzuges Sanheribs hinausgegangen zu sein scheint. Die in ihr spürbare Unschärfe der historischen Erinnerung, der Sanherib und Asarhaddon, Schabako und Taharqa zusammenfließen und der die zwei zwischen Sanheribs Abzug und seiner Ermordung liegenden Jahrzehnte in ein Nichts schrumpfen, läßt vermuten, daß diese Erzählung bestenfalls gegen Ausgang des 7. Jahrhunderts fixiert worden ist.[26] Blicken wir auf die Endgestalt der Jes 36, 1 ff.

---

[25] Daß hinter diesen Überlegungen die von Kant durchreflektierte Unterscheidung zwischen theoretischer und praktischer Vernunft steht, wird dem Kenner nicht verborgen geblieben sein.

[26] Vgl. Jes 36, 1—37, 9 a und 37, 37 aα b. 38.

einsetzenden älteren der beiden hier zusammengefügten Erzählungen, die mit der Verhandlung des Rab-Schaqe mit der von Hiskia vor die Tore Jerusalems geschickten judäischen Delegation einsetzt und über die Rede des assyrischen Offiziers an das Volk auf der Mauer, die Rückkehr der Gesandtschaft zu Hiskia und ihre erneute Entsendung zu Jesaja nebst seinem Heilswort zum Abzug Sanheribs und seiner Ermordung in Ninive weiterführt,[27] wird uns deutlich: In ihrem Zentrum steht die These, daß Jahwe den, der auf ihn vertraut, auch errettet. Nicht weniger als siebenmal fällt das Stichwort „Vertrauen" und elfmal das andere „Erretten". Weil Hiskia und die Seinen auf Jahwe vertrauten, wurde Jerusalem 701 errettet. Das Ereignis aus dem 8. Jahrhundert ist im Lichte des glaubend gedeuteten des 6. Jahrhunderts zu seinem Antitypos geworden. Damit weist es bereits den Weg in die Zukunft, fordert es dazu auf, auch jetzt, in der Zeit nach der Katastrophe, auf Jahwe zu vertrauen und auf seine Hilfe zu hoffen. Man möchte geradezu das viel jüngere eschatologische Danklied zitieren, um die Tendenz der Erzählung zu fassen: „Vertraut auf Jahwe immerdar ...", 26, 4. — Die Rückwendung in die Vergangenheit geschieht um der Bewältigung der durch die Katastrophe des eigenen Volkes bestimmten Gegenwart willen. Eigentlich mythische Züge sind der Erzählung fremd. Jahwe handelt nicht mittels kosmischer Eingriffe,[28] sondern als der heimliche Lenker der irdischen Geschichte.

Das ändert sich, wenn wir uns der zweiten, nach meiner Einsicht von vornherein als Überbietung der ersten Erzählung konzipierten Geschichte zuwenden.[29] Nach dem Abzug des Rab Schaqe soll der Großkönig an Hiskia einen Brief geschrieben haben, den dieser vor Jahwe im Tempel ausbreitete. Ohne daß es nötig geworden wäre, eine Delegation zu Jesaja zu senden, hätte der Prophet dem König die göttliche Antwort auf sein Gebet geschickt, die sich alsbald im

[27] Vgl. auch ATD 18, S. 301 ff.

[28] Daß solche z. B. in Gestalt von Dürre oder Gewitter grundsätzlich zum Repertoire göttlichen Wirkens im Alten Testament gehören, wird natürlich nicht bestritten, ebenso gesehen, welche Ausweitungsmöglichkeiten hier vom Rettungsereignis bei der Ausführung aus Ägypten her grundsätzlich gegeben waren.

[29] Vgl. Jes 37, 9 b. 10—21. 33—36. 37 aβ.

nächtlichen Eingreifen des Engels bewahrheitete, so daß am nächsten
Morgen das gewaltige Heer der Assyrer erschlagen vor den Toren
Jerusalems lag. — Wer weiß sich hier nicht an Jes 31, 8 erinnert, wo
angesagt wird, daß Assur durch „Nichtmanns Schwert" sein Ende
finden wird. Mit 17, 14 könnte man sagen:

> Zur Abendzeit: siehe da, Schrecken!
> Vor dem Morgen ist es vorbei!

Doch noch ein Satz fällt dem nachdenklichen Leser der Erzählung
auf: Hiskia schließt sein Gebet in 37, 20 mit dem Satz: „Nun denn,
Jahwe, unser Gott, rette uns aus deiner Hand, damit alle Königreiche der Erde wissen, daß du, Jahwe, allein Gott bist." — Der
Leser stutzt: Angeblich ist doch das rettende Ereignis bereits geschehen, die Erhörung erfolgt. Und doch wäre die Bekehrung der
Völker ausgeblieben. Bei aller Vorsicht darf man wohl sagen, daß
die zweite Erzählung dem Ereignis des Jahres 701 die Farben der
eschatologischen Erwartung der künftigen Rettung des Zion ge-
liehen hat und es damit auf sie hin transparent machen wollte.

Tragen wir nach, daß sich in der ersten, um das Thema von Vertrauen und Errettung kreisenden Erzählung neben Anspielungen,
die ihre nachdeuteronomische Entstehung verraten, in 36, 9 ein
deutlicher Rückgriff auf 31, 1 und damit ein Wort genuiner Jesaja-
überlieferung findet, und erinnern wir uns noch einmal, daß die
jüngere Erzählung auf 31, 4—9 und damit auf einen eschatologischen Text anspielte, stellt sich die Frage, ob das Wachstum der Pro-
phetenerzählung nicht parallel zu der eschatologischen Bearbeitung
und Erweiterung der prophetischen Überlieferung verlaufen ist.
Dabei könnte es durchaus so sein, daß der ältere, unseres Erachtens
frühnachexilische Erzähler das Mythologem vom Völkerkampf vor
Jerusalem noch nicht kannte, während es der jüngere, den man
kaum vor dem 4. Jahrhundert ansetzen könnte, zurückspiegelnd
verarbeitete.[30]

Weil es für das Judentum nach 587 Heil im Vollsinn des Wortes
nur geben konnte, wenn die Völker der Welt, die nach einer nach
Jahrhunderten währenden Erfahrung einen Zwingherren nach dem

---

[30] Vgl. auch Wanke, S. 106 ff.

anderen stellten, besiegt und die Besiegten zugleich Jahwes alleinige
Gottheit anerkennen würden, bot sich angesichts des Glaubens an
die göttliche Erwählung Israels und des Zions und der gedeuteten
Erfahrung der Jahre 701 und 587 der Gedanke an einen neuen
Völkersturm auf Jerusalem an, in dem Jahwe die Sache seines
politisch ohnmächtig gewordenen Volkes selbst vertreten würde.
Bleibt die Rolle der speziellen Zionstraditionen in diesem Rahmen
unbestritten, wenn auch weiterer Präzisierung bedürftig, sollte man
darüber den Beitrag nicht übersehen, der den Gerichtsworten des
Propheten bei der Bildung dieser Erwartung zukam: Gewiß wur-
den sie nach 587 zunächst verlesen, um die Existenz im Schatten der
Katastrophe als Konsequenz der Sünde der Väter und längst von
Jahwe vorausgesagte und also auch gewirkte Strafe verstehen und
also anzunehmen zu lehren. Was aber geschah, wenn man im Spiegel der Prophetenworte die Sünden der eigenen Zeit erkannte[31]?
Mußte dann nicht auch aus diesem Grunde ein neues Gericht über
Jerusalem hereinbrechen? Und erklärt sich damit nicht zugleich,
warum uns in den großen Prophetenbüchern der Dreischritt von
Gerichtsankündigungen gegen das eigene Volk, Fremdvölkersprü-
chen und Verheißungen begegnet? Die Komposition, sagten wir
eingangs, sei eschatologisch gemeint. Das gilt nun überraschend neu-
artig auch für die Worte gegen das eigene Volk.[32]

VI

Wir blicken zurück: Was der prophetischen Verkündigung ihr
überzeitliches Gewicht zu geben scheint, der Verweis, daß der Weg
zum Heil für den Menschen und die Menschheit durch das Gericht
Gottes führt, erweist sich unserer Nachprüfung als Ergebnis einer
mehrere Jahrhunderte umspannenden geschichtlichen Erfahrung

[31] Daß hinter der Frage mehr als eine textferne Rekonstruktion steht,
vermag ein Blick auf Jes 56, 6—59, 21; Sach 5, 1 ff.; 5, 5 ff.; Mal 1, 6 ff.;
2, 10 ff.; 2, 17 ff. und 3, 6 ff. und nicht zuletzt Neh 5, 1 ff. zu zeigen.

[32] Daß die literarkritische Beurteilung der Gerichtsworte gegen das
eigene Volk von diesen Überlegungen aus schwieriger wird, bestätigt ein
kurzes Nachdenken.

und eines nicht minder langen glaubenden Nachdenkens über die
Wege Gottes mit Jerusalem, der Gottesstadt, und mit seinem Volk.
Dabei wurde das Heil schließlich im Gegenzug zu jeder menschlichen Aktivität allein von einem Handeln *Gottes* erwartet. Mancher könnte heute dazu neigen, in dieser Erwartung und damit im
eschatologisch ausgelegten Glauben überhaupt einen dem Menschen
unerlaubten Quietismus zu sehen. Aber wer so argumentierte, hätte
übersehen, daß dem Heil das Gericht vorausgeht. Und am Ende
wäre zu fragen, ob es denn ausgemacht ist, daß es gerade die Aufgeregten in der Weltgeschichte ein wenig besser machen als die Ge-
lassenen, — und um dieses „ein wenig besser" geht es wohl, wo von
des Menschen Tun die Rede ist.

Studies on Prophecy (= Supplements to Vetus Testamentum, Vol. XXVI), Leiden 1974, S. 116—132.

DIE ESCHATOLOGIE DER PROPHETEN DES ALTEN TESTAMENTS UND IHRE WANDLUNG IN EXILISCH-NACHEXILISCHER ZEIT[1]

Von Klaus-Dietrich Schunck

Die Eschatologie ist ein Thema, das zu den aktuellsten Themen in der gegenwärtigen theologischen Arbeit gehört. Man braucht sich nur die stattliche Zahl von Monographien sowie von größeren oder kleineren Beiträgen aus dem Bereich der systematischen Theologie zu vergegenwärtigen, die allein in den letzten 15 Jahren zu dieser Thematik erschienen sind, um diese Feststellung sehr schnell bestätigt zu finden. Schaut man sich diese Untersuchungen einmal etwas genauer an, so stellt man unschwer fest, daß sie fast alle bei der Eschatologie des Alten Testaments, genauer bei der Eschatologie der Propheten des Alten Testaments, einsetzen oder dieser zumindest grundlegende Bedeutung zumessen. Mit Recht, — ist doch das AT nicht nur ebenso wie das NT Grundlage unseres Glaubens und Redens von Gott, sondern dabei zugleich auch noch die ältere und erste Quelle.

Eben darum ist es nun aber auch so wichtig zu klären, was denn das AT, speziell die Propheten, unter Eschatologie eigentlich verstehen, wann und wie sich ereignend sie sich das Eschaton vorstellen. Die Klärung dieser Fragen ist zumal in den letzten 15 Jahren immer wieder versucht worden, nachdem man dieses Problem nach Hugo Greßmanns großer Untersuchung über den Ursprung der israelitisch-jüdischen Eschatologie vom Jahre 1905[2] lange Zeit hin-

---

[1] Gastvorlesung, gehalten an den Theologischen Fakultäten der Universitäten Aarhus und Kopenhagen im September/Oktober 1972.

[2] H. Greßmann, Der Ursprung der israelitisch-jüdischen Eschatologie, 1905.

durch für eindeutig entschieden erachtet hatte, — mit dem Ergebnis, daß sich in der gegenwärtigen alttestamentlichen Arbeit nun zwei Auffassungen gegenüberstehen, zwischen denen derjenige, der nicht Fachmann auf dem Gebiet des AT ist, mehr oder weniger nach persönlicher Neigung bzw. Sympathie für ihm bekannte Namen auswählen wird. Was beinhalten also diese beiden Auffassungen? Ich will im folgenden zunächst kurz das Verständnis von Eschatologie, das ich selbst nicht für sachgemäß halte, umschreiben, um auf diesem Hintergrund dann die Auffassung, die ich für ursprünglich erachte, darzulegen. Danach will ich in einem zweiten Teil diese m. E. richtige Auffassung an ausgewählten Texten genauer belegen und endlich in einem dritten Teil den in exilisch-nachexilischer Zeit eintretenden Wandel der ursprünglichen Auffassung erläutern und begründen. Daß es dabei zunächst vor allem um eine Begriffserklärung gehen muß, liegt in der Natur der Sache.

I

Die erste Auffassung, die zugleich als die ältere gelten darf, könnte man in verkürzter Form auch als die der religionsgeschichtlichen Schule und ihrer Nachfolger bezeichnen; es sind Gelehrte wie Gustav Hölscher, Sigmund Mowinckel oder Georg Fohrer, die in Anknüpfung an Hugo Greßmann die Auffassung vertreten, daß man von Eschatologie nur dort reden könne, wo das AT ein vom jetzigen Weltalter geradezu dualistisch abgehobenes zweites Weltalter im Auge habe, das auf das mit einer totalen Vernichtung endende jetzige Zeitalter folgt.[3] Für die genannten Theologen gelten dementsprechend nur solche Aussagen des AT als eschatologisch, die außerhalb des eigentlich Geschichtlichen liegen, und das bedeutet dann praktisch, daß man meint, Eschatologie nur bei einigen späten,

---

[3] G. Hölscher, Die Ursprünge der jüdischen Eschatologie, 1925, S. 3; S. Mowinckel, He that cometh, 1956, S. 149; G. Fohrer, Ezechiel (HAT I, 13), 1955, S. XXIX. 216; ders., Das Alte Testament, Einführung in Bibelkunde und Literatur des ATs und in Geschichte und Religion Israels II/III, 1970, S. 93 ff.

d. h. nachexilischen prophetischen Texten, die kosmologisches bzw. transzendentales Geschehen zum Inhalt haben, finden zu können. Ist diese Sicht, die die Eschatologie faktisch auf eine dualistische Apokalyptik beschränkt, aber wirklich haltbar? Sie krankt m. E. daran, daß sie auf zwei keineswegs eindeutig gesicherten Voraussetzungen aufbaut, was sich gut an der Konzeption von G. Fohrer zeigen läßt. Ich meine folgende Voraussetzungen:

1. Nach G. Fohrer soll es vor dem Exil prinzipiell keine Heilsprophetie gegeben haben, d. h. alle eschatologischen Heilsworte und messianischen Weissagungen bei Jesaja und den anderen vorexilischen Propheten seit Amos sollen unechte, spätere Eintragungen sein.[4] Diese These ist exegetisch aber keinesfalls beweisbar, und sie wird noch problematischer, wenn man bedenkt, daß der ganze tiefere Sinn der vorexilischen Prophetie doch gerade in der Verkündigung von Gericht und Heil im Sinn eines Entweder-Oder liegt.

2. In seinem 1967 erneut abgedruckten Aufsatz über ›Die Struktur der alttestamentlichen Eschatologie‹ vertritt G. Fohrer dementsprechend die Ansicht, daß die eschatologische Prophetie geradezu als das Gegenstück zu der vorexilischen Prophetie zu verstehen sei; die eschatologische Verkündigung der Propheten soll „das Ergebnis der epigonalen Entartung der vorexilischen Prophetie" sein.[5] Eine solche krasse Scheidung zwischen vorexilischer Prophetie einerseits und nachexilischer Prophetie bzw. Eschatologie und Apokalyptik andererseits ist aber schwerlich sachgemäß. Selbst die Apokalyptik hängt ja wesensmäßig mit dem Geschichtsverständnis der vorexilischen Prophetie noch legitim zusammen, auch die Apokalyptik verbindet mit den vorexilischen Propheten die allgemeine Zukunftsbezogenheit des Jahweglaubens. Somit läßt sich keine so totale Diskontinuität, kein so entscheidender Bruch zur vorexilischen Verkündigung nachweisen, wie G. Fohrer es tun möchte.

Damit ist bereits gesagt, daß es m. E. nicht möglich ist an-

---

[4] G. Fohrer, Das Buch Jesaja I, ²1966, S. 16; ders., Das Alte Testament II/III, 1970, S. 21. 85—87.

[5] G. Fohrer, Die Struktur der alttestamentlichen Eschatologie, in: Studien zur alttestamentlichen Prophetie (1949—1965) (BZAW 99), 1967, S. 58 [in diesem Bd. S. 180].

zunehmen, daß die Eschatologie des AT es nur mit dem Ende von Weltzeit und Geschichte (= Unheilszeit) sowie einer darauf folgenden transzendenten Heilszeit zu tun habe. Das heißt positiv gewendet: Es muß in der Eschatologie auch schon das aufgefangen und eingeschlossen sein, was die prophetische Verkündigung von der Erwartung des durch Gericht und Gnade kommenden Heils zu sagen weiß, es muß in der Eschatologie auch schon die immer neue Entscheidung des Menschen, an die die Propheten mit ihrer Aufforderung zur Umkehr appellieren, berücksichtigt sein.

Doch nun mag vielleicht der Einwand erhoben werden: Das ist eine gewiß gute und einleuchtende Forderung, aber wo liegt der Beweis dafür, daß dieses zweifellos entscheidend wichtige prophetische Anliegen auch als eschatologisch zu bezeichnen ist? Wir müssen uns daher diesen Begriff kurz etwas genauer ansehen, was uns zugleich zu der anderen Auffassung von Eschatologie hinüberführen wird.

In dem Begriff „Eschatologie" ist das griechische Wort τὸ ἔσχατον enthalten, das örtlich wie zeitlich das Letzte, das Äußerste bezeichnet. Gibt es dafür aber im Semitischen, speziell im Hebräischen ein genau entsprechendes, deckungsgleiches Wort? Ich meine, hier kommt der Unterschied zwischen griechischem und hebräischem Denken entscheidend ins Spiel. Das hebräische Wort, das dem griechischen ἔσχατον am nächsten kommt, ist אַחֲרִית, dieses Wort aber bezeichnet im Hebräischen nicht nur das Ende und Letzte, sondern zugleich auch das Zukünftige und Neue (vgl. Jer 31, 17, wo schon F. Nötscher übersetzt: „Hoffnung winkt deiner Zukunft — Spruch Jahwes"). [6] Dementsprechend hat man anzunehmen, daß für hebräisches Denken „Letztes" und „Neues" zusammengehören, daß also für das „Letzte" das Prädikat des „Neuen" entscheidend ist, nicht aber die Zuweisung zu dieser Geschichte bzw. dieser Zeit oder einer anderen außergeschichtlichen Zeit. Für den Israeliten gab es keine Unterscheidung zwischen innerzeitlichem und außerzeitlichem (bzw. außergeschichtlichem bzw. transzendentalem) Geschehen; er kannte nicht unsere Zeitbegriffe, für ihn war vielmehr

[6] F. Nötscher, Jeremias (Echter Bibel), 1947, S. 105. Analog übersetzen auch die Menge Bibel und die Zürcher Bibel.

immer und überall dort Geschichte, wo Gott mit den Menschen handelt. Zugespitzt könnte man den Sachverhalt deshalb vielleicht auch so formulieren: Nicht die Zeit war ihm wesentlich, sondern das neue Sein! Und so dürfen wir nun festhalten, daß es legitim ist, überall dort bei den Propheten des AT von Eschatologie zu sprechen, wo ein Neues, ein neues Sein, im Sinne eines letzten und endgültigen Seins in den Blick kommt.

Damit haben wir zugleich auch schon die Grundlage erkannt, auf der die Vertreter der Auffassung von Eschatologie stehen, der auch ich mich anschließen und auf deren Grundlage ich im folgenden weiterbauen möchte. Zu dieser Gruppe ist einmal Gerhard v. Rad mit seinem Schülerkreis zu zählen, dann aber auch ein so angesehener skandinavischer Alttestamentler und gründlicher Kenner der prophetischen Theologie wie Johannes Lindblom. Er umschreibt die Sachlage so: „Wenn die Propheten von einer Zukunft reden, die nicht nur eine Fortsetzung der in dieser Zeit waltenden Verhältnisse bedeutet, sondern etwas Neues und ganz anderes mit sich bringt, da haben wir das Recht, den Terminus Eschatologie zu verwenden." [7] Und in Fortführung und Vertiefung dieser Feststellung sagt G. v. Rad: „Entscheidend ist ... vor allem die Feststellung des Bruches, der so tief ist, daß das Neue jenseits davon nicht mehr als die Fortsetzung des Bisherigen verstanden werden kann." [8]

Das Neue und ganz andere jenseits eines Bruches mit dem Bisherigen, — damit haben wir m. E. das entscheidende Kriterium für die prophetische Eschatologie der vorexilischen Zeit gewonnen. Ich möchte nur kurz noch die tiefgreifende Konsequenz aus dieser Erkenntnis aufzeigen und die Stellung dieser Eschatologie im Gesamtgefüge des Jahweglaubens beleuchten, ehe ich diese These an einzelnen Texten näher ausführe und belege.

Die Umschreibung des Wesens der Eschatologie als „Bruch mit dem bisherigen Sein und ganz neues Sein unabhängig von Zeitkategorien" — das verlagert den Schwerpunkt zunächst weg von den traditionellen Begriffen „Jüngstes Gericht", „Auferstehung" und „Ewiges Leben". Es aktualisiert die prophetische Eschatologie

---

[7] J. Lindblom, StTh 6, 1952, S. 88 [in diesem Bd. S. 42].
[8] G. v. Rad, Theologie des Alten Testaments II, ²1961, S. 129.

in einer ganz neuen Weise, denn das heißt ganz konkret: Wo der Bruch mit dem bisherigen, unter Gottes Gericht stehenden sündigen Sein vollzogen wurde und ein ganz neues Sein nach Gottes Willen und in Gemeinschaft mit ihm begonnen wurde, da ist das Eschaton bereits da, dort steht der betreffende Mensch bereits im Eschaton. Die Propheten des AT bringen uns das Eschaton — wenn man so sagen will — in unsere Zeit und Gegenwart hinein; es kann auch hier und heute schon dasein, so wie es auch bereits gestern und zur Zeit Jesu Christi dagewesen sein kann. Ja, es ist das NT, das dieses Verständnis der ursprünglichen prophetischen Eschatologie dann wohl auch deutlich bestätigt. Wenn es Lk 17, 21 heißt: „Denn siehe, das Reich Gottes ist (bereits) unter euch" (bzw. „in euch" = ἐντὸς ὑμῶν), so zeigt sich hier, daß die Eschatologie des NT mit der Christologie als neuem Motiv doch nur die ursprüngliche Eschatologie der Propheten des AT wieder aufnimmt. Damit ist zugleich schon gesagt, daß das Eschaton keine ungeschichtliche Endphase sein kann; es gehört vielmehr eben zur Geschichte hinzu, so wie Geschichte und Zeit überall und solange vorliegen, wie Gott mit den Menschen handelt. Ich meine, daß man diese Konsequenzen aus der prophetischen Eschatologie Israels in der heutigen Verkündigung nicht hoch genug beachten und bewerten kann.

Wo aber liegen nun die Wurzeln für diese prophetische Auffassung vom Eschaton? Ich möchte antworten: Im Wesen des Jahweglaubens. Jahwe ist seit seiner Offenbarung und dem Bundesschluß am Sinai der Gott Israels, der sein Volk durch immer erneute Offenbarungen, direkte wie indirekte Eingriffe und Willensäußerungen zu einem unverrückbar feststehenden Ziel hinführen will. So ist nicht nur Jahwe immer wieder der neu Kommende und Zukünftige, sondern auch die ganze Geschichte Israels als fortlaufende Begegnung Israels mit Jahwe tendiert auf die Erwartung eines endgültigen Eingreifens Jahwes hin, das die endgültige Aufrichtung seiner Herrschaft über sein Volk und die ganze Welt bringen soll. Diese allgemeine Zukunfts- und Zielbezogenheit haben dann die vorexilischen Propheten durch ihre eigene Interpretation dieser Geschichte, ihre spezielle Wertung der Zeitsituation und ihre daraus folgende Gerichtsverkündigung legitim zu einer fest umrissenen Eschatologie ausgebaut. Die prophetische Eschatologie behält

also das alte Ziel des Jahweglaubens, nämlich endgültige Aufrichtung der Herrschaft Jahwes über ihn ungebrochen anerkennende
Menschen, voll bei, baut jedoch das vor diesem Ziel liegende Eingreifen Jahwes zu einem großen Gerichtshandeln aus (= Tag
Jahwes), in dem nur ein Teil des Volkes bzw. der Menschheit bestehen wird (= Rest). Zugleich wird das Leben in dieser endgültigen
Herrschaft Jahwes, aus der Erkenntnis der totalen Falschheit des
gegenwärtigen Weges folgend, als etwas ganz Neues, durch einen
tiefen Bruch vom bisherigen Sein Getrenntes, dargestellt und für
dieses endgültige Reich nach Jahwes Willen ein besonderer Beauftragter Jahwes als dessen Regent eingeführt (= Messias).

Damit sind die drei spezifischen Entfaltungsformen der prophetischen Eschatologie genannt und wir stehen an der Stelle, wo wir
unter Heranziehung von Texten, in denen die Begriffe „Tag
Jahwes", „Rest" und „Messias" eine Rolle spielen, die Richtigkeit
der eben dargelegten Auffassung der prophetischen Eschatologie
vorexilischer Zeit überprüfen können.

II

1. Der „Tag Jahwes" = יוֹם יהוה

Wie ich soeben schon ausführte, setzen die vorexilischen Propheten, ihrer negativen Einschätzung des religiösen Verhaltens ihres
Volkes und der daraus resultierenden Unheilsandrohung entsprechend, unmittelbar vor dem Beginn einer ganz neuen und endgültigen Heilsherrschaft Jahwes unter den Menschen ein Gerichtshandeln Jahwes an: den sog. Tag Jahwes. Er beendet das bisherige
verderbte Sein und steht sozusagen auf der Brücke zum Eschaton,
er ist als unumgängliche Passierstelle zu diesem von diesem nicht zu
trennen. Das wird zunächst an einem Abschnitt, der von dem
Propheten Jesaja stammt, sehr gut erkennbar. Der originale Text
von Jes 2, 12—17 lautet in Übersetzung:

12: Denn es kommt ein Tag für Jahwe Zebaoth
	über alles Stolze und Hohe
	über alles Ragende und 'Große'

13: und über alle Zedern des Libanon '. . .'
    und über alle Eichen in Basan
14: und über alle hohen Berge
    und über alle ragenden Hügel
15: und über jeden hohen Turm
    und über jede steile Mauer
16: und über alle Tarschischschiffe
    und über alle Luxussegler.
17: Da beugt sich der Hochmut der Menschen
    und es duckt sich die Hoffart der Männer.
    Aber erhaben wird Jahwe sein, er allein, an jenem Tage.

Hier wird zunächst ganz deutlich, daß dieser „Tag Jahwes" ein
großer, überall wirksam werdender und alle ansprechender Gerichtstag sein soll. Zugleich wird aber auch deutlich, daß dieser
Gerichtstag keinerlei zeitliche Festlegung erfährt und schon gar
nichts davon gesagt wird, daß er ein Ende der Geschichte und dieser
Welt herbeiführen werde. Es ist vielmehr alles auf die Feststellung
ausgerichtet, daß dieser Jahwetag eine Verurteilung, wenn nicht
Vernichtung alles dessen beinhalten wird, was bisher den Stolz der
Menschen auf sich selbst und ihr Vermögen ausmachte, was — wie
v. 17 sagt — ihren Hochmut und ihre Hoffart unterstützte, was
also ihr falsches, sündiges Sein ausmachte. Daraus aber ergibt sich
dann ja als unumgängliche Folgerung: Das, was nach diesem
Jahwetag sein wird, wird ganz anders, wird ganz neu sein. Wenn
v. 17 sagt: Aber erhaben wird allein Jahwe sein an diesem Tage,
dann heißt das doch, daß das neue Sein ein Sein unter totaler Anerkennung Jahwes, seiner Herrschaft und seines Willens sein muß.
Zu dem gleichen Ergebnis führt danach auch der wohl bekannteste Text des AT über den Tag Jahwes, der Abschnitt Zeph 1,
14—16 (18 a). Dieser Abschnitt, dessen altlateinische Nachdichtung
'Dies irae, dies illa solvet saeclum in favilla' dann auch Goethe in
seinen ›Faust‹ aufnahm, lautet in Übersetzung des originalen Ur-
textes:

14: Es ist nahe der große Tag Jahwes,
    er ist nahe und 'eilt' sehr.
    Der Tag Jahwes 'ist schneller als ein Läufer'
    'und rascher als ein Held'.

15: Ein Tag voll Grimm ist dieser Tag,
   ein Tag voll Drangsal und Bedrückung,
   ein Tag voll Tosen und Getöse,
   ein Tag voll Finsternis und Dunkel,
   ein Tag voll Wolken und Nebel,
16: ein Tag voll Trompeten und Schlachtgeschrei
   gegen die befestigten Städte
   und gegen die hochragenden Zinnen.

Auch hier wieder haben wir die Aussage von einer umfassenden Bedrängnis des Menschen und einer Zerstörung alles dessen, worauf er in Verkennung der Forderung Jahwes seinen Stolz und sein Vertrauen gesetzt hat (v. 16). Und wieder läuft die Folgerung aus dieser Schilderung des Tages Jahwes darauf hinaus, daß nur eine unbedingte, ausschließliche Unterordnung unter Jahwes Willen und seine Herrschaft, also ein gegenüber dem bisherigen Sein ganz neues, anderes Sein, aus diesem Gericht herausführen kann; — sagt doch der ebenfalls von Zephanja stammende v. 18 a in negativer Formulierung: Weder ihr Silber noch ihr Gold vermag sie zu retten.

Aber darüber hinaus wird aus diesem Zephanjatext nun noch ein weiteres deutlich: Hier wird sogleich am Anfang zweimal vom Propheten betont, daß der Tag Jahwes nahe sei. Diese Aussage findet sich nach Zephanja auch noch bei weiteren Propheten, besonders bei Ezechiel (30, 3), Obadja (15) und Joel (1, 15; 2, 1; 4, 14). Man geht daher wohl nicht zu weit, wenn man behauptet, daß erstmals bei Zephanja um 630 v. Chr. nun auch das Zeitproblem in Verbindung mit der Eschatologie in den Blick kommt. Aber freilich: Hier geht es um das Problem, *wann* das Eschaton *beginnt*; die Frage, ob damit ein Ende der Zeit und Geschichte und also dieser Welt verbunden sein sollte, ist eine andere, die auch Zephanja noch nicht kennt und nicht beantwortet.

2. Der „Rest" = שָׁאָר‎, שְׁאֵרִית‎

Was ich anhand zweier bedeutsamer Sprüche des Jesaja und des Zephanja über den „Tag Jahwes" ausführte, erfährt seine Bestätigung und Ausweitung durch prophetische Aussagen über einen

„Rest", der diesen Gerichtstag Jahwes überdauern soll. Ebensowenig
wie beim Tag Jahwes braucht uns hier die Frage zu beschäftigen,
woher die Propheten den Begriff „Rest" übernommen haben und
was er ursprünglich bezeichnete; — genauso wie es in diesem Zusammenhang ohne Bedeutung ist, daß die Begriffe „Rest" und „Tag
Jahwes" im AT auch noch in einem nicht-eschatologischen Gebrauch
begegnen. Hier geht es vielmehr allein um den Nachweis, daß den
Propheten der Begriff „Rest" sehr gern zur Umschreibung der nach
dem Jahwetag im Eschaton existierenden Menschen dient und dabei
keineswegs auf eine außerhalb von Zeit und Geschichte stehende
Idealgemeinde führt.

Das wird bereits an einem kurzen Mahnwort des ältesten Schriftpropheten, Amos, deutlich, das zugleich in enger Verbindung mit
der klassischen Aussage des Amos über den Tag Jahwes überliefert
ist. Es steht in Am 5, 14—15 und lautet:

14: Suchet das Gute und nicht das Böse, damit ihr lebt,
     und so wird Jahwe '. . .' mit euch sein, wie ihr sagt.
15: Hasset das Böse und liebet das Gute
     und richtet das Recht auf im Tor, —
     vielleicht wird Jahwe '. . .' (dann) dem Rest Josephs gnädig sein.

Diese Aussage ist ganz eindeutig: Amos rechnet mit der Existenz
eines Restes des Volkes — das Wort Joseph ist hier ja Synonym für
Israel bzw. die Bewohner des Nordreiches —, nämlich mit der
Existenz jenes Restes, dem Jahwe seine Gnade zuteil werden ließ.
Und diese Gnadenerzeigung soll abhängig sein von dem ganz
konkreten Handeln der Menschen, jedes Einzelnen an seinem Mitmenschen. Gutes tun und Gerechtigkeit üben sind Verhaltensweisen
nach Jahwes Willen, und wer diesem folgt, soll leben (v. 14). Dieses
„leben" — W. Rudolph übersetzt sogar „am Leben bleiben"[9] —
kann aber kaum anders verstanden werden als Bewahrtwerden im
Gericht Jahwes, am Tage Jahwes, und weist so wieder auf das neue
Leben im Eschaton hin und bestätigt die Vokabel שְׁאֵרִית = „Rest"
in v. 15 als eschatologisch. Das in diesem Zusammenhang gebrauchte

[9] W. Rudolph, Joel — Amos — Obadja — Jona (KAT XIII, 2), 1971,
S. 189.

Wörtchen „vielleicht" deutet dabei keinesfalls auf eine Unsicherheit
in der Feststellung des Propheten hin; Amos wollte damit vielmehr
die absolute Freiheit und Souveränität Jahwes bei seiner Entscheidung sicherstellen.[10]

Somit ist dieses Amoswort ein klarer Beleg dafür, daß die eschatologische Gemeinschaft aus einem kleinen Teil des Volkes, eben
denen, die Jahwes Willen taten bzw. aufrichtig zu tun strebten,
bestehen soll. Zugleich belegt dieses Wort aber auch die Feststellung,
daß für das Eschaton das neue, Jahwes Willen folgende Verhalten
entscheidend ist, nicht aber Vollendung der Geschichte und Endzeit; — Amos rechnete damit, daß bereits seine Zeitgenossen und
Mitmenschen in diesem Eschaton leben könnten.

Dieselbe Auffassung findet sich in der Zeit nach Amos auch bei
weiteren vorexilischen Propheten, so vor allem bei Zephanja, aber
auch in den Büchern Jesaja und Micha, wieder. Zeph 3, 11—13
lautet in Übersetzung:

> 11: Ja, dann entferne ich aus deiner Mitte
> deine hochmütig Frohlockenden.
> Nicht wirst du weiterhin überheblich sein
> auf meinem heiligen Berg.
> 12: Ich lasse übrig in deiner Mitte ein Volk
> demütig und arm;
> es wird Zuflucht suchen beim Namen Jahwes, —
> der Rest Israels.
> 13: Nicht werden sie Unrecht tun
> und nicht werden sie Lüge reden,
> und nicht wird man finden in ihrem Mund
> eine trügerische Zunge.
> Ja, sie werden weiden und sich lagern
> und niemand scheucht auf.

In diesem Heilswort, in die Form einer göttlichen Verheißungs-
rede gekleidet, geht es um das Gegenüber von überheblichen, Jahwe
nicht ernstnehmenden Menschen in Jerusalem, denen das Gericht
Jahwes angedroht wird, und einem Rest des Volkes, der bei diesem
Gericht übriggelassen werden soll. Dieser Rest wird von Jahwe

---

[10] Vgl. W. Rudolph, a. a. O., S. 193.

verschont — offenbar am Tag Jahwes —, weil er Demut übte und bei Jahwe Zuflucht suchte (v. 12), sich also an Jahwe und seine Weisung gehalten und auf ihn allein vertraut hat. Kann es schon auf Grund dieser Aussage keinem Zweifel unterliegen, daß hier wieder die Existenz einer Gemeinde im Eschaton umschrieben wird, so wird das durch v. 13 noch weiter ausgezogen und bestätigt. Im Unterschied zu dem bisherigen falschen Sein soll es unter diesen Menschen kein Unrechttun, keine Lüge und keine Verleumdung geben, ja, es wird sie auch niemand von ihren Weide- und Wohnplätzen — wir würden heute sagen: vom Arbeitsplatz und aus der Wohnung — vertreiben. Hier wird deutlich eine ganz neue Seinsweise umrissen, die für diese Menschen des „Restes" gelten soll, wobei, über das Verhalten dieser Menschen untereinander hinausgehend, in v. 13 b bereits Vorstellungen von einem allgemeinen Friedensreich, wie es die endgültige Herrschaft Jahwes bewirken soll, mit einfließen. Vor allem aber ist wieder deutlich: Die Anerkennung Jahwes und die Befolgung seines Willens konstituieren das Eschaton, — unabhängig von Zeitfaktoren.

Weitere prophetische Aussagen über einen eschatologischen „Rest" können diese Feststellung m. E. nur noch erhärten. Ich will deshalb hier nur noch auf einen mir besonders aufschlußreich erscheinenden Text eingehen, nämlich Mi 5, 6—8. Dieser Abschnitt, ein wohl sekundär in das Michabuch eingetragenes Prophetenwort spätvorexilisch-exilischer Zeit, rühmt die Stellung der eschatologischen Gemeinde unter den anderen Völkern und Menschen. Dabei werden v. 6 und v. 7 betont und übereinstimmend mit der Feststellung eingeleitet: „Es wird sein der Rest Jakobs inmitten vieler Völker ...". Diese Aussage macht es m. E. ganz deutlich, daß die Bildung des Eschaton kein schlagartig sich vollziehender Vorgang sein kann, der sofort die ganze Menschheit und Welt in ein eschatologisches Sein versetzt, so wie dies ja gern bei einer Beschränkung des Eschatons auf ein endzeitliches, außerhalb der Geschichte stehendes transzendentales Geschehen angenommen wird. Vielmehr können die einen bereits im Eschaton stehen und leben, während die anderen dem Eschaton noch ganz fern sind.

3. Der Messias und seine Herrschaft = מָשִׁיחַ

Es versteht sich von selbst, daß es im Zusammenhang dieser Vorlesung nicht darum gehen kann, die ganze Problematik von Messianität und messianischen Weissagungen im AT aufzurollen. Hier soll es vielmehr allein darum gehen aufzuzeigen, welche Rolle eine messianische Herrschergestalt in dem Eschaton, wie ich es zuvor umschrieben habe, spielt und wie diese Gestalt innerhalb eines so verstandenen Eschaton zu deuten ist. Bestätigen die prophetischen Aussagen auch in diesem Punkt die vorgetragene Auffassung?

Bevor wir die entsprechenden Texte befragen, muß ich freilich zunächst darauf hinweisen, daß das AT das Wort מָשִׁיחַ für eine eschatologische Gestalt niemals ausdrücklich verwendet. Ist das Zufall oder Absicht? Jedenfalls ist nicht zu bestreiten, daß prophetische Texte eindeutig von einem eschatologischen Herrscher sprechen, der von Jahwe eingesetzt wurde und in dessen Vollmacht handelt. Insofern ist das Wort Messias = „Gesalbter", das zunächst ja für den judäischen König als irdischen Regenten Jahwes Verwendung fand, hier sachlich voll berechtigt.

Aus dem Kreis der sog. messianischen Weissagungen möchte ich nun drei auswählen, um meine These zu belegen: Jes 8, 23—9, 6; Jer 23, 1—8 und Sach 9, 9—10. Zunächst zu Jes 8, 23—9, 6; der Text der für unsere Frage entscheidenden vv. 2 a. 4—6 lautet:

2 a: Du machst den 'Jubel' groß, du machst gewaltig die Freude.
. . . . .
4: Denn jeder Stiefel, der auftritt mit Dröhnen,
und 'jeder' Mantel, gewälzt in Blut,
wird werden zum Brand, eine Speise des Feuers.
5: Denn uns ist ein Kind geboren, ein Sohn ist uns gegeben,
und es ist die Herrschaft auf seine Schulter gelegt.
Und er nannte seinen Namen: Wunderbares Planer, Mächtiger
Gott, Beute-Vater, Friede-Fürst, 'Ewiger Richter'[11].
6: Mächtig ist die Herrschaft und des Friedens kein Ende
auf Davids Thron und in seinem Königreich,
indem er es aufrichtet und stützt durch Recht und Gerechtigkeit
von nun an bis in Ewigkeit . . .

[11] Zur Ergänzung des fünften Thronnamens vgl. K.-D. Schunck, VT 23, 1973, S. 108—110.

Daß es hier um das ganz neue Sein in einer endgültigen Herrschaft Jahwes, also um das Eschaton geht, machen zunächst die vv. 4 und 6 ganz klar: Es soll dann nicht mehr Kriegsgerät geben, sondern Frieden ohne Ende, und Recht und Gerechtigkeit sollen für immer herrschen. Aber in dieser Herrschaft Jahwes soll nun nach v. 5 jemand regieren, der z. Z. zwar noch ein Kind ist, dem aber die Herrschaft schon auf die Schulter gelegt ist; daß es sich dabei um einen wirklichen Regenten handeln soll, zeigen die ihm zugelegten fünf Thronnamen, die analog auch dem Jerusalemer König bei seiner Inthronisation gegeben wurden.[12] Also ein von Jahwe beauftragter Herrscher für ein Leben im Eschaton! Wie sollen wir das verstehen? Spricht das nicht doch für die Annahme eines endgeschichtlichen Reiches in ferner Zukunft? Ich meine nicht; ich sehe hierin vielmehr eine Aussage darüber, daß auch das neue Leben im Eschaton, das sich ja in dieser Welt vollzieht, eben deswegen auch einer Leitung bedarf. Es versteht sich von selbst, daß dieser Leiter der irdischen eschatologischen Gemeinde eine von Jahwe beauftragte, ihm in einzigartiger Weise besonders nahestehende Person sein mußte; man braucht hier nur an den Thronnamen „Mächtiger Gott" zu erinnern. Und ebenso klar ist es, daß hier der Prophet Jesaja ganz nahe am NT steht; für uns als Christen schließt sich hier der Kreis: Der verheißene Beauftragte Gottes und Regent in der irdischen eschatologischen Gemeinde ist Christus!

Die weitere messianische Weissagung in Jer 23, 1—8 führt danach die Beschreibung der Eigenschaften und des Verhaltens des Regenten im Eschaton noch weiter aus. Die entsprechenden vv. 3. 5—6 lauten:

3: Ich selbst sammle den Rest meiner Schafe aus allen Ländern,
   wohin ich sie verstoßen habe,
   und bringe sie zurück auf ihre Auen;
   und sie sollen fruchtbar sein und sich mehren.
   . . . .
5: Siehe, es kommen Tage — Spruch Jahwes —,
   da will ich dem David einen gerechten Sproß erstehen lassen,

---

[12] Vgl. dazu genauer S. Morenz, ZÄS 79, 1954, S. 73—74; G. v. Rad, Das judäische Königsritual, in: Gesammelte Studien zum AT, 1965, S. 211 ff.

der wird als König herrschen und weise handeln
und er wird Recht und Gerechtigkeit üben im Lande.
6: In seinen Tagen wird Juda Heil erfahren
und Israel in Sicherheit wohnen.
und das wird sein Name sein, mit dem 'man ihn nennt':
Jahwe unsere Gerechtigkeit.

Hier wird zunächst deutlich, daß der Regent in der nun nach Jahwes Willen lebenden neuen und endgültigen menschlichen Gemeinschaft als König herrschen soll. Er soll also ein wirklicher Herrscher sein. Aber noch mehr: Er soll weise handeln — ein Ergebnis seiner besonders engen Verbindung mit Jahwe, des besonderen Besitzes von Jahwes Geist. Vor allem aber: Er wird Recht und Gerechtigkeit üben, so daß immer Friede und Sicherheit herrschen. Hier tritt die gleiche Vorstellung wie in Jes 9, 6 ins Blickfeld, die diese richterliche Tätigkeit nicht etwa auf das mit dem Tag Jahwes verbundene Gericht vor dem Eintritt in das Eschaton bezieht, sondern die eine Rechtsprechung innerhalb der eschatologischen Gemeinde im Auge hat. Eine richterliche Tätigkeit innerhalb der eschatologischen Gemeinde aber — das läßt sich nicht mit einer im paradiesischen Zustand lebenden Endzeitgemeinde verbinden, sondern nur mit einer mitten in der Zeit und Welt stehenden Gemeinde, die trotz ihrer Bindung an Jahwes Gebote doch allen Einflüssen der Welt immer wieder ausgesetzt ist.

Als letzter Textzeuge sei nun noch Sach 9, 9—10 herangezogen, ein Spruch eines unbekannten Propheten, der jedoch noch vor dem Exil, etwa z. Z. König Josias von Juda, gelebt hat, wie Benedikt Otzen in seiner Arbeit über Deuterosacharja überzeugend darlegen konnte[13]:

9: Du Tochter Zion, freue dich sehr, und du Tochter Jerusalem,
jauchze!
Siehe, dein König kommt zu dir, ein Gerechter und ein Helfer,
'triumphierend' und reitend auf einem Esel, auf dem Füllen
einer Eselin.

[13] B. Otzen, Studien über Deuterosacharja, 1964, S. 134—142. Ähnlich urteilen F. Horst, Die Zwölf Kleinen Propheten, Nahum bis Maleachi (HAT I, 14), ³1964, S. 247 und wohl auch H. Ringgren, The Messiah, 1956, S. 37—38.

10: 'Er' schafft ab die Wagen aus Ephraim und die Rosse aus
Jerusalem.
Die Kriegsbogen werden abgeschafft, und er verkündet Frieden
den Völkern.
Und er herrscht von Meer zu Meer und vom Strom bis an die
Enden der Erde.

Zunächst macht es die Aussage von v. 9 „Dein König kommt zu
dir" ganz deutlich, daß dieser Text vom messianischen Herrscher
spricht. Dann aber trägt dieser Text zweierlei zu unserem Problem
bei: Einmal wieder, wie schon Jer 23, die Feststellung, daß der
eschatologische Herrscher ein echter Herrscher wie ein König sein
wird; er reitet auf einem Esel als dem Reittier des Herrschers (vgl.
1 Kön 1, 33) und er triumphiert über alle Gegner — wenn die neue
Ableitung des bisher mit „arm" übersetzten hebr. Wortes von ענה
= „triumphieren" richtig ist.[14] Zum anderen aber zeigt dieser Text,
daß die Herrschaft des Herrschers im Eschaton sich über die ganze
Welt erstrecken soll. Ist das nun nicht doch unvereinbar mit unserer
Auffassung vom Eschaton? Ich meine nicht, denn weltumspannende
Herrschaft dieses Herrschers schließt nicht aus, daß es neben der
Existenz von Menschen, die im Eschaton leben, über die ganze Welt
hin auch Menschen gibt, die nicht im Eschaton stehen, so wie das
schon aus Mi 5, 6—8 deutlich wurde. Herrschaft bis an die Enden
der Erde dürfen wir legitim als einen Hinweis darauf verstehen,
daß es über die ganze Welt hin Menschen geben soll, die im Eschaton
und unter der Herrschaft seines Regenten leben. Eine Aussage,
deren Richtigkeit wir im Zeitalter der Ökumene nur voll bestätigen
können.

Somit darf wohl die Hauptthese meiner bisherigen Ausführungen
als hinreichend belegt gelten. Das Eschaton liegt nach dem Verständnis der vorexilischen Propheten des AT überall dort vor, wo
jenseits eines tiefen Bruches mit dem bisherigen Sein ein ganz neues
anderes Sein beginnt und sich ereignet, und das unabhängig von
Zeitkategorien. Doch was wird dann aus so bekannten und auch
gewichtigen Vorstellungen wie „Jüngstes Gericht", „Auferstehung"

---

[14] Vgl. E. Lipinski, VT 20, 1970, S. 50—53 und B. Köhler, VT 21, 1971,
S. 370.

und „Ewiges Leben"? Die Beantwortung dieser Frage führt uns in die exilisch-nachexilische Zeit und zu dem Wandel, den die bisher dargelegte vorexilische Auffassung vom Eschaton in dieser Zeit durchgemacht hat.

III

Wie allgemein bekannt ist, haben wir grundsätzlich innerhalb der Theologie des AT, und also auch innerhalb der Theologie der Propheten, mit einer zeitbedingten Entwicklung zu rechnen. Zumal das Exil und sein Erleben bedeuteten in dieser Hinsicht einen ganz wesentlichen Einschnitt, der eine neue Verarbeitung der alten Traditionen veranlaßte. Dabei kam es insbesondere auch zu einer weit stärkeren Beachtung und Bedeutung des Individuums. Das, was die vorexilischen Propheten als die Begründer und originalen Vertreter der prophetischen Theologie vertraten, dürfte also in exilisch-nachexilischer Zeit, zumal im Hinblick auf eine stärkere Beachtung des Einzelnen und seines Ergehens, neu durchdacht worden sein. Das heißt konkret: Was ich bisher als Eschatologie der Propheten herausgearbeitet habe, kann in dieser Spätzeit durchaus Umdeutungen erfahren haben.

Das wird zunächst an dem Auferstehungsgedanken deutlich. Die Vorstellung von der Auferstehung eines einzelnen Menschen lag dem kollektiven Denken des alten Israel ganz fern; das bestätigt auch die Archäologie, denn Ausgrabungen altisraelitischer Grabanlagen, die als Familiengräber dienten, lassen nur 1—3 Steinbänke neben einer Fülle von Gebeinen in einer im Grab angelegten Grube erkennen.[15] Offenbar wurden die Gebeine eines Toten, nachdem das Fleischliche auf der Steinbank vergangen war, wahllos zu denen seiner vor ihm verstorbenen Verwandten geworfen. Hinter diesem Verhalten steht deutlich die Vorstellung, daß das, was göttlich war am Menschen, im Augenblick seines Sterbens zu Jahwe zurückgekehrt ist, das übrige vergeht wieder zu Staub (vgl. Gen 2, 7; 3, 19). Daran änderten auch gelegentliche Totenauferweckungen, wie

[15] Vgl. dazu L. Rost, Alttestamentliche Wurzeln der ersten Auferstehung, in: In memoriam E. Lohmeyer, 1951, S. 67—72.

sie von Elia und Elisa berichtet werden, nichts; sie verlängerten nur das diesseitige Leben um einige Zeit.

Erst der durch das Exilserleben gesteigerte Glaube an Jahwe als einen lebendigen Gott, dem nichts unmöglich ist, und das Ausbleiben einer Vergeltung für den Frommen und den unschuldig Leidenden führten dazu, den Auferstehungsgedanken allmählich zu reflektieren und in die israelitische Glaubenswelt einzubauen; Ez 37 ist ein erster Schritt auf diesem Wege. Ist Jahwe nichts unmöglich, so mußte sich seine Herrschaft auch auf die Totenwelt erstrecken und ihm eine Änderung des traurigen Loses des Toten möglich sein (vgl. Jes 24, 21; 25, 8; 27), und leidet der Fromme dennoch in dieser Welt, so mußte das durch eine jenseitige Vergeltung ausgeglichen werden (vgl. Jes 53, 10—12; 26, 19; Dan 12, 1 ff.).

Dennoch geht das AT niemals so weit, eine Auferstehung aller Menschen anzunehmen; noch die Sadduzäer zur Zeit Jesu leugnen diese ja entschieden.

Diese Entwicklung einer Auferstehungserwartung mußte dann aber auch eine Umdeutung und Weiterentwicklung der alten vorexilischen Vorstellung vom Tag Jahwes als eines vor dem Beginn des Eschatons liegenden Gerichtstages für das bisherige falsche Sein zu einem weltumspannenden Vernichtungstag apokalyptisch-kosmischen Gepräges voraussetzen. Aussagen wie die von Joel 2, 1—11; 3, 3—4 und 4, 14, aber auch der spätexilische Abschnitt Jes 13, lassen diese Wandlung deutlich erkennen. In dem Augenblick, wo man für einzelne Menschen als Strafe oder zur Belohnung eine Auferstehung annimmt, muß man auch ein Gericht über ihr Verhalten vor dieser Auferstehung ansetzen. Und da die Auferstehung ja ein Geschehen war, das sich nicht in die Gegenwart — und somit auch nicht in das Eschaton, so wie es die vorexilischen Propheten verstanden hatten — einbauen ließ, blieb gar kein anderer Weg, als den Tag Jahwes aus dem bisherigen eschatologischen Rahmen zu lösen und zu einem nun wirklich endzeitlichen bzw. endgeschichtlichen Geschehen zu machen. Jetzt erst wurde er wirklich zu einem „Jüngsten Tag" bzw. „Jüngsten Gericht". Und damit wieder im Zusammenhang wurde nun auch eine Geistausschüttung an *alle* Menschen vor diesem „Jüngsten Tag" vertreten (Joel 3, 1—5), denn jeder Mensch sollte die Chance erhalten, sich auf diesen „Jüngsten Tag" noch recht vorzubereiten. Erst die nachexilische Prophetie entwickelt somit diejenige Auffassung vom Eschaton, die das NT dann in Mk 13 (bzw. Mt 24; Lk 21) wiedergibt, — und von der her nun auch die vorexilischen Texte verstanden bzw. neu interpretiert wurden.

In Verbindung mit der Umprägung des Tages Jahwes zu einem Zeit und Geschichte beendenden Gerichtstag dürfte dann schließlich auch die vorexilische Auffassung vom endgültigen eschatologischen Reich zu der Auffassung von einem endzeitlichen Friedensreich paradiesischen Gepräges umgewandelt worden sein. Jes 65, 17—25 oder der nachexilische Zusatz Jes 11, 6—8 zeichnen ein Bild von diesem Reich, in dem nun totaler Friede zwischen den Tieren sowie zwischen Mensch und Tier herrschen soll. Es ist eine außerhalb der Geschichte stehende ganz andere Welt, in der man ewiges Leben haben kann (Dan 12, 2).

Daß bei dieser Umdeutung des Tages Jahwes und der auf ihn folgenden Heilsherrschaft auch griechisches Denken und griechisches Zeitverständnis von Einfluß waren, erscheint mir als sehr wahrscheinlich, doch muß dies hier offen bleiben. Auf jeden Fall aber wird an dieser Wandlung der ursprünglichen prophetischen Auffassung vom Eschaton wieder einmal nachdrücklich deutlich, daß eine sekundäre Weiterentwicklung einer Vorstellung zwar eine jahrhundertealte Tradition erzeugen kann, damit aber für unsere Verkündigung heute noch lange nicht die beste und gar einzige Grundlage zu sein braucht. „Zurück zu den Anfängen" dürfte somit auch bei dem Thema Eschatologie eine Losung sein, die zu bedenken und der von Fall zu Fall zu folgen sich gerade für die Verkündigung der Kirche in unserer Zeit lohnen sollte.

BIBLIOGRAPHIE

Infolge der bekannten umstrittenen Füllung des Begriffes „Eschatologie"
innerhalb der alttestamentlichen Wissenschaft wurden hier auch Arbeiten
zu den Themen „Hoffnung, Zukunft, Zeit, Heil, Gericht, Rest, Messias,
Tag Jahwes" (dagegen nicht zu „Apokalyptik"; hierzu eigener Band in
WdF) usw. aufgenommen. — Die verwendeten Abkürzungen entsprechen
der RGG, 3. A., bzw. dem Internationalen Abkürzungsverzeichnis (1974)
von S. Schwertner. — Ältere Literatur noch in den Beiträgen von W. Köhler
und G. Wanke.

Amsler, S.: David, Roi et Messie. Neuchâtel 1963.

—: Amos, prophète de la onzième heure. ThZ 21, 1965, 318—328.

Atzberger, L.: Die christliche Eschatologie in den Stadien ihrer Offenbarung im Alten und Neuen Testament, Freiburg/Br. 1890.

Bardtke, H.: Art.: Hoffnung im AT. In: RGG, 3. Aufl., III, Tübingen
1959, Sp. 415—417.

Barr, J.: Biblical Words for Time, 2. A. London 1969 (StBTh 33).

Baumann, E.: שׁוּב שְׁבוּת. Eine exegetische Untersuchung. ZAW 47, 1929,
17—44.

Baumgartner, W.: Kennen Amos und Hosea eine Heilseschatologie? Diss.
phil. Zürich 1913.

Becker, J.: Israel deutet seine Psalmen. Stuttgart 1966 (SBS 18).

—: Das historische Bild der messianischen Erwartung im Alten Testament,
in: Testimonium Veritati, Frankfurt. Theol. Studien 7, 1971, 125—141.

Ben-Chorin, Sch.: Hoffnungskraft und Glaube im Judentum und in biblischer Prophetie. EvTh 33, 1973, 103—112.

Bentzen, A.: Messias, Moses redivivus, Menschensohn. Zürich 1948 (ATh-
ANT 17).

—: King and Messiah. London 1955.

Berkhof, H.: Der Sinn der Geschichte. 3. Aufl. Göttingen 1959.

Bernhardt, K.-H.: Das Problem der altorientalischen Königsideologie im
Alten Testament. VTS VIII, Leiden 1961.

Bertomeu, V. C.: Eschatologias de los Prophetas. Valencia 1972.

Bleeker, L. K. H.: Over inhoud en oorsprong van Israels heilsverwachting.
Groningen 1921.

Böhmer, S.: Heimkehr und neuer Bund. Göttingen 1976.

Böklen, E.: Die Verwandtschaft der jüdisch-christlichen mit der persischen Eschatologie. Göttingen 1902.

Borger, R.: שׁוּב שׁבוּ/ית. ZAW 66, 1954, 315 f.

Bourke, J.: Le jour de Yahwé dans Joel. RB 66, 1959, 5—31 und 191—212.

Brandon, S. G. F.: History, Time and Deity. Manchester and New York 1965.

Bright, J.: Covenant and Promise, London 1977.

Buchanan, G. W.: Eschatology and the "End of the Days". JNES 20, 1961, 188—193.

Bultmann, R.: Art. ἐλπίς. In: ThW II, Stuttgart 1935, 518—520 (zum AT).

—: Geschichte und Eschatologie. Tübingen 1958.

Cannon, W.: "The Day of the Lord" in Joel. ChQR 103, 1927, 32—63.

Caquot, A.: La prophétie de Nathan et ses échos lyriques. VTS IX, 1963, 213—224.

—: Le messianisme d'Ezéchiel. Semitica 14, 1964, 5—23.

Carmignac, J.: La notion d'eschatologie dans la Bible et à Qumrân. RdQ 7, 1969, 17—31.

—: Les dangers de l'Eschatologie. NTSt 17, 1971, 365—390.

Carniti, C.: L'espressione « il giorno di Jhwh »: origine ed evoluzione semantica. BiOr 12, 1970, 11—25.

Cerný, L.: The Day of Yahweh and some relevant Problems. Prag 1948.

Charles, R. H.: Eschatology. New York 1963 (Neuausgabe mit Einleitung von G. W. Buchanan).

Coppens, J.: Les Origines du Messianisme. In: L'attente du Messie, Louvain 1954, 31—38.

—: La Prophétie d'Emmanuel. Ebenda, 39—50.

—: La nouvelle alliance en Jer. 31, 31—34. CBQ XXV, 1963, 12—21.

—: Les oracles de Bileam: leur origine littéraire et leur portée prophétique. In: Mélanges Eugène Tisserant, Vol. I, Citta del Vaticano 1964, 67—80.

—: L'espérance messianique royale à la veille et au lendemain de l'exil. In: Studia Biblica et Semitica (FS Vriezen), Wageningen 1966, 46 bis 61.

—: Le messianisme royal. NRTh 100, 1963, 30—49. 225—251. 479—512. 622—650.

—: Le messianisme et sa relève prophétique. Gembloux 1974.

—: De Oud- en Intertestamentische Verwachting van een Eschatologische Heilsmiddelaar. Haar Realistisie in het Wordende Christendom, Brüssel 1975.

Cooper, D. L.: Messiah: his first Coming. Los Angeles 1939.

Cossmann, W.: Die Entwicklung des Gerichtsgedankens bei den alttestamentlichen Propheten. Gießen 1915 (BZAW 29).

Dahl, G.: The Messianic Expectation in the Psalter. JBL 57, 1938, 1—12.

Deissler, A.: Das Israel der Psalmen als Gottesvolk der Hoffenden, in: Die Zeit Jesu (FS Schlier), 1970, 15—37.

Delitzsch, F.: Messianische Weissagungen in geschichtlicher Folge. Leipzig 1890 (2. A. 1899).

Dietrich, E. K.: Die Umkehr (Bekehrung und Buße) im Alten Testament und im Judentum. Stuttgart 1936.

Dietrich, E. L.: שוב שבות. Die endzeitliche Wiederherstellung bei den Propheten. Gießen 1925 (BZAW 40).

Dingermann, F.: Israels Hoffnung auf Gott und sein Reich. Zur Entstehung und Entwicklung der alttestamentlichen Eschatologie. In: Wort und Botschaft (ed. J. Schreiner), Würzburg 1967, 308—318.

Dreyfus, F.: La doctrine du reste chez le prophète Isaïe. RSPhTh 39, 1955, 361—386.

Dürr, L.: Ursprung und Ausbau der israelitisch-jüdischen Heilandserwartung. Berlin 1925.

Eichrodt, W.: Die Hoffnung des ewigen Friedens im Alten Testament. Gütersloh 1920.

—: Offenbarung und Geschichte im Alten Testament. ThZ 4, 1948, 321—331.

—: Israel in der Weissagung des Alten Testaments. Zürich 1951.

—: Heilserwartung und Zeitverständnis im Alten Testament. ThZ 12, 1956, 103—125.

—: Theologie des Alten Testaments. Teil I, 8. Aufl., Göttingen 1968. — Teil II/III, 7. Aufl., ebenda, 1974.

Eifler, R.: Der Ursprung der jüdisch-christlichen eschatologischen Heilserwartung innerhalb der altisraelitischen Religion im 7. u. 6. Jh. v. u. Z. Das Altertum 16, 1970, 17—20.

Eliade, M.: Der Mythos der ewigen Wiederkehr. Düsseldorf 1953 (= rde 260, 1966).

Elinor, R. D.: The End and the Beginning. JBR 31, 1963, 9—16.

Ellison, H. L.: The Centrality of the messianic Idea for the Old Testament. London, 1953.

(ohne Verf.) La esperanca en la Biblia, Madrid 1972 (Semana biblica española; Instituto Francisco Suarez).

Everson, A. J.: The Days of Yahweh. JBL 93, 1974, 329—337.

Fichtner, J.: Prophetismus und Apokalyptik in Protojesaja. Ein Beitrag zur Frage nach Alter, Wesen und Ursprung der israelitisch-jüdischen Eschatologie. Ev.-theol. Diss., Breslau 1929.

Fohrer, G.: Neuere Literatur zur alttestamentlichen Prophetie. ThR NF 19, 1951, 277—346 und NF 20, 1952, 193—271. 292—361.

—: Umkehr und Erlösung beim Propheten Hosea. ThZ 11, 1955, 161 bis 185.

—: Messiasfrage und Bibelverständnis. Tübingen 1957.

—: Art.: „Rest Israels", in: Calwer Bibellexikon, Stuttgart 1959, Sp. 1101—1102.

—: Art.: „Tag des Herrn", ebenda, Sp. 1283—1285.

—: Die Struktur der alttestamentlichen Eschatologie. ThLZ 85, 1960, Sp. 401—420 (= ders., Studien zur alttestamentlichen Prophetie, BZAW 99, 1967, 32 ff.).

—: Zehn Jahre Literatur zur alttestamentlichen Prophetie. ThR NF 28, 1962, 1—75. 235—297. 301—374.

—: Art.: σῴζω und σωτηρία im AT. ThW VII, Stuttgart 1964, 970—981 (= ders., Studien zur alttestamentlichen Theologie und Geschichte, BZAW 115, 1969, 275 ff.).

—: Glaube und Hoffnung. Weltbewältigung und Weltgestaltung in alttestamentlicher Sicht. ThZ 26, 1970, 1—21.

Freedman, D. N.: History and Eschatology. Interpretation 14, 1960, 143—154.

Frost, S. B.: Old Testament Apocalyptic. London 1952.

—: Eschatology and Myth. VT 2, 1952, 70—80.

Gall, A. Frh. v.: Basileia thou Theou. Heidelberg 1926.

Gamper, A.: Gott als Richter in Mesopotamien und im Alten Testament. Innsbruck 1966.

Gelin, A.: Die Botschaft des Heils im Alten Testament. Düsseldorf 1957.

Gese, H.: Der Messias, in: Zur biblischen Theologie, München 1977, 122—151.

Gray, J.: The Day of Yahweh in Cultic Experience and Eschatological Prospekt. SEÅ 39, 1974, 5—37.

Grech, P.: Interprophetic Re-Interpretation and Old Testament Eschatology. Augustinianum 9, 1969, 235—265.

Greßmann, H.: Der Ursprung der israelitisch-jüdischen Eschatologie. Göttingen 1905.

—: Der Messias. Göttingen 1929.

Grether, O.: Name und Wort Gottes im Alten Testament. Gießen 1934 (BZAW 64).

Grønbæk, J. H.: Zur Frage der Eschatologie in der Verkündigung der Gerichtspropheten. SEÅ 24, 1959, 5—21.

—: Om forholdet mellem historie og eskatologi hos de klassiske profeter, in: Hilsen til Noack, Kopenhagen 1975, 81—83.

Groß, H.: Weltherrschaft als religiöse Idee im Alten Testament. Bonn 1953.

—: Die Idee des ewigen und allgemeinen Weltfriedens im Alten Orient und im Alten Testament. Trier 1956.

—: Die Entwicklung der alttestamentlichen Heilshoffnung. TThZ 70, 1961, 15—26.

—: Der Messias im Alten Testament. TThZ 71, 1962, 154—170.

—: Umkehr als Weg zum Heil. Bibel und Kirche 19, 1964, 42—45.

—: Eschatologie im Alten Bund. Anima 20, 1965, 213—219.

—: „Doch für Sion kommt er als Erlöser" (Jes 59, 20). Conc 3, 1967, 813—818.

Gunkel, H.: Die Endhoffnung der Psalmisten. ChW 17, 1903, Sp. 1130 bis 1135 (auch in: Reden und Aufsätze, Göttingen 1913, 123 ff.).

—: Schöpfung und Chaos in Urzeit und Endzeit. 2. Aufl., Göttingen 1921.

Gunkel, H. und J. Begrich: Einleitung in die Psalmen. Göttingen 1933.

Haag, E.: Der Tag Jahwes im Alten Testament. BiLe 13, 1972, 238—248.

Haag, H.: Die Religion der Propheten und die Hoffnung. In: Freiburger Rundbrief, XI. Folge, Nr. 41/44 (9. 11. 1958), S. 23—26.

—: Hoffnung und Verzweiflung in biblischer Sicht. Anima 13, 1958, 111—118.

Harrelson, W.: Nonroyal Motifs in the Royal Eschatology. In: Israels prophetic Heritage (Essays in honor of J. Muilenburg), New York 1962, 147—165.

Hasel, G. F.: The Remnant. Berrien Springs 1972.

Hecht, F.: Eschatologie und Ritus bei den „Reformpropheten". Leiden 1971.

Hempel, J.: Der alttestamentliche Gott. Sein Gericht und sein Heil. Berlin 1926.

Hentschke, R.: Gesetz und Eschatologie in der Verkündigung der Propheten. ZEE 4, 1960, 46—56.

Hermisson, H.-J.: Zukunftserwartung und Gegenwartskritik in der Verkündigung Jesajas. EvTh 33, 1973, 54—77.

Herntrich, V.: Der „Rest" im Alten Testament. ThW IV, Stuttgart 1942, 200—215.

Herrmann, S.: Die prophetischen Heilserwartungen im Alten Testament. Ursprung und Gestaltwandel. Stuttgart 1965 (BWANT 85).

Hertzberg, H. W.: Die prophetische Botschaft vom Heil und die alttestamentliche Theologie. In: Beiträge zur Traditionsgeschichte und Theologie des AT, Göttingen 1962, 54—68.

Hesse, F.: Wurzelt die prophetische Gerichtsrede im Kult? ZAW 65, 1953, 45—53.

Hölscher, G.: Die Ursprünge der jüdischen Eschatologie. Gießen 1925.

Hoepers, M.: Der Neue Bund bei den Propheten. Freiburg 1933.

Holladay, W. L.: The root šubh in the Old Testament. (Diss.) Leiden 1958.

Hühn, E.: Die messianischen Weissagungen des israelitisch-jüdischen Volkes bis zu den Targumim. Freiburg/Br. 1899.

Hurwitz, S.: Die Gestalt des sterbenden Messias. Zürich und Stuttgart 1958.

Jacob, E.: Théologie de l'Ancien Testament. Neuchâtel und Paris 1955; 2. A. 1968.

—: Art.: Ende, Endzeit (1. Im AT); in: Bibl.-hist. Handwörterbuch I, Göttingen 1962, Sp. 405—407.

—: Der Prophet Hosea und die Geschichte. EvTh 24, 1964, 281—290.

Jenni, E.: Das Wort ᶜôlām im Alten Testament. ZAW 64, 1952, 197—248 und 65, 1953, 1—35.

—: Die Rolle des Kyros bei Deuterojesaja. ThZ 10, 1954, 241—256.

—: Die politischen Voraussagen der Propheten. Zürich 1956 (AThANT 29).

—: Die alttestamentliche Prophetie. Zürich 1962 (ThSt 67).

—: Art.: jôm. THAT I, München 1971, Sp. 707—726 (Lit.); (vgl. ders., ebd., Sp. 114—118 zu ᵓaḥᵃrît).

—: Art.: Eschatology of the O. T. IDB II, 126—133.

Jepsen, A.: Art.: Eschatologie II: Im AT. In: RGG, 3. Aufl., II, Tübingen 1958, Sp. 655—662.

Junker, H.: Ursprung und Grundzüge des Messiasbildes bei Isajas. VTS IV, Leiden 1957, 181—196.

Kahmann, H.: Die Heilszukunft in ihrer Beziehung zur Heilsgeschichte nach Jes 40—55. Bibl 32, 1931, 65—89. 141—172.

Kaiser, O.: Geschichtliche Erfahrung und eschatalogische Erwartung. NZSyTh 15, 1973, 272—285.

Kapelrud, A. S.: Eschatology in the Book of Micah. VT 11, 1961, 392—405.

—: The Message of the Prophet Zephaniah. Oslo 1975 (für „Tag Jahwes" und „Rest"; s. Reg.).

Kellermann, U.: Messias und Gesetz. Neukirchen 1971 (BSt 71).

Klein, R. V.: The Day of the Lord, ConcThM 39, 1968, 517—525.

Knieschke, W.: Die Eschatologie des Buches Joel in ihrer historisch-geographischen Bestimmtheit. (Diss. theol. Rostock 1912), Naumburg 1912.

Knight, G. A. F.: Eschatology in the Old Testament. SJTh 4, 1951, 355—362.

Koch, K.: Was ist Formgeschichte? 3. A. Neukirchen 1974 (258 ff.).

Köhler, L.: Theologie des Alten Testaments. 4. Aufl., Tübingen 1966.

Köhler, W.: Prophetie und Eschatologie in der neueren Forschung. BiLe 9, 1968, 57—81.

König, E.: Die messianischen Weissagungen des Alten Testaments. 2. und 3. Aufl., Stuttgart 1925.

König, F.: Zarathustras Jenseitsvorstellungen und das Alte Testament. Wien, Freiburg, Basel 1964.

Kohut, A.: Was hat die talmudische Eschatologie aus dem Parsismus übernommen? ZDMG 21, 1867, 552—591.

Kosmala, H.: "At the End of the Days". Annual of the Swedish Theological Institute, 2, 1963, 27—37.

Kraus, H.-J.: Die Königsherrschaft Gottes im Alten Testament. Tübingen 1951.

—: Schöpfung und Weltvollendung. EvTh 24, 1964, 462—485 (= ders., Biblisch-theologische Aufsätze, 1972, 151 ff.).

Kutsch, E.: Heuschreckenplage und Tag Jahwes in Joel 1 und 2. ThZ 18, 1962, 81—94.

Ladd, E. G.: Why not Prophetic-Apocalyptic? JBL 76, 1957, 192—200.

Langevin, P.-E.: Sur l'origine du « Jour de Yahvé ». Sciences Ecclésiastiques XVIII, 1966, 359—370.

Largement, R. und H. Lemaître: Le Jour de Yahweh dans le contexte original. In: Sacra Pagina I, Gembloux 1959, 259—266.

Leaney, A. H. C.: The eschatological Significance of human Suffering in the Old Testament and in the Dead Sea Scrolls, SJTh 16, 1963, 286—296.

Leeuw, G. van der: Urzeit und Endzeit. ErJb 17, Zürich 1949, 11—51.

Lefèvre, A.: L'expression « en ce jour-là » dans le livre d'Isaïe. TCJP 4, Paris 1957, 174—179 (Mélanges bibliques A. Robert).

Leist, F. (ed): Seine Rede geschah zu mir. München 1965.

Lempp, W.: Bund und Bundeserneuerung bei Jeremia. Diss. theol. Tübingen 1965 (maschinenschr.; vgl. ThLZ 80, 1955, 238 f.).

Leuwen, C. van: The Prophecy of the Yōm YHWH in Amos V, 18—20. OSt XIX, Leiden 1974, 113—134.

Lipiński, E.: Etudes sur des textes « messianiques » de l'Ancien Testament. Semitica 20, 1970, 41—57.

—: באחרית הימים dans les textes préexiliques. VT 20, 1970, 445—450.

Lohfink, N.: Das Siegeslied am Schilfmeer. 2. Aufl., Frankfurt/Main, 1965.

—: Eschatologie im Alten Testament. In: ders., Bibelauslegung im Wandel, Frankfurt/Main, 1968, 158—184.

Loretz, O.: Der Glaube des Propheten Isaias an das Gottesreich. ZkTh 82, 1960, 40—73. 159—184.

Maag, V.: Der Hirte Israels. SThU 28, 1958, 2—28.

—: Malkut Jhwh. VTS VII, Leiden 1960, 129—153.

—: Eschatologie als Funktion des Geschichtserlebnisses. Saeculum 12, 1961, 123—130.

Marrow, S. B.: Apocalyptic Genre and Eschatology. In: The Word in the World, Essays in Honor of F. L. Moriarty, Cambridge/Mass. 1973, 71—81.

Martin-Achard, R.: Israël et les nations. Neuchâtel 1959.

—: La nouvelle alliance selon Jérémie. RThPh 12, 1962, 81—92.

Mayer, R.: Sünde und Gericht in der Bildersprache der vorexilischen Prophetie. BZ NF 8, 1964, 22—44.

McCullough: Israel's Eschatology from Amos to Daniel. In: Studies in the ancient Palestinian World (FS F. V. Winnett), Toronto 1972, 86 bis 101.

Medd, E. G.: A Historical and Exegetical Study of the "Day of the Lord" in the Old Testament, with Special Reference to the Book of Joel. Diss. St. Andrews 1968/69.

Meinhold, J.: Studien zur israelitischen Religionsgeschichte, Bd. I: Der heilige Rest (Teil I: Elias, Amos, Hosea, Jesaja). Bonn 1903.

Messel, N.: Die Einheitlichkeit der jüdischen Eschatologie. Gießen 1915 (BZAW 30).

Michel, D.: Studien zu den sogenannten Thronbesteigungspsalmen. VT 6, 1956, 40—68.

Micklem, N.: Prophecy and Eschatology. London 1926.

Möbius, K.: Die Aktualität der Eschatologie der alttestamentlichen Propheten. Steinach 1940 (Diss. theol. Jena, 1937; nur Teil I gedruckt).

Morris, L.: The Biblical Doctrine of Judgement. London 1960.

Moser, G.: Die Botschaft von der Vollendung. Düsseldorf 1963.

Mowinckel, S.: Psalmenstudien II: Das Thronbesteigungsfest Jahwäs und der Ursprung der Eschatologie. Kristiania 1922 (Neudruck Amsterdam 1961).

—: Religion und Kultus. Göttingen 1953.

—: „Jahwes Dag". NTT 59, 1958, 1—56. 209—229.

—: He that cometh. 2. Aufl., Oxford 1959.

Müller, H.-P.: Uns ist ein Kind geboren (Jes 9, 1—6 in traditionsgeschichtlicher Sicht). EvTh 21, 1961, 408—419.

—: Die kultische Darstellung der Theophanie. VT 14, 1964, 183—191.

—: Die Frage nach dem Ursprung der biblischen Eschatologie. VT 14, 1964, 276—293.

—: Ursprünge und Strukturen alttestamentlicher Eschatologie, Berlin 1969 (BZAW 109).

—: Mythos und Transzendenz. Paradigmen aus dem Alten Testament. EvTh 32, 1972, 97—118.

Müller, K.: Menschensohn und Messias. BZ NF 16, 1972, 161—187; 17, 1973, 52—66.

Müller, W. E.; Die Vorstellung vom Rest im Alten Testament. Borsdorf-Leipzig 1939 (Diss. theol. Leipzig).

—: und Preuß, H. D., 2. erw. Aufl., Neukirchen 1973.

Muilenburg, J.: The Biblical View of Time. HThR 54, 1961, 225—252.

—: The Biblical Understanding of the Future. Journ. of Religious Thought 19, 1962/63, 99—108.

Munch, P. A.: The Expression bajjom hahu — is it an eschatological terminus technicus? Oslo 1936.

Murphy, R. F.: History, Eschatology and the Old Testament. Continuum (Chicago) 7, 1969/70, 583—593.

Neuenzeit, P.: „Als die Fülle der Zeit gekommen war ..." (Gal 4, 4). Gedanken zum biblischen Zeitverständnis. BiLe 4, 1963, 223 bis 239.

Neuhäusler, E.: Hoffnung. Ein biblischer Glaubensbegriff. BiLe 9, 1968, 306—312.

Nowack, W.: Die Zukunftshoffnungen Israels in der assyrischen Zeit. In: Theol. Abhandlungen für H. J. Holtzmann, Tübingen und Leipzig 1902, 31—59.

Odendaal, D. H.: The Eschatological Expectation of Isaiah 40—66 with Special Reference To Israel And The Nations. Nutley/New York 1970.

Oesterley, W. O. E.: Messianic Prophecy and extra-Israelite Beliefs. ChQR 119, Nr. 237, 1934/35, 1—11.

Orelli, C. v.: Die hebräischen Synonyma der Zeit und Ewigkeit. Leipzig 1871.

—: Die alttestamentliche Weissagung von der Vollendung des Gottesreiches. Wien 1882.

Ortmann, H.: Der Alte und der Neue Bund bei Jeremia. Diss. theol. Berlin 1940.

Peter, A.: Das Echo von Paradieserzählung und Paradiesesmythen im A. T. unter besonderer Berücksichtigung der prophetischen Endzeitschilderungen. Diss. Würzburg 1947 (maschinenschr.).

Pidoux, G.: Le Dieu qui vient. Neuchâtel 1947.

—: A propos de la notion biblique du temps. RThPh 2, 1952, 120—125.

Ploeg, J. van der: L'espérance dans l'Ancien Testament. RB 61, 1954, 481—507.

—: Eschatology in the Old Testament. OSt XVII, Leiden 1972, 89—99.

Plöger, O.: Theokratie und Eschatologie. 3. Aufl., Neukirchen 1968 (WMANT 2).

Porteous, N. W.: Jerusalem-Zion: The Growth of a Symbol. In: Verbannung und Heimkehr (FS W. Rudolph), Tübingen 1961, 235—252.

Preß, R.: Die eschatologische Ausrichtung des 51. Psalms. ThZ 11, 1955, 241—249.

—: Die Gerichtspredigt der vorexilischen Propheten und der Versuch einer Steigerung der kultischen Leistung. ZAW 70, 1958, 181—184.

Preuß, H. D.: Das biblisch-theologische Zeugnis vom Frieden. In: Vom Frieden (Hannoversche Beiträge zur polit. Bildung, Bd. 4), Hannover 1967, 209—232.

—: Jahweglaube und Zukunftserwartung, Stuttgart 1968 (BWANT 87).

—: (s. W. E. Müller).

Procksch, O.: Art.: Eschatologie II: Im AT und Judentum. In: RGG, 2. Aufl., II, Tübingen 1928, Sp. 329—339.

—: Theologie des Alten Testaments. Gütersloh 1950.

Rabenau, K. v.: Das prophetische Zukunftswort im Buch Hesekiel. In: Studien zur Theologie der alttestamentlichen Überlieferungen (FS G. v. Rad), Neukirchen 1961, 61—80.

Rad, G. von: „Der Tag" im AT. In: ThW II, Stuttgart 1935, 945—949.

—: Gesammelte Studien zum Alten Testament, Bd. I. 3. Aufl., München 1965 (ThB 8).

—: Theologie des Alten Testaments. Bd. I, München 1957; Band II, ebenda 1960; (I, 6. Aufl. 1969; II, 4. Aufl. 1965).

—: The Origin of the Concept of the Day of Yahweh. JSS IV, 2, 1959, 97—108.

—: Les idées sur le temps et l'histoire en Israël et l'eschatologie des Prophètes. In: Maqqel shaqed (Hommage à W. Vischer), Montpellier 1960, 198—209.

Ramlot, L.: Le Prophétisme. In: Suppl. au Dictionnaire de la Bible, Tome VIII, Paris 1970/71, col. 811—1222 (dort 1180 ff. zur Eschatologie).

Ratschow, C. H.: Werden und Wirken. Untersuchung des Wortes hajah. Berlin 1941 (BZAW 70).

—: Anmerkungen zur theologischen Auffassung des Zeitproblems. ZThK 51, 1954, 360—387.

Rehm, M.: Der königliche Messias. Kevelaer 1968.

Rétif, A. und P. Lamarche: Das Heil der Völker. Düsseldorf 1960.

Rigaux, B.: L'étude du Messianisme, Problèmes et Méthodes. In: L'attente du Messie, Louvain 1954, 15—30.

Ringgren, H.: König und Messias. ZAW 64, 1952, 120—147.

—: The Messiah in the Old Testament. 3. Aufl. London 1967.

—: Israelitische Religion. Stuttgart 1963.

Rohland, E.: Die Bedeutung der Erwählungstraditionen Israels für die Eschatologie der alttestamentlichen Propheten. Diss. theol. Heidelberg 1956. Mikrodruck München 1956.

Rowley, H. H.: The Faith of Israel. London 1956 (Neudruck 1965).

—: The biblical doctrine of election. 2. Aufl., London 1964.

—: Apokalyptik. Ihre Form und Bedeutung zur biblischen Zeit. Köln 1965.

Rüthy, A. E.: Das Leben aus der Zukunft in der Sicht des Alten Testaments. IKZ 58, 1968, 133—154.

Sæbø, M.: Die Zukunft Israels nach dem Alten Testament. In: Kirche und Judentum (Sonderheft der „Handreichung des Evangeliumsdienstes unter Israel"), März 1974, 27—34.

Scharbert, J.: Heilsmittler im Alten Testament und im Alten Orient. Freiburg, Basel, Wien 1964.

Schedl, C.: Die messianische Hoffnung. In: Seine Rede geschah zu mir (ed. F. Leist), München 1965, 434—447.

Schilling, O.: „Rest" in der Prophetie des Alten Testaments. Diss. theol. (kath.) Münster 1942 (maschinenschr.).

—: Der Jenseitsgedanke im Alten Testament. Mainz 1951.

Schmidt, H.: Die Thronfahrt Jahves am Fest der Jahreswende. Tübingen 1927.

Schmidt, J.: Der Ewigkeitsbegriff im Alten Testament. Münster 1940.

Schmidt, K.: Jerusalem als Urbild und Abbild. ErJb 18, Zürich 1950, 207—249.

Schmidt, W. H.: Transzendenz in alttestamentlicher Hoffnung. Erwägungen zur Geschichte der Heilserwartung im Alten Testament. Kairos NF 11, 1969, 201—218.

—: Die Ohnmacht des Messias. Zur Überlieferungsgeschichte der messianischen Weissagungen im Alten Testament. KuD 15, 1969, 18—34.

—: Zukunftsgewißheit und Gegenwartskritik, Neukirchen 1973 (BSt 64).

Schneider, G.: Neuschöpfung oder Wiederkehr. Eine Untersuchung zum Geschichtsbild der Bibel. Düsseldorf 1961.

Schnutenhaus, F.: Das Kommen und Erscheinen Gottes im Alten Testament. ZAW 76, 1964, 1—22.

Schreiner, J.: Das Ende der Tage. Die Botschaft von der Endzeit in den alttestamentlichen Schriften BiLe 5, 1964, 180—194.

—: Die Hoffnung der Zukunftsschau Israels. In: Sapienter Ordinare (FS E. Kleineidam), Leipzig 1969, 29—48.

Schubert, K.: Das Zeitalter der Apokalyptik. In: Seine Rede geschah zu mir (ed. F. Leist), München 1965, 461—480.

Schulz, H.: Eschatologie und Ethik im Alten und Neuen Testament, in: Theologische Versuche, Bd. VII, Berlin 1976, 115—124.

Schunck, K.-D.: Strukturlinien in der Entwicklung der Vorstellung vom „Tag Jahwes". VT 14, 1964, 319—330.

—: Der „Tag Jahwes" in der Verkündigung der Propheten. Kairos NF 11, 1969, 14—21.

—: Die Eschatologie der Propheten des Alten Testaments und ihre Wandlung in exilisch-nachexilischer Zeit, VTS 26, 1974, 116—132.

Seebass, H.: Art.: ʾaḥᵃrît. ThWAT I, 1973, Sp. 224—228.

Sekine, M.: Erwägungen zur hebräischen Zeitauffassung. VTS IX, Leiden 1963, 66—82.

Sellin, E.: Die israelitisch-jüdische Heilandserwartung. Groß Lichterfelde-Berlin 1909.

—: Der israelitische Prophetismus. Leipzig 1912 (darin: Alter, Wesen und Ursprung der alttestamentlichen Eschatologie, S. 102 ff.).

Seybold, K.: Das davidische Königtum im Zeugnis der Propheten. Göttingen 1972 (FRLANT 107).

Smitten, W. Th. in der: Marginalien zur Restvorstellung im Alten Testament. BiOr 30, 1973, 9 f.

Snaith, N. H.: Time in the Old Testament. In: Promise and Fulfilment (Essays presented to Prof. S. H. Hooke), Edinburgh 1963, 175—186.

Soubigou, L.: A Escatologia nos Textos Proféticos do Antico Testamento. RCB III/13, 1959, 236—246 und IV/14, 1960, 24—32.

Souza, E. De.: The coming of the Lord, Jerusalem 1970 (Pars dissertationis).

Stade, B.: Die messianische Hoffnung im Psalter. ZThK 2, 1892, 369—413.

Staerk, W.: Der Gebrauch der Formel באחרית הימים im alttestamentlichen Kanon. ZAW 11, 1891, 247—253.

—: Alttestamentliche Eschatologie (Thesen). ThBl 8, 1929, Sp. 165 f.

Stamm, J. J.: Erlösen und Vergeben im Alten Testament. Bern 1940.

—: Die Immanuel-Weissagung und die Eschatologie des Jesaja. ThZ 16, 1960, 439—455.

Stamm, J. J., und H. Bietenhard: Der Weltfriede im Alten und Neuen Testament. Zürich 1959.

Stegemann, U.: Der Restgedanke bei Isaias. BZ NF 13, 1969, 161—186.

Steuernagel, C.: Die Strukturlinien der Entwicklung der jüdischen Eschatologie. In: FS A. Bertholet, Tübingen 1950, 479—487.

Stinespring, W. F.: Eschatology in Chronicles. JBL 80, 1961, 209—219.

Stuart, D.: The Sovereigns's Day of Conquest: A Possible Ancient Near Eastern Reflex of the Israelite "Day of Yahweh". BASOR 221, 1976, 159—164.

Traub, H.: Art.: Enderwartung. In: BThH, Göttingen 1954, Sp. 103—105.

Vaux, R. de: Le « Reste d'Israël » après les prophètes. RB 42, 1933, 526—539 (= ders., Bible et Orient, 1967, 25 ff.).

Vawter, B.: Apocalyptic: its relation to Prophecy. CBQ 22, 1960, 33—46.

Vernes, M.: Le peuple d'Israël et ses espérance. Paris 1872.

Vischer, W.: Die Immanuel-Botschaft im Rahmen des königlichen Zionsfestes. Zürich 1955 (ThSt 45).

Vollborn, W.: Innerzeitliche oder endzeitliche Gerichtserwartung? Ein Beitrag zu Amos und Jesaja. (Diss. theol. Greifswald) Kiel 1938.

Volz, P.: Die vorexilische Jahweprophetie und der Messias. Göttingen 1897.

—: Das Neujahrsfest Jahwes. Tübingen 1912.

—: Die Eschatologie der jüdischen Gemeinde im neutestamentlichen Zeitalter. Tübingen 1934.

—: Der eschatologische Glaube im Alten Testament. In: FS G. Beer, Stuttgart 1935, 72—87.

Vries, de: Yesterday, today and tomorrow. Time and History in the Old Testament, Grand Rapids 1975.

Vriezen, Th. C.: Die Hoffnung im Alten Testament. ThLZ 78, 1953, Sp. 577—586.

—: Prophecy and Eschatology. VTS I, Leiden 1953, 199—229.

—: Theologie des Alten Testaments in Grundzügen. Neukirchen o. J. (1956).

Wächter, L.: Jüdischer und christlicher Messianismus. Kairos 18, 1976, 119—134 (=ders., Jüdischer und christlicher Glaube, Berlin und Stuttgart 1975, 9 ff.).

Waldow, H. E. von: Der traditionsgeschichtliche Hintergrund der prophetischen Gerichtsreden. Berlin 1963 (BZAW 85).

Wanke, G.: „Eschatologie". Ein Beispiel theologischer Sprachverwirrung. KuD 16, 1970, 300—312.

Weiss, M.: The origin of the "Day of the Lord" — reconsidered. HUCA 37, 1966, 29—60.

Wensinck, A. J.: The Semitic New Year and the Origin of Eschatology. Acta Orientalia I, 1923, 158 ff.

Westermann, C.: Eine Begriffsuntersuchung (Hoffen und Erwarten im Alten Testament). In: ThViat IV, Berlin 1952, 19—70 (= Forschung am AT, ThB 24, 1964, 219 ff.).

—: Das Loben Gottes in den Psalmen. 4. Aufl., Göttingen 1968.

Wilch, J. R.: Time and Event. Leiden 1969.

Wildberger, H.: Jesajas Verständnis der Geschichte. VTS IX, Leiden 1963, 83—117.

Wolff, H. W.: Herrschaft Jahwes und Messiasgestalt im Alten Testament. ZAW 54, 1936, 168—202.

—: Das Thema „Umkehr" in der alttestamentlichen Prophetie. ZThK 48, 1951, 129—148 (= ders., Ges. Stud. zum AT, ThB 22, 2. Aufl. 1973, 130 ff.).

—: Das Geschichtsverständnis der alttestamentlichen Prophetie. EvTh 20, 1960, 218—235 (auch in: Ges. Studien . . ., 289 ff.).

—: Wegweisung. Gottes Wirken im Alten Testament. München 1965.

Woude, A. S. van der: Art.: Messias. In: Bibl.-hist. HWB, Band II, Göttingen 1964, Sp. 1197—1204.

Wren, B. A.: The Language of Prophetic Eschatology in the Old Testament. Diss. Oxford 1968/69.

Wright, G. E.: God Who Acts. 7. Aufl., London 1964.

Würthwein, E.: Buße und Umkehr im Alten Testament. In: ThW IV, Stuttgart 1942, 976—985.

—: Der Ursprung der prophetischen Gerichtsrede. ZThK 49, 1952, 1—16 (= ders., Wort und Existenz, 1972, 111 ff.).

Yates, D. R.: The Eschatological Message Concerning Man in the Book of Ezekiel. Diss. Abstracts 33, (1972/73), 1832.

Zedda, S.: L'eschatologia biblica, Vol. I. Brescia 1972.

Zerafa, P.: Il resto d'Israele nei profeti presilici. Angelicum 49, 1972, 3—29.

Zimmerli, W.: Gericht und Heil im alttestamentlichen Prophetenwort. In: Der Anfang, Heft 11, Berlin 1949, 21—46.

—: Verheißung und Erfüllung, EvTh 12, 1952/53, 34—50 (auch in: ThB 11, 2. Aufl., 1963, 69 ff.).

—: „Offenbarung" im Alten Testament. EvTh 22, 1962, 15—31.

—: Gottes Offenbarung. Gesammelte Aufsätze, Bd. I (ThB 19), 2. Aufl., München 1969.

—: Der Wahrheitserweis Jahwes nach der Botschaft der beiden Exilspropheten. In: Tradition und Situation (FS A. Weiser), Göttingen 1963, 133—151 (= ders., Studien zur alttest. Theologie und Prophetie, ThB 51, 1974, 192 ff.).

—: Der Mensch und seine Hoffnung im Alten Testament. Göttingen 1968.

Ohne Verfasser: Hoffnung in der Bibel. Ökumenische Studien Nr. 5, September 1952 (darin u. a. Vorträge von Vriezen und G. Stählin mit Diskussionen).

Der weiteren Verfolgung des Themas innerhalb systematisch-theologischer Zusammenhänge sind dienlich:

Althaus, P.: Die letzten Dinge. 10. Aufl., Gütersloh 1970.

Benz, E.: Endzeiterwartung zwischen Ost und West. Freiburg 1973.

Brunner, E.: Das Ewige als Zukunft und Gegenwart. München und Hamburg 1965 (Siebenstern-Taschenbuch 32).

Gloege, G.: Mythologie und Luthertum. 3. Aufl., Göttingen 1963.

Hedinger, U.: Unsere Zukunft. Aspekte der Zukunftsvorstellungen in der heutigen Theologie. Zürich 1963.

—: Hoffnung zwischen Kreuz und Reich. Zürich 1968.

Kraus, H.-J.: Reich Gottes — Reich der Freiheit. Neukirchen 1975.

Kreck, W.: Die Zukunft des Gekommenen. 2. Aufl., München 1966.

Löwith, K.: Weltgeschichte und Heilsgeschehen. 4. Aufl., Stuttgart 1961.

Marsch, W.-D.: Diskussion über die „Theologie der Hoffnung" von Jürgen Moltmann. München 1967.

—: Zukunft. Stuttgart und Berlin 1969.

Moltmann, J.: Theologie der Hoffnung. 9. Aufl., München 1973.

—: Das Experiment Hoffnung. München 1974.

—: Umkehr zur Zukunft. München und Hamburg 1970. (Siebenstern-Taschenbuch 154.)

Ott, H.: Eschatologie. Zürich 1958.

Reumann, J.: Creation and New Creation. The Past, Present and Future of God's Creative Activity. Minneapolis 1973.

Sauter, G.: Zukunft und Verheißung. 2. Aufl., Zürich und Stuttgart 1973.

Scherer, G. (u. a.): Eschatologie und geschichtliche Zukunft. Essen 1972.

Schwarz, H.: On the Way to the Future. Minneapolis 1972.

Wiederkehr, D.: Perspektiven der Eschatologie. Zürich, Einsiedeln, Köln 1974.

REGISTER WICHTIGER BIBELSTELLEN

Die angegebenen Seitenzahlen gelten auch für die jeweiligen Anmerkungen.

REGISTER WICHTIGER BEGRIFFE UND SACHEN

RELIGIONSWISSENSCHAFT

Donner, H.: Einführung in die biblische Landes- und Altertumskunde. VII, 127 S. **Nr. 6344-9**

Hornung, E.: Der Eine und die Vielen. Ägyptische Gottesvorstellungen. VIII, 280 S., 20 Abb., 5 Taf. **Nr. 5051-7**

Lanczkowski, G. (Hrsg.): Selbstverständnis und Wesen der Religionswissenschaft. (WdF, Bd. 263) IX, 409 S. **Nr. 4910-1**

Mann, U.: Das Christentum als absolute Religion. VII, 200 S. **Nr. 4941-1**

Mann, U. (Hrsg.): Theologie und Religionswissenschaft. XIV, 481 S. **Nr. 4914-4**

Mayer, Anton L.: Die Liturgie in der europäischen Geistesgeschichte. X, 453 S. **Nr. 5659-0**

Nötscher, F.: Altorientalischer und alttestamentlicher Auferstehungsglaube. XII, 411 S. **Nr. 5130-0**

Oberhuber, K. (Hrsg.): Das Gilgamesch-Epos. (WdF, Bd. 215) XXVI, 445 S. **Nr. 4457-6**

Oldenberg, H.: Die Religion des Veda. X, 608 S. **Nr. 5054-1**

Otto, Walter F.: Die Manen oder Von den Urformen des Totenglaubens. 115 S. **Nr. 437-X**

Paret, R. (Hrsg.): Der Koran. (WdF, Bd. 326) XXV, 449 S. **Nr. 5465-2**

Schaeder, H. H.: Studien zur orientalischen Religionsgeschichte. VIII, 282 S. **Nr. 2148-7**

Schlerath, B. (Hrsg.): Zarathustra. (WdF, Bd. 169) X, 416 S. **Nr. 4121-6**

Smith, W. Robert: Die Religion der Semiten. XXII, 372 S., 13 Abb. **Nr. 3594-1**

Stephenson, G. (Hrsg.): Der Religionswandel unserer Zeit im Spiegel der Religionswissenschaft. XIII, 354 S. **Nr. 7473-4**

Widengren, G. (Hrsg.): Der Manichäismus. (WdF, Bd. 168) XXXVII, 497 S. **Nr. 4116-X**

Wilamowitz-Moellendorff, U. v.: Der Glaube der Hellenen. XVIII, 1031 S. **Nr. 6692-8**

WISSENSCHAFTLICHE BUCHGESELLSCHAFT

Postfach 11 11 29   D-6100 Darmstadt 11

DIE THEOLOGIE

Einführung in Gegenstand, Methoden und Ergebnisse
ihrer Disziplinen und Nachbarwissenschaften

Die Reihe wird fortgesetzt.

WISSENSCHAFTLICHE BUCHGESELLSCHAFT

Postfach 11 11 29, 6100 Darmstadt 11